LE LIBÉRALISME

ESPOIR OU PÉRIL

RAYMOND POLIN
CLAUDE POLIN

LE LIBÉRALISME

ESPOIR OU PÉRIL

LA TABLE RONDE
40, rue du Bac, Paris 7ᵉ

PRÉFACE

Il est faux que tous les hommes aient toujours aimé la liberté, l'expérience et l'histoire prouvent l'inverse.

Mais, dans les siècles passés, ceux qui voulaient vivre libres n'étaient pas haïs de le souhaiter, même s'ils en étaient empêchés : il n'était pas tenu à vice d'être un homme libre.

Aujourd'hui la liberté est devenue un mot que tous ont à la bouche, mais dont la plupart ignorent ce qu'il veut dire ; la liberté est une réalité que bien peu veulent défendre, un idéal que beaucoup condamnent comme étant contraire aux vraies valeurs et dont ils se servent seulement pour assassiner les libertés.

*

C'est parce que les auteurs s'entendent sur ce diagnostic et qu'ils veulent défendre une liberté essentielle à l'individu humain et les libertés qu'il incarne qu'ils ont pensé à écrire ce livre en commun : car il leur paraissait nécessaire, se sentant de gré ou de force embarqués sur le même navire que leurs concitoyens, de les prévenir qu'ils risquent fort, dans un proche avenir, de se réveiller esclaves.

Mais, si ce livre a pris la forme de deux discours affrontés, c'est parce qu'ils étaient en désaccord sur ce en quoi leur liberté consistait et, par conséquent, sur les moyens de la préserver aujourd'hui.

Pour l'un, le libéralisme est une philosophie qui a entrepris, non seulement de sauver la liberté, mais de la fonder parmi les hommes. Pour l'autre, c'est une philosophie qui véhicule, sans le savoir, un germe fatal aux libertés humaines.

En somme ils partagent, chacun à sa façon, une commune

déception. L'un conclut son analyse très critique et très pessimiste
à la nécessité d'aller au-delà du libéralisme pour sauver la liberté.
L'autre critique et condamne certes les manifestations corrompues ou faciles du libéralisme, engendrées par de fausses conceptions de la liberté, mais il demeure convaincu que la liberté ne
peut être sauvée que par la pratique d'un libéralisme exigeant et
rigoureux.

Ces attitudes sont sans doute irréductibles. Ce qui les réunit,
c'est l'amour de la liberté, la bonne foi et la bonne volonté, en
même temps que la volonté de mener une politique efficace dans
le respect du bien commun et avec le sens de l'État.

On pardonnera aux auteurs de ne prendre ici en considération
que les nations de l'Occident chrétien, qu'il s'agisse de la vieille
Europe ou des nations dont la culture et la population en sont
pratiquement issues. Il s'agit d'un ensemble culturel, la culture
occidentale, née de l'antiquité gréco-latine et de l'antiquité juive,
développée et accomplie dans le cadre du christianisme. C'est par
rapport à cet ensemble culturel que le libéralisme a du sens ; il en
est issu, qu'il en soit ou non l'expression la plus accomplie et la
plus riche d'espérances et d'œuvres. Telle est la question à laquelle
ce livre cherche à apporter des réponses.

*

Dans l'esprit des auteurs, ce livre s'adresse à des hommes pour
qui la liberté individuelle est pleine d'une signification essentielle
et sans laquelle rien d'humain ne se fera jamais. Ils rappellent que,
par-delà l'apparente abstraction de leurs propos, ce dont ils entendent débattre, mais avec rigueur, c'est du destin le plus quotidien,
le plus banal et le plus concret de chacun d'entre nous : ce qu'ils
veulent décrire, c'est la nature des choses humaines, contre
laquelle il ne peut exister de volonté efficace et de succès durable.

Ils veulent ici lutter contre ceux qui, empoisonnés par l'atmo-
sphère délétère du marxisme, même quand ils n'en partagent pas
les fallacieux préjugés, s'imaginent que toute philosophie n'est
qu'une vulgaire idéologie, une simple machine de propagande
armée en vue de la recherche du pouvoir. Ceux-là viennent renfor-
cer l'antique illusion qui fait accroire que la pratique n'a pas
besoin de théorie, que la théorie fait perdre le sens des réalités et
du concret. Ils croient, au contraire, que la pratique n'est jamais,
qu'elle en soit consciente ou non, qu'une philosophie mise en
action, avec cette différence qu'une action qui n'est pas inspirée
par une philosophie est une action à courte vue, que menacent, à
chaque instant, l'aveuglement et l'incohérence, une action de

myope, en tout cas, qui vit dans l'immédiat et l'apparence, dans l'oubli de l'idéal et de l'essentiel. Une politique ne peut être grande et efficace que si elle est animée par une philosophie authentique, c'est-à-dire par une compréhension de la vérité de l'homme et de son action sur la réalité du monde qui l'entoure. La philosophie est une recherche de la vérité de l'homme réel, un effort pour le rendre compréhensible et compréhensif, pour travailler à son excellence et pour le rendre vertueux, au sens le plus noble du terme. Il n'y a pas de bonne politique qui ne soit une politique morale. La politique avec la morale n'est cependant que tâtonnement désordonné, parade au plus pressé ou tyrannie idéologique, si elle ne se fonde pas sur une philosophie, sur une recherche et sur une réalisation de la vérité de l'homme, c'est-à-dire d'un être libre et en liberté.

Pour se concentrer sur une réflexion essentiellement théorique, les deux auteurs n'en sont pas moins strictement attentifs à la réalité. Ils se soumettent aux règles du possible et de l'impossible et se soucient tout autant de l'opportun et de l'inopportun. Ils souhaitent être, autant que faire se peut, cohérents et pratiques. Pour eux, la véritable philosophie est une philosophie pratique. On l'a compris, ils ne sont absolument pas des « intellectuels ».

Les auteurs ne sont pas des hommes politiques et ne sont pas préoccupés des réactions de l'opinion politique à leurs idées, comme il est très normal et rationnel que des hommes politiques et même des hommes d'État le soient.

Les auteurs croient cependant que des hommes politiques qui veulent être des hommes d'État doivent travailler avec lucidité à partir d'une philosophie de la réalité politique, même et surtout si leur action est une action de compromis, puisqu'elle est un effort pour ordonner avec efficacité, aux finalités de leur philosophie et aux exigences de la vie au sein d'une communauté politique, les passions des hommes et leurs activités historiques contingentes.

RAYMOND POLIN

LE LIBÉRALISME

ESPOIR

Première Partie

L'HOMME LIBÉRAL

INTRODUCTION

J'appelle libéralisme la philosophie politique pour laquelle la liberté, je veux dire la liberté de chaque être humain, est la valeur morale et politique suprême, celle à laquelle il convient de sacrifier, s'il est nécessaire, toutes les autres valeurs. Un tel libéralisme, au moins dans son principe, se présente comme une évidence pour tout homme éclairé et de bonne foi. Car, hors d'une politique de liberté, il n'est pas possible à un homme, à une communauté d'hommes, de vivre de façon humaine, de vivre en être humain, c'est-à-dire librement.

Il est important de le dire, avant qu'il ne soit trop tard, tant que l'on peut encore parler librement de la liberté. Pour répondre à mon appréhension d'aujourd'hui, je serais tenté de prendre un ton tragique et de laisser parler mes passions. Pour faire mon métier de philosophe, j'essaierai au contraire de penser le libéralisme avec clarté et de rendre évident, tout au moins de mettre en évidence, ce que je crois être un libéralisme authentique, un libéralisme vrai, approprié à notre temps.

Car le libéralisme n'a pas pour seul ennemi des ennemis de l'extérieur, le socialisme et le totalitarisme. Il trouve ses plus intimes adversaires, à l'intérieur de lui-même, parmi certains soi-disant libéraux, parmi certains « amis de la liberté », tant le libéralisme, en prenant de l'âge, s'est souvent abâtardi et corrompu. Il est apparu autant de politiques qui se prétendaient libérales qu'on a donné de significations arbitraires à la liberté. Il n'est pas jusqu'aux pires ennemis de la liberté qui ne se recommandent de la liberté.

Avant toute chose, pour donner sa valeur et son sens à un vrai libéralisme moderne, il faut d'abord éclairer et restaurer la valeur proprement libérale de la liberté. Après quoi, il faudra dégager des libéralismes fallacieux et abusifs, les éléments, les principes et les moyens d'une doctrine authentiquement libérale.

CHAPITRE PREMIER

LA LIBERTÉ POUR UN HOMME LIBÉRAL

I. LA LIBERTÉ, POSTULAT ET EXPÉRIENCE VÉCUE.

On est libéral parce que l'on croit à la liberté de l'homme. On peut même se demander comment on peut n'être pas libéral, si l'on croit vraiment que la nature de l'homme, c'est d'être libre.

Certes, il ne s'agit pas d'une science, mais d'une croyance philosophique en la réalité irréductible et inaliénable de la liberté humaine et de sa valeur. On ne saurait prétendre la démontrer. C'est un postulat, comme il en existe au départ de toute philosophie. Mais chacun en ressent si intensément l'expérience vécue que chacun fait, dans tous les actes de la vie quotidienne, comme s'il était libre et comme si les autres l'étaient aussi. On voit chaque décision naître en soi de soi seul, sur un fond d'indétermination radicale et d'incertitude éprouvée. On constate que la décision de l'autre est toujours imprévisible, même lorsqu'elle n'est pas surprenante ; on éprouve, devant chaque existence humaine, un sentiment de différence, devant chaque grande œuvre humaine, une impression de nouveauté, d'originalité ; c'est pourquoi, seule une liberté originaire semble pouvoir expliquer cette indétermination, cette imprévisibilité, cette différence, cette originalité.

Mais s'il me fallait donner de la croyance en la liberté une justification à mes yeux décisive, j'aurais recours au fait que l'homme ne vit pas immédiatement au sein de la nature, mais qu'il existe au sein d'une culture, qui est son œuvre, l'œuvre et le témoignage de sa liberté. Une culture, c'est sur un territoire donné, l'œuvre accumulée des générations qui s'y sont succédé, dans la longue durée d'une histoire à force de travaux, de luttes et d'efforts, qui font d'une culture une réalité humaine au-delà toute nature. La diversité des cultures, leur irréductibilité, l'impossibilité de retrouver une histoire unique de l'humanité à travers elles, ajoutent encore à la preuve et montrent avec quelle liberté, avec quel esprit novateur et créateur, les hommes ont, en fait, dans chaque culture triomphante, à chaque époque de son histoire, réussi à passer outre aux déterminations de tout le donné naturel et de tout le donné historique reçu. Grâce à sa liberté, chaque homme existe dans sa culture, à partir de cette culture, mais au-delà de cette culture ; il la dépasse et il y ajoute sans cesse en en conservant l'essentiel. Sa culture personnelle est encore quelque chose d'autre et de plus que la culture dans laquelle il vit avec ses compatriotes et ses contemporains.

II. Liberté des Classiques et liberté des Modernes.

Quelle que soit sa valeur, et quelque rôle qu'elle ait joué dans la fondation du libéralisme, je ne reprendrai pas la définition classique de la liberté, qui a régné au moins jusqu'au XVIIIe siècle. Pour toute cette grande tradition, que j'intègre au contraire volontiers tout en la dépassant, la liberté serait l'accomplissement sans empêchement, sans obstacle, de ce que chaque homme est en germe, dans ce qu'il a d'essentiel et dans ce qu'il a de propre. La liberté serait l'actualisation de ce qu'il est en puissance dans son humanité et dans sa particularité. Ce serait la réalisation effective et efficace, réussie, de ce qu'un homme donné est, en puissance et par nature. Cette liberté des Classiques s'insère dans un ordre qui lui préexiste et qu'elle enrichit. Elle contribue à l'actualisation, à la perfection de cet ordre du monde et des hommes. Elle est parfaitement compatible avec l'abstraite nécessité inscrite dans la réalisation d'un être qui peut devenir parfait, un sage ou un saint, un héros ou un homme de génie.

Dans la mesure où, en revanche, on déclare avec les Modernes, que la liberté elle-même est la nature de l'homme et que la nature de l'homme consiste à faire librement sa nature, on attribue à la liberté une fonction nouvelle, une fonction véritablement créatrice. La liberté de notre temps ne s'inscrit pas dans un ordre donné. Elle devient le principe et le moyen d'un ordre à créer et à accomplir.

Pour bien la comprendre, il faut d'abord considérer cette liberté de notre temps dans sa face négative. Elle se manifeste d'abord comme un pouvoir d'indétermination. Être libre, c'est d'abord rompre avec tout le donné, établir une discontinuité avec son donné propre et avec le donné environnant, qu'il soit nature ou histoire. Être libre, c'est d'abord se libérer, se délivrer, échapper aux déterminations et aux contraintes. Le seul fait de prendre conscience, accompagné de la prise de conscience de cette conscience, je veux dire la simple réflexion, qui suspend et qui peut interrompre le cours de l'événement, qui établit une distance entre la situation donnée et soi-même, est, à la fois, la meilleure image et le ressort profond de cette activité indéterminante. Cette indétermination entraîne une libération : déjà sous la forme d'une simple rupture, elle met en question le donné, elle peut conduire à le désordonner, à le défaire, à le détruire, à l'anéantir.

Ce n'est là que la première phase de la liberté vivante. La phase positive, c'est le pouvoir de dépasser le donné, d'agir ou d'œuvrer *au-delà* de lui, de lui ajouter quelque chose *de plus*. En d'autres termes, c'est le pouvoir propre à l'homme d'être, en certains cas, un commencement radical, une origine première, de produire quelque chose de nouveau, d'original ; bref, c'est le pouvoir d'innover, d'inventer, en un mot, de créer. Il ne s'agit pas, bien sûr d'une création *ex nihilo,* à la façon divine, mais d'une création tout humaine qui porte essentiellement sur l'ordre, la forme, la valeur, le sens de ce que l'on fait, de l'œuvre que l'on accomplit. La création peut être infime ou majeure, mais elle est toujours marquée de cet *en plus,* de cet *au-delà,* de ce différent, qui sont irréductibles. La liberté n'est pas simplement un accomplissement non empêché, ni même un choix entre deux ou plusieurs possibles qui, sous certains rapports, préexisteraient. Le dépassement qu'engendre la liberté, véritable transcendance en acte, joint l'acte de création à l'acte d'indétermination. L'histoire d'une culture est l'histoire des myriades de créations qui l'ont engendrée, qu'il s'agisse des formes modestes de l'existence quotidienne ou des manifestations les plus grandioses du génie humain. On comprend alors pourquoi l'histoire de la liberté est l'histoire de l'imprévisible, cet imprévisible vécu dans toutes les affaires humaines.

On comprend aussi que, pour la liberté de notre temps, il n'y ait pas d'ordre définitivement reçu, qui puisse être satisfaisant et dont elle puisse se contenter. Par nature, parce qu'il est libre, l'homme est toujours insatisfait et toujours insatiable. Ce qui revient à dire qu'il est et se sait toujours imparfait. Et il est imparfait, parce qu'il est libre.

Libre, l'homme est toujours « en dépassement », en « transcendance », attelé à la création d'un ordre meilleur et qui lui soit plus approprié, où il soit mieux à son aise et mieux « chez lui ». Cet ordre est toujours en train d'être fait, il est toujours inachevé, il est toujours au-delà de l'action créatrice en travail.

III. LA LIBERTÉ N'EST NI UN BIEN, NI UNE FIN EN SOI, MAIS LE MOYEN NÉCESSAIRE D'UNE EXISTENCE HUMAINE.

On le voit, cette sorte d'opposition, disons, cette dialectique, entre la liberté et l'ordre, bat en brèche ce qui, de nos jours, est devenu une idée reçue, à savoir que la liberté est toujours bonne, bonne pour l'individu, bonne pour le citoyen, bonne pour la cité, bonne pour tous. « Liberté, liberté chérie », chante-t-on en chœur. « La liberté ou la mort », s'écrient certains aux applaudissements admiratifs de tous. Ces formules célèbres, d'un sens très clair dans la situation où elles étaient prononcées, ont engendré la pire confusion dans les esprits.

On s'est imaginé que la liberté avait une valeur en elle-même et à elle seule, une valeur absolue. En vérité, il n'en est rien. Tant s'en faut. Lorsque nous avons affirmé notre foi : « la liberté est la nature même de l'homme », nous n'avons pas pris parti pour ou contre la liberté pour autant, pas plus que nous n'avons pris parti pour ou contre l'homme. Après tout, l'homme en tant qu'homme n'est ni bon, ni méchant. L'homme peut être, pour son prochain, aussi bienfaisant qu'un dieu ou pire qu'un loup. Tout dépend de ce qu'il fait et, précisément, de l'usage qu'il fait de sa liberté, du sens qu'il lui donne. Car il y a de bons et de mauvais usages de la liberté. En d'autres termes, chaque homme se sert de sa liberté, bien ou mal. Sa liberté est pour lui un simple instrument. La liberté n'a donc jamais qu'une valeur de moyen, même s'il s'agit d'un moyen essentiel, du moyen proprement humain de l'homme. La liberté n'a jamais, en tant que telle, la valeur d'une fin et ne peut jamais servir de fin suffisante.

Il suffit, pour s'en convaincre, de revenir à la définition que nous venons d'en donner, qui insiste sur sa fonction, à la fois indéterminante et créatrice.

Dans la mesure où l'essence de l'homme est la liberté, la nature de l'homme va contre la nature des choses. On constate, en effet, que le monde dans lequel vit l'homme, le monde de la culture, est créé, certes, à partir de la nature, mais contre elle, en instaurant un ordre autre que l'ordre naturel. L'action libre, qui dépasse, qui transcende, qui innove, est une action de force qui détruit, qui transforme, qui dénature, qui contraint. Le pouvoir de liberté est fondamentalement un pouvoir de violence. La valeur de cette violence dépend évidemment des valeurs au service desquelles elle est mise et des valeurs qu'elle violente.

Faculté d'indétermination, la liberté exerce sa violence à

force de rompre, de détruire, certains ont dit, à force d'anéantir. Son premier mouvement est un mouvement de déviation et, par rapport à la nature, de dénaturation. On a pu écrire, en pensant au péché originel, que, si l'histoire de la nature commence par le bien, parce qu'elle est l'œuvre de Dieu, l'histoire de l'homme commence par le mal, parce qu'elle est l'œuvre de la liberté humaine. Il est manifeste que, dans sa dialectique avec l'état du donné, la liberté est une puissance de désordre. Elle commence par désordonner, ne serait-ce que pour pouvoir réordonner. En revanche, en déviant par rapport à la déviation, en désordonnant du désordre, elle se met en mesure d'accomplir sa fonction créatrice et ordinatrice : elle peut mettre de l'ordre dans un désordre. Bref, tout comme le changement, qui n'a aucun sens intrinsèque, et dont elle est le moyen, elle peut mettre en pratique n'importe quelle valeur, la meilleure comme la pire. En tant que telle, en tant que moyen, la liberté est vide de valeur finale, elle est neutre.

Elle est aussi pleine de menaces qu'elle est pleine de promesses. Elle constitue un risque permanent, mais aussi bien une chance. Elle est une aventure, une ouverture, encore une fois pour le meilleur ou pour le pire. Tout dépend de l'usage qui est fait de cet universel moyen, de ce moyen proprement humain, et l'appréciation qui en est portée dépend des valeurs finales et du sens de cet usage.

IV. LIBERTÉ ET CONSCIENCE RÉFLÉCHIE ET RAISONNABLE.

Pour une seconde raison, il n'est pas possible de donner à la liberté, considérée en tant que telle et à elle seule, une valeur intrinsèque, un sens suffisant. On commet, en effet, une grave erreur en limitant la nature de l'homme à la liberté ou en considérant, par une abstraction inadmissible, la liberté en l'homme comme une faculté isolable. Chaque individu humain forme un tout concret : il n'est capable de liberté que parce qu'il est capable de conscience réfléchie, et chacun n'est capable de conscience réfléchie que parce qu'il existe par rapport à d'autres individus humains et avec eux.

La liberté est inséparable d'une réflexion sur l'usage de la liberté. La puissance d'indétermination de la liberté trouve sa première démarche dans la réflexion qui suspend le jugement et l'action immédiate ; elle en permet une élaboration délibérée. En suspendant le cours de l'existence, en prenant de la distance par rapport à soi et au donné, l'acte de la liberté, l'acte de réflexion rend possible une forme nouvelle de la liberté, la maîtrise de soi.

La liberté implique donc que l'homme est, en soi et pour soi, conscience, prise de conscience et conscience vécue. La réflexion, la conscience pour soi, est le mode théorique de la conscience, dont la liberté est le mode d'existence pratique. A la limite et, à leur point de perfection, liberté et conscience s'identifient dans ce que l'on peut appeler l'esprit. La liberté, c'est l'énergie spirituelle en substance et en acte.

D'autre part, la constitution du moi individuel n'est pas immédiate ; elle passe par le rapport à autrui : on ne prend vraiment conscience de soi, on ne devient soi-même une personnalité individuelle, qu'à travers la conscience que les autres en prennent, puis en se libérant de leur emprise et en prenant conscience de cette relation réciproque. Un homme concret, particulier, existe par et contre les autres, avec les autres. Sociable, il l'est autant qu'il est insociable, parce qu'il est libre et réfléchi. Son « insociable sociabilité » fait partie de sa nature. Chaque homme n'existe que dans le réseau de relations spirituelles tendu du fond du passé, dans le présent et vers l'avenir qui, de proche en proche, constitue une culture. L'homme est d'abord un être culturel ; en tant qu'homme, il existe d'abord parce qu'il est spirituel.

Quand le libéralisme croit que l'homme est, par nature, capable de liberté, il veut dire, certes, qu'un homme peut actualiser plus ou moins la liberté qu'il porte en lui en puissance, mais aussi qu'il est libre par nature, qu'il est libre, qu'il le veuille ou non. Cette capacité à la liberté ne dépend pas de la liberté, ni de la sienne propre, ni de celle des autres, et pas davantage de l'autorité de l'État. On ne saurait recevoir sa liberté d'autrui.

La liberté humaine est inaliénable, non seulement en droit, comme le découvriront au XVIIe siècle les philosophes « libéraux », mais par essence et en fait. Non pas que l'homme soit déterminé à être libre. Le rapport d'un homme à sa liberté est d'un autre ordre : c'est un rapport d'obligation, c'est-à-dire un rapport spirituel qui implique réflexion, sens, valeur et compréhension. Une existence proprement humaine résulte de l'obligation à la liberté effectivement accomplie. Chaque homme est obligé d'être aussi parfaitement libre qu'il le peut. L'existence de l'homme ne lui est pas, immédiatement et tout entière, donnée : il a à la faire, en se cultivant et au sein de la culture dans laquelle il est né : c'est son obligation d'homme. L'homme vient à une existence vraiment humaine en donnant du sens et de la valeur aux œuvres qu'il crée, en les intégrant à une culture. C'est pourquoi exister, pour un homme, c'est exister pour autrui, c'est s'efforcer de se faire comprendre et d'être compris. Ce degré dans la perfection d'une existence libre est fonction du rapport de la liberté de chacun à sa réflexion raisonnable, à la valeur que son prochain lui reconnaît et qu'il reconnaît à celui-ci, à la culture dans laquelle il agit et œuvre.

C'est pourquoi on ne peut juger de la liberté en tant que telle et en la considérant à elle seule, à part de l'individu libre tout entier, réfléchi, raisonnable, incarné, à part de sa société et de sa culture. En elle-même, la liberté n'est qu'un simple moyen, un outil bon pour tout et bon pour n'importe quoi. En tant qu'énergie spirituelle, on ne peut l'apprécier, chez un individu, que dans l'ensemble de ses relations à sa conscience réfléchie, aux autres et à l'ensemble de la culture ambiante. Elle constitue alors une finalité humaine qui, si formelle, si médiate soit-elle, est une finalité essentielle, apte à fournir au libéralisme un principe d'appréciation authentique et à le purifier de toutes les conceptions corrompues de la liberté qui foisonnent autour de lui.

CHAPITRE II

LES FINALITÉS DU LIBÉRALISME

L'analyse de la liberté à laquelle nous venons de nous livrer, la mise en évidence de ses mauvais et de ses bons usages, appréciés en fonction de sa relation intrinsèque à la réflexion raisonnable et à l'homme en tant que tel, nous permettent désormais de définir les finalités politiques d'un libéralisme que nous considérons comme un libéralisme approprié à notre temps, et de le distinguer ainsi de tous les libéralismes abâtardis ou corrompus qui ont peu à peu proliféré dans la jungle politique. Ce sera maintenant notre tâche.

Bien sûr, la finalité politique du libéralisme passe toujours par la sauvegarde politique de la liberté, par la protection de la liberté politique, mais encore faut-il en préciser le sens et l'usage.

De plus, le libéralisme classique qui s'est formé à partir du souci de protéger et de défendre la liberté, protège et défend, en fait, l'individu, ses libertés, ses valeurs, sa foi, contre l'emprise, les abus ou les excès des pouvoirs temporels. Le libéralisme ainsi défini ne saurait trouver les fins de son action dans l'exercice d'un pouvoir politique ou même dans la politique, qui est un jeu de puissances et de pouvoirs, un jeu de forces et de violences sous quelque forme qu'elle se présente.

Aux yeux d'un libéral, la politique ne représente et ne comporte aucune fin intrinsèque. Toutes les fins intrinsèques de la politique, la sécurité, la puissance, la paix, l'indépendance, la liberté politique sont des formes vides ; elles n'ont pas de sens en elles-mêmes ; elles ne fournissent un programme d'action, un projet d'œuvre que si elles sont nourries par les finalités d'une morale politique. La puissance, bien sûr, mais pour quoi en faire ? La paix, assurément, mais pour quelle manière de vivre en paix ?

L'indépendance, bien entendu, mais à quoi l'employer ? Quant à la liberté politique, comme toute liberté, elle n'est qu'un moyen indéterminé, situé à une autre échelle que la liberté individuelle.

Ces valeurs instrumentales ont tout naturellement un pouvoir d'évidence à un niveau tout formel et verbal, qui suscite aisément la conviction du grand nombre. Elles peuvent servir de réclame pour n'importe quelle démagogie. Elles sont alors utilisées pour satisfaire, à travers des idéologies non moins creuses et vides qu'elles-mêmes, les passions frénétiques d'hommes et de groupes de pression entraînés les uns par leur ambition, leur volonté de puissance, les autres, par leur envie, d'autres enfin par leur crainte, voire leur lâcheté, quand ce n'est pas par leur paresse. Il n'en résulte, dans l'immédiat ou à terme, dans la dictature ou la démo-cratie, que des aventures et des catastrophes démagogiques. Que peut être une téléologie ou, comme on dit, une stratégie, ainsi per-vertie, puisqu'elle n'a pas de fin concrète ?

Les finalités de la politique relèvent, non de la politique, mais d'une morale politique, c'est-à-dire, à la fois, d'une morale appli-quée à la politique et d'une politique qui se donne des fins mora-les. Entendons-nous bien. Les fins de la politique libérale ne s'immiscent pas dans la vie privée des individus, dans la morale de leur vie privée, dans les mœurs qui composent leur vie privée, leur *privacy*. Mais elles se donnent pour fins les indivi-dus eux-mêmes et les conditions d'existence qui rendent pos-sible, pour leur propre liberté, le meilleur usage qu'ils sont capables de concevoir et de réaliser dans leurs actions et dans leurs œuvres.

I. PERSONNE ET INDIVIDU.

C'est l'individu et non la politique, la collectivité ou la commu-nauté, qui est au cœur de la finalité politique du libéralisme. L'individu, entendu dans son système de relations avec chacun des autres, avec les groupes et l'ensemble de la communauté qu'ils composent, est la seule réalité concrète capable d'autonomie. La communauté, même si elle est entendue comme un système de liens spirituels, même si elle est, comme telle, objet de foi et d'amour, n'est qu'une entité abstraite, hétéronome, une institu-tion en elle-même formelle, et non suffisante, à la merci des indi-vidus qui la composent ou de quelques-uns d'entre eux. Sa valeur est de constituer la condition d'existence des individus, qui sont la seule réalité humaine existant pour elle-même et qui soit pro-prement libre en tant que telle. Rien d'humain n'a de sens que par les individus. Eux seuls peuvent jouer le rôle de fin humaine, de quelque façon que cette finalité s'inscrive dans le monde.

Je dis bien l'*individu*, je ne dis pas la *personne*. On a beaucoup trop abusé de la notion de personne que l'on a entourée d'une *aura* aussi confuse et visqueuse que sentimentale. Un moralisme facile et volontiers béat, satisfait de lui-même, un vague mysticisme alentour, en a fait pour certains la clef simpliste, le passe-partout des problèmes moraux et politiques de notre temps. Et, par la grâce d'un seul mot, on croyait triompher du méchant individu et de son égoïsme, on résolvait ses problèmes.

1. Après tout, la personne n'est qu'un masque de théâtre, une *persona*. Elle désigne un rôle que l'on joue sur le théâtre du monde, une certaine apparence qui lui est assignée et reconnue, ce qu'ont très bien compris les juristes, qui ont fabriqué et défini une « personne juridique », c'est-à-dire le citoyen, en tant qu'il est sujet de droit ; ils ont étendu cette fabrication à la « personne morale », qui porte la capacité juridique d'un groupe, ou même à la « personne publique », qui représente la communauté politique, comme principe de droit, agissant comme une personne juridique pour la communauté tout entière. Nous ne conserverons de la « personne », outre cette acception juridique, que la signification que lui a conférée Kant : la personne, c'est l'homme en tant qu'il est considéré comme une fin et jamais simplement comme un moyen, ce qui lui confère une dignité, c'est-à-dire une valeur spécifique, unique, propre à l'homme en tant qu'homme. Mais pourquoi alors emprunter ce concept artificiel de personne, alors que c'est bien de l'individu humain en tant qu'être humain autonome qu'il s'agit, de cet individu à qui sa capacité de liberté raisonnable confère cette dignité ?

2. Il nous faut revenir, en libéral rigoureux, à la notion d'individu, indûment utilisée dans un sens simpliste et péjoratif ou absurdement absolu, en souvenir du mythe de l'individu, « tout parfait et solitaire », inventé par Jean-Jacques Rousseau. Car la notion d'individu dit sur l'homme l'essentiel, et d'abord qu'il est l'unité insécable, radicalement unique et différente, qui porte en lui seul (mais non pas en lui solitaire, confusion abusive), son principe d'existence et de création de sens et de valeur (la liberté) et son principe d'ordination (la conscience réfléchie, la réflexion raisonnable) par rapport à soi, aux autres, au monde. En tant que tel, l'individu est un être autonome capable de comprendre, de se faire comprendre et d'être compris. Il n'existe pas sans autrui, autant comme être spirituel que comme être de chair, comme individu organique.

Il n'existe comme individu, dans cette acception complexe essentiellement pleine de sens et de valeur, que dans son rapport à autrui, dans sa participation théorique et pratique à un ordre social et politique. Il ne peut devenir un individu accompli que dans un ordre politique formant un système spirituel, habité par des êtres capables de liberté raisonnable. Un tel individu ne devient effectivement et véritablement humain que s'il devient social et politique.

Cependant, l'individu en tant que tel porte en lui la violence avec la liberté, car la liberté est un pouvoir de discontinuité, un pouvoir de différence, puisqu'elle est un pouvoir d'indétermination et de création. L'individu est donc aussi un être insociable, un être en lutte (mais cette insociabilité faite de lutte est déjà une forme de sociabilité), puisqu'en tant que libre principe de lui-même, il requiert autonomie, indépendance, différence ; à ce titre, il est toujours un « méchant » possible à l'égard du donné, des autres, des lois et des coutumes reçues. Sous ce terme technique de « méchant », il faut indiquer seulement cette capacité de l'homme libre à refuser, à nier, à n'être pas d'accord avec le donné reçu.

Cette « insociabilité » fait que l'individu, quelque influence qu'il subisse, ne devient ce qu'il est que par lui-même, bien qu'il ne se suffise jamais à lui-même. En tant qu'individu, il vit à l'état de manque, à l'état de désir. Loin d'être un « tout parfait et solitaire », l'individu, principe toujours insuffisant de lui-même, vit en état irréductible d'insatisfaction, d'insatiabilité. Il est imparfait parce qu'il est libre, parce que sa liberté alimente l'insatiabilité de son désir. L'énergie vitale de l'individu se concentre dans sa liberté, dans un dépassement de soi pour le meilleur accomplissement de soi-même. Cet élan de transcendance de soi et des autres, par lequel l'individu cherche à s'affirmer soi-même, l'individu l'éprouve et s'efforce de le rendre aussi significatif et compréhensible qu'il le peut, dans le langage qui lui est personnel. Dans cette dialectique de dépassement et de compréhension, l'individu va constamment au-delà de la tâche qu'il accomplit. Il tente de construire, avec les autres individus, inlassablement, loyalement, un monde ordonné, un monde où sa propre existence et l'existence propre de ceux qui vivent avec lui, prennent du sens et de la valeur pour tous. Ce monde ordonné de sens et de valeurs, en constante élaboration, en constant travail, c'est le monde de la culture, le seul qui convienne à des hommes et où puissent rechercher leur satisfaction des individus capables de liberté et de réflexion raisonnable, des individus vraiment humains capables de vivre comme des êtres de chair et d'esprit.

L'existence, l'accomplissement le plus parfait possible des individus libres et raisonnables qui composent une communauté politique est la fin suprême du libéralisme. En prenant pour fin essentielle l'accomplissement aussi généreux que possible de chaque individu, le libéralisme ne s'enferme pas dans un calcul égoïste et dans la recherche simpliste de l'intérêt bien entendu de chacun. Il faut donner au mot de générosité son sens le plus exigeant et le plus noble, celui que lui donnait déjà Descartes, l'estime de soi et de chacun des autres au plus haut point qu'il est possible de la porter. C'est d'ailleurs le sens que pressentait l'emploi classique du mot « libéral » qui se dit de quelqu'un qui se livre à des libéralités, qui aime à donner généreusement. On a mal entendu la leçon de Tocqueville qui condamnait l'individualisme, pourri par l'égoïsme et la fermeture sur soi, mais non pas l'individu, principe unique de liberté raisonnable, de sens et de valeur.

Nous rencontrons à nouveau ce mot de « raisonnable », si important pour définir l'individu tel que les libéraux l'entendent. Il faut nous y arrêter un instant, car il est essentiel au libéralisme. Nous entendons par « raisonnable », une réflexion individuelle fondée sur l'usage lucide d'une raison employée dans un souci de loyale clarté, et de bonne volonté, de telle sorte qu'elle puisse être comprise et partagée par tout homme de bonne foi appartenant à la même aire de culture. Cette réflexion raisonnable peut s'appuyer sur des calculs rationnels, mais elle cherche, par excellence, dans les domaines où l'emportent les valeurs morales et politiques sur les données scientifiques, à garder le sens de l'humain, de la mesure, du possible, de l'opportun, pour triompher de la propension à l'excès, à l'abus, à l'arbitraire. L'art du raisonnable prend en compte les passions humaines et s'efforce d'en tirer bon parti, d'en susciter un bon usage. Il s'agit, en effet, de convaincre et de rassembler autour de décisions consenties, « raisonnables », les hommes de bonne foi. Par hommes de bonne foi, je veux dire ceux qui ont compris et accepté que leur bien propre passe par le bien du prochain, en d'autres termes, ceux qui ont compris que la réalisation de leur bien propre passe par la réalisation d'un bien commun et par les sacrifices éventuels que celle-ci entraîne pour chacun des membres de la communauté.

La réflexion raisonnable est inséparable d'une volonté d'être raisonnable. C'est plus qu'une manière de penser, c'est une vertu à laquelle les Anciens ont donné tantôt le nom de prudence, tantôt celui de modération. Prudence et modération, l'art d'être raisonnable, l'art de la mesure, comptent parmi les méthodes obligées du libéralisme. Le libéralisme se doit de n'opérer que par des décisions raisonnables. Nées de la réflexion individuelle et de la réflexion à plusieurs, les décisions raisonnables font appel à l'esprit de compréhension loyale, à la modération, à la prudence de tous. Elles ne vont pas d'ordinaire sans compromis ; aucune n'est sans doute parfaite pour tous. Mais c'est à ce prix que les consentements obtenus assurent raisonnablement un accord entre des différences suffisamment respectées pour maintenir une concorde dans la diversité au sein de la communauté libérale.

II. LES FINS CULTURELLES ET MORALES DU LIBÉRALISME.

Ainsi se dégage très clairement une finalité raisonnable que l'on pourrait considérer comme intrinsèque au libéralisme lui-même. Car l'obligation à la liberté, exercée au profit du plus raisonnable et du plus généreux accomplissement de soi-même, appelle, par voie de cohérence, le respect et la reconnaissance de cette obligation en autrui. Allant plus loin que Descartes, nous appellerons générosité, non seulement l'art d'estimer soi-même et les autres, mais l'art d'accomplir son existence et son œuvre au plus haut point qu'on le peut légitimement faire. Nous tenons que la communauté tout entière profite du plus généreux accomplissement de chacun, de l'effort de chacun pour manifester et réaliser ce qu'il y a d'excellent en lui-même, pourvu que cela soit dans le respect et la reconnaissance d'autrui. Bref, le libéralisme appelle chacun à exprimer ce qu'il a en lui de meilleur, à aller indéfiniment dans ce sens au-delà de lui-même. Le libéralisme est un humanisme, un humanisme de la création (1).

Cette finalité du libéralisme ne correspond pas à un principe de justice, car c'est un principe conceptuellement antérieur à tout état de droit. D'ailleurs l'estime généreuse de soi-même et des autres, l'effort pour se dépasser soi-même dans ses œuvres et pour aider loyalement l'autre à le faire, visent plus haut que la justice : peut-être jusqu'à l'amitié. Le libéralisme n'invoquera pas davantage ici un principe de charité, car l'amour du prochain porte aussi bien sur le mauvais usage de la liberté que sur le bon. Nous appellerons cette finalité propre du libéralisme un principe d'humanité. Il est libéral d'être humain : la liberté, l'obligation difficile à la liberté

---

(1) Les démagogues contemporains abusent avec ardeur du mot de générosité : pour eux, la générosité consiste à faire payer par l'État, c'est-à-dire par les autres, toujours par les autres, les dépenses de certaines catégories de la population. Autant dire qu'ils ne peuvent se targuer d'aucune générosité personnelle. Cette pseudo-générosité, cette « politique du cœur » consiste même souvent à faire payer par les autres les erreurs commises par des démagogues emportés par la griserie du pouvoir, au détriment de tous.

réfléchie et raisonnable pour soi-même et pour les autres, c'est l'homme même.

Cette obligation implique, pour chaque homme libéral, l'obligation de contribuer à assurer à chaque homme avec lequel il entre en relation les conditions dans lesquelles celui-ci est à même de pratiquer une liberté réfléchie. Faut-il rappeler que la liberté n'existe que dans sa dialectique avec la conscience réfléchie et que chacun n'arrive à une conscience plus lucide de lui-même qu'à travers la conscience que son prochain en prend ? Cette obligation est un devoir humain, c'est un devoir moral, antérieur et, qui plus est, d'un autre ordre, qu'un devoir politique. En effet, c'est une obligation entièrement personnelle et privée. Cette obligation doit s'ajouter désormais aux droits et aux devoirs impliqués dans « l'état de droit ».

Longtemps, la finalité propre de l'État libéral a consisté à établir et à garantir l'existence d'un « état de droit » au sein duquel des libertés civiles et politiques pouvaient être pratiquées sous son arbitrage et avec sa protection. L'énumération de ces libertés individuelles est classique : liberté d'opinion, liberté de croyance, liberté d'expression privée et publique, liberté de déplacement même au-delà des frontières de l'État, jouissance de la propriété, garantie contre tout arbitraire. On peut considérer ces libertés personnelles comme des droits acquis, les plus belles conquêtes du libéralisme. Il n'en reste pas moins qu'ils sont toujours à affirmer et toujours à défendre comme les conditions *sine qua non* de l'existence d'hommes libres.

La politique libérale contemporaine s'est souvent assigné une tâche de plus : elle s'est imposé d'établir des conditions d'existence telles que chaque individu, à tout le moins, le plus grand nombre possible d'individus, soit en mesure de mettre en pratique sa liberté de façon réfléchie et raisonnable, c'est-à-dire de manifester ses dons et ses talents et d'user de ses passions aussi parfaitement que ses vertus et la chance le lui permettront. Il ne s'agit pas, pour l'État libéral, de se substituer aux individus et d'accomplir une tâche, de satisfaire à des obligations nées de leur liberté propre, qui sont du seul ressort de la vie privée des individus, puisque eux seuls sont capables de liberté et de réflexion raisonnable, eux seuls sont capables de faire leur culture, de se faire.

Ainsi, la fin ultime de la politique libérale, l'existence de citoyens libres et raisonnables, exerçant leurs dons, leurs talents et leurs passions au plus haut point dont ils sont capables, dans la compréhension et le respect réciproques de leurs différences, est d'un autre ordre et au-delà des seuls moyens dont l'État dispose, qui sont des moyens de puissance. La politique libérale sait qu'elle ne peut agir que sur des conditions (d'existence, de travail, de lutte), que sa fin ne peut être accomplie qu'au-delà de ces conditions et qu'elle ne peut l'être par des moyens politiques, ni par des hommes politiques. C'est le paradoxe et la sagesse de la politique libérale : elle n'a pas les moyens de la nouvelle fin qu'elle s'assigne : l'excellence des individus qui composent l'État, leurs vertus, l'accomplissement d'actions d'élite, la création de grandes œuvres, la formation d'une *culture* plus riche, plus dense, au sein de laquelle les hommes peuvent vivre d'une manière plus accomplie, dans le cadre d'un système de compréhension et de justification réciproques.

Nous avons déjà employé et nous emploierons ce mot si peu à la mode de *vertu,* en évoquant la générosité, la loyauté, la modération, la prudence, comme les caractères propres d'une politique libérale. Ce n'est pas un indice insignifiant. C'est que la tâche propre de la politique libérale est de faire en sorte que la pratique de ces vertus soit possible, c'est-à-dire que soit possible l'excellence des hommes en régime libéral ou, comme disaient précisément les Grecs, leur *arétè,* leur vertu.

Pour le dire en d'autres termes, la fin de la politique est morale : c'est une culture, avec ses valeurs, et des hommes capables d'en vivre pleinement et de contribuer à en poursuivre la création. Mais l'homme politique ne peut, comme tel, ni faire la morale ou, plus généralement la culture, ni accomplir à la place de ses concitoyens, leur vie morale et culturelle. La politique ne peut, en ce domaine, ni commander, ni imposer, ni contraindre efficacement, même et surtout pas par une violence spirituelle. C'est la politique, à l'inverse, qui dépend des mœurs et de la culture ambiantes.

Bref, l'État libéral ne dispose pas des moyens de sa fin ultime ; ce paradoxe lui pose des problèmes décisifs et sa survie, la forme qu'elle prendra, les limites qu'il assignera à son action, sa réussite enfin, dépendent de leur solution.

Il faut comprendre que la politique libérale est seulement un art au service des citoyens qui veulent vivre effectivement comme des hommes, libres, raisonnables, vertueux, je veux dire, de façon excellente, dans la mesure où leurs dons, leurs passions et leur chance le leur permettent. Le mérite de la politique libérale est de protéger, de garantir, puis de servir.

L'excellence, la vertu de l'homme d'État libéral est d'être un arbitre, un protecteur, un garant et aussi, un serviteur. Il exerce alors sa puissance en comprenant que, puisque sa fin ultime ne dépend pas de lui, puisque tout ne dépend pas de lui, il doit exercer son pouvoir avec prudence et modération. S'il le comprend, si puissant soit-il, il sera un homme d'État vraiment libéral, il ne sera jamais ni un tyran, ni un despote. L'homme d'État qui croit en Dieu sait bien que tout ne dépend pas de lui, ni le succès temporel de ses sujets, ni l'essentiel, leur salut. L'homme d'État qui ne croit pas en Dieu, s'il est libéral, doit user de sa puissance avec la même modestie, j'allais dire avec la même humilité, surtout s'il est très puissant, et plus encore s'il croit en son génie.

Une politique vient de la culture de laquelle elle émerge. Elle fait partie intégrante de la culture d'une nation. Elle revient à la culture, comme vers sa fin suprême. Elle ne cesse de dépendre de la culture, qui la dépasse de toutes parts, qui est d'un autre ordre qu'elle. Une politique vraiment libérale le comprend et se tourne vers la culture comme vers un tribunal ; elle attend d'elle un verdict et sa justification suprême. Rétrospectivement, et dans les histoires des hommes, la grandeur d'une culture accomplie fait la récompense et la gloire d'une grande politique. Le comprendre, pour les hommes d'État, comme pour les citoyens, c'est croire en l'homme, c'est être libéral.

Deuxième Partie

UN LIBÉRALISME POUR NOTRE TEMPS

INTRODUCTION

Je n'encombrerai pas mon analyse de toutes les significations arbitraires que l'on a données ici et là au qualificatif « libéral » sous prétexte qu'il évoquait les prestiges et les facilités de la liberté ou les démagogies d'une soi-disant « générosité ».

Il est raisonnable de qualifier de « libéraux » ceux qui, à la façon de Benjamin Constant, donnent pour finalité authentique à la communauté politique la garantie des libertés individuelles, la protection des individus contre l'autorité de la puissance souveraine et contre l'extension des attributions de l'État au-delà du domaine politique. Il est rationnel de donner le nom de « libéraux » aux défenseurs de l'économie libérale ou même à ceux qui voient en elle l'essentiel du libéralisme. Parfois, les « libéraux », qui se targuent d'être des réformateurs, s'opposent aux « libéraux conservateurs », réputés plus soucieux des traditions et des coutumes reçues et plus attachés aux libertés anciennes. Parfois, au contraire, on oppose les « libéraux » à des « radicaux », c'est le cas en Suisse et souvent en France, comme des conservateurs à des réformateurs animés d'esprit social, voire socialiste. Veulent aussi s'appeler « libéraux », aux États-Unis par exemple, tantôt ceux qui donnent mission à l'État de faire régner une justice sociale fondée sur une égalité réelle, tantôt, et tout aussi bien, ceux qui développent des revendications anarchisantes contre l'autorité politique et la puissance de ce même État.

Sans parler de tous ces « *liberals* » qui vont aux extrêmes de ce que nous appelons gauchisme sous les appellations de « *radicals* » ou de « *leftists* » et qui foisonnent si volontiers parmi les « intellectuels ». Après tout, on voit même des chefs de police politique et des patrons de goulags être qualifiés de « libéraux » !

En dépit de la confusion dont il témoigne, cet abus de mots est encourageant : il est un hommage rendu à tout ce que le libéralisme peut représenter d'aspiration et d'espoir. Notre définition exigeante d'une liberté essentielle, périlleuse et difficile, les finalités bien déterminées et limitées que nous avons assignées au libéralisme, donnent déjà au mot *libéral* un contenu et des contours suffisamment clairs pour nous permettre de poursuivre notre chemin vers une doctrine d'un libéralisme approprié à notre temps.

CHAPITRE III

LE LIBÉRALISME, RÉGIME POLITIQUE PARMI LES RÉGIMES POLITIQUES.

On posera plus clairement encore le problème du libéralisme si l'on remarque, tout d'abord, qu'il n'est pas seulement une philosophie politique ; il est devenu, depuis cent cinquante ans, un régime politique, une forme de gouvernement.

Nous vivons sur des traditions intellectuelles que nous dominons mal. La théorie classique des régimes — monarchie, aristocratie, démocratie — est totalement périmée. Sous le couvert des mots et des apparences, tout le monde proclame qu'il n'existe ou qu'il ne doit exister que des démocraties. Cette proclamation, souvent sincère, ne correspond à rien de réel. On appelle, en effet, démocratie, de façon fort spécieuse, non pas un régime où le peuple dispose du pouvoir et gouverne, comme il se devrait, mais un régime où toute la population prend part, de façon libre et honnête, quelles que soient les capacités de chaque citoyen, à l'élection périodique de « représentants du peuple » qui constituent des assemblées participant au pouvoir législatif et au contrôle du pouvoir exécutif. Il est trop clair que, dans ce cas, le « peuple » ne gouverne pas. La seule démocratie vraie serait une démocratie directe dont le mythe date de Périclès. Il n'y a jamais eu et il n'y aura jamais de démocratie ; ce n'est pas un régime viable, c'est un mythe utopique. Rousseau lui-même l'avait déjà reconnu. A fortiori, ce que certains appellent, dans une « langue de bois » qui leur est propre, « démocratie populaire » n'est rien d'autre qu'un despotisme.

Il n'existe, en réalité, que des oligarchies : quels que soient les mots, les titres, sous une forme ou sous une autre, c'est toujours et partout le petit nombre, le très petit nombre, qui gouverne le grand nombre.

I. LES MÉRÉCRATIES OLIGARCHIQUES.

Les régimes contemporains ne peuvent être définis de façon quantitative — un, quelques-uns, tous — comme les gouvernements de la théorie classique. Ils se distinguent les uns des autres d'une tout autre façon.

Deux groupes apparaissent dans les faits : les régimes où les gouvernants sont soumis à une élection périodique à laquelle prennent part l'ensemble des citoyens et ceux dont les gouvernants s'imposent par d'autres moyens.

Par élection, il faut entendre une opération électorale organisée de façon loyale et impartiale, assurant à chaque électeur la liberté d'exprimer son opinion, en vue du choix de ses représentants, et pour autant qu'il est capable d'intelligence et d'autonomie intellectuelle et morale, dans le cadre inévitablement restrictif des options de fait qui lui sont proposées.

Dans ces régimes, qui relèvent d'un premier type de régime contemporain, les citoyens manifestent peu et mal leur opinion particulière d'individu ; ils forgent, le plus souvent, leurs opinions et leurs décisions en fonction des groupes dont ils font partie, qu'il s'agisse de groupes politiques, culturels, religieux, économiques, sociaux, etc. L'ensemble des électeurs ne gouverne pas pour autant. Les gouvernants véritables sont les chefs et l'appareil des groupes qui entrent en concurrence, par le moyen des élections, pour prendre part à l'exercice du pouvoir politique. Ces groupes sont eux-mêmes organisés en fait de façon oligarchique : la personnalité de quelques-uns entraîne en pratique le poids de la masse. La masse compte surtout par la force de sa passivité et par la force d'inertie du grand nombre, par la pression d'une conscience collective latente. On pourrait appeler *mérécraties* ces gouvernements de groupes et ce premier type de régime serait alors formé de *mérécraties oligarchiques*. (Qu'on me pardonne ce néologisme pédant signifiant le pouvoir exercé par des « parties », des groupes : mais il s'agit vraiment d'une réalité et qui a été mal perçue, voire masquée, sous le couvert des vocables usuels [1].)

1. *Les régimes libéraux.*

Les régimes libéraux constituent précisément la première espèce de mérécratie oligarchique. Pour eux, nous le savons, la fin de la politique dépasse le domaine du politique et consiste dans le plus

---

1. Cf. Raymond Polin. *La liberté de notre temps*, chap. V, pp. 219-229.

haut, le plus généreux et le plus harmonieux développement des individus, dans leur participation créatrice à une culture plus riche et plus compréhensive.

Les régimes libéraux sont fondés sur la foi en l'individu et dans sa liberté raisonnable, dans la libre et raisonnable expression de ses aptitudes. Rien n'est possible dans la communauté politique sans les individus libres et raisonnables ; rien n'est légitime qui ne prenne leur existence harmonieuse et leur œuvre pour fin. Cette foi fournit à l'idée de Justice libérale ses principes. La Justice est ce qui rend possible pour chacun l'usage de sa liberté dans le respect de la liberté d'autrui. J'insiste encore sur le qualificatif « raisonnable », parce que les libéraux reconnaissent qu'il y a de mauvais usages de la liberté, ceux qui portent atteinte à la liberté des autres, dans le cadre de la coexistence paisible et de la collaboration des individus.

C'est pourquoi le libéralisme reconnaît la nécessité d'institutions politiques, d'un État au sens moderne du mot, et confère à la puissance publique le soin d'établir et de garantir par ses lois les conditions qui rendent possible ce bon usage de la liberté. L'État doit, pour l'essentiel, maintenir un ordre réputé juste, dont il est le législateur, le juge, le garant, le défenseur. Le principe de son action, c'est qu'il définit par ses lois les règles de l'activité des citoyens et qu'il sert entre eux d'arbitre impartial.

Pour le libéralisme, les pouvoirs de l'État sont donc strictement politiques. Mais l'exercice politique du pouvoir implique, par nature, une délimitation définie des frontières du public et du privé. La réalité de la communauté politique étant ce qu'elle est, les pouvoirs de l'État ne peuvent pas ne pas déborder sur les domaines culturels, économiques, sociaux. L'ampleur de ces empiétements met en question le principe même du libéralisme. Le problème est de savoir si c'est une affaire de principe ou si c'est une affaire d'opportunité et de mesure. On peut donc estimer qu'à cet égard, il y aura des libéralismes plus ou moins purs. C'est pourquoi nous en parlons au pluriel. Ajoutons que, en un second sens, pour être purs, les régimes libéraux devraient échapper à l'emprise des groupes et faire de chaque citoyen un agent politique indépendant, doué d'une capacité politique exclusive, même dans les nations immenses qui sont la règle de nos jours. En fait, les régimes libéraux eux-mêmes n'échappent pas aux rassemblements et aux coagulations d'opinions, aux enchaînements et aux viscosités de la formation de groupes placés sous l'influence d'oligarchies directrices. Leur libéralisme consiste, d'une part, à reconnaître et à donner aux individus le rôle le plus important et le plus autonome possible, d'autre part, à subordonner les moyens des groupes à l'accomplissement de fins individuelles.

2. *Les régimes socialistes.*

Les régimes socialistes sont, eux aussi, des mérécraties oligarchiques fondées sur la compétition d'une pluralité de groupes politiques, sociaux, culturels, en vue de la conquête ou du partage du pouvoir de l'État. Plus encore que les libéralismes, ils doivent être traités au pluriel, tant les groupes qui les composent sont animés de convictions diverses. La sincérité, l'affectivité de leurs convictions accentuent le pluralisme de l'ensemble jusqu'à l'incohérence, considérée comme un principe de vitalité dans un monde complexe.

C'est pourquoi les socialismes trouvent une partie de leur force dans la reconnaissance de cette pluralité. Ils s'accordent à eux-mêmes la liberté d'expression que ce pluralisme entraîne et ils prétendent l'étendre, au moins en principe en tout cas, aux autres groupes de la nation. Les libertés d'association et d'expression sont pour eux des postulats, au moins dans leurs prémisses.

Non sans quelque paradoxe, car, après tout, les socialismes ont pour fin l'établissement d'un certain type de société et d'un certain ordre social que définit une conception de la Justice qui est d'abord une Justice sociale. Ce n'est pas la liberté d'expression ou de création des individus qui est l'objectif majeur, mais leurs conditions matérielles et sociales d'existence, l'organisation de leur sécurité et de leur bien-être matériel, avec quoi leur dignité est volontiers confondue. C'est donc l'état matériel de la société qui importe et la juste participation de tous à cet état, la Justice sociale étant proportionnée d'abord à leurs besoins et, très secondairement, à leurs mérites. Les individus sont considérés et traités en tant que membres à part entière de la société.

Les socialistes se préoccupent, certes, de leur liberté ; c'est-à-dire que les individus sont réputés libres, réellement libres, dans la mesure où ils peuvent effectivement jouir d'une condition matérielle qui satisfasse leurs besoins et assure leur satiété. Cette condition est la même pour tous, égale, et, à la limite, homogène, puisqu'elle assure la réalisation de l'homme en tant qu'homme dans le cadre d'une société donnée, si bien que la jouissance de la liberté résulte de la réalisation effective de l'égalité. A ce titre, c'est donc l'égalité qui, nécessairement, prime, et l'emporte sur la liberté.

Alors que, pour les libéraux, il appartient essentiellement à chaque individu de prendre la responsabilité de son existence et de ses œuvres, puisqu'il est libre, c'est-à-dire capable d'une liberté réfléchie et raisonnable, et qu'il n'est même pas tout entier donné dans ce qu'il est en puissance, pour les socialistes, c'est la société qui fait l'homme parce qu'elle constitue essentiellement les conditions dans lesquelles s'épanouit ou se corrompt ce qu'il est en puissance. Certains vont même jusqu'à dire que chaque individu est intégralement le produit de la société dans laquelle il apparaît. C'est donc à la tête pensante de la société, à l'État, qu'il appartient d'assurer l'éducation et même l'existence, l'accomplissement des individus. Au lieu que les individus ont, pour les libéraux, la responsabilité d'eux-mêmes, pour les socialistes, c'est l'État, animateur et organisateur de la société, qui assume la responsabilité des individus. Aux individus, il appartient seulement d'être de bons citoyens, respectueux des lois.

A l'État d'assurer les conditions d'existence qui formeront les individus. Il est le maître d'œuvre des conditions matérielles de l'ordre social ; c'est lui qui fait régner la Justice sociale en satisfaisant aux besoins matériels et culturels de chacun. Si la société est bien faite, la vertu s'épanouira avec le bien-être. Si la Justice sociale réelle est assurée, la Justice politique, formelle, ira de soi. L'État est propriétaire des biens de la nation ; il en est l'entrepreneur et l'éducateur ; toutes les activités sociales partent de lui. Il n'est un juge que de surcroît. A peine est-il un arbitre, parce que la relation sociale essentielle est la relation à l'État ; les relations entre individus sont de second rang et s'imbriquent dans les structures sociales. Le bien de chacun n'est pas premier ; il résulte de la part qu'il prend à la vie commune.

En conséquence, l'État, principe de la société, est capable de tout faire. Sa volonté est, non seulement souveraine, mais elle est omnipotente dans les affaires humaines qui ne comportent pas de nature, ni de loi naturelle propres. Là où ne règnent que des lois historiques, on en vient à pratiquer une sorte de volontarisme étatique sans limite, qui ouvre aux socialismes extrêmes les deux portes aberrantes de l'illusion utopique et de la tyrannie.

La politique trouve sa finalité globale dans l'existence prospère et sûre de la communauté comme règne humain de la Justice sociale, où chacun trouve, dans l'égalité réelle, son accomplissement, son bien-être et sa liberté.

Du libéralisme au socialisme, ce sont donc deux conceptions de l'homme radicalement différentes qui s'opposent. Pour les *libéraux,* l'homme n'est jamais tout entier donné dans sa nature, parce que l'essentiel de lui-même réside dans sa liberté réfléchie et dans ses œuvres, qui sont en avant, au-delà de lui-même. Lui seul est en mesure de le faire. Il a la responsabilité entière de son existence et de ses œuvres. Les moyens de son existence sont d'abord des moyens spirituels. Puisqu'il est libre, il ne se suffit donc jamais à lui-même, il n'est jamais satisfait, il vit dans la difficulté, l'incertitude et le risque. Puisqu'il est libre, il est différent de tous les autres ; sa coexistence avec eux est faite de conflits autant que de collaborations. C'est pourquoi l'État a une fonction essentiellement et même, pour les classiques, exclusivement, politique : il a pour tâche de maintenir l'équilibre et la paix, une certaine idée de la Justice incarnée dans un état de droit. Les individus lui ont conféré une puissance temporelle : le spirituel leur appartient en propre. Il manque toujours à l'État libéral d'être une autorité spirituelle, mais c'est sa nature, et pour ainsi dire sa perfection, d'être toujours imparfait et inachevé.

Pour les *socialistes,* au contraire, c'est dans la société et par la société que l'individu reçoit l'éducation, la formation par laquelle il passe de ce qu'il est à sa naissance à une existence en acte, à cet état adulte où il exprime pleinement son humanité. Ce sont ainsi des hommes essentiellement semblables, qui sont amenés à exister en commun et à collaborer dans la concorde et dans la paix, une paix lourde et silencieuse, car leur similitude tend à l'homogénéité. Leur vie privée, qui tend à se réduire aux aventures de la santé et de l'amour, normalement « dépourvue de tout sentiment du cœur » comme dit Rousseau, tend à se fondre dans une vie sociale et publique où chacun trouve son meilleur épanouissement, son bien-être et sa satiété. La vraie liberté, la liberté réelle, est le produit de la satisfaction. Le socialisme imagine, en effet, que, dans l'État bien fait et omnipotent, l'homme est capable de devenir un homme parfait — il dit, dans son langage, un homme parfaitement homme —, c'est-à-dire, pleinement satisfait : le socialisme annonce la bonne nouvelle d'un paradis temporel.

Le citoyen tend ainsi vers son achèvement et sa satisfaction à force d'être immergé dans l'ensemble, où la solidarité des semblables tend à éliminer les luttes et les conflits, où les rivalités et les élites sont considérées comme des perversions haïssables. L'autonomie, la responsabilité des citoyens tendent à se fondre et même à se dissoudre dans l'existence du tout, incarné dans l'État, qui est l'être vraiment autonome, indépendant et responsable dans tous les domaines. En lui, la puissance temporelle et la puissance spirituelle se trouvent unifiées. Son action n'est pas seulement politique : elle tend à être totale.

Si, en décrivant la conception de l'homme impliquée par le socialisme, j'ai systématiquement marqué des tendances plutôt qu'un état de fait, c'est que la diversité des socialismes est telle qu'elle implique des incohérences entre les groupes et qu'elle entraîne des incohérences telles entre les convictions qu'on ne peut guère comprendre le socialisme qu'en les échelonnant le long de sa ligne de plus grande pente, sa tendance à une Justice sociale égalitaire et concrètement réelle.

En dépit de la force de cette tendance, la pluralité des groupes et la pluralité de leurs convictions, en son propre sein et en dehors de lui, sont essentielles au socialisme pour assurer la santé d'une communauté nationale où puissent effectivement régner la Justice sociale égalitaire en même temps que les deux libertés contradictoires, la liberté formelle et celle que les socialismes nomment si fallacieusement « liberté réelle ». C'est pourquoi les divers groupes d'opinions doivent être départagés par le verdict de l'ensemble, de la masse, arbitre symbolique suprême : les groupes d'opinions doivent être appelés à s'exprimer et à choisir entre eux dans des élections libres, fréquentes et loyales où ce sont les individus, les citoyens qui sont effectivement consultés.

Cette cohabitation de la liberté avec leur chère égalité, tenue comme une harmonieuse coexistence par les divers socialismes, marque, à la fois, leur degré d'inconscience, naïve ou masquée, suivant les sectes, et leur caractère fondamentalement utopique. Les socialistes français, de Fourier à Louis Blanc, de Saint-Simon à Victor Considérant ou à Proudhon en sont les exemples les plus typiques et Marx lui-même, en dépit des attaques qu'il leur porte et de ses propres dénégations, n'est qu'un vieil utopiste, qui a toujours vécu de l'annonce de l'utopie et de l'attente de l'utopie réalisée. Utopie encore que leur prétention à présenter leur idéologie comme une science, la pire de toutes peut-être, parce qu'elle est la source et la garante de leur fanatisme. Tous veulent faire ce qu'il est impossible à la politique de faire, à savoir le bonheur des hommes. Conscients que la nature de l'homme ne le porte pas d'elle-même au bonheur, ils veulent, disciples incompréhensifs de Rousseau, dénaturer l'homme et faire son bonheur malgré lui. Faute de comprendre que chaque homme peut seul faire ce qu'il y a pour lui de plus personnel et de plus essentiel, qu'on appelle cela son bonheur, son salut ou son œuvre, ils donnent mission à la collectivité, à l'État de le faire. Troisième et catastrophique utopie fondamentale des socialismes. Faute de comprendre que le pouvoir de liberté est propre à l'homme en tant qu'individu, faute de comprendre que c'est le pouvoir du meilleur comme le pouvoir du pire, faute de comprendre que ce pouvoir est inéluctable, inaliénable, mais aussi irrépressible et irremplaçable, les socialistes transfèrent l'intransférable, la liberté, de l'individu à la collectivité, c'est-à-dire à l'État qu'on dit tutélaire, si bien qu'ils associent sa bienfaisance à une mise en tutelle. Adieu, alors, la liberté, puisqu'il n'y a de vraie liberté que pour l'individu et, pour chaque individu par lui seul. Admettons que c'est d'une bonne foi naïve que dérive le fanatisme des socialistes : leur utopie ne mérite pas pour autant d'indulgence. Il n'y a pas de pire menace que de vouloir faire le bonheur des autres malgré eux et en dépit de leur nature. Les socialistes sont des despotes en puissance, quand ils ne deviennent pas des totalitaires en acte.

On taxe les libéraux d'idéalisme parce qu'ils croient à la liberté et parce qu'ils croient que chacun peut seul se faire lui-même, c'est-à-dire que, seul, chacun peut faire sa destinée, son œuvre, son bonheur, de quelque nom que l'on nomme son existence et sa finalité. Mais ils savent bien que l'usage de la liberté peut être bon ou mauvais, que l'intelligence de chacun est plus ou moins limitée et que les passions vont des meilleures aux pires. Rien n'est plus réaliste que leur conception de la nature humaine, car ils savent que les affaires humaines ne peuvent être l'objet d'une science et surtout pas la morale ou la politique. Rien n'est plus réaliste que l'idée qu'ils se font du pouvoir politique, à la fois, de ses limites dans la détermination de la destinée des citoyens comme de la collectivité, et de l'abus ou des excès comme des faiblesses ou des errements dont il peut être capable. Que le pouvoir politique peut faire le malheur des citoyens, cela, les libéraux le savent. Mais une collectivité ne peut se passer d'une autorité politique, ils le savent aussi. Tout l'art libéral est de faire en sorte que cette autorité soit limitée de l'extérieur et qu'elle soit modérée et prudente de l'intérieur. On ne peut pas ne pas faire confiance à une puissance publique, mais cette inévitable confiance doit porter sur les nécessités d'accomplissement d'une fonction ; elle ne peut aller sans garantie et sans limite marquées de l'extérieur par des contre-pouvoirs et par des obstacles fondés sur des faits et, de l'intérieur, sur une foi entée au tréfonds de la culture ambiante. Le réalisme des libéraux consiste à connaître la nature de l'homme et son imperfection, sa finitude, que celles-ci se manifestent dans les gouvernés ou dans les gouvernants. Ils savent que l'homme n'est ni un Dieu, ni un loup pour l'homme : que c'est seulement un être imparfait, capable de liberté et aussi de réflexion raisonnable, un être hors de l'ordre des choses naturelles, un pauvre homme.

II. LES MONOCRATIES.

Nous nommerons *monocraties,* les régimes qui forment un second groupe et qui sont caractérisés par l'unité monolithique du pouvoir concédé à une idéologie régnante aussi bien que par l'unité du groupe des gouvernants, qui dominent sans réserve ni partage, la communauté politique considérée. Alors, toute opération de choix ou d'élection perd sa signification. Si elle subsiste, ce n'est plus qu'un spectacle de parade, une cérémonie d'unanimité rhétorique à usage de propagande. Car ces régimes se présentent comme des régimes d'unanimité ; c'est sous ce nom qu'ils masquent leur unité.

1. Le despotisme d'un homme : la dictature

Si un seul homme gouverne, ce qui est rare désormais, on retrouve le schéma classique du despotisme tyrannique, tel que Montesquieu l'a dépeint une fois pour toutes : identification de l'intérêt général à l'intérêt du despote, de la volonté de tous à sa volonté et, déjà, la situation échappant à des calculs rationnels réduction de cette volonté d'un homme à l'arbitraire, aux caprices, et réduction de sa puisance sans limite à la violence sans loi ; partout règnent la crainte, la servitude, la misère, tandis que le despote est entouré de ses favoris et de ses prétoriens à qui sont réservées toutes les jouissances. De tels tyrans n'arrivant plus guère à maîtriser de larges sociétés industrielles, nous ne nous y attarderons pas.

2. Le despotisme d'un parti : le totalitarisme.

Au contraire, le despotisme d'un groupe, rassemblé autour d'une idéologie, est le régime proprement nouveau de notre temps et peut-être le régime vers lequel tendent ces sociétés industrielles, si on les laisse suivre leur pente : c'est le *totalitarisme*. Le totalitarisme apparaît, par exemple, dans une mérécratie en décomposition, lorsqu'un groupe unique réussit à l'emporter et à terrasser tous les autres. Il devient le parti unique qui identifie l'État et la communauté tout entière à lui-même. Son idéologie devient la science et la vérité de l'État. Le parti se recrute par cooptations successives, à travers la pyramide de ses instances, dans la masse (où pourrait-il se recruter ailleurs ?), une masse tout à fait passive et muette. La cooptation est un choix opéré en fonction des compétences et de la loyauté par rapport aux fins de l'institution. Dans un système pyramidal de comités, ce sont les membres de l'instance supérieure qui effectuent les choix, à proportion de la puissance que leur donnent leur rang et leur habileté : à tous les niveaux, ce sont les oligarques qui règnent dans une sorte d'enchaînement mécanique de conservation et de puissance. Telle est la dynamique du parti vers l'omnipotence que, en dépit de la personnalisation spectaculaire des plus hauts potentats et du mythe créé autour d'eux, on peut se demander s'ils ne sont pas, eux et leur clientèle, de simples fantoches manœuvrés par la recherche indéfinie de l'omnipotence du parti à l'intérieur et à l'extérieur.

Sous l'égide du parti unique, l'État constitue un tout toujours unanime par rejet des indésirables ou des dissidents, qui n'a d'autre fin que la domination, la puissance du parti, à travers la puissance du tout, dans une expansion indéfinie. La communauté, c'est l'État, l'État, c'est le parti. Idéologie de la puissance fermée sur elle-même, elle se pense comme la réduction de tous dans le tout et, progressivement, de tous les peuples au même modèle d'État et d'hommes. A la limite, elle prend au sérieux l'idée d'Humanité comme une communauté unique et croit à la réalisation d'un État universel et homogène : c'est le principe, ou le prétexte, d'un impérialisme universel acharné.

L'idéologie de la Justice sociale règne : elle invoque, à titre de principe de justification, cette existence de chacun par le tout et pour le tout qui, dans l'état d'homogénéité sociale où l'égalité trouve sa perfection, chacun existant comme partie intégrante du tout, parvient en lui au faîte de la puissance. Que demander de plus ? La liberté est enfin réelle, c'est-à-dire que chacun a le pouvoir de faire ce qu'il fait effectivement. A chacun de prendre sa réalité pour son désir. Bien sûr, chacun participe de la puissance du tout, à son rang dans la pyramide des comités et en tire des avantages proportionnés. Mais l'homogénéité du tout n'est pas atteinte pour autant par cette hiérarchie, si accentuée soit-elle, car chacun n'est jamais qu'un rouage qui dépend des autres et du tout. Nul, si haut placé soit-il, n'est rien que par le tout. L'homogénéité de la liberté par participation au tout est effectivement identique à l'homogénéité dans la dépendance du tout. Ce que les autres appellent individu n'est rien d'autre ici que l'aventure anhistorique d'une santé physique et d'une affectivité socialement insignifiantes.

On s'est souvent demandé comment un pareil régime totalitaire pouvait durer tellement plus longtemps que les éphémères tyrannies personnelles. On a dit que l'appareil, comme la masse, vit dans la terreur, et c'est vrai. L'appareil sécrète, comme sa plus haute instance, l'appareil policier chargé d'assurer l'obéissance et la fidélité sans réserve au système, la radicale intégration de tout au tout, la disparition du privé et des différences, leur dissolution dans le public. Il faut bien, puisque, nous le savons, la liberté est un pouvoir irréductible, constamment renaissant, impossible à aliéner. Avec son génocide interne, qui compte des millions de morts, avec ses millions de concentrationnaires, avec ses internés psychiatriques, la Russie soviétique est l'exemple de la violence totalitaire terrifiante. C'est aussi le seul totalitarisme intégral interne dans son concept comme dans son effort de réalisation.

On a évoqué aussi la facilité, la commodité de l'obéissance passive et de la servitude, qui conviennent si bien aux inclinations du plus grand nombre, asservi, mais assisté, à l'abri des risques des responsabilités, des duretés de la liberté responsable, entretenu même misérablement, assoupi dans sa survie matérielle sans encombre. Le pire des terrorismes policiers n'aurait pas suffi si la masse, si volontiers animale, si volontiers inclinée au dressage, n'avait pas passivement consenti. De même pour l'appareil, qui est gavé de privilèges et de terreur jusqu'à ce qu'obéissance et passivité s'ensuivent. Qu'importe, par conséquent, l'irrationalité des procédures économiques, peu importe si les régimes totalitaires engendrent la pénurie et ne procurent à la masse qu'un standard de vie des plus médiocres. L'envie trouve sa satisfaction dans l'homogénéité, et la paresse, sinon la lâcheté, fait le reste.

On a enfin noté que les régimes totalitaires sont des phénomènes très récents : ne représentent-ils pas un risque majeur couru par les civilisations industrielles lorsqu'elles s'enferment dans le matérialisme qui leur est consubstantiel ? Lorsque la division du travail a rendu dans la société chaque individu aussi indispensable que chacun des autres, lorsque la revendication d'égalité matérielle qui s'ensuit devient d'autant plus frénétique que l'usage des biens matériels est exclusif, il se constitue une sorte de mécanisme social fondé sur le désir de ces biens, l'envie pour celui qui possède davantage, la haine pour les autres propriétaires. Chacun dépend de tous les autres et ne cherche d'autre remède à sa dépendance que l'ambition de faire dépendre les autres de lui. De ces tentatives réciproques de domination résulte, de proche en proche, à travers des millions d'hommes, le pouvoir tyrannique de tous sur tous. Dans les engrenages de cette machine monstrueuse, chacun se trouve pris, terrifié, asservi par tous. Comme si, à l'autre bout du processus imaginé par Hobbes, dans une société civile devenue radicalement perverse, chacun était redevenu l'ennemi de chacun. Et chacun s'acharne de son côté de plus en plus désespérément qu'il n'est jamais que ce que son rôle social le fait être. Les hommes de l'appareil ne sont, eux aussi, que les produits de cette machine, d'où tout monte, de bas en haut, de l'envie, de la terreur et de la concurrence de tous : eux-mêmes ne sont, sur ce théâtre du monde, que des rôles, des masques, qui personnifient cette puissance impersonnelle de tous, la puissance pour la puissance, une puissance absolue, vide et, en fin de compte, pour rien.

Le totalitarisme réduit l'homme à la poursuite vaine des biens matériels, à une existence toute matérielle ; il n'a plus d'autres fins que l'obtention et la digestion de ses moyens d'existence. Pour le reste, à l'homme totalitaire, maintenu dans sa passivité, enfermé dans le circuit de ses passions, on fournit des distractions et des divertissements. Une existence sans liberté, sans dépassement de soi-même et du donné reçu est une existence sans esprit. Nous sommes aux antipodes du libéralisme.

*

Entre les trois régimes contemporains, libéralisme, socialisme, totalitarisme, dont nous nous sommes occupés, on ne trouve pas de régime mixte possible. Leurs principes sont incompatibles. En dépit de certaine propagande, les mixtes seraient monstrueux, du genre de ces monstres qui se dévorent eux-mêmes.

En particulier, en dépit d'étranges alliances et de panonceaux faussement communs, (par exemple la gauche) et d'une certaine incohérence congénitale des socialistes, en principe il n'y a pas de conciliation, que ce soit par fusion ou par coexistence, entre la mérécratie socialiste et la monocratie totalitaire. Certes, il y a des circulations de valeurs et d'idées entre le totalitarisme et le socialisme, en particulier, grâce à des variations sur le thème de la Justice sociale ou sur le thème de l'intervention de l'État en matière économique et sociale. En fait il n'y a en aucun cas de mixte possible pour la mérécratie socialiste avec un monolithisme tel que le totalitarisme qui est le régime et la doctrine du tout ou rien. Un régime totalitaire est imperméable, sous peine de ruine, aussi bien à la reconnaissance de la pluralité des groupes et des opinions qu'au respect des libertés individuelles, essentielles aux socialismes, singulièrement à la liberté de pensée et d'expression. Et il s'en garde comme de la peste. Non seulement toute coopération politique effective avec lui, mais même toute coexistence pacifique, même la simple coexistence idéologique est impossible. La seule coexistence est celle de la guerre froide. La seule coopération consiste dans l'absorption au sein d'un Empire universel et homogène.

Dans le cadre des mérécraties en mauvaise santé, il peut arriver qu'une cohabitation s'organise entre les socialistes et un parti totalitaire, mais elle est une manœuvre politique hypocrite et traîtresse de part et d'autre. Qui fait un compromis même tactique avec des totalitaires court grand risque de compromettre son sort définitivement et de se faire absorber par eux. L'histoire montre d'ailleurs que, lorsqu'une mérécratie tourne en monocratie totalitaire, les premiers ennemis éliminés sont les socialistes. Le passage des socialismes au totalitarisme, bien qu'il constitue une forte inclination naturelle, implique une telle rupture, en raison de l'incohérence des socialismes, qu'il provoque tout naturellement un coup de force.

En revanche en dépit de l'absence de tout régime mixte fait de libéralisme et de socialisme, les notions de liberté et de Justice, surtout si on les affuble du qualificatif « social », sont assez proches et assez confuses pour permettre des langages communs et même des pratiques associées, voire conjuguées, entre ces deux régimes. Après tout, libéralisme et socialisme sont des mérécraties et, comme telles, elles vivent sur le mode du compromis. L'histoire récente ne cesse d'en donner des exemples et montre la fréquence des alliances effectives. Mais il ne s'agit pas, pour autant, de construire un régime mixte dont la cohérence assurerait la viabilité et qui serait d'autant meilleur qu'il serait mixte. Ces alliances ont, d'abord, des finalités électorales et tiennent seulement aux nécessités de l'action politique : en mérécratie, il faut bien obéir aux exigences de la loi de majorité. Mais elles peuvent souvent se révéler efficaces et bénéfiques. Encore faut-il que les alliances maintiennent un équilibre qui reconnaisse et sauvegarde la différence et une relative autonomie des parties. Dans les alliances entre socialistes et libéraux, il faut redouter l'inertie de la bureaucratie et de la technocratie en place, qui penchent aveuglément vers une étatisation accrue, sinon sur le plan doctrinal, du moins dans les faits.

Les tensions nées de ces conflits doctrinaux, les contradictions pratiques que cette collaboration contingente comporte, rendent fragiles et incertaines ces alliances pratiques, peut-être inévitables dans le pluralisme des mérécraties. L'action politique est trop complexe et associe trop de différences inéluctables pour pouvoir aller sans quelque incohérence et sans d'inéluctables compromis.

CHAPITRE IV

LE LIBÉRALISME ET LES LIBÉRALISMES

Le libéralisme est certes une doctrine politique, puisqu'il veut définir et sauvegarder les libertés des gouvernés sous leurs diverses formes, dans leurs rapports avec la liberté nécessaire des gouvernants, au sein d'une communauté politique.

On a tort cependant de parler sans précaution du libéralisme en général.

On a tort et on fait au libéralisme le plus grand tort. Je ne pense pas, en écrivant ainsi, à la diversité des attitudes libérales possibles en fonction du sens accordé aux valeurs de liberté ou en fonction des proportions dans lesquelles on peut associer les différents éléments de la doctrine libérale. Je veux dire que le libéralisme, appliqué aux différents domaines de la vie en société, ne constitue pas un tout homogène. Le même libéralisme, mis en pratique dans les domaines de la culture, de l'économie, de la société, de la politique, se trouve, en fin de compte, composé de plusieurs libéralismes qui ne sont pas immédiatement cohérents ou même compatibles, même sur le plan doctrinal. La première tâche de l'homme d'État libéral, comme celle du philosophe libéral, est de les ordonner, selon une hiérarchie et des proportions qui assurent clarté à la pensée, justification et efficacité à l'action. L'ordre, au sein du libéralisme, tout comme l'ordre libéral, ne va pas de soi, comme il est naturel, dans une doctrine de la liberté.

I. LE LIBÉRALISME CULTUREL.

Le domaine de la culture est la patrie du libéralisme ; c'est véritablement sa terre natale.

1. Il est de la nature de la culture de naître et de se développer sous l'action des individus, qui inventent, chacun pour soi-même, des moyens de poursuivre leur existence et de vivre en commun, à partir de la nature, en transformant la nature et en gardant sauves leur particularité, leur différence et leur autonomie. C'est leur liberté qui est en question, à la fois comme le moteur de leur action et comme sa fin. L'affirmation et l'expression de soi-même, le conflit essentiel avec autrui, l'effort pour le comprendre et pour trouver des valeurs d'entente et de justification auprès de lui, c'est l'affaire de la liberté réfléchie et raisonnable de chacun.

Certes, ce jeu de libertés en actes s'exerce sur un fond massif de culture reçue, de traditions, de valeurs dominantes, de mœurs établies, de normes contraignantes. Mais une culture qui s'enferme dans sa conservation, qui se durcit en dogmes orthodoxes et en styles académiques, se meurt. Une culture vit aussi longtemps qu'elle se renouvelle, si l'effort de libertés réfléchies pour sauver et intégrer la culture passée dans ce qu'elle a d'essentiel, réussit à en renouveler et en enrichir les formes en les dépassant.

La culture est le système vivant des relations de toutes sortes qu'établissent entre eux des individus capables de réflexion compréhensive et d'actions libératrices. Elle est faite de cette myriade de formes d'expression réciproque et de tentatives de compréhension à travers lesquelles, tant bien que mal, des individus, tous essentiellement libres, tous différents, essaient de vivre ensemble et cherchent à justifier réciproquement leurs différences, à force d'invention, à force de compréhension, à travers la visée commune d'un ordre culturel commun.

Puisqu'elle est faite de réflexion et de liberté, de conscience vécue, sentie, réfléchie, agie, la culture est une réalité spirituelle. Comme l'esprit, elle connaît une existence finie, une vie et une mort, selon que le génie des libertés qui l'anime, fait de conservation et d'innovation, brille ou s'éteint. Dans une culture donnée, c'est l'affaire de chaque génération tout entière et de ses élites. Quelques rares hommes de génie ne suffisent ni à susciter une culture, ni à sauver une culture reçue ; il faut l'esprit et la vocation de tous. Parfois, une culture reçue, éclatante, pèse d'un poids d'imitation trop lourd et écrase les générations qui suivent, faute d'esprit créateur. Là où la liberté se meurt, qu'elle manque d'énergie créatrice ou bien qu'on l'écrase sous l'avalanche des masses médiocres et envieuses, sous une exigence rigide d'orthodoxie, c'est une culture qui meurt.

2. La culture d'une communauté politique, d'une nation, se trouve être, on le constate, le milieu où se produit de lui-même — ce n'est pas un miracle, quoiqu'il y paraisse — un ordre spontané, c'est-à-dire un ensemble équilibré, compréhensible, accordé, concordant, de valeurs, de formes de pensée et de manières de vivre, repérable comme un consensus culturel plus ou moins dense et plus ou moins serré. *A posteriori*, l'historien reconnaît les valeurs dominantes, les significations directrices, le style : l'ordre d'une culture se comprend, il a du sens. C'est le domaine humain exemplaire où l'on puisse constater un tel ordre spontané, qu'aimerait tant pouvoir postuler le libéralisme dans tous les domaines où vivent, pensent et agissent des hommes libres.

Cet ordre et sa spontanéité non calculée, non intentionnelle chez ses auteurs, se comprennent et peuvent s'expliquer.

La culture n'est-elle pas le domaine par excellence où les membres d'une communauté politique exercent leur liberté comme une force naturelle ? Le jeu de ces libertés en acte tend de lui-même vers un équilibre naturel, spontané : une culture. Ces libres forces vivantes ne se développent d'ailleurs pas *ex nihilo* : une culture vivante recueille les tendances, le poids de toute la culture passée, dont elle intègre l'essentiel et qui tend à orienter, à unifier leur libre développement. Ce sont là deux incitations qui ne suffiraient pas à rendre compte de l'harmonie intérieure, du style qui règne effectivement dans toute culture, de la personnalité qu'elle manifeste. Mais il ne faut pas oublier qu'au sein d'une culture, chacun des individus foncièrement différents qui l'animent de toute leur liberté créatrice, de toute leur réflexion porteuse de raison cherche, pour s'affirmer et se faire reconnaître, à comprendre et à être compris, à payer la reconnaissance de sa différence par la reconnaissance de la différence d'autrui, dans la recherche de valeurs universelles, génératrices d'harmonie. Nul ne conçoit et ne cherche un ordre donné, mais la somme, l'intégrale de tous ces efforts individuels d'affirmation de soi et de compréhension d'autrui, met en place une culture selon son ordre propre. Une culture, en dernière analyse, c'est un ordre de valeurs qui rend possible une manière de vivre, de s'exprimer, de produire une coexistence comprise et justifiée au sein d'une communauté politique.

Pour éviter toute ambiguïté, signalons que nous distinguons de ce que nous appelons culture, ce que nous appelons, dans notre langage, civilisation, c'est-à-dire l'ensemble des sciences et des techniques qui en assurent l'application. La civilisation, relevant des procédés de la connaissance rationnelle et des structures de l'esprit humain est, en tant que telle, appelée à devenir universelle. Par rapport à elle, seulement, on peut parler d'une histoire unique et d'un progrès universel de l'ensemble des hommes, de l'humanité. La civilisation a atteint un stade universel avec la civilisation de l'Occident judéo-chrétien. Les sciences et les techniques sont des produits de la connaissance rationnelle et non pas des manifestations de la liberté. En raison des conséquences que les techniques peuvent avoir sur les conditions de la vie des hommes, elles sont prises en compte par les mœurs vécues ; mais ni les sciences, ni les techniques ne sont créatrices de valeurs, en particulier, de valeurs morales ou de valeurs politiques. C'est l'affaire de la culture et de la liberté qui l'a créée. (On le voit à l'évidence dans le cas de la contraception ou de la bombe atomique : ce ne sont pas les savants, en tant que savants, qui sont en mesure de résoudre les problèmes moraux et politiques que posent leurs découvertes.)

Une culture est faite de libertés en actes et en œuvres. Il existe donc bien un libéralisme culturel spécifique. Il jouit d'un primat essentiel, ontologique, puisqu'il est vécu, pratiqué avant d'être pensé et bien avant d'être mis en doctrine. La liberté est d'abord affaire spirituelle. Elle existe d'abord dans une culture. Réciproquement, on peut dire que la culture est le témoignage et la preuve de la liberté humaine, la présence manifestée de l'homme.

Le libéral vraiment libéral croit à la liberté parce qu'il croit à l'esprit. Il croit que l'homme est quelque chose de plus qu'une bête, quelque chose de plus que son corps. Il croit que l'homme cherche autre chose que sa seule survie matérielle et même que son simple bien-être, il croit qu'il est impossible à rassasier, parce que toute satiété est matérielle.

Ce primat du culturel est irréductible, irrépressible. Toute culture est liberté vécue dans ses mœurs et dans ses œuvres. Sous le régime totalitaire le plus accompli, si réprimées que soient les manifestations extérieures de la liberté, chacun de ses sujets garde, latente en lui, son humaine liberté, inaliénable, même s'il consent à l'aliéner, irrépressible, même sous la pire répression, irréductible, parce que l'homme est générateur de liberté, liberté en puissance, quoi qu'on veuille, quoi qu'il veuille. C'est pourquoi le totalitarisme, appuyé sur la paresse, la lâcheté, l'envie, ne cesse pas d'être un régime où règnent l'arbitraire, la violence physique et la violence spirituelle, le mensonge : c'est un État policier. Une culture subsiste, malgré tout, dans ce désert culturel, parce qu'il est peuplé d'hommes qui ne peuvent pas ne pas penser, sous le couvert d'une culture toute normative et sclérosée, dans le silence

menaçant et traversé de cris d'une liberté qui ne peut pas demeurer muette.

*

3. A ce primat essentiel du libéralisme culturel s'adjoint d'ailleurs un primat historique. Longtemps, l'unité de la foi avait
fondé en Occident une communauté chrétienne qui avait établi,
vaille que vaille, une intense communion des esprits. Les dissenti-
ments concernaient en général des opinions individuelles et
demeuraient d'ordre privé. Mais, à partir du moment où, au
XVIᵉ siècle, la chrétienté se rompt, en même temps que la foi chrétienne, en deux et même en plusieurs confessions, les dissensions
suscitent et affectent une véritable opinion publique. La rupture
de la foi met en question la liberté de croire et, de proche en proche, les multiples formes de la liberté culturelle. La culture réagit
sur le politique : les dissensions ébranlent les pouvoirs politiques
établis et déchaînent des guerres de religion pour plus de deux
siècles à travers l'Europe. Bien avant que le mot même de libéralisme existât, un libéralisme de fait se forme à partir du moment
où les mouvements et les doctrines de la tolérance cherchent un
remède à tant de maux dans la sauvegarde de nouvelles libertés de
croire.

Le libéralisme classique se confond alors avec la politique de la
tolérance. Il imposera en fin de compte trois principes décisifs :

1. Le premier, c'est que les acteurs culturels et les acteurs politiques sont des individus. Eux seuls sont par nature doués de liberté
et de conscience réfléchie. Eux seuls ont la capacité est, par nature,
la liberté de juger par eux-mêmes. Eux seuls, par conséquent, sont
capables de décisions, d'initiatives, de responsabilités, de maîtrise
de soi.

2. La distinction et la séparation du spirituel et du temporel forment le second principe. Le spirituel est le domaine de la foi, de la
relation de chacun à Dieu et à l'éternité ; il pose la question du
salut. Être tolérant, c'est alors reconnaître que le spirituel est une
affaire privée qui ne regarde que le « for intérieur » ; il appartient
à chacun d'en juger par lui-même et pour lui seul. Le salut de
chacun est son affaire propre ; elle ne concerne que lui et lui seul
en peut être responsable : sa liberté est précisément le principe de
son péché et le principe de sa rédemption. Le temporel est d'un
autre ordre : aucune intervention temporelle ne peut assurer ou
empêcher le salut d'autrui.

3. On tire les conséquences de cette distinction du spirituel et du

temporel en concluant, et c'est le troisième principe, à la séparation de la société spirituelle, par exemple une Église, et de la société temporelle, en particulier de l'État. Une Église est une société toute spontanée, produite par une communauté de convictions religieuses, et pour qui des moyens temporels sont inutiles, puisqu'ils sont sans commune mesure avec ses fins : l'amour de Dieu, la pratique de la foi, la recherche du salut éternel.

La tolérance est d'abord une affaire privée, une relation sociale primitive *sine qua non* de coexistence. Elle est inscrite dans la relation à autrui dès que celle-ci devient une relation réciproque et que l'autre est reconnu et respecté dans ce qu'il a de propre et de différent, en lui-même et dans ses valeurs. La tolérance est implicite dans le rapport d'homme libre à homme libre dès que se trouvent dépassés le stade du conflit et, avec lui, l'appétit de domination et la passion de la servitude. Elle est la manière de vivre la liberté de la différence et l'inégalité que celle-ci entraîne nécessairement.

La tolérance devient une affaire politique lorsque sont mises en cause les convictions partagées par des groupes considérables dans la communauté, lorsque ces convictions suscitent une opinion publique déchirée par des divergences profondes. Se fondant sur le caractère individuel et privé de la foi, sur l'irréductible différence de nature qui sépare le spirituel du temporel, mettant en œuvre sous diverses formes une séparation entre l'État et les Églises, la politique de la tolérance, que l'on appellera plus tard une politique libérale, organise la protection des convictions religieuses, la liberté de la pensée et de son expression. Elle reconnaît ces libertés comme des droits dans le cadre des lois de l'État. Bref, le libéralisme politique se forme et intervient pour protéger un certain état de la culture, une certaine manière de mettre en pratique les libertés créatrices de culture. L'ordre politique libéral reconnaît qu'il existe un ordre culturel spontané et traduit ses valeurs en un ordre politique qu'il adapte aux nécessités de la vie en commun.

II. Le libéralisme politique.

Coïncidence remarquable : le libéralisme politique, qui naît pour protéger un ordre culturel spontané et pour l'instituer dans un ordre politique, converge avec ce libéralisme politique que l'on considère comme classique et qui naît, à la même époque, lui, de la défense et de la protection des individus face à l'émergence d'un pouvoir souverain de plus en plus puissant et envahissant.

L'ambiguïté du libéralisme politique qui résulte de cette fusion tient à cette double origine et à la confiance qu'il accorde, à la fois, aux individus et à la puissance publique. Cette confiance va de pair avec une méfiance correspondante. A cette même époque, l'État moderne se constitue comme un État libéral. L'État libéral est exclusivement composé d'individus et la puissance étatique, qui s'incarne dans des individus, n'a en face d'elle que des individus. Sa fonction primitive est de servir d'arbitre et de juge. C'est pourquoi elle n'est investie du pouvoir de commander et des moyens de se faire obéir qu'en second lieu et par voie de conséquence. Si la puissance publique reçoit le pouvoir de faire des lois, c'est parce qu'elle est d'abord juge et arbitre et qu'il lui appartient, à ce titre, d'expliciter par des lois générales la Justice au nom de laquelle elle a été invoquée comme arbitre et juge par les individus qui lui ont fait confiance. Être libéral, c'est croire qu'il existe une Justice sous les lois de laquelle des hommes libres peuvent cohabiter et développer leurs aptitudes dans l'ordre et la paix.

C'est pourquoi les philosophes libéraux évitent de traiter la puissance publique de puissance souveraine : pour eux, la suprême puissance est subordonnée à une Justice qui ne dépend pas d'eux. Ce scrupule est excessif et, à l'imitation de Jean Bodin, inventeur du concept de souveraineté, qui définissait les limites de la souveraineté et qui requérait du Souverain le serment de toujours agir au nom et en vue de la Justice, nous utiliserons ce concept commode de souveraineté, mais nous l'utiliserons dans un esprit libéral. Nous reconnaissons, dans l'esprit du libéralisme le plus classique, que la puissance politique suprême dans l'État, c'est-à-dire la puissance du Souverain, est une puissance absolue, c'est-à-dire que le souverain dispose du pouvoir strictement fonctionnel sans lequel aucun État ne saurait fonctionner, de décider en dernier ressort, et quelle que soit la situation d'incertitude, d'ignorance et même d'absence de justification rationnelle où il se trouve amené à prendre sa décision.

Mais ce pouvoir, pour être absolu, n'en est pas moins limité : c'est un principe fondamental du libéralisme politique. Le libéralisme restera marqué par cette conviction qui tourne souvent à l'inquiétude et à la prévention : la crainte de voir un pouvoir illimité rouler d'abus en excès, vers l'arbitraire et la tyrannie, incline certains libéraux vers une politique du soupçon à l'égard du pouvoir politique en tant que tel. Le libéralisme déviera vers une mise en question de toute autorité politique et, de scrupule en suspicion, déviera d'une déviation mortelle vers l'anarchie.

Mais, pour le libéralisme classique, les limites du pouvoir souverain sont nettement fixées et lui servent de fermes assises. La limite la plus décisive, c'est le principe même qui sert de source, de fondement et de règle à la puissance souveraine libérale et à l'État libéral lui-même, c'est la présence d'une Justice qui domine et gouverne les affaires humaines, la libre existence des individus et les relations privées et publiques qui s'établissent entre eux. Quelle que soit sa justification et, pour le libéralisme classique, elle exprime la loi de Dieu et la loi de la raison, elle est reconnue par tous les individus et par l'État comme le fondement de la politique. Limite et règle de la puissance souveraine, la Justice et son maintien dans la sécurité et dans la paix constituent la finalité par excellence de l'État et la mission spécifique conférée au pouvoir souverain. L'autorité du Souverain n'est pas une jouissance et un usage, mais une mission de confiance, une charge, un service dans le sens le plus noble du mot. Ce n'est pas un privilège, c'est un devoir.

Dans les limites de cette mission, sous l'égide de la Justice, ce devoir confère au Souverain une puissance immense. Ce n'est pas le pouvoir absolu qu'il faut écarter, mais le pouvoir absolu arbitraire. Pour le libéralisme primitif, le Souverain dispose d'un immense pouvoir dans la mesure où il est raisonnable et juste. Pas au-delà.

Néanmoins, comme dans toute mission, non seulement la charge souveraine peut être plus ou moins bien remplie, mais le Souverain peut même forfaire à sa mission. L'idée de mission implique donc l'idée de contrôle. En cas d'insatisfaction, le pouvoir suprême peut être remis en cause, avec son détenteur, par ceux-là mêmes qui lui ont conféré sa mission. Faute de lois fondamentales, les membres de la communauté politique sont en droit, dit le philosophe libéral, de recourir à la force, de soumettre le Souverain à une épreuve de force. Le libéralisme classique reconnaît la légitimité de la résistance, dans son principe, en cas de forfaiture ; pour sa pratique, ce n'est plus alors qu'affaire de confrontation de puissances et d'opportunités.

Pour éviter le recours abusif à de tels conflits, le libéralisme classique considère que l'idée de mission implique l'existence de lois fondamentales, venues, à force de traditions, du fond des âges et, de proche en proche, de la mise en forme de cette mission, de ses méthodes, de ses limites, sous la forme d'une constitution. Par le moyen de dispositions constitutionnelles, les libéraux se sont plu à diviser la puissance publique selon ses fonctions essentielles exécutive, législative, judiciaire, à établir entre ces pouvoirs des relations d'indépendance, à reconnaître des contre-pouvoirs culturels ou locaux, qui peuvent prendre la forme de groupes de pression. Dans la recherche d'un équilibre qui ne nuise pas à l'efficacité, tout est affaire de répartition des pouvoirs et de mesure. Les solutions ont varié, mais ces idées devenues banales n'ont cessé d'inspirer les régimes qui, jusqu'à nos jours, en assurant à la fois la meilleure garantie des libertés individuelles et l'existence d'un pouvoir aussi fort qu'il est nécessaire à la santé de l'État, se veulent libéraux.

En outre, et on ne l'a pas assez remarqué, le libéralisme classique a su associer à un pouvoir politique fort un grand respect de l'individu, de ses libertés, de sa vie privée (de sa *privacy*), parce qu'il délimitait étroitement les missions qu'il lui assignait : définition, mise en place et garantie par la loi d'un ordre réputé juste, sauvegarde des libertés individuelles et des droits qui leur sont attachés, défense de la communauté politique ainsi ordonnée. Bref le pouvoir politique s'applique exclusivement au domaine politique. Avec une admirable lucidité, John Locke, le vrai père du libéralisme, a bien montré, pour reprendre son langage, que la finalité assignée aux détenteurs du pouvoir suprême, c'est la sauvegarde de la vie, de l'intégrité du corps, de la liberté et des biens de chaque citoyen, bref de ce qu'il a justement appelé d'un terme général « la propriété des biens ». Sans propriété de ces divers biens, qu'il s'agisse de biens physiques, matériels ou spirituels, comme la liberté de la pensée, du jugement, de la croyance, il n'y a pas d'existence humaine individuelle. Cette expression, « propriété des biens », mérite d'être conservée et respectée jusque dans son ambivalence, qui désigne le corps et l'esprit et leur liberté, sans quoi il n'y a pas d'homme. Ce libéralisme est un humanisme.

Toute autre finalité est exclue des missions nécessaires du pouvoir politique suprême. Au-delà de cette finalité et des moyens qui s'y rapportent, *tacent leges,* les lois se taisent. Dans le silence des lois, le libéralisme classique installe la pleine liberté du domaine privé : chacun pense et agit comme lui seul, en dernier ressort, le juge convenable, selon l'idée de la Justice et de la charité la plus raisonnable qu'il se pourra faire.

III. LE LIBÉRALISME ÉCONOMIQUE.

A peine édifiée, cette doctrine d'un libéralisme exclusivement politique a été dépassée par la marche des événements et par le renouvellement des réflexions doctrinales. Avec la formation des sociétés industrielles, avant même que n'intervienne leur développement accéléré, est apparue la théorie du libéralisme économique, mise en forme de façon éclatante par Adam Smith.

D'un seul coup, le libéralisme économique s'est placé au centre de tous les libéralismes, au point de s'imposer à lui tout seul comme *le* libéralisme. Aux yeux du philosophe, des hommes d'État et des hommes d'affaires, c'est l'économie qui tend à dominer les affaires politiques, culturelles, sociales, et c'est l'économie politique qui leur apporte les solutions qu'elles réclament.

Mon intention n'est pas de traiter pour lui-même du libéralisme économique, mais d'étudier ses rapports avec les autres formes du libéralisme, en raison des conséquences qu'entraînent la pratique et les résultats impressionnants de l'économie libérale.

Les seuls agents économiques que prend en compte le libéralisme économique sont, au point de départ, les individus qui, seuls, disposent d'un pouvoir de liberté et de calcul rationnel. Leur liberté est, à la fois, la marque de leur inadaptation naturelle à un monde caractérisé par la rareté des biens immédiats et par l'insatiabilité des désirs dont ils font preuve : cette double rareté, aussi bien objective que subjective, est inépuisable.

Le libéralisme économique veut montrer que la libre activité des individus appartenant à un ensemble économique déterminé, à une nation, par exemple, s'emploie à assurer la satisfaction des besoins et des désirs de chacun d'entre eux, de la façon qui paraît à chacun la plus rationnelle, disons la plus intelligente, en fonction de la situation de rareté dans laquelle ils se trouvent et des moyens dont ils disposent. Certes le portrait de l'*homo œconomicus* présente un schéma simpliste. En chaque individu, la poursuite de ce qu'il considère comme lui étant « utile », « avantageux », comme étant de son « intérêt », est définie par les passions les plus diverses, qui vont du calcul égoïste à la générosité, de l'avarice à l'ostentation, de la parcimonie au luxe, de la concentration sur soi à la charité et au souci du bien public, peu importe. L'« utile » correspond aussi bien aux besoins les plus naturels et nécessaires qu'aux désirs les moins nécessaires et même les plus arbitraires. L'« utile », c'est ce qui profite. La notion de profit est donc essentielle au calcul économique.

De même, l'organisation « rationnelle » des moyens dont dispose chaque individu s'effectue sous la pression des circonstances et va du calcul rationnel et informé au recours plus ou moins heureux à l'imagination, à l'ingéniosité, au bon sens, ou même à un usage stupide, incohérent ou ignorant. Et que de différences dans l'art d'entrer en concurrence avec autrui ou de traiter avec autrui. Peu importe : c'est tout cela le calcul, le travail et la lutte économiques.

La liberté réfléchie du travail et de la lutte des individus entraîne la division du travail et, par voie de conséquences, la formation d'un lieu où vont se développer et s'équilibrer collaborations et compétitions dans la production, les échanges, la consommation des biens. Dans le cadre de l'état de droit qui lui correspond, chaque communauté politique constitue ainsi un marché, lui-même intégré de façon plus ou moins libérale dans un marché international.

Les libertés qui s'affrontent et collaborent dans ce marché jusqu'à trouver un système d'échange et d'équilibre entre elles sont des *forces naturelles*. Ces forces naturelles sont soumises à des *lois naturelles*, loi de l'offre et de la demande, loi de la sélection naturelle, qui sont des lois inéluctables. Quand un marché national tente de s'enfermer dans un système autarcique et soumet les processus économiques aux diktats de l'État et à la gestion de sa bureaucratie, il subit, malgré tout, de deux façons, le poids des lois économiques : il se comporte globalement comme un mauvais acteur économique, puisque, l'expérience le montre, il n'organise jamais que la pénurie, la répartition égalitaire de la misère, la généralisation du désintérêt et de la paresse. En outre, dans la mesure où il est contraint de maintenir des échanges de survie avec le marché international, il en subit les lois.

Les libéraux considèrent que les activités du marché aboutissent à un équilibre économique, à un ordre qui sanctionne, la chance aidant, les travaux, les luttes, les vertus, les passions de chacun. On le voit, le libéralisme économique, comme le libéralisme culturel, aboutit spontanément à un ordre, à un ordre naturel, alors que le libéralisme politique est amené à instituer un ordre artificiel pour protéger les libertés naturelles des individus et leur permettre de s'épanouir, mais aussi pour les empêcher de dévier et les rendre compatibles entre elles au sein de la communauté politique. Celle-ci est aussi le produit d'une constitution artificielle qui encadre et ordonne les manifestations naturelles de la vie sociale. Sur cette divergence décisive, le libéralisme classique va buter.

Certes, cet ordre économique spontané, naturel, est composé de désordres qui tendent à se résoudre et à renaître sans cesse ; cet équilibre est toujours instable et provient de déséquilibres qui tendent à se compenser. Cet ordre est plutôt une tendance à un ordre toujours remis en question. Il faut le considérer dans la longue durée, car cet ordre imparfait n'est ni stable, ni définitif ; il se développe, semble-t-il, selon un rythme cyclique où les périodes de prospérité alternent avec les périodes de récession. Il est marqué de crises, il est fait de crises.

D'où ces crises proviennent-elles ? Les unes pourraient provenir des résistances internes à l'adaptation des processus économiques entre eux ; d'autres auraient pour origine des chocs venus de l'extérieur, qu'il s'agisse de bouleversements techniques, de brutales transformations dans la production des matières premières, du surgissement de nouveaux marchés ou de nouveaux concurrents, de la modification des mentalités, ou, simplement, des intrusions politiques, qui, celles-ci, peuvent venir de l'extérieur, mais aussi de l'intérieur.

Ces dernières feront l'objet de notre réflexion : elles concernent les rapports de l'économie et du politique d'un domaine où l'ordre naît spontanément avec un domaine où l'ordre est construit artificiellement.

Collaboration et compétition incitent, en effet, les agents individuels à s'associer et à former des groupes économiques puissants. Vient un moment où l'efficacité, l'ampleur, la puissance de ces groupes se convertissent en puissance politique, pervertissant la concurrence au détriment des agents individuels et des petits groupes ; ainsi se forment des cartels, des trusts, des monopoles qui perturbent la vie économique au point de provoquer l'arbitrage de la puissance publique la plus libérale.

Des perturbations du même type se produisent lorsque se constituent, à cheval sur l'économique et le social, des groupes de pression qui se donnent pour tâche la protection de catégories sociales d'agents économiques, les patrons, les cadres, la main-d'œuvre ouvrière : la puissance des syndicats associés en confédérations est devenue, qu'on le veuille ou non, politique au plus haut point, depuis qu'elle est devenue capable d'infléchir ou de bloquer l'activité d'une branche particulière de l'économie ou même celle de la nation tout entière. La nouvelle structure « mérécratique » des nations industrielles contemporaines, le fait que les véritables citoyens, les citoyens efficaces, tendent à devenir des groupes, « des parties », des factions, et non pas des individus, pose à l'État libéral l'un des plus grands problèmes qu'il ait à résoudre ; nous nous consacrerons à son étude. Au sein de l'économie, les groupes syndicaux sont aussi efficaces et parfois perturbateurs que les groupes économiques ou financiers. Mais ils ajoutent une perversion supplémentaire chaque fois que leur logique cesse d'être une logique économique de profit et de croissance pour devenir la défense d'une catégorie sociale d'individus, sans que les nécessités de l'économie soient prises en compte.

Cette fois, la puissance politique de l'État n'intervient pas seulement comme arbitre et comme garant de l'état de droit, comme défenseur de la liberté économique bien comprise : l'État est directement mis en cause, directement menacé. C'est, non seulement, la santé de l'économie, c'est la vie de la nation qu'il a à régler et à sauvegarder. Il est de taille à le faire. L'État moderne est, en principe le plus puissant de ces groupes de pression. N'a-t-il pas, par définition, le monopole légitime de la puissance publique, de la violence publique ? Il est en même temps, même s'il s'agit de l'État le plus libéral d'une grande puissance économique, ne serait-ce que par le droit qu'il s'arroge de battre monnaie, par l'immensité du domaine public qu'il possède, par l'immense richesse qu'un État fait fructifier ou dont se servent les grands services publics devenus traditionnels. Qu'un État opère ainsi pour rétablir la liberté des activités économiques jugées fonction-nelles, pour mater, diviser ou équilibrer des groupes de pression, des factions économiques ou sociales, qu'il le fasse pour garantir le respect de l'état de droit, qu'il le fasse en vertu de quelque idéo-logie dominante, voilà encore la liberté naturelle du processus économique mise en question, ainsi que l'ordre auquel il tend à parvenir spontanément, car l'ordre économique spontané ne cor-respond pas nécessairement à l'ordre politique souhaité. Voilà imposé le problème de l'intervention du pouvoir politique de l'économie et la tendance de l'économie vers un auto-équilibre, suspecté, perturbé, corrigé.

On trouvera cet ordre bien désordonné : les libéraux répondent que les crises qui se produisent sont des crises de réadaptation, qu'il s'agisse de crises cycliques ou de crises provoquées par la brusque irruption dans le processus économique des conséquences des événements extérieurs à l'économie et qui jouent, par rapport à elle, le rôle des hasards de l'histoire. On trouvera que cet ordre se détraque lorsque, pour des motifs sociaux, culturels, politiques, des factions prétendent soumettre l'économie à leurs exigences et bouleversent les conditions du marché sans tenir compte des nécessités naturelles de son fonctionnement et de son bon rende-ment. Les libéraux répondent que la nature des choses, c'est-à-dire le jeu, à la longue, irrépressible de la liberté économique, finit toujours par l'emporter et que les lois du marché ne cessent pas de jouer pour autant. Ils montrent que de pareilles intrusions mènent à un désordre artificiel dont les effets pervers sont de plus en plus emmêlés et de moins en moins maîtrisables : ces intrusions contre nature ouvrent sur la décadence économique et la misère générali-sée, comme l'expérience historique le montre. Pour les libéraux, la seule issue est la reprise d'une action libérale menée par un gou-vernement libéral capable de poursuivre ses objectifs culturels, sociaux, politiques, sans prétendre contourner ou contrecarrer les lois naturelles du marché, mais, au contraire, en s'en servant, en se servant des nécessités fonctionnelles de l'économie.

La première preuve, la preuve essentielle de l'existence d'une tendance spontanée vers un ordre économique naturel, c'est que, seule, jusqu'ici, dans l'histoire, l'économie libérale a réussi à assurer sur la longue durée, la croissance globale de la richesse des nations qui ont été capables de s'y livrer, en même temps que l'élévation du niveau de vie moyen de leurs habitants. Cette croissance globale, due à l'initiative, à l'entreprise, à la liberté économique des individus, est apparue comme la seule façon capable d'élever le niveau de vie des plus misérables, des plus incompétents, des plus inaptes à exercer eux-mêmes une activité économique réfléchie. L'expérience historique des pays industriels d'Occident le montre à l'évidence : on peut parler à ces divers niveaux d'un progrès économique. La grande étude de François Simiand sur la France de 1814 à 1914 en apporte une remarquable confirmation.

La seconde preuve, c'est que cette tendance à l'ordre est naturelle et que cet ordre est, comme on l'a dit, spontané. On constate, d'une part, que cette constante tendance à la réadaptation, au rééquilibrage, à la remise en un ordre global, personne ne la cherche, ni les individus, ni les groupes de pression, toujours à la poursuite de leur intérêt propre, et que les États s'en montrent bien incapables : les crises se résolvent et les situations se rétablissent sans eux et même malgré eux. Les problèmes globaux les dépassent comme ils dépassent le cadre d'une seule nation.

La seconde preuve du caractère spontané de ce mouvement immense, c'est que nul ne sait ou ne saurait l'organiser. Nul n'en est capable, ni les individus, ni les factions, ni les puissances publiques. En effet, au-delà de la mise en évidence de quelques lois élémentaires, il y a beaucoup de théories, d'innombrables modèles, beaucoup de prétentions mathématiques, mais il n'y a pas de véritable science de l'économie et, par conséquent, pas de technique qu'on en puisse déduire. Hélas, l'expérience le montre bien. Ce n'est pas assez de dire que les affaires économiques sont d'une extrême complexité qui n'a point été encore débrouillée, ou que l'enchevêtrement des actions et des réactions, inséparables du contexte social, culturel, politique, historique est tel que la moindre intervention entraîne des effets secondaires imprévus et souvent perturbateurs, qui échappent à l'acteur initial et qui n'apparaissent qu'*a posteriori* à l'observateur. C'est que l'économie met en jeu la liberté des acteurs économiques et leurs imprévisibles réactions, sans oublier que ceux-ci vivent autant de biens à venir et de crédits que des biens et des activités présents ; ils prennent en outre des risques calculés en fonction de leurs passions. On peut toujours rendre compte de ce qui s'est passé, on ne saurait prévoir scientifiquement à échéance ce qui se passera dans le domaine de la liberté. On prend seulement le risque de le supputer et d'imaginer des probables. Comme le montrait si bien Kant, il n'y a pas de science de la liberté. Au-delà du calcul des probabilités, si incertain en pareil domaine, il n'y en a pas davantage de la chance qui, dans les affaires humaines, compte bien pour moitié dans l'événement à venir. Ni le calcul des probabilités, ni la prospective n'ont encore donné une science de l'économie à nos gouvernants.

Que nos savants me pardonnent. S'il y avait une science économique, cela se verrait dans la conduite des affaires humaines. En revanche, l'activité économique et la politique sont affaires, d'une part, de clarté d'esprit, de bon sens, de prudence et, d'autre part, d'expérience des affaires et de connaissance de la nature humaine : ce sont déjà des exploits infiniment respectables de faire preuve de telles vertus d'esprit et de telles vertus de cœur. Que l'histoire des fausses manœuvres, des cafouillages et des échecs de nos dirigeants, dès qu'ils oublient les lois du marché, nous soit un avertissement : nous les voyons le plus souvent dépassés par l'événement. Chanceux sont ceux qui viennent au moment où les choses s'arrangent à peu près d'elles-mêmes. La nature des choses l'emporte presque toujours sur les artifices et sur les politiques volontaristes en matière d'économie. En revanche, rien n'est plus facile, par des manœuvres malencontreuses, oublieuses des réalités économiques et de leurs lois, que de perturber la suite des événements, d'introduire le désordre et de provoquer la pénurie.

Les libéraux pensent que la tendance à l'ordre l'emporte dans une économie en liberté. La politique libérale de l'économie a, en conséquence, pour mission de se servir de l'économie et, pour cela, de faciliter les réadaptations de pousser l'économie dans son sens, dans la voie de la croissance la plus régulière et la plus équilibrée, de contenir ses mouvements trop brutaux ou trop rapides, générateurs de distorsion et de désordre, d'assurer à la concurrence un caractère mesuré et raisonnable qui la rende efficace, de jouer le rôle d'arbitre propre à transformer les luttes économiques sans merci en compétitions réglées par le droit. Les interventions de la puissance publique libérale doivent assurer la liberté des acteurs économiques primaires, au nombre desquels l'État doit compter le moins possible ; elles doivent avoir pour but de sauvegarder le développement efficace des processus économiques. Facilitations, arbitrages, contrôles, incitations, dans le sens de la nature des choses : telles sont les méthodes d'une politique libérale qui se donne pour principe : la meilleure politique libérale en économie, c'est celle qui intervient le moins.

IV. POLITIQUE ET ÉCONOMIQUE.

En tout cas le libéralisme économique assigne cette tâche au libéralisme politique, si celui-ci se donne, en particulier, pour fin, la croissance économique la plus régulière, l'élévation du niveau de vie moyen, l'amélioration des conditions d'existence des plus défavorisés, en un mot la prospérité et la richesse de la nation. Mais cet ordre économique spontané n'est pas nécessairement le seul but du libéralisme politique, ni même tout à fait un but compatible avec ses autres buts et avec les autres formes du libéralisme. Car, après tout, il ne s'agit pas seulement d'être riche, ni pour un individu, ni pour un État. N'y a-t-il pas une incompatibilité profonde entre le libéralisme économique et le libéralisme culturel, en particulier avec les valeurs morales et spirituelles de celui-ci ? N'appartient-il pas au libéralisme politique de trancher ?

Laissons les économistes optimistes et les pessimistes disputer sur les coûts et les perspectives du devenir naturel de l'économie, sur l'évolution des taux de croissance et l'avènement des sociétés d'abondance dans les nations industrielles modernes. Laissons-les se demander si cette notion d'ordre spontané entraîne avec elle l'idée d'un progrès global.

Il est trop évident désormais que le succès d'une politique se mesure, de plus en plus, au taux de la croissance économique de la nation, au degré d'abondance auquel elle parvient. Elle se présente comme une politique des niveaux de vie, comme une politique de la production, de la consommation, comme une politique de la richesse. Bref, une politique se détermine, par le temps qui court, pour des raisons économiques, se définit en termes économiques, et s'apprécie, au prorata de ses succès économiques. Elle tend à devenir une politique de la puissance économique. Ainsi, peu à peu, tout le libéralisme se met à tourner autour du libéralisme économique aussi bien pour les hommes d'État et pour la classe politique que pour l'opinion publique.

Pour un peu, le libéralisme économique absorberait en son sein le libéralisme culturel et le libéralisme politique. Ils ont, en effet, en commun, un mot, le libéralisme, une valeur, la liberté, et une volonté, la volonté de non-intervention, ou d'intervention minima de l'État, dans les affaires des individus. Le libéralisme économique et le libéralisme culturel croient, en commun, à la spontanéité d'une mise en ordre des libres activités de chacun et de leurs résultats.

Mais il faut aussi observer que l'économie incline, par nature, à n'être pas fidèle à la source de tout libéralisme, la vie de l'esprit et l'art de la culture. Les fins de l'économie sont la richesse des nations et la richesse des individus. Les valeurs de l'économie sont des biens matériels ; ses calculs portent sur des techniques matérielles, sur la propriété, la production, l'échange, la jouissance des biens matériels. Ces biens matériels, qui sont, en principe, des moyens d'existence, sont bien souvent pris pour des fins et pour des fins suffisantes. Nos oreilles retentissent encore de cette dénonciation classique de la monnaie, en quoi se matérialisent les besoins et les désirs de l'homme et en quoi il finit par s'aliéner lui-même. On se plaît à dire que chaque homme est ainsi identifié aux biens matériels dont il est propriétaire et qu'il est, par là, inté- gré au marché, soumis à ses lois, donc qu'il est à vendre et à ache- ter. L'homme, agent économique, n'aurait plus une valeur, mais simplement, un prix.

Accordons volontiers à l'économique son caractère essentiel, ainsi qu'à l'activité économique le fait que les dons de la nature ne suffisent ni à faire survivre ni à rassasier : l'homme est, par nature, non seulement inadapté à son environnement, mais il est insatiable. Il se trouve dans la nécessité d'adapter son environne- ment à ses besoins et à ses désirs et de collaborer avec autrui, afin d'exploiter les ressources naturelles, à force de travail et d'intelli- gence, à force de liberté réfléchie et raisonnable, et de triompher de la pénurie objective des choses. Plaidons plus encore : les hom- mes, en tant qu'ils sont des hommes, n'ont-ils pas non seulement le désir, mais l'obligation, de s'assurer une abondance et des com- modités d'existence suffisantes pour jouir de ce *loisir,* qui est le seul lieu où peuvent s'épanouir la vie de l'esprit, progresser les sciences et les techniques et se former une culture ? Mais recon- naissons ici le prix qui risque d'être payé : la déshumanisation menaçante, la réduction des rapports humains à des rapports éco- nomiques et techniques, la dégradation matérielle qui suit de cette déviation. Installé au premier rang par la nécessité, je veux dire par la rareté et par l'urgence, le libéralisme économique oublie le libéralisme culturel, pire, il l'écrase sous les exigences matérielles. Et bientôt, au nom de la faim, de la soif, du confort, du mieux-être physique, de l'anxiété du lendemain, l'économie libérale, elle aussi, tend à soumettre la politique, et même la politique libérale, à ses fins et à ses exigences.

Il ne faut pas, cependant, que le libéralisme politique soit subor- donné au libéralisme économique et que l'on en vienne à appeler libéralisme ce qui n'est qu'une politique de l'économie ou tout, le culturel, le social, le politique, se mesurerait en termes économi- ques. Cette emprise est corruptrice et même dévastatrice.

Il faut que le libéralisme politique retourne à sa terre natale, à son inspiration, le libéralisme culturel, qui affirme le primat des valeurs de l'esprit, qui restitue à l'homme son véritable sens, qui est d'accomplir au plus haut point ses dons, en vertu de sa liberté, de ses capacités créatrices, de sa puissance de réflexion, dans le respect d'autrui. L'homme y retrouve sa fonction d'homme, le citoyen, son office, qui sont, l'un et l'autre, d'abord, d'obligation. L'État y récupérera sa véritable finalité, qui est de protéger et de servir la liberté, d'arbitrer entre les hommes libres et de rendre possible l'épanouissement autonome de chaque citoyen au plus haut point de ses vertus créatrices.

L'économique y retrouvera son véritable rang, et sa fonction, qui est, certes, une fonction *sine qua non*. Rang qui peut devenir le premier, mais, même alors, sous condition, s'il advient une période de pénurie telle qu'il s'agit seulement de survivre, dans la détresse et la nécessité, telles ces périodes de famine où, et alors seulement, la règle devient : à chacun suivant ses besoins. Rang normalement subordonné, dès que la production dépasse dans l'État les besoins vitaux et, *a fortiori,* dans une situation d'abondance. L'économique n'est plus alors que ce qu'il doit être, le moyen de conditions d'existence à l'aise, où les conditions de vie humaine sont assurées au plus déshérité, où le loisir devient possible, je veux dire le loisir vrai, la *scholè* des Grecs, ordonné en vue de la culture et de l'excellence de l'homme, et non pas ce pseudo-loisir consumé en distractions et en divertissements, en fait abandonné au *far niente.* Alors on ne consomme pas, on se consume. Le loisir n'est pas l'absence de travail : il est, au-delà du temps de travail consacré à la satisfaction de ses besoins vitaux, le temps devenu disponible pour travailler à réaliser, sous quelque forme que ce soit, sa vocation d'homme.

Culture d'abord. C'est au niveau de la culture que se découvre le bon usage du libéralisme, le libéralisme en esprit, qui ordonne tous les autres.

V. Culturel, économique et politique

L'ordre économique spontané entre tout particulièrement en conflit avec l'ordre des valeurs qui définit notre culture, cet ordre culturel incarné dans nos traditions et dans nos mœurs, en particulier sur la question des inégalités extrêmes, qui est devenue, à notre époque, un scandale.

Certes, la lutte économique se passe selon les lois naturelles de l'économie et dans le cadre d'un état de droit, que l'État moderne fait respecter au nom d'une justice politique. Néanmoins, le libre jeu de la concurrence et de la sélection institue une véritable guerre économique de chacun contre chacun et multiplie à l'infini les inégalités naturelles, les inégalités de situation, les inégalités de chance aussi bien que les inégalités des mérites. Ces inégalités créées par la guerre économique vont de l'extrême richesse à l'extrême misère. Lorsqu'on en discute, il ne faut pas oublier que cette guerre se livre, non seulement entre les individus, mais aussi entre les groupes de pression économiques et sociaux et même entre les nations.

L'échelle des profits et des pertes, d'un extrême à l'autre, représente, bien entendu, une sanction, conforme au droit en vigueur dans l'État, des activités de chacun. Ces activités résultent de leurs aptitudes naturelles, de la nature de leurs passions, que nous avons appelées déjà des vertus ou des vices de l'esprit ou du cœur, de la culture qu'ils ont été capables d'acquérir, de leur travail, de leurs efforts, assortis d'un coefficient de chance ou de malchance.

Nous n'entreprendrons pas de discuter la répartition des rémunérations, suivant la nature des mérites et des activités, ou le bien-fondé et le poids des inégalités de situation dues à l'appartenance initiale à telle famille ou à tel milieu. Ces répartitions, dans leur apparent arbitraire, sont inéluctables dans n'importe quel régime et à n'importe quelle époque, dans n'importe quelle culture. Nous ne mettrons pas en question la justification des revenus tirés des biens meubles et immeubles possédés ou l'impact de telles rentes de situation. Il y a des professions mieux payées que d'autres, à mérite apparemment égal, des commerces plus rentables que d'autres, des inventions qui suscitent des fortunes, d'autres qui sont mal exploitées. La chance, la mode, le moment, provoquent des disparités incontrôlables. Et surtout, la répartition des profits et des pertes s'inscrit dans les traditions d'une culture reçue ; elle se modifie, se corrige au rythme des transformations des mœurs ; elle est justifiée, d'une façon toute contingente, certes, par la culture ambiante ; elle évolue avec elle. Elle représente un équilibre provisoire et toujours contestable, en effet, entre l'ambition des uns et l'envie des autres, entre le désir de posséder et le désir de dominer, un équilibre de passions au cœur d'un équilibre de mœurs. Et nous ne parlons pas du désintéressement de quelques-uns et de leur dévouement exclusif à une tâche de culture. Cette répartition selon la « justice distributive » du moment est toujours relative, toujours historique ; elle est toujours critiquable, comme le serait n'importe quel autre principe de distribution. La part de chance qu'elle comporte, qui intervient pour une bonne moitié dans les

affaires humaines, pour le redire avec Machiavel, jouerait toujours, quel que fût le principe de distribution, en en rendant la
discussion plus fragile encore. A ce niveau, il faut savoir doser
avec prudence le scepticisme et le cynisme. Ce n'est pas à ce
niveau que se situe le conflit le plus scandaleux entre l'économie
libérale et la culture libérale.

Ce n'est même pas au niveau de la possession d'une extrême
richesse, si l'on veut bien se débarrasser des mouvements inspirés
par une trop fréquente envie. D'abord parce que les grandes
richesses se sont constituées conformément aux mœurs régnant à
l'époque, elles ont été acquises conformément aux règles du droit
du temps, la chance aidant ; et depuis, il y a eu cette prescription
qui renforce le droit au fur et à mesure que dure la longue possession. Ensuite parce que le nombre actuel des très riches est infime
et que la redistribution de leurs biens serait sans conséquence
sociale sensible. Ces grandes richesses sont d'ailleurs fragiles et
difficiles à conserver, car elles sont des proies faciles et spectaculaires pour la politique financière des États ; elles sont fréquem-
ment victimes d'héritiers prodigues ou incompétents. Enfin, on
peut disputer à l'infini des bénéfices que la nation retire de la présence de grandes fortunes, seules capables d'exercer, on le voit
clairement de nos jours, dans la diversité, des devoirs d'état et un
mécénat en tous genres, dont la puissance publique est bien incapable, et dont la nation tire un immense profit.

Ce qui est en question, ce qui provoque le scandale, c'est
l'extrême misère dans laquelle tombent pêle-mêle les vaincus de
la lutte économique, les mal doués, ceux qui manquent des aptitudes intellectuelles et morales nécessaires pour l'affronter, les
imprévoyants, les paresseux, les incapables, et aussi, hélas, ceux
que handicapent des infirmités ou le grand âge, sans compter
enfin les victimes de la malchance. La tradition considérait assez
volontiers les misérables comme les victimes de leurs propres
défauts ou de leur impéritie, donc comme les responsables de
leurs échecs. Tantôt on admettait qu'ils n'avaient pas eu de
chance, tantôt on les traitait (ainsi Hegel, par exemple, ou Locke)
comme une population résiduelle inévitable, formée d'individus
sans travail ou sans qualification, nécessaire à l'élasticité de la vie
économique, comme un réservoir de main-d'œuvre éventuelle.

C'est cette misère extrême, inhumaine, dont les meilleurs
d'entre les hommes sont incapables de sortir par eux-mêmes, qui
se révèle scandaleusement incompatible avec les exigences
morales de notre temps, avec le respect que l'on doit, dans notre
culture, à la dignité de l'homme. Cette misère doit être secourue,
assistée, et des conditions de réadaptation doivent être assurées à

tous ceux qui sont capables de mener une existence autonome et responsable. Il n'est pas question de rechercher qui est fautif, qui est responsable, ou quelle est la part de la chance. La misère ne peut pas être admise comme une sanction.

Les exigences de la morale, de la culture, l'emportent ici, à tout prix, sur les pressions de l'économie et assignent une nouvelle mission à la puissance publique la plus libérale. A elle de prendre en charge le sort de ceux qui sont tombés trop bas, ou pour qu'ils survivent dignement, ou pour permettre à certains de surmonter un handicap infranchissable par eux seuls.

L'affrontement est radical entre le fonctionnement naturel et libre de l'économie et l'ordre culturel ambiant avec ses exigences morales. Sur quel fondement la puissance publique va-t-elle appuyer sa nouvelle politique ? Ne serait-on pas en présence d'un problème de Justice que le libéralisme politique n'avait point encore rencontré dans sa définition et sa pratique de la Justice politique, fondatrice de l'état de droit ?

Un vocabulaire nouveau s'est introduit (1), on ne parle plus de Justice, ou de Justice politique : on parle de *Justice sociale* et beaucoup en parlent frénétiquement.

Avant de traiter de l'État libéral, c'est le problème de la Justice du libéralisme de notre temps qu'il nous faut maintenant essayer de résoudre : à côté du libéralisme culturel, du libéralisme politique et du libéralisme économique, les mettant en harmonie et faisant, pour ainsi dire, leur synthèse, ne faut-il pas mettre en place et fonder un *libéralisme social* ?

---

(1) Daterait-il des traductions du livre d'African Spir, *Recht und Unrecht*, intitulées, en 1930, en italien, *La Giustizia* et en français, en 1944, *Principes de Justice sociale*.

CHAPITRE V

UN *LIBÉRALISME SOCIAL*

Sous le nom de *libéralisme social,* il s'agit de déterminer et de fonder les principes d'une Justice, née du conflit actuel du libéralisme culturel, tel qu'il s'inscrit dans la culture de notre temps, au sein du monde occidental, avec ses exigences morales et humaines, et du libéralisme économique, avec ses nécessités fonctionnelles, mais aussi avec ses crises, ses perversions et ses excès inscrits dans ses résultats. Il appartient à un nouveau libéralisme politique d'accomplir une mission plus ample, capable d'accorder, d'harmoniser, autant que faire se peut, la culture et l'économie, sous le signe d'une nouvelle conception de la Justice et de ses limites.

I. LA JUSTICE POLITIQUE.

Pour les libéraux, qui sont les héritiers directs de la tradition antique et de la tradition chrétienne, la Justice est l'ordre propre des affaires humaines, le système des rapports de droit qu'il convient de maintenir entre les hommes au sein de la communauté politique, pour en assurer la sécurité, la paix, l'harmonie. La conception de cet ordre harmonieux, qui correspondait chez les Anciens au Kosmos, à l'ordre harmonieux de l'univers, à retrouver et à instituer dans le monde des hommes, dans la Cité, s'appuie, chez les chrétiens, dans des proportions variées, mais d'ordinaire conjointes, sur la loi divine, c'est-à-dire sur les commandements de Dieu, et sur la loi de la nature humaine, qui est la loi de la raison appliquée aux conditions d'existence des hommes, tels qu'ils sont, avec leur capacité à faire de leur liberté un bon ou un mauvais usage, au sein d'une communauté politique, dans laquelle ils ne peuvent pas ne pas vivre.

Puisque les libéraux croient que les hommes, en tant qu'individus, peuvent être autonomes — ne sont-ils pas capables d'être libres, vers le bien ou vers le mal, et raisonnables ? — l'ordre juste n'est plus pour eux un ordre au contenu universellement déterminé dont la science (c'est-à-dire, en vérité, la métaphysique) permettait jadis de dire à chacun ce qu'il devait faire pour être juste, c'est-à-dire pour accomplir pleinement sa fonction propre, pour réaliser ce qu'il y a de propre en sa nature.

La Justice pour les libéraux, est une Justice politique. Elle est une Justice formelle qui définit les lois que des hommes libres et raisonnables, qui coexistent au sein d'une communauté politique, doivent respecter afin d'être en mesure, chacun pour soi et chacun avec les autres et dans le respect d'autrui, de développer leurs aptitudes et leurs vertus propres. A chacun de prendre en compte, à sa façon, les principes qui constituent, la nature de l'homme étant ce qu'elle est, les conditions *minima* de coexistence d'hommes imparfaits, capables de liberté et de réflexion raisonnable, au sein d'une communauté politique, quelle que soit la culture historique à laquelle ils appartiennent.

En fait, on retrouve ces principes sous une forme ou sous une autre, depuis Aristote et les juristes ou les stoïciens romains, jusqu'aux philosophes du droit naturel, au XVIIe siècle, et même chez un sceptique comme Hume ou chez un positiviste juridique comme Kelsen; seuls les fondements et les interprétations changent. Et cela précisément parce que ces principes constituent les conditions rationnelles *minima* de coexistence d'hommes capables de liberté et de raison ; parce qu'ils correspondent à la nature des affaires humaines ; parce qu'ils traduisent la force des choses humaines. Ils s'adressent à des hommes de bonne volonté et de bonne foi, à des hommes qui veulent bien s'efforcer d'être raisonnables. Il faut rappeler ces trois principes établis par les juristes romains, qui ont traversé les siècles de notre culture occidentale.

La règle *neminem laede,* ne fait pas de mal à autrui, renonce à nuire à autrui, fonde la sociabilité sur un calcul raisonnable et met en fait en pratique l'essence sociale inscrite dans la nature de l'homme. La coexistence en société réclame la bonne volonté de ne pas faire la guerre à autrui, la maîtrise d'une naturelle insociabilité, d'un penchant naturel à nuire à autrui pour mieux assurer sa propre existence. C'est une volonté de paix. Elle semble la décision première, la volonté de vivre en société avec d'autres hommes, la manifestation d'une sociabilité réfléchie. Elle ne peut s'exprimer que si chacun des associés est défini par ce qu'il possède, par la propriété qu'il a de son propre corps, de sa liberté et des biens extérieurs dans lesquels elle s'incarne. Elle n'est d'ailleurs qu'une règle négative : c'est la volonté de n'être pas « méchant ».

C'est pourquoi les juristes romains avaient une fois pour toutes défini une seconde règle : *suum cuique tribuere.* Cette règle veut que pour chacun soit déterminé et attribué ce qu'il lui appartient en propre. Ce qui veut dire qu'il n'y a pas de société possible sans que soit défini un droit de propriété. Règle qui a traversé les siècles jusqu'à la définition du libéralisme politique, sur les bases établies par Hobbes, puis par Locke lui-même : *Where there is no propriety, there is no justice.* Toutes les attaques contre le principe de la propriété ne sont que fariboles incompétentes et irréalistes.

En vérité, c'est la troisième règle qui donne un contenu positif à la sociabilité : *alteri ne feceris quod tibi fieri non vis,* c'est vraiment la règle de la sociabilité, non pas l'égalité, qui est une relation quantitative inapplicable sans interprétation, mais la réciprocité, la définition positive de la Justice — celle qui assure le fonctionnement effectif et efficace de l'association.

Ces trois règles constituent un *credo* minimum (1) qui tient à l'essence même de l'homme, à son essentielle « insociable sociabilité » d'individu libre et raisonnable. Hors de ces principes libéraux, qui assurent à la liberté ses conditions d'expression, ce n'est que désordre anarchisant et retour à la lutte de chacun contre chacun ou bien servitude imposée par les despotismes — tyrannie ou totalitarisme — qui réduisent l'existence des hommes à celle des bêtes. Ce *credo* minimun en une Justice politique s'inscrit dans le loyalisme inspiré par le dévouement à la patrie affirmée, en un consensus profond, par la culture historique de la nation. Ainsi, à chaque État, appartient la Justice politique qui lui est appropriée.

Nous retrouvons ainsi une seconde justification à la qualification de cette Justice comme Justice politique. N'est-ce-pas la tâche primitive et essentielle de la Puissance publique libérale de servir d'arbitre et de juge entre les individus selon l'usage qu'ils font de leur liberté et, pour cela, de dire le juste et l'injuste, de dire le droit par la loi et d'en assurer la garantie et la défense ? La Justice politique est le principe de la mise en place d'un état de droit au sein duquel les libertés des individus sont transformées en droits, c'est-à-dire, limitées mais assurées et garanties au sein d'un ordre juridique, au sein d'un ordre réputé juste.

---

(1) Cf. Raymond Polin. *La liberté de notre temps,* chap. II, pp. 89 à 99.

C'est la mission fondamentale de l'autorité politique de faire régner la Justice en transformant la liberté réfléchie et raisonnable, l'obligation de chaque femme à la liberté, en un droit du citoyen, un droit formel égal pour tous. Arbitre, législateur, juge, garant, défenseur, voilà pour le libéralisme classique, la fonction politique par excellence de la Puissance publique. Les fonctions qu'elle se donne de surcroît n'ont d'autre fin que d'en assurer le plein exercice.

II. La Justice sociale.

On a voulu justifier les missions nouvelles de l'État contemporain en invoquant, au-delà de cette Justice politique traditionnelle, une nouvelle forme de Justice qui serait la vraie Justice, la Justice sociale.

On invoque bien souvent la Justice sociale comme une évidence et comme une idée claire et distincte. En réalité, l'idéologie de la Justice sociale développe quatre thèmes majeurs plus ou moins confusément rassemblés : l'égalité réelle entre les hommes, la solidarité collective, l'assistance universelle, l'État tutélaire, le tout à partir d'une conception de l'homme empruntée à l'économie politique. Mais l'homme de l'économie politique n'est-il pas un homme très partiel, très abstrait et très déformé ?

1° *Égalité réelle*

Revendiquer l'organisation d'une égalité réelle entre les hommes, c'est, en effet, insister sur les conditions matérielles de l'existence humaine, celles pour lesquelles la notion d'égalité réelle a vraiment un sens : l'homme est présenté dans son appartenance à une espèce (animale) ; c'est son existence spécifique, son existence générique, la même pour tous les hommes, par définition, qui, seule, est prise en considération. Elle se définit par la satisfaction des besoins vitaux de l'individu et de l'espèce : ses besoins sont concentrés autour des besoins du corps, ce sont des besoins matériels : nourriture, habitat, vêtement, santé, loisir, entendu au sens de repos et de *far niente*. On peut à la rigueur extrapoler le *loisir* en éducation et en divertissement, à condition que l'objectif de cette éducation soit l'égalité de tous et celui du divertissement, le divertissement de masse. La revendication d'égalité est plus exigeante que la maxime dont elle a pris la succession : « A chacun selon ses besoins. » Celle-ci, dans son optimisme simple et naïf impliquait une société d'abondance naturelle où la diversité des désirs, nourris de liberté, pourrait être satisfaite dans une aisance généralisée. En même temps que les besoins vitaux, ce seraient les besoins répondant à la diversité des talents qui trouveraient satisfaction.

En revendiquant une égalité réelle, la Justice sociale se place à un point de vue bien plus pessimiste. Car elle s'affirme comme une idéologie de lutte contre les résultats inégalitaires de la vie culturelle et économique. Comme toutes les idéologies du besoin, elle sait que les désirs humains sont insatiables. Elle s'installe délibérément dans une économie de la rareté et même de la pénurie. Les systèmes de distribution totalitaires montrent bien à quel point ils se désintéressent de l'abondance et même comment ils la tournent en dérision, en lui opposant les vertus de la frugalité. La Justice sociale est plus efficace dans la misère que dans l'abondance : elle est plus juste entre des pauvres qu'entre des riches. Elle s'impose d'elle-même lorsque la pénurie est telle que les besoins vitaux sont difficilement couverts.

En privilégiant l'égalité réelle, l'idéologie de la Justice sociale s'oppose à la liberté et à ses œuvres. Si elle s'installe si aisément dans la pénurie, c'est qu'en mettant en question la liberté, elle exprime sa méfiance envers le travail, manifestation essentielle de la liberté et condition *sine qua non* de l'abondance. En opposant la Justice de l'égalité réelle aux œuvres et aux conséquences inégalitaires de la liberté, elle condamne une Justice proportionnée aux travaux, aux œuvres, aux mérites.

Pour mettre en place une égalité réelle, une vraie Justice « sociale », l'égalité des droits formels ne suffit manifestement pas. La distribution autoritaire des biens en quantités égales n'en garantit même pas à elle seule le bon usage. L'égalité des conditions de travail n'assure pas la qualité de l'œuvre produite et le succès de l'entreprise.

Il y a beau temps que nos idéologues de la Justice sociale ne se contentent plus de l'égalité des chances.

Celle-ci se heurte, en effet, à de graves difficultés de mise en œuvre. L'égalité des conditions d'éducation est pratiquement irréalisable : il faudrait en revenir à l'utopie platonicienne et extirper chaque individu de sa famille, de son milieu social et du micro-climat culturel qui l'enveloppe, pour le placer dans un milieu éducatif exclusivement communautaire. Pour y parvenir, il faudrait, contre la nature des choses, contre les options humaines les plus sacrées, user de violences intolérables tant elles sont révoltantes.

En second lieu, si l'égalité des chances est raisonnablement gérée, si, au lieu de l'égalitarisation des masses vers le plus bas niveau moyen, elle organise la prospection des talents la plus large, si elle pratique une adaptation appropriée des aptitudes à la formation scientifique et technique et aux fonctions à remplir, si elle est assortie d'une sélection progressive des plus aptes, elle constitue, comme toute éducation bien comprise, un multiplicateur d'inégalité extrêmement efficace. Elle suscite et développe les différences dans une heureuse correspondance avec les nécessités fonctionnelles d'une société diversifiée à l'extrême. Elle va à la recherche des meilleurs et des mieux doués dans la nation entière pour leur permettre de parvenir aux fonctions et aux charges correspondant à leurs talents. Elle est l'art de faire jouer à chacun dans la nation le rôle qui lui convient le mieux pour le plus grand bien de tous. Bref, contrairement à l'espoir des égalitaristes forcenés, elle forme des élites qui sont le ferment d'une culture, qui lui fournissent les hommes d'initiative, d'entreprise, de création, de responsabilité, qui animent son épanouissement.

S'il y a une égalité dont les égalitaires, les fanatiques de la Justice sociale ne veulent donc pas, c'est bien l'égalité des chances. Que signifie la chance ici, en effet, sinon la possibilité offerte aux talents de chacun de se développer en pleine liberté ? Là où règne la Justice sociale, la liberté, les libertés disparaissent. En se refusant à reconnaître la valeur et la fonction du mérite, en tournant en dérision la « méritocratie », l'idéologie totalitaire condamne, en réalité, une fois de plus, la liberté et ses œuvres. Elle se refuse à admettre que la liberté est le principe *sine qua non* de la santé des nations, de leur prospérité et de leur culture.

Sous nos yeux, l'éducation de masse brutalement étendue à tous les niveaux a profondément dégradé les institutions d'éducation ; ni la mise en place des structures nouvelles, ni le recrutement ou la formation du personnel n'ont réussi à suivre le mouvement. Les égalitaires, partant du principe que tous les individus ont pratiquement les aptitudes égales, que les inégalités sont l'œuvre de la société, cherchent à donner un sens nouveau à l'éducation des générations montantes. Sans aucune vergogne, certains n'hésitent pas à donner pour but à l'éducation, non pas le développement des aptitudes et l'exaltation des talents, mais l'égalitarisation des individus. L'éducation devient le domaine de la médiocrité, aussi bien pour les élèves que pour ceux que l'on n'ose plus nommer des professeurs, et encore moins des maîtres — ô maîtres d'école de jadis ! Sur cette lancée, on assiste à une primarisation du secondaire, à une secondarisation des universités : on devine alors quelles menaces peuvent peser sur la recherche. Quant aux institutions qu'une dure sélection réservait aux élites, elles sont mises en question dans cette tempête où souffle à plein l'anti-élitisme. L'égalité des chances, réduite à l'égalité des conditionnements, devient l'égalité des malchances.

2° *Solidarité*

Pour trouver des voies de réalisation plus sûres, l'idéologie de la Justice sociale met l'accent, non sur les individus et leur liberté, mais sur la collectivité dont ils font partie intégrante et sur le caractère collectif de l'action, la seule effective et efficace pour cette idéologie. La collectivité forme un tout « solide », c'est-à-dire qu'il est tout d'une pièce. Lorsque l'égalité y règne, la solidarité se trouve renforcée par l'homogénéité des éléments du tout. Ce qui porte atteinte à l'un, à sa nature, porte évidemment atteinte à tous les autres et à leur nature. Cela rappelle la « solidarité mécanique » que décelait autrefois Durkheim dans les sociétés élémentaires.

Appliquer cette notion de solidarité mécanique aux sociétés industrielles contemporaines est absurde et serait même risible, si l'on n'apercevait pas à l'horizon l'image de la « société homogène et sans classe » qui sert de paradigme à la société totalitaire.

Dans la société contemporaine, il n'y a que deux types de solidarité effective. D'une part, on reconnaît volontiers l'existence d'une solidarité globale de la communauté politique devant des périls extérieurs dont l'imminence rassemble la totalité des citoyens, que ce soit la menace d'une guerre, que ce soit l'événement, au niveau national, de catastrophes naturelles. Ni l'un ni l'autre de ces périls ne met en branle un mouvement de Justice sociale. D'autre part, on constate à l'évidence, dans nos immenses sociétés industrielles, l'existence d'une solidarité que Durkheim appelait « organique », née de la division du travail et de la diversité des fonctions, qui multiplient les dépendances réciproques entre les groupes et les individus. Il est clair, en effet, que la santé de la communauté politique tout entière est liée à la bonne santé de ses parties, en d'autres termes, que le bon fonctionnement de l'ensemble est dans une dépendance réciproque avec le bon fonctionnement de ses éléments. Mais il s'agit là, non pas d'un problème de moralité ou de sentiment, mais d'un problème de fonctionnement et de technique, qui est un problème de gouvernement, un problème strictement politique : comment faire en sorte que chacun des groupes ou des individus accomplisse ses fonctions dans les meilleures conditions ? C'est la nature de la communauté politique, la nature de l'autorité politique qui sont en question. Nous y réfléchirons le moment venu.

Pour chaque catégorie de citoyens, l'exercice de sa fonction est une devoir d'État, une vocation, comme disent les Allemands lorsqu'ils emploient le mot *Beruf,* ce qui veut dire aussi bien une profession qu'une vocation. Cela est vrai des gouvernants comme des gouvernés. Chacun, dans son métier, a une mission, des devoirs. Et chacun a le droit d'attendre que les autres, dans leur métier, à leur place, fassent leur devoir. La solidarité qui naît de cette interdépendance est une affaire fonctionnelle et politique, qui s'analyse en termes d'utilité, de consentement, de devoirs et de droits. Elle relève de la simple Justice politique.

Ajoutons que cette solidarité organique, si effectivement expérimentée chaque jour, et d'autant plus que la société industrielle croît en complexité et en technicité, entraîne irrésistiblement une division et une diversité croissantes des fonctions. Elle multiplie les différences et les inégalités entre les hommes dans leurs œuvres, dans leurs mérites. Elle est contradictoire avec la solidarité fondée sur la prétendue égalité réelle de la pseudo-société socialiste homogène. Mais les socialistes n'en sont pas à une contradiction ni à une inconséquence près.

Que l'on ne nous rebatte donc pas les oreilles avec ces discours moralisateurs et passionnels, qui voudraient nous faire croire que cette fameuse solidarité relève de la générosité et du cœur. Pure démagogie : nul, dans l'État, n'est solidaire de celui qui fait mal son métier ou qui ne veut pas le faire ; nul n'est solidaire du paresseux, du lâche, de l'imbécile, qui n'accomplit pas son devoir. Ne confondons pas ces gens de mauvais vouloir ou chargés de vices avec ceux que la nature fait incapables d'exercer une fonction, si humble soit-elle, dans des sociétés complexes comme les nôtres, et qui, eux, doivent être secourus et aidés.

L'appel frénétique et passionnel à la notion morale de solidarité et à l'idéologie de la « Justice sociale » ne relève pas seulement d'un sophisme purement démagogique, il cache un étrange vice intérieur. En fait, en généralisant indûment la vertu de solidarité, en reportant sur autrui, sur l'ensemble et finalement sur l'État — sous prétexte d'élaborer une solution à la dimension du problème — l'élan de pitié et de générosité, l'amour du prochain, le devoir individuel d'humanité, les propagandistes de la « solidarité » et de la Justice sociale, se délivrent à bon marché d'une obligation toute morale, d'une charge toute privée, et s'en débarrassent au moindre coût pour eux et à grands frais imposés par eux à la collectivité, aux autres. On constate un transfert systématique d'une prise de conscience et d'une action individuelles à une appréciation et à une action prises en charge par la collectivité. A force de solidarité, comme on dit dans le pseudo-langage du cœur qui, lui aussi, devient une langue de bois, on rend la collectivité responsable de chacun et, du coup, chacun cesse d'être responsable de son prochain, et moins encore de lui-même. A force de solidarité, à force de Justice sociale, on dissout les réquisits de la liberté et on s'en prend à la liberté elle-même, en niant ses obligations toutes personnelles et autonomes, ses tâches dures et difficiles. Sous l'hypocrite définition de la solidarité, on retrouve tous les sophismes de la Justice sociale, avec son cortège de frénésie égalitaire qui se traduit, l'expérience le montre, par une égale misère pour tous. A rendre la solidarité collective, on constitue la communauté politique comme un tout solide, un tout d'un seul tenant : l'idéologie de la solidarité collective et de la Justice sociale débouche sur le totalitarisme.

3° *État tutélaire et assistance universelle*

Les pratiques que justifie l'idéologie de la Justice sociale, nous n'avons guère à y insister, car elles ont été annoncées et décrites dès longtemps, par un Tocqueville, par exemple, et nous en observons aujourd'hui le fréquent usage sous nos yeux quand nous n'en subissons pas nous-mêmes l'épreuve pénible. Elles sont donc bien connues.

Au nom de la Justice sociale règne l'État tutélaire, l'État Providence, quand ce n'est pas le Welfare State. La puissance immense de l'État s'étend à la totalité des activités de la nation. Jusqu'alors, l'État était le législateur, l'arbitre, le juge, le garant, le défenseur des activités individuelles privées et du bien commun. Il administrait des services publics dont la charge relève apparemment de la collectivité : le domaine public, la défense de la nation, le trésor public, la frappe et l'émission de la monnaie, les ponts et chaussées. C'étaient les individus qui décidaient et agissaient pour tout le reste. Voici maintenant que l'État devient, en outre, l'acteur universel, l'employeur universel, le patron unique, l'assureur social pour tous, le producteur, le transporteur, le maître de toutes les œuvres de la nation, l'éducateur et le professeur unique, le seul informateur authentique et même l'organisateur des loisirs et des divertissements. Il tend à être juge de la morale privée de chacun (n'est-il pas l'organisateur de la contraception et de l'avortement ?). L'État agit pour nous, il organise et administre pour nous, il prévoit pour nous, il pense et juge pour nous.

Une bureaucratie tentaculaire s'immisce dans les activités privées, les ordonne, les oriente, les contrôle, retire aux individus tout pouvoir d'initiative, d'invention et d'entreprise, pour leur laisser un simple rôle d'exécution, comme si le but était de transformer chaque individu en une sorte de manœuvre. C'est la collectivité, sous les espèces de la bureaucratie, qui pense, qui planifie, qui organise. A ce compte, le domaine public absorbe progressivement le domaine privé. Nous n'en prendrons pour symbole que l'invasion subie par la propriété privée. Longtemps considérée comme intangible, même pour la puissance publique, sauf pour raison pénale et expropriation d'intérêt public, la voici de plus en plus limitée dans ses droits, frappée de taxes de plus en plus lourdes qui mènent en pratique vers son extinction. Elle est de plus en plus atteinte dans sa stabilité et dans l'hérédité de sa transmission, alors que la propriété ne prend toute sa stabilité que dans la perspective de la lignée familiale en vue de laquelle elle est amassée. Elle est de plus en plus l'objet de suspicion quant à ses origines, quant à ses légitimités. Tout se passe comme si la vie privée de chacun était réduite à l'instant présent et au cercle immédiat des choses dont il se sert pour vivre et travailler, au cercle des gens auquel il a momentanément à faire. Chaque individu a-t-il encore vraiment une existence personnelle ? Il n'est plus qu'un élément du public.

Cependant, un homme ne vit en adulte que lorsque, aussi maître de lui-même et lucide que faire se peut, il prend la responsabilité de son existence, pour le présent et pour l'avenir, par rapport à lui, par rapport à sa lignée et par rapport aux autres. Il s'efforce alors d'user de sa liberté au mieux de ses aptitudes, de la façon la plus réfléchie et la plus raisonnable conformément à ce qu'il considère comme son avantage, sa vocation et son devoir. A partir du moment où, pour faire régner la Justice sociale, l'État s'arroge les fonctions qui, par nature, relèvent des individus, mais qui suscitent le développement inégalitaire de leurs aptitudes et l'infinie diversité de leurs différences, ceux-ci cessent d'être traités en adultes.

Il est malaisé de trouver le mot convenable pour désigner l'état où se trouvent placés, dans une égalité enfin effective avec tous les autres, les sujets d'un État capable de faire régner la Justice sociale. Ce ne sont pas des citoyens, ce ne sont pas des esclaves, disons que ce sont des serviteurs au sens où ils sont réduits, à l'égard de l'État tutélaire, à un état domestique.

Les beaux mots de *servir*, de *service*, de *serviteur*, ont alors perdu de leur noblesse pour ne garder que des significations dégénérées. Ce sont les serviteurs, les domestiques ou, comme on dit d'ordinaire, les fonctionnaires de l'État, d'un État où il n'y a plus que des fonctionnaires. Ils ont à assurer une tâche qui est équivalente à un service, qui leur est assignée dans le cadre d'une planification universelle. Moyennant quoi, ils sont intégralement pris en charge, de leur naissance à leur mort, dans le cadre des traitements, prestations et rations alimentaires qui leur sont alloués. Il ne s'agit ni d'une assistance, ni d'un secours. Puisqu'ils ne font plus rien pour eux-mêmes, par eux-mêmes : en échange de leurs services, il leur est fourni une sécurité matérielle intégrale, la même pour tous, quoi qu'il leur arrive et sans qu'ils aient à en prendre souci. Ils n'ont plus à être responsables d'eux-mêmes. Ils servent et ils sont servis. D'autres appelaient un état analogue la servitude. L'idéologie de la Justice sociale appelle cet état de service, où chacun sert la collectivité et où la collectivité assure la sécurité de tous, l'état de « liberté réelle » enfin accomplie, dans un état d' « égalité réelle ».

Non seulement ils sont pris en charge matériellement, mais ils le sont spirituellement. L'État tutélaire pense pour eux, assure leur éducation, leur information et prend en charge leur temps libre, organise leurs loisirs et leur fournit une culture. Tocqueville l'avait admirablement noté : dans un tel climat d'homogénéité, où chacun est invité à ne trouver en face de lui que des semblables, les activités de l'esprit sont prises au piège du conformisme, si facile, si commode, si confortable. Penser différemment, dans un monde total fermé sur lui-même, c'est devenir un être étrange. Sortir de l'homogénéité, de la similitude, c'est vraiment devenir un étranger, un aliéné. Dans un pareil monde, l'être asocial, l'aliéné, est véritablement un être pathologique. Il ne faut pas s'étonner que son cas relève des hôpitaux psychiatriques.

Si catastrophiques et si inhumaines que soient les conséquences effectives de l'idéologie justicialiste et égalitaire, on n'aura guère de mal à expliquer les illusions et les succès d'opinion qu'elle peut remporter dans une civilisation complexe et difficile qui réclame de chacun de la réflexion et du courage, disons de solides vertus intellectuelles et morales.

D'abord parce que les hommes sont souvent assez sots pour se laisser prendre aux mots sans se soucier de ce que ces mots recouvrent, surtout si on leur parle de Justice et d'égalité, surtout lorsqu'on leur annonce que cette Justice et cette égalité leur tomberont du ciel, je veux dire de l'État. Si naïves que soient leurs illusions, ce qu'ils voient le plus volontiers sous ce terme austère de Justice sociale, c'est le droit au bonheur. Ce qui serait vraiment juste, ce serait que tous les hommes fussent également heureux : ce serait que véritablement le Paradis régnât sur la terre. Les malheureux ne savent pas que, si un bonheur temporel est possible, je veux dire un vulgaire état de bien-être, de suffisance matérielle, chacun est le seul artisan possible de son propre bonheur comme chacun est le seul artisan possible de son propre salut éternel. On ne reçoit son bonheur tout fait et tout garanti de personne et surtout pas de l'État : le bonheur n'est pas du ressort de la politique et ce n'est certes pas une finalité rationnelle de la politique, sauf bien sûr, au chapitre de la démagogie et des faux-semblants.

Machiavel nous a depuis longtemps appris que le politique prudent devait agir comme si les hommes étaient mauvais et
méchants et il considérait que la pire des passions sociales et la
plus répandue était l'envie : envie à l'égard de celui qui a davantage, de celui qui se situe au-dessus. Le spectacle des inégalités
même modérées suscite moins souvent l'émulation et l'ambition,
comme cela semblerait raisonnable, que l'envie et le décourage-
ment : il s'agit moins pour soi-même d'acquérir davantage ou de
s'élever plus haut que de rabaisser les autres à son rang et à son
avoir. C'est plus facile. On trouve souvent une âpre satisfaction à
vivre dans la misère partagée. Les démagogues peuvent ainsi
exploiter aisément la propension à la paresse avec le goût de la
facilité, ainsi que le penchant à obéir que chacun trouve au fond
de lui-même, quand ils promettent que chacun recevra des autres,
c'est-à-dire de l'État tutélaire, ce qu'il aurait beaucoup de mal à se
procurer par lui-même, c'est-à-dire la sécurité dans un minimum
de bien-être. Il y a beaucoup plus d'hommes nés pour la servitude
commode, qui peut être douce, que d'hommes nés pour la maîtrise et la domination, avec leurs risques, et leurs efforts et la lutte
pour leur bon droit.

Enfin, lorsque l'idéologie justicialiste et égalitaire est mise en
place, elle trouve des partisans et des artisans en nombre
immense, non pas tant dans quelques chefs ambitieux et capables
de grandes actions, dont elle n'a curieusement pas besoin, mais
dans la masse des fonctionnaires, qui s'estiment nantis par la
sécurité qui leur est garantie, dans l'armée des bureaucrates, qui
administrent les affaires de la nation. La machine bureaucratique
tend à tourner d'elle-même, à fonctionner, ne serait-ce que pour
assurer sa propre survie et les privilèges de ceux qui administrent
par rapport à ceux qui sont administrés. La routine l'emporte sur
l'initiative, le souci de sa propre sécurité sur l'esprit d'entreprise et
le sens des responsabilités, le souci des résultats immédiats sur le
sens de l'ensemble et l'avenir. Une sorte de principe d'inertie
meut la machine des bureaucrates à ras du maintien d'un minimum de bien-être égalitaire, dans l'indifférence aux perfor-
mances.

Dans une société qui ne vit plus que pour assurer sa sécurité, où
les intérêts bien entendu de chacun sont déterminés par d'autres
que lui, où il s'agit avant tout de vivre à l'abri, la lâcheté fait le
reste. N'oublions pas les contraintes tentaculaires de la machine
bureaucratique, équipée désormais de son arme électronique, et la
terreur que fait régner la super-bureaucratie qui contrôle le fonctionnement de la machine tout entière. On appelle « police »
cette super-bureaucratie, et ce jeu de mots involontaire — la

police, à l'origine, c'est la politique de la Cité, de la « polis » des Grecs — annonce qu'en régime totalitaire tout l'appareil politique sera concentré dans une « police ».

Nous n'avons pas, en effet, à insister : nous sommes aux antipodes du libéralisme et même de tout humanisme. Nous nous repentirions d'avoir accordé tant d'attention à ce concept démagogique de Justice sociale si ce n'avait pas été pour nous l'occasion d'en explorer les trompeuses apparences, d'en évoquer les conséquences catastrophiques et de nous débarrasser de notre propre naïveté. Écartons le piège démagogique de cette fausse Justice beaucoup plus totalitaire en fin de compte que sociale.

S'il doit y avoir un libéralisme social, c'est, sans aucun doute, par d'autres chemins qu'il y faut parvenir.

III. LE LIBÉRALISME SOCIAL.

Longtemps, prenant le relais des régimes antérieurs, le libéralisme classique, inspirant une puissance publique aux fonctions exclusivement politiques, considérait que l'assistance à « la veuve et à l'orphelin », aux victimes des coups du sort et de l'extrême dénuement, aux enfants, aux vieillards, aux handicapés de toutes les sortes, faisait partie du domaine privé. Il faut dire que, dans une société beaucoup plus morale que celle que nous connaissons, aux mœurs plus simples et plus frugales, où les structures de la famille étaient beaucoup plus amples, plus complexes et beaucoup plus intimement liées que les nôtres, bien des malchanceux de la vie trouvaient des conditions d'existence humaine dans leur communauté familiale. Les liens d'allégeance et de service assuraient à beaucoup un secours contre l'adversité.

Et surtout, dans une civilisation intensément chrétienne où la charité allait de pair avec une foi plus vive, l'amour du prochain inspirait des initiatives privées, des institutions, des fondations charitables qui couvraient l'Europe d'un réseau d'entreprises où les secours de toutes sortes étaient dispensés. On ne saurait trop reconnaître l'efficacité de ces activités privées dont certaines se poursuivent encore de nos jours. Ajoutons que dans cette aide au malheur, la présence personnelle, mue par l'amour du prochain, donne à l'aide accordée une valeur et même une efficacité irremplaçable.

Mais il faut reconnaître aussi que, dans les nations industrielles immenses de notre temps, la concentration des populations a provoqué des problèmes de masse tandis que les familles tendaient à se rétrécir et à se dissoudre, laissant les individus de plus en plus

isolés, désemparés et démunis. Les conditions d'entraide devenaient plus difficiles dans une vie sociale de plus en plus complexe, de plus en plus artificielle, de plus en plus délicate à maîtriser par les moins aptes. C'est dans ce cadre fragile que viennent
exploser les grands conflits contemporains de l'économie et de la
culture qui se posent désormais en termes de masse. Les situations
de misère extrême et d'inculture extrême sont devenues insupportables à la moralité des nations modernes. Sous quelque régime
que ce soit, quels que soient leurs mérites ou leurs démérites, les
plus malheureux qui n'ont pas pu ou pas su résister aux coups du
sort ou à ceux de la lutte économique et sociale, ceux qui ont été
victimes de la dureté des lois naturelles de l'économie et des
rigueurs de la concurrence, ceux qui n'ont pas pu ou pas su se
défendre, ni prévoir et se ménager l'avenir, tous ceux-là ne peuvent être laissés sans ressources et doivent être secourus de façon
systématique par l'État. Les mœurs et la conception moderne de
l'homme l'imposent.

Dans notre culture elle-même, nous vivons à un moment où
s'entre-pénètrent plusieurs cultures hétérogènes. Laissons de côté
la culture venue de la longue tradition des sociétés d'ordres où se
maintiennent d'antiques hiérarchies et la pratique loyale de services rendus et de privilèges respectés. Laissons de côté l'utopie
libertaire et anarchisante qui invite les hommes, tous naturellement bons et libres, à vivre à ras de la nature, loin des sociétés
politiques corrompues par l'usage de l'autorité et des relations de
subordination : ce serait un décor fantaisiste pour marginaux, si
leur utopie n'influençait pas certains milieux socialisants où elle
prend parfois un caractère déstabilisateur, voire explosif. Si signi-
ficatives soient-elles, ces deux tendances n'affectent que de faibles
minorités, et plutôt sur le mode de la nostalgie ou du rêve que
dans un projet efficace.

Considérons, au contraire, les deux éthiques majeures, qui
s'affrontent et s'entre-pénètrent dans notre culture : l'éthique libérale de la responsabilité et l'éthique socialiste de la tutelle. Elles
animent les deux types de régime dominant de notre temps.

1° *Éthique de la tutelle et éthique de la responsabilité*
L'éthique de la tutelle fait exclusivement appel à l'État pour
assurer le bien-être matériel et la sécurité de l'homme socialisé,
tenu pour incapable de vivre en adulte, pour incapable d'user
rationnellement de sa liberté dans un monde trop complexe pour
lui. La finalité de l'État, c'est la puissance de l'autorité politique
de tutelle, condition de la prospérité de la collectivité et du bien
commun dont les individus jouissent parce qu'ils sont les élé-

ments du tout. Fait notable : par un mystérieux transfert de compétences, les individus membres de la bureaucratie gouvernante sont capables d'organiser la vie de la collectivité alors qu'en tant qu'individus, ils ne sont pas capables d'organiser leur existence. Mais cet homme socialisé et socialiste qui n'existe que comme membre d'une collectivité totale et, en fin de compte, homogène, n'est-ce pas déjà l'homme totalitaire, simple fragment d'une totalité organique, qui serait la seule réalité vraiment autonome, qui n'aurait d'autre finalité que de persévérer dans sa propre existence, c'est-à-dire dans sa propre puissance ?

Nous avons déjà noté que le régime socialiste se fonde sur une idéologie incohérente qui, à la fois, veut l'égalité réelle des citoyens et prétend respecter leurs libertés individuelles en refusant de reconnaître que celles-ci sont créatrices d'inégalités et de différences. Il prétend vouloir la liberté réelle des individus (qui n'est qu'une détermination réelle venue de l'extérieur), alors que c'est la liberté formelle qui importe, car seule elle rend possible l'expression et l'autonomie du pouvoir de liberté de chacun. Bien sûr, c'est à l'État qu'il s'en remet pour réaliser effectivement cette liberté « réelle », et c'est à lui qu'il confère progressivement tous les pouvoirs, au point que l'État se prend en fin de compte lui-même pour fin, ce qui est un signe de totalitarisme. Pour les socialistes, le seul moyen de sortir de l'incohérence, c'est de passer au totalitarisme, si ce n'est pas cette issue qui est le pire des échecs.

L'éthique de la responsabilité, elle, fait appel à la liberté réfléchie et raisonnable de l'individu et lui fait, en principe, confiance. Elle l'invite à prendre, dans l'effort et le risque, la responsabilité de sa propre existence pour le meilleur et pour le pire. Elle considère l'État seulement comme un moyen et lui confère des pouvoirs limités et déterminés en vue de la réussite de sa mission, dont le meilleur développement possible des individus est la fin.

Les régimes libéraux ont été les premiers à prendre des mesures pour rétablir un accord entre les conditions économiques imposées aux individus et les exigences des mœurs nouvelles. Les gouvernements libéraux ont agi sans plans préconçus, au gré des circonstances, pour faire face à des problèmes politiques urgents, lorsque des déséquilibres entre les faits sociaux ou économiques et la pression des mœurs provoquaient des conflits de plus en plus politiques, qui menaçaient l'existence des gouvernants en place et que, seule, la puissance publique pouvait résoudre.

Ce sont des gouvernants libéraux qui ont mis en place, à côté des institutions d'éducation privées, une immense instruction publique. Ce sont des libéraux qui, face aux individus et à l'État, ont établi un droit d'association et rendu légale l'action de groupements culturels, économiques, sociaux, c'est-à-dire qu'ils ont pratiquement reconnu à des « factions » des pouvoirs politiques. Ce sont des gouvernants libéraux qui sont intervenus dans la vie économique, soit en transformant peu à peu l'État en une grande puissance financière, économique, industrielle, soit en organisant une planification souple des activités économiques publiques et privées. Ce sont enfin des gouvernants libéraux qui sont intervenus dans la vie sociale, soit en légiférant sur la protection du travail, soit en multipliant des institutions d'assistance publique. Ce sont eux enfin qui, se substituant aux sociétés privées d'assurances ou en s'en emparant, ont organisé ce que l'on appelle « la sécurité sociale ». Au nom de « la sécurité sociale », l'État prend en charge le soin de l'avenir et le souci de l'épargne qui appartenaient, par nature, aux individus (ne s'agit-il pas du simple principe de conservation de soi ?) : désormais, l'État libéral assure la protection contre la maladie, le chômage, la vieillesse, les inadaptations et les handicaps. Sous couvert de sécurité sociale, l'État libéral opère déjà un énorme transfert de revenus en redistribuant une part de plus en plus large du revenu national sous la forme de revenus sociaux, non plus au prorata des mérites, des responsabilités, des risques pris et de la chance, mais au prorata des conditions d'existence et de la malchance.

Un libéralisme social de fait existe donc déjà. Alors que le libéralisme classique était né d'une philosophie, la philosophie politique la plus efficace qui ait jamais existé, ce libéralisme social, né de circonstances contingentes et de réactions politiques à des situations conflictuelles, n'a guère donné lieu à une philosophie, je veux dire à un effort de compréhension cohérent et de mise en ordre liant une pratique efficace à une théorie lucide. En revanche, le libéralisme social s'est laissé aller à user de thèmes idéologiques venus d'ailleurs, je veux dire de certains socialismes. On a entendu des libéraux prendre pour principe « la lutte contre les inégalités » sans trop se soucier de savoir de quelles inégalités il pouvait bien s'agir ou de ce qu'il advenait des libertés dans cette lutte. Des libéraux ont fait la théorie des restrictions du droit de propriété et du droit subséquent d'héritage, sans comprendre qu'en amenuisant progressivement le droit de propriété, on accroissait d'autant la dépendance des individus par rapport à la collectivité et à l'État, et qu'on les condamnait pratiquement à une situation d'indigence et de mendicité. Le thème de la « Justice sociale » a été exploité par des libéraux, sans que l'on prît conscience de la contradiction existant entre la Justice libérale inspirée par les droits des individus, c'est-à-dire par la pratique des libertés individuelles, et la Justice sociale, qui inspire l'action omniprésente, omnipotente de l'État. Ce libéralisme social demeure-t-il un libéralisme à préoccupation sociale ou ne risque-t-il pas de devenir un socialisme à scrupules libéraux ?

2° *Droits de l'homme*

Le libéralisme de notre temps, qui veut ordonner harmonieusement libéralisme culturel, libéralisme économique, libéralisme social et libéralisme politique, doit d'abord commencer par se libérer de l'équivoque qui pèse sur la notion de *droit* de l'homme à travers la confusion qui règne sur celle de *Justice*.

Il faut d'abord reconnaître que la notion de droit n'est pas une notion primitive, une notion naturelle : un droit n'existe que dans une communauté politique et par une décision politique. Ce qui est inscrit dans la nature des choses humaines, ce sont des libertés, manifestations de la nature de l'homme, capable de liberté et capable de raison, capable de parole et de société, capable de vie pour l'avenir. Ces libertés prennent leur sens, par rapport à chaque individu pour lui-même, et par rapport à autrui.

C'est d'abord la liberté d'exister par soi-même, c'est-à-dire de prendre la responsabilité de sa propre existence, d'organiser les moyens dont on dispose pour assurer sa propre survie, sa prospérité et sa culture, à force de lutte et de travail, à force d'effort et d'invention. Cette liberté était quelque peu implicite dans le libéralisme classique ; on s'aperçoit qu'elle est primordiale et qu'il faut la mettre en évidence, lorsque les régimes socialistes se développent et confient à l'État tutélaire le soin de faire le bien et le bonheur des individus à leur place. Il faut insister, une fois de plus, sur le fait que nul ne peut accomplir à la place d'autrui la tâche que, seule, sa liberté réfléchie peut, à grand effort et à grand risque, accomplir pour lui-même.

La seconde liberté naturelle, c'est la liberté de posséder, la liberté de propriété, en quoi s'incarne et s'extériorise la liberté primordiale et sans laquelle elle disparaît. La propriété, pour les classiques, c'est la propriété de son corps, de ses biens et de sa liberté elle-même. Oui, de sa liberté et de ses libertés naturelles, ce qui donne tout son sens à la notion de propriété. Car cela signifie qu'on ne peut faire usage de sa liberté sans en avoir aussi les moyens extérieurs incarnés dans son corps, dans ses membres, dans des biens meubles et immeubles, sans en posséder les fruits. L'accession à la propriété de ses biens se trouve justifiée en tant que telle, qu'il s'agisse de la longue possession, de l'échange consenti, du travail, du mérite ou de la chance, sans qu'il soit besoin d'inventer je ne sais quelle imprégnation, par la sueur de son travail, de l'objet en possession duquel on entre. Dans la communauté politique, les lois se borneront à définir les modalités de cette accession et des atteintes qui peuvent être portées en vertu de nécessités strictement calculées de l'utilité publique. La propriété est une liberté et il n'y a pas de liberté sans propriété.

La troisième liberté naturelle, c'est la liberté de penser, ce qui implique, bien sûr, la liberté de croire et d'exprimer son opinion sans autre limite que le respect réciproque de la liberté d'autrui, par ses paroles, ses écrits, ses publications, ses actes, ses œuvres. C'est la liberté essentielle, parce que la liberté humaine naît de la capacité de réfléchir, de prendre de la distance par rapport à sa propre pensée et à tout le donné, capacité qui se révèle être une capacité d'invention au-delà du donné, de création d'un nouveau. L'homme est libre parce qu'il est capable de penser de façon réfléchie, c'est-à-dire de prendre conscience, de maîtriser sa pensée et soi-même à travers elle et de dépasser, de transcender la nature et tout ce qui lui est donné. C'est la liberté de l'esprit. Elle est irrépressible, mais son expression, sa manifestation dans des dits, des écrits, des gestes, des actes et des œuvres, elle, elle est répressible, parce qu'elle donne une prise matérielle à la répression. Il faut donc y prendre garde et la sauvegarder avec un scrupule extrême. Il est clair que la mainmise de l'État sur des moyens d'information, leur transformation en un soi-disant service public est une atteinte décisive aux libertés : et même des régimes libéraux se sont laissés aller à cette faute grave, en particulier, dans l'emploi moderne des moyens audiovisuels.

Je distinguerai une quatrième liberté naturelle, bien qu'elle soit implicite dans la liberté de posséder, en particulier dans la liberté de son corps, parce que son absence est devenue l'un des critères les plus apparents des régimes totalitaires : la liberté d'aller et de venir, de se déplacer et de voyager selon son gré, ce qui implique la liberté de transporter avec soi ses biens ou leur valeur. Cette liberté entraîne donc la liberté d'émigrer, avec ce que l'on possède, pourvu qu'on trouve un pays d'accueil. Rien n'exprime mieux que l'usage de cette liberté, l'opinion que l'on a du pays où l'on vit et du régime qui y règne.

Reste une cinquième liberté que bien des pays libéraux ont eu du mal à admettre, parce qu'elle semble aller contre le caractère tout à fait individuel de la liberté : c'est la liberté d'association. Mais il faut reconnaître qu'elle s'inscrit naturellement dans cette manifestation de la liberté qui consiste dans le travail et dans la lutte et, par conséquent, dans le travail avec d'autres, dans la lutte avec et contre d'autres. Pourquoi y voir le principe de la société politique et ne pas reconnaître son caractère naturel et essentiel, tout aussi bien, dans la vie sociale, économique ou culturelle ? Les libertés dont nous venons de retrouver l'énumération très classique ne deviennent des droits que dans le cadre d'une communauté politique, lorsque les lois les constituent en droits, c'est-à-dire en pouvoirs reconnus et garantis, susceptibles d'être exercés. Libre à chacun, dans le cadre des lois, d'user ou de ne pas user de ces droits, et d'en user comme il l'entend. Un droit ne détermine pas la liberté à laquelle il correspond, il en garantit l'usage éventuel. Il la rend possible. C'est pourquoi ces droits fondamentaux garantissant des libertés sont des droits strictement formels : il est logique et satisfaisant qu'ils soient formels, puisque, seul, chaque citoyen est à même d'user de ses droits selon sa volonté : le formalisme de ses droits est la garantie de sa liberté. Ce formalisme est bien conforme au libéralisme le plus cohérent.

L'erreur et le sophisme de l'idéologie propre à la Justice sociale consistent à assimiler les droits qu'on appelle sociaux, les droits de la deuxième génération, aux droits fondamentaux. Les droits sociaux ne sont fondés ni dans la nature des choses humaines, ni sur des libertés. Ce ne sont pas primitivement des droits, mais on pourrait dire que dans un état de civilisation donnée, ce sont des « dûs » : ce sont des protections, des prestations ou des services qui sont considérés, dans une communauté politique donnée comme dus, comme des conditions d'existence dues à chaque citoyen : tels le droit à l'éducation, le droit au travail, le droit à une assurance vieillesse, le droit à des prestations définies par un code de sécurité sociale. Ces « dûs » sont transformés en droits par la loi ; on les appelle « droits réels », mais ce ne sont pas des pouvoirs, des libertés exercées par les citoyens usant de leur liberté. Ce ne sont pas de vrais « droits » : ce sont des protections, des prestations, des services reçus, reçus de l'extérieur, en particulier de l'État et reçus en toute passivité. A ces dûs, correspondent des dons. La Justice sociale confond donc bien deux types de Justice, une vraie et une spécieuse, et deux types de droit, des droits formels et des droits « réels », c'est-à-dire des « dûs » qui sont d'ordres radicalement différents et qui varient avec chaque civilisation. On imagine aisément, d'ailleurs, l'abus qui peut être fait du mot de droit, lorsqu'on transforme les « droits sociaux » en principes de revendication pour obtenir de la collectivité des dons ou des services. On utilise ce mot fallacieux de « droit » pour justifier ce qui n'est qu'une revendication. N'importe quoi peut être réclamé à l'État-Providence, comme un soi-disant « droit », même le remboursement des frais d'avortement. Pour le dire en un mot, les droits sociaux ne relèvent pas de la Justice, ils ne sont pas fondés en Justice.

3° *Le principe d'humanité*

Le libéralisme ne peut trouver de fondement à son action sociale que dans la conception libérale de l'homme pour qui la nature social de l'homme est inséparable de sa liberté. Une société humaine doit être composée d'hommes en mesure de vivre une vie pleinement humaine au sens où l'entend la culture de la nation considérée.

Répétons-le une fois de plus ; ce qui fait le propre de l'homme, c'est qu'il est capable de liberté et de conscience, capable de liberté réfléchie et raisonnable. Puisqu'il est libre, il n'est pas tout entier donné : sa nature consiste à faire librement sa nature : il a à se faire. Sa liberté comporte une obligation qui lui est inhérente : faire de soi-même un homme, ce qui est une obligation permanente et jamais tout à fait accomplie. Car, c'est l'obligation pour chacun d'accomplir son œuvre, à la fois, une œuvre d'homme et une œuvre qui lui soit propre, qui soit originale et, à la bien considérer, unique. Liberté et obligation font de cet être capable de conscience et de réflexion raisonnable un être moral. Être moral, c'est être compris et justifié par ses actes et par ses œuvres, une justification à chaque instant remise en question et assumée de nouveau. C'est ce que d'autres ont exprimé en parlant de la dignité de l'homme, de son éminente et incomparable dignité.

C'est un *principe d'humanité* que de reconnaître et de sauvegarder, autant qu'il est en son pouvoir, la dignité, c'est-à-dire la liberté réfléchie et raisonnable de chaque homme, sa capacité à vivre une vie compréhensible et justifiée.

Tout libéralisme est, par essence, un humanisme, parce que tout libéralisme reconnaît, respecte et veut sauvegarder en tout homme sa dignité. Le libéralisme politique considère chaque citoyen dans ses actes et dans ses œuvres, dans les biens dont il a, en conséquence, la propriété, et il fait régner entre tous les citoyens un ordre juste, un état de droit, dont il établit les lois en fonction des nécessités d'une vie en société entre des êtres capables de liberté et de réflexion raisonnable, dans un état de culture donné. Le libéralisme social considère, non pas les œuvres, les biens et les mérites, mais les conditions d'existence de chaque citoyen ; il s'efforce d'assurer à tous des conditions d'existence telles que le principe d'humanité que nous venons de définir soit respecté. C'est donc une nouvelle mission que l'État libéral prend en charge. L'amour du prochain qui inspire l'acte charitable d'un individu s'adresse, par nature, à l'homme imparfait et fini, à l'homme chargé de sa liberté comme principe de bien et de mal. L'homme charitable voit donc dans son prochain à la fois une créature finie et un individu qui a fait de sa liberté un certain usage. L'amour de son prochain, à la fois si semblable à soi et si différent, exalte sa liberté et reconnaît sa dignité. L'aide à son prochain dans le besoin est tout naturellement une affaire privée.

Le problème est de savoir comment l'État peut assister des hommes vivant dans des conditions inhumaines tout en respectant leur dignité et en sauvegardant leur liberté, quand cette assistance ne peut s'opérer que par des moyens matériels et massifs dont une collectivité peut disposer et qu'elle concerne une masse d'individus qui sont inévitablement considérés dans ce qu'ils ont de commun et non dans ce qu'ils ont de différent et de personnel. A quelles conditions, à l'aide à autrui inspirée par l'amour du prochain, la charité, la compassion, la pitié, qui sont des affaires privées, peut s'ajouter une assistance publique inspirée par un principe d'humanité ? Il convient tout d'abord de rappeler que nul n'est capable de faire pour autrui ce qui est l'affaire et l'obligation de sa propre liberté réfléchie et raisonnable. C'est l'affaire exclusive de chaque individu d'user de sa propre liberté et de prendre l'initiative et la responsabilité de son existence. *A fortiori,* ni l'État ni aucun de ses membres ne sauraient se substituer aux libres activités de chaque citoyen et prendre son existence en charge de façon systématique sous peine de dégrader l'homme autonome et responsable en une sorte d'animal domestique entretenu. C'était l'une de nos grandes objections contre le thème de la Justice sociale.

Ce principe admis, la puissance publique d'une grande nation industrielle de l'Occident devrait prendre pour but d'assurer à tous ses citoyens menacés d'une misère insupportable des conditions d'existence qui soient les conditions matérielles *minima* permettant une existence digne d'un être humain. Elle prend ainsi en charge une dette qui n'est pas une dette en soi : elle est relative aux conditions de prospérité et aux mœurs de la société qu'elle gouverne. Ce sont donc bien des dettes et non des devoirs. Elles sont calculées comme des dûs correspondant à des avoirs, et non pas reconnues comme des devoirs correspondant à des droits.

Ces dettes sont de deux sortes. La première concerne ceux que le sort a rendus définitivement incapables de mener une vie humaine autonome en raison de ses difficultés et de ses risques ; ce peut être ceux que l'âge et le sort, l'imprévoyance, ont privé de moyens ; ce peut être ceux que la maladie ou l'accident ont privé des capacités physiques ou intellectuelles nécessaires. Souhaitons à ceux-ci que des soins humains, personnalisés, leur permettent de vivre au niveau le plus élevé d'indépendance et d'humanité auquel chacun d'eux est capable d'accéder ; qu'ils soient mis en état de mener la vie la plus personnelle dont ils sont capables en dépit de leurs handicaps.

Ces dettes concernent, d'autre part, ceux que le sort, encore, et la violence des luttes sociales et économiques, la sélection naturelle qui s'ensuit ont acculés à la ruine ou au chômage, ou placent dans des situations dont ils sont incapables de sortir par eux-mêmes. A ceux-là, il ne s'agit pas seulement d'assurer à titre provisoire la satisfaction matérielle de leurs besoins vitaux et de protéger leur santé. Leur vie matérielle et leur santé n'est pas une fin en soi, comme pour des animaux domestiques. Il s'agit de les aider, de les placer dans des conditions matérielles telles qu'ils puissent retrouver leur autonomie et reprendre la responsabilité de leur propre existence. Pour ceux-là, l'éthique de la tutelle n'a de sens que si elle est provisoire et si elle prend pour fin une éthique de la responsabilité. Pour autant qu'ils le peuvent, dès qu'ils le peuvent, il faut les mettre dans des conditions d'existence et de rééducation telles qu'ils puissent se prendre à nouveau eux-mêmes en charge, affronter par eux-mêmes les difficultés et les risques de la vie, se remettre au travail, à la lutte, conditions de leur liberté effective, et faire de nouveau œuvre d'homme.

Il faut que toute assistance comporte une incitation à la reprise d'une existence autonome ; elle doit être une rééducation morale et professionnelle autant qu'un secours matériel. Contre les effets corrupteurs de l'assistance tutélaire, cette rééducation permanente est nécessaire. La vie véritablement humaine de l'homme commence au-delà de la satisfaction de ses besoins vitaux, au-delà des exigences matérielles de sa vie, à partir du moment où il prend part à une culture, où il parvient à la liberté, autonomie, réflexion, responsabilité, et où il vit de la vie de l'esprit. Là est l'humaine liberté enfin effective et efficace.

L'estimation de l'humanité ou de l'inhumanité des conditions d'existence ne saurait prendre en compte les aberrantes conceptions de l'homme que propagent comme des épidémies certaines idéologies. Nous l'avons assez dit : la pratique de la liberté, son usage réfléchi et raisonnable, est une pratique difficile et dure qui ne va pas sans peine et sans risque : elle s'effectue dans le travail, la lutte et l'effort. Il ne s'agit pas de protéger les hommes contre le travail, la lutte et l'effort, mais d'en rendre humaines les conditions d'exercice.

Les conditions d'existence fournies par l'assistance sociale et la protection du travail sont des dettes d'humanité correspondant aux mœurs et aux niveaux de vie en vigueur dans la nation. Elles sont calculées en fonction de la richesse de la nation et des nécessités imposées par le bon fonctionnement de l'économie. Leur taux ne saurait, en aucun cas, sous peine d'échec, porter atteinte aux niveaux de productivité et de compétitivité qui conditionnent la prospérité de l'économie nationale. Le niveau d'assistance et de protection étant fonction du niveau de prospérité atteint, il serait absurde, inefficace et destructeur, d'élever ce niveau d'assurance et de protection au point qu'il mît en danger la prospérité de la nation. Cette règle est une règle *sine qua non*.

Encore convient-il de ne jamais perdre de vue que l'intervention de l'État, qui fausse le jeu naturel des libertés réfléchies, qui constitue l'activité de chaque invidivu, comporte d'autant plus d'effets pervers qu'elle a plus d'ampleur et qu'elle va davantage contre les lois naturelles qui gouvernent le jeu des libertés. Aussi chacun a-t-il en fin de compe intérêt à ce que l'État agisse le moins possible contre les effets des lois de l'économie et le plus possible en les mettant à profit pour réaliser les fins que le principe d'humanité lui assigne.

Sans qu'il ait su en tirer lui-même toutes les conséquences, Tocqueville a dénoncé à juste titre le « despotisme tutélaire » qui menace les démocraties libérales de notre temps. Ce pouvoir immense et omniprésent qui prétend assurer la satisfaction et la sécurité matérielle d'une foule innombrable d'individus semblables et égaux, définis par leurs besoins les plus élémentaires, peut pour eux, veut pour eux et les dispense d'agir en agents libres et responsables. Il installe un système de penser conformiste qui fait des dissidents des étrangers, des « aliénés », qui perdent leurs droits à l'humanité. Il les transforme en un troupeau d'animaux domestiques dont il est le berger. Ce despotisme tutélaire soi-disant démocratique et libéral ouvre la voie au totalitarisme.

Nous avons, de nos jours, sous nos yeux, des nations occidentales qui succombent à cette avilissante servitude. C'est le plus grand danger qui nous enveloppe de ses menaces et qui peut nous écraser, si nous manquons de lucidité, de courage et d'amour de la liberté autant que de confiance en elle.

Troisième Partie

L'ÉTAT LIBÉRAL

CHAPITRE VI

LES FONDEMENTS POLITIQUES DU POUVOIR LIBÉRAL

Il nous faut maintenant rassembler nos conclusions pour définir les institutions d'un État libéral approprié à notre temps et tenter de proposer des solutions de principe aux problèmes qu'il rencontre.

I. Le libéralisme et le consensus politique.

L'État libéral est une communauté politique composée d'individus face à une puissance publique qui en assure le gouvernement et dispose légitimement d'une force publique ; chacun de ces individus est conçu comme un homme capable de liberté réfléchie et raisonnable, capable, par conséquent, d'ordonner ses passions et ses actions, compte tenu de ses vertus et de ses vices, en vue d'assurer, pour le présent et pour l'avenir, ce qu'il considère comme son intérêt essentiel, ce qui peut aussi vouloir dire, ce qu'il considère comme son devoir essentiel. Ce qui fait son humanité, c'est cette capacité de liberté réfléchie et raisonnable, ce qui est en lui, l'esprit en acte, qui le rend capable de gouverner par lui-même son existence d'être autonome. Cette autonomie spirituelle lui confère une indépendance morale inexpugnable, qu'aucune situation politique, aucune situation de force ne saurait réduire, même en celui qu'elle fait céder. Inaliénable, l'autonomie l'est sous tous les rapports. Elle fait de chaque homme, en dernière analyse, un être solitaire, car chacun prend dans la solitude de son esprit les décisions les plus importantes de son existence. Cette solitude éprouvée, c'est la présence vécue de sa liberté.

Il n'en reste pas moins que chaque homme vit sa solitude, sa liberté, sa différence, au sein d'une société, d'une culture, dans une histoire. Il est essentiellement et manifestement un être sociable, culturel, historique. Il est même inéluctablement un être politique ; son obéissance à une autorité politique est, c'est le postulat du libéralisme, un acte de liberté : un consentement. Seul, son consentement peut faire de chaque homme, autonome, unique, différent de tous les autres, un citoyen, et réunir l'indéfinie pluralité de ces individus sous un statut politique et juridique commun.

Seule, la liberté peut refaire ce que la liberté défait. Car la liberté sépare et oppose ; elle est un principe de déviation, de différence et de lutte, nous y avons fortement insisté. Mais elle seule est aussi un principe d'union et de collaboration, un principe d'association.

Le libéralisme est parfaitement conscient qu'il peut y avoir un mauvais usage de la liberté, aussi bien chez les gouvernants que chez les gouvernés. Aussi prend-il délibérément pour principe le principe de Machiavel : tout homme d'État et tout citoyen doit penser et agir comme si les hommes, les hommes en tant que tels, étaient mauvais et méchants. On a prétendu à tort que l'homme libéral était un citoyen contre les pouvoirs. Tout au contraire. D'une part, la communauté politique étant composée d'hommes susceptibles d'être mauvais et méchants, il est nécessaire, pour le libéral, qu'une autorité politique dotée d'une puissance appropriée soit en mesure de faire régner un ordre juste, un état de droit entre les citoyens, en jouant le rôle de législateur, d'arbitre, de juge et de garant. D'autre part, toute institution politique libérale est d'abord fondée sur la défiance, une défiance appliquée à tous les membres de la communauté, qu'ils obéissent ou qu'ils commandent. C'est le même principe de défiance que requièrent à la fois la défiance à l'égard de tous les hommes, qu'ils soient gouvernés ou qu'ils gouvernent, et la mise en place d'une autorité politique, l'organisation d'une institution politique dont l'autorité sera capable de maîtriser ce que pourraient faire de mauvais et de méchant les gouvernants aussi bien que les gouvernés.

Il va sans dire que le principe de défiance n'est que le premier principe de la pensée politique réfléchie et raisonnable, c'est une défiance calculée. Il n'y aurait pas d'autorité et d'institution politique sans cette défiance à l'égard de tout homme en tant qu'homme, mais il n'y aurait ni autorité ni institution politique si chacun s'en tenait à cette seule défiance. A elle seule, la défiance générale n'entraîne que la guerre permanente de chacun contre chacun.

Cette défiance accompagne une confiance en autrui, une confiance en son prochain, aussi raisonnable que naturelle, qui exprime l'essence sociale de l'homme, sa « socialité » plus encore que sa « sociabilité ». Sans cette confiance, aucune coexistence, aucune relation pacifique d'individu à individu ne serait possible. Cette confiance est fonction de motivations complexes. Elle est en partie naturelle, car elle est fondée sur la sympathie naturelle que chacun éprouve pour son semblable, et même sur l'amour pour son prochain, aussi bien que sur l'appréciation raisonnable de la présence de l'autre, comme source de collaboration et d'entraide. Sous-jacente à cette appréciation, réside la confiance raisonnable dans un bon usage de la liberté d'autrui, en dépit de son irréductible imprévisibilité. Mais il faut bien prendre le risque. La défiance est une précaution, la confiance, une espérance. En prendre le risque, c'est courir une chance, s'il s'agit d'une relation privée ; c'est une nécessité, s'il s'agit de relation publique, politique : les institutions politiques existantes ont comme une sorte de droit de nécessité à la confiance des citoyens. Pour ne point tomber dans le despotisme pur et simple, encore faut-il que cette confiance soit fondée sur l'accord rationnel des institutions avec la culture et la civilisation ambiantes.

Cette confiance défiante du citoyen correspond à « l'insociable sociabilité » de l'homme. Pour le libéral, elle doit s'exprimer dans le consentement politique de chaque individu.

*

Il ne faut certes pas se faire d'illusion. Il n'est pas question de reconnaître à chaque homme, en tant que tel, une capacité politique spécifique, une compétence naturelle dans le gouvernement de la Cité (c'était, pour Platon, le postulat de la démocratie). Le jeu des passions favorise le souci de son bien propre et de sa jouissance prochaine, plutôt que le sens du bien public et de la vision de l'avenir. Les grandes passions sociales, la crainte, la gloire, l'envie, l'ambition, brouillent les rapports du bien propre et du bien commun. L'esprit de liberté, de responsabilité, d'entreprise, l'autonomie recherchée au niveau de la personne comme au niveau de l'État, se heurtent à l'inclination à la passivité paresseuse, à l'obéissance irresponsable, aux facilités d'une existence subordonnée et servile, à la crainte corrompue en lâcheté. Le consentement politique de chaque individu n'est guère donné au nom de ce que chaque homme est en réalité, mais au nom de ce qu'il peut et doit être, en vertu de sa nature d'homme. (C'est ce que veut dire le recours classique à l'idée d'un contrat social si symbolique soit-il.) Parce qu'il est capable de liberté réfléchie et raisonnable, parce que c'est là son essence, même s'il en use souvent de façon irréfléchie et déraisonnable, il faut faire à chaque citoyen la confiance défiante qu'on lui demande de témoigner en retour, en donnant son consentement à des institutions politiques et aux hommes qui ont reçu la mission de les animer. Sinon, à qui se fier pour que la diversité indéfinie des hommes, de leurs existences, de leurs convictions, de leurs œuvres, génératrice d'une culture vraiment humaine, puisse être gardée sauve et respectée ? A qui revient le devoir de promouvoir et de défendre la liberté, sinon à des êtres capables de liberté ? Le libéralisme est une philosophie de la liberté conçue comme un devoir être, comme un devoir d'être libre : c'est une philosophie de l'action, travail et lutte, parce que la liberté ne cesse jamais d'être en question. Le libéralisme ne peut être fondé que dans la liberté d'un consentement continué.

*

Le libéralisme laisse à chacun le maximum de liberté compatible avec le bien public. Il devrait donc obtenir d'office, à l'évidence, un consentement universel. Mais il n'est ni démagogique, ni utopique : il ne vise pas une liberté immédiate, confondue avec la satisfaction de n'importe quel désir. Il définit, répétons-le, la liberté comme une liberté réfléchie, qu'il identifie à une obligation de se livrer à une entreprise dure, difficile et hasardeuse : vivre comme un homme adulte, libre, lucide, autonome, responsable. Il n'est pas vraisemblable que le libéralisme obtienne le consentement de tous ceux en qui la lucidité, la réflexion, le courage, ne l'emporteront pas sur la propension à une fausse facilité ou sur l'appétit de jouissance dans l'immédiat.

Le libéralisme est conforme à la nature des activités humaines. Il n'est possible que dans les cultures où les hommes parviennent à accomplir librement leur nature. Le libéralisme étant lié à un certain type de culture, la culture de l'Occident chrétien moderne, il n'est pas exportable dans n'importe quel type de culture. Il a beau être une manifestation, à nos yeux privilégiée, de l'essence de l'homme, celle-ci peut, peut-être, s'actualiser dans d'autres cultures d'autres façons.

Contrairement à ce que l'on pourrait imaginer, un régime libéral et une politique libérale ne sont pas d'abord fondés sur la collection des consentements individuels, mais sur la présence d'une culture où la liberté vécue l'emporte et s'accompagne de liberté réfléchie et voulue. Un régime libéral ne s'appuie pas d'abord sur des consentements, mais d'abord sur un consensus ancré dans la culture, sur un assentiment collectif, global, éprouvé dans l'histoire et dans les faits, sur un loyalisme témoigné dans la vie politique quotidienne. Ce consensus n'est pas la somme algébrique des consentements et des refus individuels. Il intègre toute une tradition, toute une histoire, toute une culture.

Le consensus politique est l'expression, au niveau politique, de la culture d'une nation. Celle-ci exprime, en terme de valeurs et de choix politiques, un inconscient collectif. Elle est inséparable de son histoire, de ses traditions, de ses mythes, de ses symboles, de ses emblèmes. Cette culture exprime une certaine manière de vivre, une certaine vision du juste et de l'injuste, du convenable, du bien-être. Elle témoigne d'une sorte de personnalité, tant ses constances historiques sont fortes, tant elle manifeste des tendances profondes et comme un vouloir collectif. C'est l'esprit de la nation, — d'autres ont déjà dit « l'esprit du peuple » — qui se manifeste tout au long de son histoire, à travers sa culture et, sur le plan politique, sous la forme de ce consensus latent qui fait qu'un régime, une politique, sont consentis ou refusés.

Ce consensus, si décisif dans la vie politique, est senti, éprouvé, supputé : il n'est pas proprement connu. Il se manifeste par la nature et l'intensité de la participation de la population à la vie de l'État. De façon positive d'abord : par la spontanéité de l'obéissance aux lois, par le dévouement de chacun à sa fonction, à sa tâche, par l'acceptation aisée des hiérarchies, par la convergence naturelle des intérêts privés et de l'intérêt public. De façon négative au contraire : lorsque des infractions aux lois se font plus fréquentes, lorsque l'autorité devient moins ferme et l'obéissance moins prompte, moins stricte, lorsque les fonctions sont de plus en plus mal accomplies, et sans souci du résultat, lorsque le sens du bien public disparaît et que chacun se réfugie dans la protection de son bien propre, pratique son auto-défense. Les contraintes peuvent se faire plus étroites, plus rudes, les résistances deviennent plus fermes, plus arrogantes. La désobéissance se généralise, dans le refus des lois et de l'autorité. « Les courroies de transmission de l'autorité ne répondent plus », disait un homme d'État. Nous connaissons bien ces signes, révélateurs de l'orientation du consensus politique, même si, sur le moment, ils suscitent bien des querelles d'interprétation. A quelles méthodes recourir pour interpréter ce qui relève de l'esprit de la nation ?

Les incertitudes d'interprétation sont d'autant plus vives que ce consensus est continûment éprouvé à deux niveaux. Le premier est superficiel : les mouvements de l'opinion sont spectaculaires ; ce sont des agitations réagissant aux événements quotidiens ; ils sont déformés par les engouements insignifiants de la mode ; ils sont amplifiés par les médias à la recherche du « nouveau », de l'« extraordinaire », et du « sensationnel » ; ils ont plus d'apparence que de vigueur ; les retournements sont faciles ; ils sont la proie aisée de la manipulation et de la propagande.

Et ce n'est pas tout. A la surface des agitations d'opinion, on constate deux sortes de réaction au consensus profond, deux façons de le ressentir : la première consiste dans un assentiment (ou dans un refus) actif, relevant d'une recherche de la satisfaction par l'action, la responsabilité, la pratique de l'autonomie avec ses risques : le consensus est alors un consensus constructif, pour l'avenir et par l'action. C'est le consensus le plus humain, fier de ses œuvres, mais conscient de leur insuffisance, toujours insatisfait, celui qui peut animer un régime libéral, toujours mis à l'épreuve. La seconde forme superficielle de réaction au consensus consiste dans un assentiment passif, dans une satisfaction née du fait que tout est donné de l'extérieur, tout est reçu, quand la passivité va de pair avec la facilité, l'absence de responsabilité, d'initiatives et de risques. Ce consensus moutonnier, c'est celui des hommes domestiqués. C'est la satisfaction immédiate, matérielle, bloquée sur les besoins matériels, sans perspective d'avenir, environnée d'éventuelles menaces terrifiantes, la satisfaction refuge de l'homme domestique et anonyme des régimes totalitaires.

Le second niveau du consensus correspond à une attitude profonde de la nation, aux lentes transformations d'un devenir historique irrésistible sur lequel les moyens politiques manquent de prise. On connaît ces élans profonds, qui rendent un régime, une politique, efficaces ou, au contraire, ces situations bloquées devant lesquelles les politiques sont impuissants. Que l'on pense aux interminables guerres de religion, jadis, ou, de nos jours, aux affaires d'Irlande ou du Moyen-Orient.

C'est cette tendance profonde de l'esprit national que l'homme d'État libéral doit s'efforcer avant tout de déceler et, à partir de laquelle il doit essayer de susciter un courant d'opinion publique, capable de soutenir son action et de développer un loyalisme, efficace parce qu'il est lucide, autour d'elle. Au mieux, il pourrait ainsi fonder son action sur un consensus d'hommes capables de liberté réfléchie et raisonnable, ayant assimilé la culture de leur nation, allant de l'avant à la lumière de son histoire et de ses traditions, faisant œuvre nationale d'hommes conservateurs et créateurs de culture.

*

Mais il est naturel que l'homme d'État libéral veuille davantage et autrement. Il est sensible aux difficultés que suppose l'interprétation d'un tel consensus ainsi situé au niveau de l'inconscient national, aux incertitudes et aux discussions qui l'entacheront inévitablement. Un tel consensus peut être ressenti par des politiques avisés, deviné par de bons observateurs ; il ne peut, surtout sur le moment, jamais être connu dans sa vérité, effectivement prouvé ; il est malaisément contrôlable. Ce consensus culturel est l'objet d'une interprétation philosophique. Après tout, toute action, privée ou publique, est toujours le résultat d'une prise de position philosophique plus ou moins lucidement consciente, expression suprême d'une culture. Mais l'homme d'État libéral souhaite, à la fois pour des raisons de commodité pratique et pour des raisons de cohérence — ne fait-il pas de l'individu capable de liberté réfléchie et raisonnable le principe et la fin de sa politique ? — pouvoir traduire ce consensus par l'expression explicite et le décompte des consentements individuels. Pour le libéral, pour qui la liberté réfléchie est l'essence même de l'individu humain, comment ne pas consulter les individus ? On passe volontiers sous silence, de nos jours, les difficultés et les postulats, très classiques cependant, que comporte la collecte du consentement des individus. Même si cette pratique est inévitable, il faut au moins les évoquer pour en tirer les conséquences.

Il faut reconnaître, tout d'abord, que, bien que chaque individu participe au devenir de la culture profonde de la nation, la collecte des consentements est soumise aux hasards des événements, au jeu des circonstances, et reflète le niveau le plus superficiel et le plus contingent du consensus, car ce ne sont jamais que des consentements dans l'immédiat et pour l'instant. Et puis, le libéral n'a jamais cru à cette « capacité politique » que la démocratie doit reconnaître, pour être véritablement fondée, à chaque citoyen, cette capacité de participer avec un jugement sain et par des décisions bien justifiées au gouvernement de la Cité. S'il reconnaît comme un principe formellement essentiel que chaque citoyen est capable de liberté réfléchie et raisonnable et qu'il a le devoir de bien user de sa liberté réfléchie, il connaît trop les imperfections intellectuelles et morales de tout être humain. La doctrine libérale fait du consentement un principe nécessaire, mais jamais un principe suffisant. C'est l'application de cette confiance défiante que nous avons mise en évidence à la source du libéralisme.

Maintenant que le mythe des démocraties directes, dans les immenses nations modernes, ne laisse plus aucune espérance pratique, il faut avoir recours à des processus indirects de consultation, les référendums et les opérations électorales pour effectuer la collecte des consentements. La consultation de l'opinion publique elle-même, en quelques occasions de signification symbolique, se réduit à la pratique des référendums. Seule, sans doute, la Suisse, grâce à ses dimensions, grâce à la parcellisation cantonale et communale de ses communautés politiques, maintient des éléments de démocratie directe et organise des référendums concrets et significatifs. Partout ailleurs, en France notamment, le référendum, tel qu'il est pratiqué, n'est en rien une méthode de participation au gouvernement, mais un défi exceptionnel, sur un thème mûrement élaboré par les seuls gouvernants, lancé à leur heure et destiné à réveiller une opinion publique incertaine, à tenter de la rassembler. Pour les gouvernants, il s'agit, dans un test éclatant et pratiquement global, de mettre en jeu leur politique et d'obtenir un témoignage incontestable de défiance ou de confiance renouvelées.

En vérité, même dans les référendums, c'est alors la personnalité des gouvernants décidés à en proposer le texte qui est en question. Le consentement ou le refus du citoyen est un vote de confiance ou de défiance accordé à des hommes. Confiance est faite à une personnalité que l'on connaît par ses actes publics et quelquefois privés, par le témoignage qu'il a pu donner de sa compétence, par son appartenance à tel ou tel groupe. Certes, on prête aussi attention à ses paroles, à ses promesses, mais tels sont les aléas de l'histoire à venir, l'imprévisibilité des situations possibles, que l'on fait confiance à un homme pour ce que l'on croit savoir de ses capacités, de son caractère, de son aptitude politique globale, des principes majeurs de son action beaucoup plus que pour son programme. Toute politique s'incarne dans des personnes et le grand nombre est beaucoup plus sensible à l'image des hommes qu'au sens des mots qu'ils emploient. Dans la bibliothèque du philosophe, ce sont les idées et les valeurs qui comptent et qu'il faut comprendre ; sur la place publique, ce sont des personnalités, des figures, que l'on refuse ou que l'on choisit.

C'est pourquoi il ne faut pas trop prendre au sérieux les difficultés classiques soulevées par le problème de la « représentation », le problème du choix par les citoyens de leur représentants. Il est clair qu'il est impossible à quelqu'un de transférer son vouloir en un autre, de remettre sa volonté à la volonté d'un autre, sans soumettre sa volonté à celle de l'autre, sans renoncer, par conséquent, au libre usage de sa volonté pour tout le temps où sa propre volonté sera soi-disant « représentée » par celle de l'autre. Il ne s'agit en rien d'un transfert de volonté, surtout lorsque se posent des problèmes aussi complexes et aussi imprévisibles que les problèmes politiques. Le consentement est un acte de confiance faite à une personne pour participer au meilleur gouvernement possible de l'État : exercer une autorité publique, exercer la puissance publique en vue du bien commun. *Faire confiance, conférer une mission* de gestion des affaires publiques en vue du bien commun, voilà les deux thèmes que cache le mot : représentation. Mais que d'indétermination dans cette confiance, que de renoncement à mesurer ou à retirer sa confiance et que d'incertitude dans une mission ouverte sur un avenir si vaste et si inconnu. Que de défiance et d'inquiétude latentes.

Encore, s'il pouvait s'agir d'une relation de personne à personne. Mais, entre l'électeur et l'élu, il n'y a pratiquement jamais de relation personnelle ; dans des cas très exceptionnels, une relation charismatique peut s'introduire. A l'ordinaire, le consentement donné dans le vote électoral est un processus juridique abstrait qui se déroule dans un cadre schématique. En vérité, il s'agit d'un principe : c'est l'acte d'un citoyen capable de liberté réfléchie et raisonnable, il est le critère d'un régime libéral. Cette confiance d'un homme libre dans le bon usage public de la liberté d'un autre a la valeur d'un symbole.

L'avantage du processus électoral, c'est de donner lieu à des opérations publiques, contrôlables, et de produire des résultats quantitatifs et incontestables. On sait cependant comment ces résultats quantitatifs sont fonction des modalités choisies pour le scrutin, et qu'ils sont liés à la dimension et à la nature des circonscriptions électorales, mais aussi au type de représentation que l'on veut assurer (dégager une nette majorité, assurer la représentation des minorités). Bref, ce système quantitatif apparemment incontestable se fonde inéluctablement sur des conventions artificielles, arbitraires, et sur lesquelles certaines suspicions ne peuvent pas ne pas planer.

Ces réserves faites, si la formation des élites politiques les plus propres à prendre part au gouvernement de l'Etat ne relève pas d'un processus électoral, en régime libéral, le choix de ceux qui gouverneront effectivement l'État en relève par nécessité. Comment faire autrement ? Il n'existe pas d'autre moyen de faire participer effectivement les citoyens au fonctionnement de l'appareil politique, de les engager dans les affaires politiques par un choix qui ne dépend que d'eux seuls, et de leur donner l'impression et, au moins un instant, l'expérience vécue, de leur effective liberté politique.

Parallèlement à l'observation du consensus profond, le régime libéral exige que l'opinion publique soit consultée de façon fréquente, au niveau des diverses instances politiques existant dans la nation, par l'organisation impartiale d'élections libres. Quelles que soient les insuffisances des consultations électorales, leurs artifices, leurs incertitudes, en instituant une limite dans le temps au pouvoir des gouvernants et un jugement *a posteriori* sur la façon dont ils en ont usé, elles constituent l'obstacle le plus solide à opposer aux abus et aux excès éventuels des Gouvernants. Des élections libres, des élections fréquentes, sont le premier critère des régimes libéraux : leur absence ou leur falsification est la marque d'infamie des dictatures et des régimes totalitaires. Et chacun sait que lorsque plane la menace de la dictature ou du totalitarisme, le recours suprême et le seul espoir résident dans l'approche d'élections libres, si imparfaites soient-elles.

Nous sommes ainsi amenés à conclure que les assises d'un pouvoir politique qui se veut libéral sont, d'une part, ancrées dans un consensus profond, mais elles sont alors senties et interprétées plutôt que connues et d'autre part, quantitativement déterminables et contrôlables, mais elles sont alors superficielles et frappées d'inévitables artifices. Les assises du pouvoir libéral ne sont jamais parfaitement assurées.

N'est-ce pas naturel, puisque ce pouvoir libéral veut prendre appui sur de libres consentements dont l'avenir est toujours incertain, sur une confiance à laquelle une méfiance est inséparablement inhérente ? N'est-ce pas le sort, au sein d'une nation, des relations complexes entre des hommes essentiellement libres et réfléchis, qui se veulent autonomes et indépendants et qui, cependant, sont amenés à obéir et à commander ? Et les hommes au pouvoir ne sont-ils pas, eux aussi, des hommes capables de cette même liberté, eux qui se trouvent placés dans des circonstances toujours nouvelles, et amenés à user d'une puissance immense, selon leur jugement à eux seuls et en dernier ressort ? Redoutable usage de leur liberté, pour ceux qui obéissent comme pour ceux qui commandent, que cet usage qui semble ne s'accorder qu'avec l'indépendance et, peut-être seulement, comme le croyait Rousseau, avec la solitude. Plus que partout ailleurs, en régime libéral, se pose le problème de la légitimité de cette puissance souveraine qui, née de libres consentements tacites et explicites, se situe par la force des choses au-delà d'eux.

II. La légitimité du pouvoir libéral.

La légitimité d'un gouvernement n'est pas fondée seulement sur le respect de la constitution de l'État et de ses lois fondamentales et sur le respect des lois et procédures légales appliquées à l'élection de ses gouvernants. Jamais la légalité ne peut suffire à la légitimité. La loi n'est pas légitime parce qu'elle est la loi : elle est légitime parce que le législateur et, en dernière analyse, le principe en vertu duquel il légifère, est légitime. La loi n'est qu'un intermédiaire ; la légitimité ne dépend pas d'elle. Elle la transmet. La loi dépend du législateur ; lui ne dépend pas d'elle, puisqu'il peut la changer ou la supprimer à son gré. On célèbre traditionnellement le gouvernement par les lois; mais la louange est justifiée seulement dans la mesure où le règne des lois permet d'échapper au règne arbitraire d'un homme. La loi aussi peut être scélérate. Le législateur peut abuser de sa puissance et engendrer par ses lois, fort légalement, la servitude, la torture, le génocide. Et l'on peut aussi abuser des lois en vigueur, des constitutions les mieux intentionnées. Le national socialisme a pris le pouvoir, en Allemagne, conformément à la Constitution de Weimar. Et son préambule allusif neutralisé, la Constitution française de 1958, rédigée par des libéraux soucieux d'efficacité politique, pourrait permettre d'installer fort légalement en France la dictature d'un parti ou même un régime totalitaire.

La reconnaissance de la légitimité d'un pouvoir politique est une opinion qui n'est pas de l'ordre d'une certitude rationnelle. C'est une conviction où des considérations raisonnables s'adjoignent à une confiance intime, née d'habitudes de vivre et de sentir, de traditions et de valeurs longuement vécues, inscrites dans l'histoire d'une nation et dans sa culture présente. La légitimité exprime une foi en un principe essentiel à l'existence de la nation, un principe sacré, toujours transcendant, qui régit sa survie, mais qui ne peut être réduit aux conditions rationnelles de sa survie.

La source de la légitimité réside dans le corps de principes sur lesquels se rassemble le consensus profond, l'esprit de la nation. Fondé sur son histoire, inscrit dans ses œuvres et dans ses réussites, il affirme, en même temps, une vocation ; il est un appel à des œuvres à venir, une exigence de dépassement dans la continuité. Fort d'une certaine conception de l'homme, de la société, de la politique, ce consensus profond porte en lui l'obligation de construire l'histoire à venir dans la nation sous l'inspiration de l'esprit qui l'anime. Au-delà des déterminations accumulées par les produits de l'histoire, il poursuit la création d'une culture animée d'un esprit propre — l'esprit de la nation — qui se manifeste de façon si surprenante, mais si incontestable, dans les grandes et les petites cultures des histoires de l'humanité, dans leur originalité, leur cohérence, leur continuité, et qui fait de chacune d'entre elles une individualité historique irréductible. Oui, l'esprit d'une nation, le consensus qu'il engendre, doit pouvoir se traduire dans une philosophie vécue, sous la forme de ses monuments, de ses exploits, de ses malheurs aussi, de ses grandes œuvres, de ses héros, de ses mythes, de ses valeurs fondamentales.

C'est cette philosophie implicite, cette présence vécue par chacun des membres de la nation à travers ses paysages familiers, son

entourage, sa culture propre, qui constitue le principe de l'assentiment national, plus profond et plus intime en chacun que ses opinions explicites, et qui naît avec le sentiment national, le sens de
l'appartenance à une culture, l'amour de la patrie. C'est là que
réside un principe de légitimité qui transcende l'existence actuelle
de chacun et de tous et qui inspire cette foi décisive qui anime la
loyauté des gouvernants et le loyalisme des gouvernés dans un
régime légitime.

Ce qui fonde la légitimité d'un régime politique et d'une politique, c'est une culture et une mission culturelle. Une politique, une
volonté politique qui voudrait renier sa culture serait illégitime et
d'ailleurs, faute d'infrastructure, inefficace et acculée au désastre.

Chaque culture nationale qui suscite un consensus se traduit, en
langage politique, sous les espèces d'une mission à accomplir,
d'une obligation politique à réaliser, qui sont les principes explicites de sa légitimité. Cette mission est complexe. Elle comporte
d'abord des éléments fonctionnels inhérents à toute mission
confiée à un régime politique : des éléments de conservation, de
sauvegarde de la communauté politique, de maintien de l'ordre et
de la paix intérieurs et de la défense à l'extérieur. A ces éléments
fonctionnels, chaque culture adjoint des missions politiques correspondant à sa conception de l'homme et à sa manière de vivre
en homme. A chaque culture nationale correspond un principe de
légitimité qui lui est propre, une mission spécifique conférée aux
gouvernants en rapport avec son histoire et sa personnalité.

Aux nations de culture judéo-chrétienne où les valeurs de l'individu, de la liberté et de l'organisation raisonnable des affaires
humaines sont devenues majeures, une mission rassemblant les
finalités propres du libéralisme transmet le principe de légitimité
d'une autorité politique libérale. Est légitime l'autorité politique
qui prend pour fin l'institution et la sauvegarde d'un ordre public
au sein duquel chaque individu puisse vivre comme un homme
capable de liberté réfléchie et raisonnable, dans le respect et la
reconnaissance de la liberté raisonnable d'autrui, et où il puisse
trouver les conditions lui permettant d'accomplir au plus haut
point les vertus et les talents dont il est capable. C'est une des
caractéristiques classiques du principe de légitimité propre au
libéralisme, de se concentrer sur la mission politique des gouvernants : le pouvoir libéral classique est légitime dans la mesure où
la puissance publique agit afin de faire, et de faire cela seulement,
ce que les activités privées ne sont pas capables de faire, ou ce
qu'elles ne suffiraient pas à faire ou qu'elles feraient mal, en vue
de maintenir pour tous des conditions d'existence humaine ; c'est,
en termes libéraux, ce que l'on appelle le bien public.

Ne tombons surtout pas dans l'illusion que la « volonté géné-rale » du « peuple » constitue le principe de la souveraineté en même temps que le principe de la légitimité. Le « peuple » que l'on imagine confusément sous les espèces de la population tout entière, formant une sorte d'assemblée imaginaire, que l'on décore du nom de « multitude » ou de « masse », ne constitue en rien une personne capable de vouloir. Le peuple, au sens juridique du terme, c'est la structure de droit public unissant l'ensemble des citoyens dans les institutions législatives, exécutives et judiciaires définies par ses lois fondamentales. Le peuple n'a d'autre volonté que celle de ses législateurs et ne prend d'autre décision que celle de ses ministres. Les gouvernants sont ce que l'on nomme artifi-cieusement et fallacieusement le peuple. Le peuple n'est donc qu'un pseudo-souverain. Il existe à ras des événements politiques. Il a besoin de recevoir d'ailleurs, d'au-dessus de lui, une légitimité dont on prétend, bien verbalement, qu'il est la source. Quant à la « volonté générale », c'est un mythe qui n'a d'autre fondement que la gloire de Jean-Jacques Rousseau. Le terme est beaucoup trop apparemment clair pour ce qu'il a de confus. Nul ne sait ce que c'est.

Le principe de la légitimité politique est ce consensus national qui pèse de tout son poids historique, de toutes ses traditions sur la vie et l'avenir de l'inconscient collectif de la nation. Principe de légitimité, il transcende le peuple et ses gouvernants, le corps poli-tique tout entier. C'est pourquoi il n'est jamais immédiatement explicite. Expérience vécue par chaque citoyen jusqu'au plus pro-fond de sa culture, il est l'objet d'une foi, et le principe d'une vocation, d'une mission.

C'est pourquoi il est si important de conforter les opérations électorales par lesquelles on consulte le « peuple », c'est-à-dire l'opinion publique, et de compenser ce qu'elles comportent, nous l'avons dénoncé, de superficiel, de factice, d'événementiel et d'aveugle. En choisissant les élus au nom d'une mission, on choi-sit de faire confiance à ceux qui s'engagent à l'accomplir : mission fonctionnelle, inhérente à toute autorité politique libérale, mission de circonstance répondant aux exigences du moment. Certes, l'opinion publique comprend mal les options politiques et ne les imagine guère qu'à travers la personnalité des hommes politiques qui les incarnent. Mais autour de la définition d'une mission peut s'instaurer un engagement juridique réciproque, engagement des élus à la loyauté, engagement des électeurs au loyalisme.

Cet acte réciproque de confiance défiante, principe de comman-dement et principe d'obéissance, est admirablement analysé par la langue anglaise sous le nom de *trust* : c'est une mission de confiance, qui est conférée à des *trusties,* à des hommes de confiance, ici des gouvernants, des hommes d'État. Cet acte réciproque prend la forme d'un véritable contrat, authentique et explicite, cette fois. L'autorité conférée aux gouvernants cesse d'être un pouvoir discrétionnaire. Le pouvoir instauré au profit des gouvernants se trouve limité par cette double mission, l'une fondamentale et sacrée, émanée d'une culture vivante, exprimant une pression décisive, l'autre circonstancielle et limitée dans le temps.

Les gouvernants disposent, par définition, des pouvoirs nécessaires pour imposer aux citoyens l'obéissance à laquelle ils sont engagés envers les lois de l'État. La détermination d'une mission, la passation d'un contrat de gouvernement, rend possible la détermination d'une rupture éventuelle du contrat et la définition d'une forfaiture. La doctrine de la légitimité libérale refuse la conception d'une légitimité inconditionnelle, illimitée et perpétuelle. Sa condition, sa limite, sont inscrites dans la mission fondamentale qui s'exprime dans une conception philosophique de l'homme et de la société politique, puis dans des lois fondamentales.

Ainsi naît l'idée d'une Cour suprême composée d'hommes qui, placés au-dessus des gouvernants ne participent pas aux péripéties de la vie politique. Ils représentent la philosophie implicite de la nation, ils expriment sa culture, au-delà de toute politique partisane. A eux d'incarner, non une imaginaire volonté générale, mais le sens du bien commun, le sens de l'État, l'amour de la patrie. Ils sont les arbitres suprêmes, sans autre pouvoir que de dire le juste et l'injuste au niveau le plus général. Placés au-dessus des idéologies et des intérêts particuliers, ils jugent de la légitimité des actes des gouvernants, à la fois en fonction des finalités de la philosophie libérale et en fonction des lois fondamentales. Par ses jugements, la Cour suprême s'oppose aux excès et aux abus d'un pouvoir qui serait oublieux de sa mission et évite le déclenchement de mouvements de résistance, à moins que, se heurtant à la forfaiture délibérée des hommes au pouvoir, elle justifie, par son jugement, la désobéissance et la résistance organisée des citoyens. En régime libéral, la doctrine de la légitimité du pouvoir reconnaît la légitimité de la résistance au pouvoir qui forfait à sa mission.

La légitimité conférée n'est pas plus perpétuelle qu'elle n'est inconditionnelle et illimitée. On mesure, en effet, une action politique à son efficacité. Le succès ne suffit certes pas à établir la légitimité d'une politique ; aucune politique n'est légitime, si elle n'est l'expression d'un consensus. Mais une politique justifiée par ses finalités, en prise sur le consensus national, n'est pas légitimée une fois pour toutes. Encore faut-il qu'elle réussisse, au moins à échéance : ce sont ses succès qui, dans la longue durée, lui conservent une légitimité. La foi en la légitimité se renforce avec les succès, mais elle s'use plus encore avec les échecs. Les échecs répétés d'une politique doivent provoquer le retrait de ceux qui la font et l'entraînent, en effet, bien souvent. La légitimité n'est pas seulement une affaire de principe, c'est aussi, de façon seconde, mais décisive, une affaire d'efficacité. Un régime n'est donc durablement légitime que dans la mesure où les hommes qui l'animent sont des politiques efficaces, des hommes d'État qui se justifient continûment par leur succès.

III. L'HOMME D'ÉTAT LIBÉRAL.

Le libéralisme classique n'aime guère employer le mot de « Souverain » qui évoque pour lui une omnipotence qui échappe au contrôle des lois, à l'équilibre des pouvoirs et qui dispose à l'arbitraire. En vérité, il faut bien que s'exercent dans l'État des fonctions souveraines, une souveraineté en tant que telle qui incarne ce consensus profond, condition de son existence, qui exprime, à travers son histoire et sa culture actuelle, l'esprit de la nation. C'est la Souveraineté en tant que telle et les institutions qui la mettent en œuvre qui reçoit de ce consensus sa légitimité.

Les hommes d'État qui exercent ces fonctions souveraines, les vicaires de la Souveraineté en tant que telle, c'est-à-dire l'ensemble des titulaires du pouvoir exécutif et du pouvoir législatif, ne peuvent pas ne pas disposer d'un pouvoir absolu : en d'autres termes, ils disposent du pouvoir de décider en dernier ressort. C'est une nécessité fonctionnelle de toute communauté politique, nous l'avons déjà constaté, chaque fois que des décisions suprêmes doivent être prises, même quand les lois se taisent, même au-delà de tout calcul rationnel, de toute information contrôlable, dans une zone d'incertitude où l'estimation la plus raisonnable du probable n'élimine jamais l'imprévisible. La politique n'est-elle pas l'art de gouverner des collectivités et des individus capables de libertés publiques et privées ? Toute décision souveraine, c'est-à-dire toute décision en dernier ressort, requiert une prise de risque et peut engager le sort de la communauté tout entière. L'art souverain dispose, si la Raison de l'État le réclame, de la vie et de la mort de chacun et de tous. C'est en ce sens précis que l'on ne peut pas ne pas parler d'une souveraineté absolue.

Cependant, les hommes d'État au pouvoir ne sont pas, en tant que tels, souverains. Ce ne sont que des vicaires d'une Souveraineté abstraite et institutionnelle. Ils sont seulement les représentants élus par une population dont l'opinion sert de véhicule à ce consensus profond qui la dépasse dans le passé et dans l'avenir. Or nous savons que le choix électoral des représentants est soumis au jeu des circonstances, au charisme accidentel, et parfois frelaté par la réclame des médias, des personnalités en présence, à l'impact perturbateur d'événements marginaux. Si indispensable, si justifiable que soit le processus électoral, il opère un choix artificiel toujours faussé, en un sens ou en un autre, par les conventions arbitraires du mode de scrutin ; il ne révèle qu'un niveau superficiel, souvent excessif et toujours éphémère, toujours déjà dépassé, du consensus national. Cependant, le sort de la communauté nationale est entre les mains de ces élus de circonstance. Si légale et si conforme aux lois que soit leur présence, il n'est pas jusqu'à la légitimité de leur mission et à celle du régime lui-même qui ne dépendent du succès de leur action. Quels sont et surtout quels devraient être les hommes qui osent se charger d'une mission si décisive et si aventureuse ?

Je songe à l'homme d'État et non au technocrate ou au politicien. Nous sommes trop souvent la proie des politiciens qui prennent leur roublardise et leurs vulgaires « combines » pour de la haute politique inspirée des leçons de Machiavel. Il n'y a pas de commune mesure entre les manœuvres de couloir, entre les manigances de partis où on ne risque guère que sa vanité et son ambition, à la stratégie et à la tactique de l'homme d'État, où c'est le bien commun et le sort de la patrie qui sont à chaque instant en jeu.

L'homme d'État est l'homme qui sait faire passer le bien commun avant son bien propre, bien sûr, mais aussi avant le bien de son groupe ou de son parti. L'homme d'État est celui qui sait convaincre et ordonner, organiser la liberté, les libertés réfléchies d'un grand ensemble d'hommes ; c'est une tâche spirituelle parce qu'il s'agit de relations entre des esprits libres et réfléchis. Il sait s'assurer leur loyalisme ou leur obéissance, leur dévouement au bien public harmonieusement conjugué avec leurs fonctions et leurs tâches propres. L'homme d'État peut aussi être un technicien, mais il n'est pas nécessairement un technicien, ni de la guerre, ni du droit, ni de l'économie, ni d'une technique quelconque. On sait trop quelles dépravations menacent l'homme d'État qui voit l'ensemble, qui est son objet propre, sous la perspective étroite du technocrate. Nos contemporains se laissent trop souvent emporter par l'importance de l'économique et envisagent à tort la politique sous l'angle exclusif de l'économie. Stigmatisons cette dernière confusion pour la menace qu'elle fait peser sur une politique, en transférant ses objectifs du spirituel au matériel, de l'action à la jouissance, de l'œuvre accomplie au simple bien-être. L'homme d'État doit seulement savoir choisir ses experts et ses ministres techniciens.

N'insistons guère sur les qualités individuelles. Elles vont de soi. L'intelligence politique se caractérise surtout par le bon sens, par l'esprit de synthèse et la capacité de voir simple, par l'art d'échapper aux idées toutes faites et aux préjugés idéologiques. Le bon sens implique le sens du possible, de ce qui est réalisable dans une situation donnée. Il ne serait pas le bon sens s'il n'était pas à chaque instant le sens de l'opportun. Il est la vision directe du raisonnable.

Bien sûr, c'est Machiavel qui a dit l'essentiel. Il a appelé *virtú* la qualité propre du Prince, de l'homme d'État. La *virtú,* c'est, à la fois, la lucidité intellectuelle et le courage, l'énergie morale propre à manier les forces politiques avec le cynisme sans illusion, la fermeté, l'esprit de persévérance qui sont nécessaires à l'aboutissement des grands desseins dans les affaires humaines. Machiavel a défini les règles de l'efficacité politique, rationnellement, « scientifiquement » calculée en termes de moyens et de fins, à partir d'une connaissance aiguë des passions et des vertus humaines. Les libéraux n'ont pas de raison de récuser cet inéluctable calcul, qui prend en compte les valeurs spirituelles à proportion de leur force d'impact politique, tout comme les autres forces politiques directes, la violence physique et la violence spirituelle, que ce soit le mensonge, le secret, la déloyauté ou la ruse. Pour le libéralisme aussi, comme Machiavel l'enseigne, la politique passe par une juste appréciation des hommes. Il convient d'admettre en principe que tous sont capables d'être mauvais et méchants, mais, sur ce fond de défiance, l'art politique se mesure à sa capacité d'apprécier les meilleurs, à proportion des espoirs qu'on peut placer en eux et de la confiance qu'on peut leur porter en vue des fonctions qu'on leur confie.

Qu'un homme d'État dégage un véritable charisme, c'est assez naturel, s'il atteint à une suffisante générosité et à une certaine grandeur. Mais cette présence personnelle, cette aptitude à susciter la conviction, le dévouement, l'enthousiasme, ne garantit pas pour autant la valeur de sa politique. C'est un puissant facteur d'autorité. Ce peut être un grave ferment d'illusions.

Pour accorder sa confiance à un homme qui prend de hautes responsabilités politiques, le libéralisme exige, en outre, des vertus intellectuelles et morales d'un autre ordre. L'homme d'État lancé dans une mission si incertaine par un choix électoral si contingent doit, à la fois, d'un même cœur, se dévouer avec une pleine foi à sa tâche et garder le sentiment des limites de sa mission et de ses limites propres. Sa foi dans sa mission, sa foi en lui-même, doivent s'inscrire dans une sorte de scepticisme que lui inspirent l'imperfection et l'incertitude des affaires des hommes. C'est pourquoi il doit savoir garder une constante prudence dans toutes ses actions.

La prudence, c'est l'art de pratiquer des valeurs incertaines dans une situation dont on ne peut connaître toutes les données, en présence de partenaires dont on n'est jamais tout à fait sûr et d'adversaires toujours largement imprévisibles. C'est une vertu qui associe l'esprit d'entreprise, la fermeté et même l'audace avec la retenue et la maîtrise gardée dans son action, qui permet une constante adaptation à la situation en cours. Faute de science, faute même d'un impossible savoir, puisqu'il s'agit d'hommes, la prudence joint l'esprit de décision et d'engagement à la hauteur de vue et à la liberté de réflexion qui sont nécessaires pour assurer le maximum d'efficacité et le minimum de défaite dans les affaires politiques. Elle est à la fois une vertu intellectuelle et une vertu morale, et l'une y est toujours la condition de l'autre. En un mot, qui vaut pour les deux domaines, pour l'homme d'État, la vertu de prudence consiste à être raisonnable.

La vertu de prudence va de pair, chez le politique, avec la vertu de modération, qui est la vertu libérale par excellence. Elle convient au gouvernement d'hommes libres, au constant arbitrage que l'homme d'État doit pratiquer entre eux et par rapport au bien public, aux nécessités de l'État, avant de prendre et d'imposer sa décision. Elle implique, en effet, le sens de la mesure, mesure à l'égard de soi-même, mesure entre les hommes, sens du possible, mais aussi sens de l'excessif et de l'abusif. Voilà la vertu qui peut permettre à l'homme d'État de dominer les tentations de sa puissance, de résister aux entraînements de l'action et même aux incitations nées du succès. Savoir aller jusqu'au bout du nécessaire, mais savoir s'arrêter, savoir se modérer soi-même, c'est une vertu d'autant plus précieuse que l'homme d'État dispose de plus de puissance.

Elle implique aussi la volonté et l'usage de la conciliation et du compromis sans lesquels des hommes libres ne sauraient collaborer. Loin d'être un signe de basse politique, le compromis est l'art politique de concilier les différences, de réduire les incompatibilités, d'introduire des proportions raisonnables entre les exigences d'hommes différents et libres et les nécessités de la vie en commun. C'est l'art de substituer une situation de coexistence raisonnable à une situation de conflit et de force, l'art de susciter un consentement général qui permet à un régime libéral de s'instaurer et de durer.

Cette modération porte naturellement sur les ambitions de l'homme d'État lui-même. C'est la forme que prend sa loyauté à sa mission, cette mission qu'il doit interpréter comme un service, comme sa manière à lui de ne jamais prendre ni lui-même, ni sa gloire, pour fin, mais de servir des fins qui le dépassent, même s'il lui appartient de leur donner cette figure intermédiaire, qui est l'objectif politique du moment. Son excellence à lui, sa gloire vraie, c'est d'avoir été, compte tenu des circonstances et de la chance, aussi bon serviteur du bien public que faire se pouvait. Sa gloire véritable, qui compte bien légitimement pour lui, n'est pas celle qui peut satisfaire quotidiennement sa vanité, mais celle que lui décernera le jugement de l'histoire de sa nation, auquel il ne doit jamais cesser d'essayer de se mesurer en pensée.

Ne nous leurrons pas. Il s'agit d'un modèle idéal. Combien d'hommes d'État sont-ils arrivés, quel que fût leur génie, à s'y conformer ? Aussi serons-nous enclins à souhaiter qu'aucun homme d'État, fût-il grand et heureux dans ses entreprises, ne demeure trop durablement en possession du pouvoir. Si plate que soit cette organisation pratique, il faut souhaiter l'alternance, le retour temporaire au pouvoir des meilleurs, mais non leur indéfinie stabilité.

On constate qu'un État libéral ne peut fonctionner que s'il est fait confiance aux hommes d'État, s'il est fait et tenu un pari sur les vertus et la loyauté des gouvernants, sur les vertus et le loyalisme des gouvernés, en même temps qu'un pari sur la probabilité que les bons usages de la liberté pourront l'emporter, la chance aidant, sur les mauvais. C'est le propre du libéralisme de compter davantage sur les mœurs que sur les lois, sur les vertus que sur les institutions. Ce qui convient à une doctrine qui affirme que la politique est l'expression d'une culture. Si un État libéral peut être en bonne santé, c'est que la culture dont il est l'émanation est ce qu'elle est, c'est que les mœurs libérales triomphent, ainsi qu'une propension générale à pratiquer une liberté réfléchie et raisonnable. Et que la chance l'aide.

*

On parle volontiers de la responsabilité politique des gouvernements et eux-mêmes font volontiers profession d'en assumer toute la charge. Mais cette notion de responsabilité politique est bien confuse et bien contestable.

Que peut signifier, en effet, une responsabilité dont on peut dire qu'elle ne comporte pratiquement pas de sanction ? Une sanction n'a de valeur que si elle est proportionnée aux décisions prises, aux actes accomplis et à leurs conséquences. Or, ceux-ci, pour les

Gouvernants, affectent la totalité de la vie de la nation, mettent en question la bonne marche et la santé de l'État, la sécurité, la richesse ou la misère, la vie ou la mort de la nation. L'usage souverain de l'épée de justice et de l'épée de guerre affecte les conditions d'existence de tous les citoyens. Les sanctions que l'on pourrait infliger à ces individus que sont les Gouvernants, ne sont en rien du même ordre de grandeur, et, à la limite, elles n'ont pas de sens commun. La confiscation des biens, la privation de la liberté, l'exil, l'ostracisme, la mise à mort, la dégradation nationale, aucune de ces sanctions n'est à la dimension des malheurs provoqués, elle est sans rapport avec eux. De telles sanctions n'ont qu'une valeur symbolique, et encore. Elles respirent plutôt un esprit de vengeance et de démagogie qui témoigne en fait de basses passions.

Laissons de côté le cas de haute trahison et la Haute Cour imaginée par certaines constitutions ; la procédure est si dérisoire dans son juridisme étroit qu'elle ne s'élève pas au niveau du politique : elle tombe pratiquement en fait en désuétude dès qu'elle est instituée. Certaines constitutions ont établi une « responsabilité politique » des Gouvernants devant le Parlement : le Gouvernement qui est l'objet d'un vote de « défiance » ou de « censure » est privé du pouvoir et ses membres renvoyés à leurs simples fonctions représentatives ou à leurs vies privées de citoyens. Cette procédure n'est d'ailleurs pas interprétable comme une sanction pénale, mais comme la sanction politique de leur échec. Simple technique politique qui fonctionne raisonnablement, mais, au niveau de la morale politique, pour peu que ce vote sanctionne une incompétence ou une sottise qui ont entraîné des catastrophes mettant en question la vie ou la mort, la fortune ou la misère de la nation, encore une fois, comme cette sanction est inadaptée et dérisoire.

D'ailleurs, il est bien clair que, en cas de succès, de triomphe, l'homme d'État ne reçoit pas davantage la sanction de ses mérites. La gloire qui l'entoure ne procède pas d'une institution et l'ingratitude politique — mais comment devrait s'exprimer la gratitude ? — est la compagne ordinaire de la gloire. L'Histoire, comme on dit, se chargera de rétablir une appréciation, à condition que les historiens soient purgés de leurs préjugés (pensons à l'histoire de la Révolution française), ce qui prend d'ordinaire beaucoup de temps, quand cela arrive jamais.

En vérité, telle est la dimension des tâches politiques d'un homme d'État, que l'exercice du pouvoir suprême implique une responsabilité suprême, la responsabilité de celui qui décide en dernier ressort pour l'ensemble, mais qui, faute de sanction adéquate, se double d'une radicale irresponsabilité. L'homme d'État est donc à la fois responsable et irresponsable. Les seules sanctions plausibles que l'on peut souhaiter pour un mauvais chef d'État, même pour le pire d'entre eux, ce ne sont jamais que des sanctions morales, le remords ou la honte — dont, hélas, l'orgueil, l'aveuglement ou le fanatisme suffisent d'ordinaire à les délivrer pour le restant de leur vie.

Mais quelle leçon de modestie et d'humilité pour l'homme d'État libéral, qui s'efforce de pratiquer, par vocation, avec prudence, avec modération, avec scepticisme — en voilà une preuve de plus — une politique morale.

CHAPITRE VII

LE RÉGIME LIBÉRAL ET LES POUVOIRS DE FAIT.

I. LES INÉGALITÉS, LES ÉLITES ET LE LIBÉRALISME.

En raison de la diversité de leurs aptitudes naturelles et de leurs vertus, les hommes sont tous différents et inégaux. L'usage de leur liberté, quel qu'il soit, l'éducation qu'ils reçoivent (si elle n'est pas réduite à un dressage) et celle qu'ils se donnent, ne font que multiplier ces différences et ces inégalités.

Toutes les activités humaines, toutes les confrontations, les compétitions, les luttes et même les collaborations, renforcent les différences et accroissent indéfiniment les particularités. La manifestation de ces différences engendre, dans la vie sociale, des inégalités toujours accrues dans les capacités, les accomplissements, les fonctions, les situations et, inévitablement, dans l'appréciation des valeurs et des mérites ainsi que dans les avantages que chacun en tire.

L'organisation de la vie sociale, en rationalisant la collaboration entre les individus assure la division du travail et répartit les fonctions. C'est dire que, non seulement, elle développe les inégalités, mais qu'elle les institutionnalise en installant une diversité toujours plus grande et en l'incrustant dans les hiérarchies. Il n'y a pas de vie sociale sans structure politique : des relations d'autorité s'instituent d'elles-mêmes dans toutes les formes de la vie sociale et politique ; la mise en place de l'état de droit légitime d'inéluctables relations de commandement et d'obéissance qui constituent l'essence même du politique et la forme politique irréductible de l'inégalité.

Toutes les sociétés sont donc naturellement inégalitaires, les sociétés libérales par principe, les autres, qu'elles soient socialistes ou totalitaires, par nécessité : les libérales s'en font un mérite, les autres en font un secret bien caché.

Prétendre le contraire, c'est s'aveugler soi-même et surtout essayer d'aveugler les autres. Affecter de vouloir supprimer les différences et les inégalités, c'est aller contre l'inéluctable force des choses humaines. Y employer toutes les formes de la contrainte physique et de la contrainte spirituelle, c'est s'acharner contre toutes les formes de la vie de la liberté et de l'esprit, pratiquer la plus inhumaine des politiques, et tout cela, tous ces crimes contre l'humanité, en vain.

Le pire des poisons que Marx ait pu répandre avec son idéologie, c'est l'espérance de la société homogène et sans classes, présentée comme le lieu de la réalisation de ce qu'il appelle « l'homme générique ». Pataugeant, quoi qu'il en dise, en pleine utopie, il a invité ses séides à confondre « l'homme générique », tant vanté, avec « l'homme spécifique », c'est-à-dire avec l'homme considéré en tant que membre de l'espèce humaine : en tant que tels, tous les hommes sont égaux, en effet, d'une égalité spécifique. Mais cette égalité rudimentaire n'a rien à voir, même chez un Marx mieux compris, avec le plus parfait accomplissement de chaque homme dans ses capacités et dans ses vertus propres. Marx s'est vanté d'avoir mis la philosophie de Hegel, dont il a tiré le meilleur de ses idées philosophiques, cul par-dessus tête. Ce n'est pas une opération qu'il a faite impunément, car, chez les séides du marxisme, cela revient à donner à l'un les fonctions de l'autre.

Les idéologies égalitaires, nées de l'envie, de la paresse, de l'esprit de facilité et l'éthique de tutelle, ont fait tant et si bien que l'idée d'élite est devenue, pour le plus grand nombre, haïssable et même honteuse, tandis que l'existence même des élites de fait est impudemment refusée et traitée d'illusion idéologique.

Et cependant, du fait qu'ils vivent dans une société chargée de traditions et d'exigences professionnelles, ces individus si différents et inégaux se trouvent, selon leurs œuvres, leurs services, leurs fonctions, répartis en groupes, en catégories, et classés selon des échelles de valeur correspondant aux modes de vie dominant dans cette société. Un même individu appartient en fait, non seulement à son groupe familial, mais à plusieurs groupes, culturels, sociaux, professionnels, économiques, politiques, sportifs, où il peut jouer des rôles divers et où il peut lui être reconnu des valeurs diverses. Chaque groupe, chaque activité suscite une hiérarchie qui lui est propre et, par conséquent, des élites.

Dans chacun de ces groupes, les élites s'imposent d'elles-mêmes quand elles ne sont pas reconnues d'une manière plus ou moins tacite ou plus ou moins organisée par cooptation. Elles se détachent, en rassemblant les meilleurs, *oi aristoi*. Les autres, *oi polloi*, le grand nombre, ne reçoit guère de nom. On hésite entre l'appellation péjorative, le *vulgum pecus,* ou l'appellation franchement hostile, à la Nietzsche, le « troupeau » ou celle qui se voudrait constructive, la « base », à moins qu'on ne veuille désigner le pire élément de tous à l'opprobre public en l'appelant la pègre. A l'époque contemporaine, le contraire le plus significatif de l'élite serait sans doute la « masse ».

Le libéralisme est d'une pratique difficile, exigeante, exaltante aussi. Il s'adresse à des adultes, c'est-à-dire déjà à une élite. Car tous, quel que soit leur âge, ne parviennent pas à devenir des adultes. Le véritable citoyen libéral devrait être un adulte, car il faut être adulte, c'est-à-dire lucide, maître de soi, capable de se dégager de l'immédiat et du présent, de préférer le bien public, à son bien propre, pour exercer sa liberté comme une obligation raisonnable à accomplir excellemment ce qu'il y a de meilleur en soi-même. L'usage de sa propre liberté, ordonnée au bien public et au respect des autres, appelle à la générosité et à la magnanimité, à vivre sa vie avec une sorte de noblesse. Le libéralisme invite chacun à prendre part à sa façon, dans sa fonction, son métier, son art, à une élite.

Le libéralisme ne s'enferme pas dans la facilité de vie d'une masse homogène, dans un conformisme amorphe et, par là même, insignifiant. Le libéralisme refuse cette entropie. Il anime une société pluraliste et inégalitaire, formée de groupes divers, toujours ouverts et disponibles, sans castes ni classes bloquées. Cette société richement structurée est ordonnée par des hiérarchies à chaque instant remises en question, car elles ont à chaque instant à faire leur preuve.

Une élite n'est pas une structure fermée : elle est, pour une brève période, formée par ceux qui viennent de donner, par leurs œuvres, par leurs actes, les témoignages les plus évidents de leurs talents, de leur valeur. Une élite libérale est, à chaque moment, fonction, la chance et l'histoire aidant (mais il serait vain de prétendre annuler l'une ou l'autre), de son mérite.

Une élite tend à se former partout où chacun peut faire usage de sa liberté, c'est-à-dire partout où il y a travail et lutte, lorsqu'à la concurrence, à la compétition, à la rivalité, peut s'associer la collaboration, l'organisation, la reconnaissance réciproque. Les relations de l'élite et de la masse ne sont pas seulement des relations de commandement et d'obéissance, mais des relations d'échanges de services de toutes sortes. Ces relations sont complexes : d'abord parce que ceux qui font partie de cette élite-ci, ne font pas partie de cette élite-là. Ensuite, parce que les élites se renouvellent en permanence à partir du grand nombre, et cela d'autant plus aisément qu'une société est plus libérale. Enfin, parce qu'entre les élites et la masse, ce sont les échanges de services qui priment, dans la participation à un même ensemble organisé. La division des tâches et des fonctions étant ce qu'elle est, la coopération compte autant que le commandement.

Pour le libéralisme, une élite est un ensemble instable, rassemblé par les fonctions jouées, les services rendus à la nation. Les individus qui la composent en font partie, la chance intervenant, en vertu de leurs actes et de leurs œuvres, bref, de leurs mérites, aussi longtemps qu'ils le méritent, mais pas plus.

Certes, les élites ne peuvent agir sans s'installer dans des institutions, sans s'appuyer sur des traditions, sans en susciter de nouvelles. Mais une élite à la façon libérale n'est pas une structure fermée ou bloquée ou, moins encore, héréditaire. Elle joue d'autant plus son rôle qu'elle est en constant renouvellement en fonction des mérites manifestés. Certes il est inévitable, et il est bienfaisant, que la participation d'un homme à une élite ait une influence incitatrice ou éducatrice sur tel de ses proches. On ne saurait méconnaître la réalité et la valeur de la lignée, sans tomber dans l'utopie et, pire, dans les violences qu'elle pourrait inspirer. Mais les héritages eux-mêmes se méritent et il y a bien plus de ratés et de déchus que d'héritiers. Pour le libéralisme, la noblesse a cessé d'être une institution, elle est restée une vertu. L'appartenance à une élite comporte plus de devoirs que de privilèges, plus de services que d'honneurs, plus de tâches que d'avantages. Elle ne se justifie pas une fois pour toutes, mais à chaque instant. Appartenir à une élite, c'est une manière d'être libre et de manifester sa liberté créatrice.

L'idée d'une société homogène est contraire à toutes les données de l'histoire. La véritable société homogène correspondrait à l'utopie des anarchistes. Ceux qui prétendent l'instituer par la contrainte, n'établissent jamais qu'une pseudo-société homogène, faussement égalitaire, puisqu'elle est l'œuvre d'un parti dominant, véritable classe supérieure aux mains d'un appareil fortement et durement hiérarchisé, qui jouit de tous les privilèges d'une élite institutionnelle, et que l'usage systématique de la violence tend à bloquer.

De son côté, l'idée d'une masse active et créatrice par nature résulte d'une confusion romantique : sous prétexte qu'une masse d'individus, à travers toute une succession de générations, témoigne d'une mémoire collective, et que s'opère en elle, à force d'épreuves, de succès et de revers, une sorte de maturation, par filtrage et décantation, entre les idées, les valeurs, les mythes, les tendances qu'elle transmet, on prétend lui attribuer un pouvoir de réflexion et de création. Mais ce sont les individus qui sont libres et créateurs, eux seuls sont capables de réflexion raisonnable, de volonté, de décision. La réunion, la collaboration, l'émulation des meilleurs, de ceux qui sont le mieux capables d'assimiler la culture pour nourrir leur talent fait des élites les facteurs nécessaires à la vie sociale et politique pour dominer les situations, créer les solutions et les œuvres, imposer leur volonté, décider, gouverner. Ce sont elles qui assurent la meilleure sauvegarde, le dépassement le plus fécond, le surcroît qui permet à la nation de répondre aux défis des autres et des circonstances, de vaincre les obstacles de l'histoire. Une société triomphe grâce à ses élites et se meurt de n'en plus avoir.

Rien n'est plus important dans l'histoire d'une nation et de sa culture que la présence toujours mystérieuse et l'obscure formation des élites. Le libéralisme fait traditionnellement confiance à l'éducation, à condition qu'elle soit aussi ouverte et aussi exigeante, aussi sélective que faire se peut. Il est fait appel au plus grand nombre, sélectionné à chaque niveau, à proportion des preuves que chacun donne de ses aptitudes et de ses vertus. Les libéraux croient à la vertu des compétitions et aux résultats des concours. Les élites se dégagent à force de succès à l'école et dans la vie. Mais s'il y a beaucoup de moyens de brimer les élites et de contrecarrer leur apparition, il n'y a pas de méthode pour en former. Les talents, l'esprit d'invention, l'agilité intellectuelle, et même l'esprit de rigueur, ne s'apprennent pas à proprement parler. Le problème est particulièrement ardu s'il s'agit d'élite politique : l'éducation à l'esprit de décision, au sens des responsabilités et au sens de l'État, relève de cette « éducation à la liberté », que seule l'épreuve de l'action rend possible lorsqu'elle est soumise à une réflexion raisonnable.

Peut-on enseigner les vertus intellectuelles et les vertus pratiques ? C'est une antique question. On voit bien qu'un système d'éducation, outre l'initiation à une culture, a pour double but, d'une part, d'orienter chaque individu vers la tâche pour laquelle il est le mieux fait, d'autre part, de mettre chacun à même de développer et d'affirmer par lui-même ses propres aptitudes, dans une loyale émulation, dans une dure rivalité, avec les meilleurs de ceux qui lui ressemblent. Surpasser, se surpasser soi-même aussi, c'est le principe de la formation des élites, mais c'est aussi le principe de leur caractère éphémère et de leur perpétuelle transformation.

Ainsi, la formation des élites, sous leurs espèces les plus variées, appropriées à toutes les tâches, à tous les arts et à toutes les fonctions de la culture, de la société et de l'État, rejoint la finalité fondamentale du libéralisme : faire en sorte que chacun puisse exercer aussi excellemment et aussi généreusement qu'il en est capable, avec la liberté la plus convenable, les aptitudes et les dons qu'il porte en lui. Au-delà de leurs compétitions et de leurs luttes, les élites dignes de ce nom, devraient prouver, dans l'accomplissement de leurs devoirs et l'exécution de leurs services, leur reconnaissance réciproque et leur complémentarité avec tous les groupes de la nation.

II. LE LIBÉRALISME ET LA MÉRÉCRATIE. (1)

Dans les nations libérales de notre Occident industriel, que l'on appelle démocratiques, les acteurs politiques sont, par nature, les citoyens de l'État. Seuls sont citoyens les individus, puisqu'ils sont seuls capables de liberté réfléchie et raisonnable. Par rapport à eux seuls, la finalité politique libérale prend du sens : ce sont eux qui, en dernière analyse, prennent la reponsabilité politique et en subissent les conséquences, bonnes ou mauvaises. Ce sont les véritables « auteurs » des actes politiques dont l'État, sous les espèces des pouvoirs exécutif et législatif, est « l'acteur ».

Dans nos immenses nations contemporaines, la distance qui s'établit entre l'État et les citoyens, tout autant que les avantages de la collaboration des citoyens entre eux, provoque la formation de groupements de toutes sortes. Nous avons déjà eu l'occasion de noter l'existence de groupes économiques, mais ils peuvent être aussi bien culturels, sociaux ou politiques ; ils peuvent prendre une forme nationale, ou régionale, ou locale. Ils existaient déjà à leur façon dans les sociétés à ordres et à corporations. Certains ont une existence de fait inorganique, d'autres une existence quasi institutionnelle. Au sein de la communauté nationale, ces groupes constituent de petites communautés fondées sur une collaboration professionnelle, une organisation économique, une similitude de situation sociale, des intérêts communs à gérer, à promouvoir ou à défendre, des fins à réaliser, des convictions, des valeurs communes, une idéologie à faire triompher. Chacune de ces communautés particulières, pour peu qu'elle soit durable, témoigne d'un certain esprit, qui devient une des composantes historiques de l'esprit de la nation ; ce sont des communautés d'opinion, d'intérêt et d'action. Mais, qu'il s'agisse d'églises, de sociétés de pensée, de sociétés économiques ou financières, d'associations professionnelles, de syndicats, de partis politiques, tous ces groupes exercent

(1) Raymond Polin. *La liberté de notre temps*, 1977, pp. 217-228.

des pressions sur les pouvoirs politiques et sur l'opinion publique et ont, en fin de compte, un impact politique, délibéré ou secondaire.

Le XVIIIe siècle avait vivement condamné ces groupes auxquels il donnait le nom de « factions » et dont il considérait alternativement l'action comme sclérosante et comme factieuse. Mais dès le XIXe siècle, l'État a été amené à reconnaître, sous diverses formes, un droit d'association de plus en plus complet. Usons du terme de groupe, bien qu'il soit trop vague, faute de pouvoir utiliser le mot « faction » trop systématiquement péjoratif, pour désigner les éléments de cette structure corpusculaire des nations contemporaines. Si l'on observe ceux qui sont moins tournés vers la gestion professionnelle de leurs affaires que vers la défense ou l'affirmation de leurs intérêts, de leurs convictions ou de leurs idéologies, on constate qu'ils sont composés d'une « base », comme on dit, d'ordinaire passive, mais capable parfois de pratiquer une résistance passive ou, brutalement, explosive, et d'un « appareil », minorité agissante très structurée. Cet appareil, groupuscule de militants, d'ordinaire cooptés, toujours acclamés, décide en fait de tout. Ces groupes sont des oligarchies fortement hiérarchisées : c'est le règne des comités, pour ne pas dire des soviets.

En raison des fonctions qu'ils exercent dans la vie économique, certains de ces groupes sont en mesure, par le simple usage passif de leur droit de grève, de perturber gravement la vie de la nation. Il peut suffire parfois d'un très petit nombre de grévistes, situés à un point clé de l'activité, pour bloquer l'ensemble d'un secteur économique. Profitant de la complexité et de l'interconnection des affaires économiques, ces groupes, et même certaines de leurs équipes, disposent de moyens de pression sans commune mesure avec la particularité des fins qu'ils poursuivent ou avec l'importance de leur rôle dans la nation. Ils peuvent même, tout en restant dans le cadre des lois, mettre l'État en échec.

Leurs fins sont particulières et ne tiennent pas nécessairement compte, tant s'en faut, des fins globales de la nation. Ce sont les fins de groupes limités, souvent en conflit avec d'autres groupes, au sein de la nation, qui définissent des intérêts incompatibles avec les intérêts ni plus, ni moins légitimes, d'autres groupes. Au niveau des groupes, on assiste au même conflit entre l'exigence du bien propre et le souci du bien commun, qu'au niveau des individus. Mais les moyens des groupes sont infiniment supérieurs à ceux des individus et ils sont à la disposition d'appareils dirigeants cooptés chez lesquels la défense des intérêts spécifiques est souvent redoublée par la poursuite d'ambitions personnelles et de fins idéologiques.

Des moyens si puissants, des fins si particulières et si discordantes, mettent souvent l'autorité de l'État en question. Pour que l'État demeure libéral, il faut à tout prix qu'il puisse jouer, au niveau des groupes comme au niveau des individus, son rôle d'arbitre. Pour cela, il faut qu'il dispose, dans l'arsenal des lois et dans la force publique, de toute la puissance nécessaire pour que ses décisions arbitrales soient respectées, obéies, et que triomphent les fins nationales et le bien commun. Peut-être faut-il plus encore que la puissance publique libérale soit appuyée sur un consensus solide et que le loyalisme de l'ensemble lui permette de maîtriser les forces particularistes de pression et les intérêts particuliers divergents. L'État libéral joue sur le fait que chaque membre d'un groupe est aussi un citoyen : il faut amener chacun à comprendre que le bien commun, toujours plus lointain, est la condition du bien propre, toujours plus voisin et plus proche, et qu'il faut raisonnablement, en chaque citoyen, que ce soit sa citoyenneté qui l'emporte — le loyalisme rejoignant l'intérêt bien entendu — sur ses intérêts et ses fins de membre de n'importe quel groupe particulier. (Comme l'anglais nous aiderait à nous faire comprendre si nous pouvions opposer le *citizenship* à n'importe quel *group membership*.)

Un tel loyalisme, fondé en raison, est d'autant plus nécessaire qu'il est le principe initial et le garant de l'autorité de l'État. Or, lorsque les groupes de pression couvrent l'ensemble de la nation ou s'associent entre eux, ils parviennent à établir, parallèlement aux relais de l'autorité politique légitime, privilège exclusif de l'État, des relais d'un pouvoir de fait, à travers lesquels s'établissent les courants d'une autorité latérale, génératrice éventuelle de résistances ou de désobéissances organisées. Sous peine de courir à sa perte et de laisser s'installer un désordre anarchique, l'État doit interdire et détruire cette hiérarchie parallèle de pouvoirs de fait et empêcher les groupes de pression d'user de moyens effectivement factieux et séditieux. Il ne peut y avoir qu'une seule autorité publique dans l'État, quel qu'en soit le régime.

Du fait des groupes de pression, celle-ci court enfin une autre sorte de danger, lorsqu'un groupe de pression devient énorme ou qu'une coalition de groupes se forme. Ce groupe unique ou coalisé prend une puissance telle qu'il peut devenir capable de faire échec à lui seul, à la puissance publique. Ce peut être le cas, en particulier, lorsque se constitue un parti politique très puissant qui, associé ou non à des groupes de pression sociaux, à des syndicats, tend, par sa taille et son poids, à devenir un parti unique. Alors le parti immense est bien placé pour s'emparer des pouvoirs de l'État : ce n'est plus l'anarchie qui est au bout de ce processus c'est, de quelque idéologie que ce parti se pare, le totalitarisme.

Dans les nations occidentales, les groupes culturels ne sont pas assez puissants ni assez volontaires, pas même les Églises, en cette période de décadence de la foi, pour jouer un rôle politique abusif efficace. Ce sont, tout au plus, des contre-pouvoirs utiles et sains. Les sociétés économiques et financières peuvent être puissantes et leurs éventuelles collusions avec des partis politiques ne sont pas sans risque. Mais les États libéraux ont forgé depuis longtemps les moyens légaux de maîtriser les débordements et les infiltrations politiques de leurs activités économiques ainsi que l'accaparement des pouvoirs économiques auxquels elles peuvent tenter de se livrer. Par les législations antitrust, par la législation économique qui répond à l'accroissement des pouvoirs économiques monétaires et fiscaux de l'État, par l'ampleur des activités de l'État entrepreneur, la puissance publique est en mesure de dominer et de soumettre à ses volontés les groupes économiques, aussi bien dans leurs activités économiques que dans leurs conséquences politiques.

En fait, ce sont les groupements sociaux et singulièrement les syndicats qui disposent de pouvoirs intolérables et qui, surtout par la collusion systématique de certains d'entre eux avec tel parti politique, constituent de véritables États corporatifs dans l'État. Leurs intérêts, leurs privilèges corporatifs, leur bien propre sont parfois revendiqués ou imposés au détriment ou au mépris du bien public. D'autre part, contrairement à leur vocation, bien souvent, ils mettent leur puissance au service d'une politique ou d'une idéologie. Les moyens professionnels dont ils disposent, qu'il s'agisse d'habiles grèves ponctuelles ou de grèves plus ou moins générales, sont quasiment irrésistibles, à moins que la puissance publique ne mette en œuvre des forces susceptibles de déclencher une situation de guerre civile. La confusion peut être telle que les actions les plus factieuses et les plus subversives peuvent être menées en conformité apparente avec les lois : il peut arriver que les lois soient respectées et que l'autorité de l'État soit ouvertement bafouée et ses décisions, prises au nom d'un intérêt général évident, désobéies.

On se trouve en présence des déchaînements latents de forces et de moyens effectivement révolutionnaires. On peut admettre que, s'ils n'en viennent pas à cette extrémité, c'est que les syndicats trouvent plus d'intérêt à acquérir des avantages limités dans le cadre du bon fonctionnement des institutions et à ne pas affronter dans une guerre civile ouverte, le loyalisme de l'ensemble des citoyens et la force publique dont dispose encore l'État. Mais tel parti politique peut, le jour venu, tenter d'exploiter à son profit les moyens immenses dont disposent les syndicats, les détourner de leur vocation et provoquer une crise de régime.

Sans aucun doute, il n'est pas question pour autant de s'opposer à la structure corpusculaire des nations contemporaines en Occident et de prétendre revenir à une structure élémentaire individuelle. L'existence d'associations solides, de groupes de pression fortement constitués fait partie, par la force des choses, de la nature des communautés politiques contemporaines. Aux individus qui sont toujours, en principe, les auteurs libres et responsables des actes politiques, se sont substitués, en fait et même en droit, des groupes, communautés politiques incomplètes et imparfaites au sein de la communauté politique globale, qui sont devenus des acteurs de fait dans le cadre de l'action de la puissance publique. C'est ce que nous avons déjà appelé des mérécraties. Il appartient aux libéraux de les organiser en régime libéral en les détournant de la dérive anarchique aussi bien que de la dérive totalitaire qui, toutes deux, mènent au despotisme. Seuls, les individus sont libres d'une liberté essentielle ; les groupes ne pratiquent qu'une autonomie et qu'une indépendance plus ou moins limitées. Ce ne sont jamais des « sujets politiques », des « citoyens collectifs » à part entière.

Il convient donc d'abord de sauvegarder les finalités individualistes de la communauté politique et de maintenir, par la loi, dans le fonctionnement et la gestion des groupes, le rôle, la liberté, la responsabilité des individus, d'éliminer dans l'appareil tout ce qui est impersonnel, collectif et faussement unanime. Ce sont en droit des associations d'individus et il faut que la loi impose que tous les individus qui les composent prennent part de façon systématique à l'élection des dirigeants et aux décisions qui en orientent l'action. En particulier, les décisions de grève ne peuvent être prises que par des procédures de vote à bulletin secret.

Il faut ensuite enfermer par la loi chaque association dans ses finalités propres et déclarées et interdire, compte tenu des inévitables effets politiques d'une action d'envergure, que les pressions exercées ne dégénèrent en pressions purement politiques ou ne soient mises systématiquement au service d'une politique, exception faite pour les partis politiques déclarés comme tels.

Mais il faut surtout, en assurant la spécificité des finalités et des actions de chaque association, en la reconnaissant comme l'une des composantes nécessaires de la vie collective de la communauté politique, établir une pluralité et une diversité systématiques parmi les associations.

Ce n'est qu'un argument de plus pour organiser la multiplication systématique des associations, qui va de pair avec la limitation de leur taille. La poursuite de la fin spécifique, professionnelle n'en souffre pas. Mais il s'agit de réduire les effets politiques de leurs pressions et, en tout cas, de rendre impossibles leurs actions directement politiques. C'est une question de vie ou de mort pour tous les régimes, et singulièrement pour les régimes libéraux : les associations doivent être contraintes par la loi à se limiter aux domaines culturel, social ou économique qui justifient leur existence. Un État ne peut survivre s'il existe deux hiérarchies parallèles du pouvoir politique capables de se faire plus ou moins équilibre.

Il s'ensuit que l'on doit faire comprendre à l'ensemble des citoyens qu'il est contraire au bien commun, contraire à l'intérêt de chacun d'entre eux, que puissent s'organiser légalement d'immenses confédérations syndicales autorisées à rassembler, au plan national, une multitude d'associations hétéroclites aux intérêts sociaux abstraitement analogues. Alors que la lutte des classes et les classes elles-mêmes sont des mythes confus, des fabrications idéologiques manifestes, ce sont ces confédérations qui les organisent. Et cependant, les appareils qui les gouvernent s'emparent d'une fonction représentative qui ne leur est point conférée, même pas par les membres des syndicats confédérés (qui eux-mêmes ne constituent qu'un faible pourcentage de la population active qu'ils prétendent rassembler et représenter). Il faut le répéter : en dépit des mœurs établies, ces confédérations ne sont pas tolérables par la loi : sous les apparences de pressions sociales et en employant les moyens — la grève, en particulier — dont les associations sociales disposent, elles engagent des luttes politiques, elles sont en fait des puissances politiques qui pousuivent des fins politiques et, sous un subterfuge légal, ce sont les structures et le fonctionnement de l'État qu'elles mettent, à chaque grand conflit, en danger. La faiblesse et l'aveuglement des hommes d'État au gouvernement ont conféré aux hommes d'appareil des groupes de pression, bien à tort, un pouvoir hors du commun, illégitime et irrationnel : comment admettre que des hommes d'appareil, au nom d'une catégorie limitée de citoyens qu'ils ne représentent même pas, puissent bloquer la vie de la nation, contraindre à l'impuissance l'autorité politique légitime et opposer au bien commun, au bien public, un bien particulier ou des revendications purement idéologiques ?

Mais alors, qu'en est-il des partis politiques ? Ce sont bien des éléments constitutifs de la mérécratie, mais ils ont ceci de spécifique qu'ils n'ont pas de finalités culturelle, sociale ou économique. Ce sont exclusivement des groupes politiques s'efforçant de prendre part au pouvoir politique pour l'exercer ou pour agir sur lui conformément à leur propre philosophie ou à leur idéologie et en vue de fins nationales globales. Ce sont des groupes particuliers, mais leurs objectifs sont politiques, généraux et visent la nation entière. Il n'y a donc pas équivoque de fait ou d'intention, comme pour les autres groupes, entre une volonté catégorielle et un impact politique. Le problème naît à la longue, du fait que la fonction, là aussi, tend à créer l'organe : l'existence du parti tend à faire que sa puissance devienne un objectif en soi et que le bien du parti tende à se substituer, dans l'esprit et l'ambition de ses membres, au bien de l'État et au bien public. Certains prendraient volontiers le triomphe du parti pour le triomphe de l'État au point de subordonner celui-ci à celui-là. Ce transfert pervers de finalités suit tout naturellement du fonctionnement durable du groupe qui se durcit, se renferme sur lui-même peu à peu et se sclérose. Là encore, plus le parti est puissant, plus le péril couru par l'État est grave et cela, d'autant plus qu'un parti politique n'est pas retenu, comme les autres groupes, par la spécificité de ses finalités propres.

Le régime des partis a donc soulevé des suspicions bien légitimes. Les libéraux doivent à tout prix éviter et interdire la formation de partis immenses qui ne sont, en fait, que la coalition tactique de plusieurs partis hétérogènes, organisée artificiellement en vue de la conquête du pouvoir. Nous ne connaissons que trop le mal dont sont capables ces rassemblements de courants hétéroclites, ravagés de querelles intestines, qui ne servent que l'ambition de quelques chefs et mènent au désordre ou au triomphe des extrémistes, au mépris du sens de l'État et du service du bien public. Il faut, là encore, que la nature des choses soit respectée. Les affaires politiques sont si complexes, les points de vue si divers, que la diversité des doctrines est naturelle et que la pluralité des partis doit être maintenue. Il faut aussi que, là plus que pour tout autre groupe, un loyalisme profond, soutienne, par la vitalité des mœurs qu'il inspire, la subordination au bien public de tous les biens particuliers et privés. Être libéral, une fois de plus, c'est croire aux mœurs plus qu'aux lois : le libéralisme est une politique morale.

Les autres groupes de pression savent, en fait, d'ordinaire, jusqu'où ils peuvent aller trop loin. S'ils ne sont pas entraînés par une volonté idéologique de révolution ou dans une frénésie aveugle de catastrophe, s'ils visent véritablement la prospérité de leur entreprise propre, ils savent que leur pression n'a de sens que dans la mesure où elle s'exerce dans le cadre du régime et de ses capacités de survie. Leur loyalisme très particulier est fondé sur le fait qu'ils ne peuvent revendiquer leur bien propre que dans la mesure où le bien commun, qui lui sert de condition, se trouve assuré.

C'est une des meilleures raisons pour lesquelles les mérécraties libérales sont des régimes en fin de compte solides et durables.

Encore faut-il — et c'est une question de vie ou de mort — que l'État réussisse à demeurer la seule structure politique de plein exercice. La puissance publique, seule autorité politique légitime, doit pouvoir exercer sans partage, dans le seul souci du bien commun et des finalités libérales de l'État, son arbitrage entre les groupes de la nation. Elle doit disposer des moyens d'en assurer l'exécution dans le cadre des lois qu'elle seule peut édicter. Si cette double condition est respectée, l'État libéral peut et doit alors rationnellement pousser plus loin la reconnaissance de la structure mérécratique des communautés politiques. Il doit, sous réserve d'une meilleure sauvegarde du rôle des individus au sein des groupes, tenter de substituer à la manifestation violente de leurs revendications, des modalités d'expression institutionnelles au sein des pouvoirs légaux. Il faut que des institutions appropriées permettent à ces sujets politiques de fait de devenir des sujets politiques de droit, de telle sorte qu'ils puissent être représentés dans une proportion équitable au sein des instances qui élaborent les lois et prennent les décisions. On rendrait ainsi inutiles les hiérarchies parallèles de pouvoirs mérécratiques de fait qui s'opposent, dans une situation inextricable, où le légal s'embrouille dans l'illégal, à la hiérarchie légitime des pouvoirs politiques.

On pourrait dire, en résumé, qu'un État mérécratique libéral sera en bonne santé, stable et paisible, aux conditions suivantes : qu'une autorité politique publique capable de faire des lois et de faire la loi soit reconnue comme l'arbitre suprême du bon usage des libertés. Que la liberté des individus soit reconnue par les groupes comme par les individus, comme le principe et la fin de la communauté politique, comme un principe de création, porteur de différences et de luttes, mais aussi comme un principe de collaboration et de concorde dans la complémentarité et l'entraide. Que les groupes fondamentaux reconnaissent le primat du bien commun, qui seul peut servir de principe à l'équilibre des groupes et des individus dans la pratique de la conciliation entre les volontés et des compromis entre les intérêts.

III. LE LIBÉRALISME, LA RÈGLE DE MAJORITÉ ET LES MINORITÉS.

Les minorités ne constituent pas des groupes de pression comme les autres : les groupes de pression ordinaires s'opposent les uns aux autres dans le cadre de l'État et par rapport à l'État.

Les minorités s'opposent, dans la nation, à ce que l'on appelle la majorité.

La majorité, c'est évidemment l'ensemble de la population dont la culture est majoritaire dans la nation, mais c'est, en pratique, l'ensemble des votants qui ont obtenu la majorité des voix dans les consultations électorales. Depuis bien longtemps, au moins depuis le XIVᵉ siècle, on disputait sur ce que l'on appelait la *major pars* ou la *melior pars*. En tout cas, depuis qu'avec John Locke, s'est constituée une doctrine de la « règle de majorité », il s'est dégagé toute une philosophie de la « majorité », de la légitimité de ses pouvoirs et de ses droits.

1. *La règle de majorité et ses conséquences.*

Nous avons déjà indiqué à quel point, dans la recherche d'un consensus dans l'opinion publique, les consultations électorales étaient superficielles, liées à l'événement, contingentes, assorties de modalités artificielles de scrutin, approximatives et peu décisives. Mais il n'empêche qu'en fait, elles sont l'unique moyen direct, à la fois public et transparent, tombant sous le sens de chacun, et effectivement contrôlable, d'opérer une évaluation des orientations de l'opinion publique du moment. Seules, elles sont capables d'entraîner la conviction que tel était bien, au jour dit, l'état de l'opinion publique.

La philosophie de la majorité n'en est pas moins fragile. Elle est tout entière fondée sur un mythe spécieux : l'ensemble, ou plutôt, comme on aime à dire, l'universalité de la population, constitue un corps politique doué de réflexion et de volonté, le « peuple ». Sous le couvert de cette universalité, ou primitive ou latente, on s'est efforcé de montrer, au moins de Hobbes à Kant, en passant par Locke et Rousseau, que le peuple en corps était capable d'une volonté publique, d'une volonté générale. En appelant « universelle » cette volonté générale, on en fait une expression de la raison, une volonté raisonnable. Voilà le peuple en tant que tel, le peuple qui a raison : puisqu'il est la raison incarnée dans son universalité, il rend légitime ce que veut sa volonté, qui est par nature raisonnable.

Il s'agit là, cela va sans dire, d'une extrapolation dépourvue de preuve. On pourrait même dire, tout à l'inverse, qu'il est contraire à la réalité d'assimiler une multitude d'hommes à une personne, de lui attribuer une réalité personnelle *sui generis* et de lui conférer des attributs dont seul l'individu humain fournit et possède l'expérience vécue, dont seul il possède l'instrument organique sous les espèces du cerveau : à savoir, la pensée, le jugement, la volonté. Seuls les individus pensent, jugent et veulent. Et nous ne saurions pas ce que pense et ce que veut le peuple, si ses gouvernants, ses magistrats, ses orateurs, qui s'arrogent le droit de parler pour lui sans aucune justification bien souvent, ne disaient ce qu'il pense, juge ou veut. Seule l'intercommunication des pensées et des passions des individus dans l'espace et dans le temps, donne lieu à ce qui apparaît à travers les manifestations de ce que l'on appelle la conscience collective ou, dans l'immédiat, de l'opinion publique. Il n'y a aucun motif de traiter de raisonnable l'intégrale de ces opinions individuelles, alors que celles-ci ne le sont pas d'elles-mêmes et par nature.

Il faut noter d'ailleurs que ce que l'on appelle « le peuple » dans la réalité, n'a jamais été et n'est jamais historiquement unanime, donc que son opinion n'a jamais été effectivement universelle. Même si l'on imagine, bien gratuitement, que le peuple est né de la volonté unanime initiale d'une multitude jusqu'alors éparse, force est bien de constater que le « peuple » n'exprime jamais unanimement sa volonté ; lorsque l'on sollicite son opinion par des procédures, d'ailleurs artificielles, il la donne seulement à la majorité. Laissons de côté des mouvements de foule spontanés qui ne surgissent jamais que dans un désordre confus difficilement interprétable, quand ils ne sont pas purement et simplement manipulés. Même si l'on reconnaît que tous les citoyens disposent de droits politiques égaux, la règle de majorité, irréductible à un principe d'unanimité, se réduit à une constatation quantitative de fait. La majorité ne saurait avoir raison parce qu'elle est la majorité. On constate chaque jour le contraire sur toutes sortes de sujets culturels ou scientifiques.

D'ailleurs, les usagers eux-mêmes de la majorité la tiennent assez en suspicion pour ne pas toujours se contenter de la majorité simple — qui devrait pourtant suffire si la majorité portait en elle-même sa justification — et pour exiger, dans des cas particuliers, une majorité dite qualifiée (des deux tiers ou des trois quarts, par exemple).

On donne raison à la majorité pour de simples arguments pragmatiques. Parce qu'elle est la majorité, elle a le nombre pour elle et, si elle est massive, elle a la force pour elle. C'est une affaire de quantité, mais la quantité électorale ne se transmute pas en qualité politique. La *major pars* n'est pas nécessairement la *melior pars*.

N'empêche que, dans les régimes libéraux, les décisions se prennent, les choix se font à la majorité. Tout autre critère que ce critère stupidement quantitatif prête à interprétation, donc à discussion et à contestation. Or, en politique, il faut décider et il faut que les décisions soient prises pour tous et une fois pour toutes. Le critère quantitatif de majorité est parlant pour tous, il n'est contestable par personne. Il n'est jusqu'à son caractère brutal et anonyme qui ne soit précieux, parce qu'il représente un retour en-deçà des individus en question, un retour aux sources, à l'ensemble de la communauté. En intervenant de façon répétitive, il scande l'exercice du pouvoir ; en lui conférant un caractère temporel, éphémère, il en limite les excès et les abus en rappelant aux possesseurs du pouvoir le jour prochain où ils en seront dépossédés.

La règle de majorité, tout comme la procédure électorale ou référendaire, est donc injustifiable en raison, mais elle est indispensable en fait. Faute de pouvoir être gouverné par des sages, mieux vaut pouvoir interrompre périodiquement le gouvernement des gens en place, en les plongeant dans l'océan du grand nombre, d'où surgissent, de nouveau, des gouvernants à temps limité. Aux vrais hommes d'État libéraux de prendre ainsi une leçon redoublée d'humilité et de scepticisme, quant au fondement de leur temporaire puissance et quant aux droits que leur pouvoir leur confère. Aux grands hommes d'État de comprendre, comme l'avait compris Périclès, qu'il leur appartient de former raisonnablement l'opinion du grand nombre et de lui faire comprendre ce qui est juste, opportun, possible et efficace, afin d'être ensuite l'objet du choix d'une majorité. Le libéralisme ne va pas sans une grande foi, sans un grand dévouement et sans quelque scepticisme.

Mais il peut arriver aussi que des hommes installés un jour au pouvoir par une majorité, non moins contingente et insignifiante quant à l'essentiel que toutes les autres, s'identifient à cette majorité et croient, et veulent faire croire, que cette majorité dispose, à la fois, d'un droit sans réserve et sans limite et de la toute-puissance de la communauté entière : la majorité serait le principe suffisant d'une toute-puissance légitime. Cette affirmation sans preuve est l'expression d'une inculture crasse ou d'un cynisme arrogant. Pas plus le « peuple », ou sa majorité, que tout autre, n'a dans l'État le droit de tout faire, c'est-à-dire de faire n'importe quoi. Se donner ce droit, c'est se donner par là le droit d'exercer un pouvoir proprement tyrannique. Tour à tour, en termes définitifs, Benjamin Constant a dénoncé la théorie de la souveraineté illimitée du peuple d'après laquelle une autorité illimitée résiderait dans la société tout entière, et Alexis de Tocqueville a dénoncé la doctrine de la toute-puissance conférée par la majorité réputée plus sage et plus intelligente par la vertu du nombre. L'omnipotence de la majorité favorise le despotisme légal des gouvernants et l'arbitraire des magistrats, la majorité étant maîtresse absolue de faire la loi et d'en surveiller l'exécution.

2. *Le problème contemporain des minorités.*

Pendant les siècles précédents, sous le large manteau de la culture chrétienne, les particularismes locaux avaient aisément donné asile aux cultures minoritaires, protégées, vivifiées par l'autonomie née de la lenteur et de la difficulté des communications. Sous l'autorité lointaine et toute politique du Roi, de l'Empereur ou du Prince, chaque culture autonome pouvait être minoritaire sans le savoir et sans être montrée du doigt comme telle. Au contraire, l'aisance et la rapidité des communications modernes rendent omniprésent un État majoritaire et conscient de l'être ; celui-ci manifeste son énorme puissance dans tous les domaines de la vie nationale, et tend à provoquer de nos jours, la prise de conscience de minorités nationales. Sous le poids de cet ostracisme culturel que la masse majoritaire entraîne par sa seule inertie, quand ce n'est pas du propos délibéré de gouvernants tyranniques ou d'administrations affamées de pouvoir, d'unité, de centralisation, les minorités latentes se rassemblent et entrent en action.

Les minorités sont de sortes très diverses. Chacune d'entre elles constitue un cas particulier, à la fois par sa nature propre et par rapport à la nature de la communauté nationale dont elle fait, bon gré, mal gré, partie. L'exemple le plus admirable, et le plus remarquable aussi par son libéralisme avant la lettre, c'est bien l'exemple de la Suisse, mais il ne peut guère servir de modèle, tant il s'inscrit dans des traditions historiques anciennes, tant il a été soumis à des contingences historiques particulières, tant la cohabitation de minorités locales linguistiques et religieuses, caractérisées par des esprits et des mœurs très divers, est entrée dans les manières de vivre, tant est manifeste et reconnu par tous l'intérêt général à maintenir l'existence de la confédération de ces minorités. On ne saurait envisager de fabriquer artificiellement et de toutes pièces une association de cette sorte. Les minorités se soumettent mal à des considérations ou à des solutions générales. Reconnaissons cependant, une fois de plus, et même sur l'exemple de la Suisse, que le culturel est ici encore fondamental et que c'est à partir de lui que naissent les problèmes politiques des minorités.

Nous ne tiendrons compte que des minorités de bonne foi, qui ne disposent pas des moyens d'une existence politique autonome et qui ne peuvent survivre qu'en participant à la communauté nationale où elles se trouvent être minoritaires. En particulier, nous laisserons de côté les minorités qui, sous prétexte de leur concentration territoriale, ont la prétention arrogante de s'ériger en communautés politiques et qui, faute de moyens et de dimensions démographiques viables, ne pourraient survivre, dans une apparence d'indépendance, que comme les satellites ou comme les parasites d'un État plus puissant. Ces minorités ne posent que de faux problèmes, qui relèvent, non de la philosophie, mais de la tactique politique.

Pour y voir plus clair, il faut au moins établir une distinction entre les minorités d'importation récente, qui posent surtout des problèmes politiques pratiques et, pour ainsi dire, tactiques, et les minorités historiques, qui posent des problèmes philosophiques au moins autant que pratiques. Sous la pression d'une majorité, ce sont les minorités religieuses qui se sont développées les premières dans notre Occident et qui ont donné lieu à tant de guerres civiles et à tant de querelles sur l'intolérance et la tolérance. Les minorités linguistiques ont été de plus en plus ressenties, au fur et à mesure que les communautés nationales se sont constituées et renforcées. Sous le même impact, des particularismes locaux, marqués par des mœurs et par des cultures propres ont souffert et ont tenté de résister : de nouvelles minorités ont été éprouvées comme telles. Dans certains pays d'Occident, de très anciens peuplements intégrés à des communautés politiques ont donné naissance à des minorités ethniques : mais, là encore, ce ne sont pas tant la couleur de la peau ou les structures corporelles qui ont suscité des minorités et leurs problèmes que l'attachement à des traditions culturelles, la pratique de certaines manières de vivre, une certaine conception de l'existence, bref, la présence d'une culture vivace et résistante. Plus la majorité s'est faite obsédante et tyrannique, plus son action politique a débordé sur la vie sociale et la vie culturelle, plus les minorités se sont défendues et plus les conflits sont devenus plus nombreux. Comme, dans la ferveur de la communauté nationale, des moyens d'expression n'avaient pas été toujours prévus par la constitution en faveur des minorités, des violences en ont tenu lieu, et même le terrorisme est apparu.

La présence des minorités est devenue ainsi l'un des problèmes politiques graves de notre temps. Peut-être parce que c'est un problème nouveau, autant la philosophie de la majorité est abondante, autant la philosophie des minorités est pauvre et partielle. Elle n'a guère été abordée que sous le biais très particulier du fédéralisme, tout spécialement au moment de la création des États-Unis d'Amérique.

Mais une philosophie libérale des minorités semble s'imposer d'elle-même sur la base d'un équilibre raisonnable entre le respect des libertés et les exigences de la vie nationale qui impliquent la sauvegarde des fonctions fondamentales de l'État.

Par définition, le libéralisme prend pour principe et pour fin le

respect et le plus parfait accomplissement des libertés individuelles et de l'individu lui-même dans le cadre raisonnable des lois et
de la garantie du bien commun, conditions nécessaires du bien de
chacun. Comment cette finalité n'intégrerait-elle pas l'existence
des individus dans le cadre des valeurs, des mœurs et de la culture
qu'ils peuvent partager avec les autres membres d'une même
minorité nationale ? Comment le libéralisme, qui a le souci et le
respect des différences, n'étendrait-il pas ce souci et ce respect des
individus à ces groupes que sont les minorités nationales elles-
mêmes ? Le libéralisme a fait du pluralisme une des lignes de
forces de sa politique ; ce pluralisme concerne les courants d'idées
et de valeurs, les courants de convictions, les types de manière de
vivre et de mœurs ; ce principe de pluralisme rend légitime l'existence de minorités nationales.

En revanche, et c'est précisément pourquoi une tension et peut-
être des conflits peuvent exister, ces minorités sont des minorités
nationales ; elles font partie intégrante de la nation. Elles prennent
part au consensus national profond qui sous-tend l'existence de la
nation et légitime la puissance conférée à l'État. Leurs cultures
sont des variations sur le thème commun de la culture nationale.
Elles ne peuvent exister que si la nation est en mesure d'exister
unie, solide, saine. Ces minorités ne sauraient être des nations
dans la nation. Il n'y a qu'une nation, celle qu'a rassemblé, et que
continue à rassembler, de génération en génération, dans la longue
durée, sur une histoire et des traditions communes et accumulées,
un consensus national profond. La poursuite du bien propre des
minorités ne doit pas mettre en danger le bien commun de la
nation qui doit rester la condition du bien des minorités nationales comme il est la condition du bien particulier des individus.

De même, l'État qui est l'expression politique de la nation et le
bras séculier de sa culture, doit conserver le privilège exclusif des
moyens qui lui permettent d'assumer ses fonctions politiques fondamentales. A lui seul appartiennent, comme le disent si bien les
symboles classiques, l'Épée de Guerre et l'Épée de Justice. A lui
seul, les moyens d'assurer la défense à l'extérieur, la Justice, la
sécurité, l'ordre et les libertés à l'intérieur. Ce monopole légitime
de la puissance publique ne peut être ni partagé, ni contesté. Tout
risque de dislocation n'est évité qu'à ce prix.

L'État libéral fera simplement en sorte que les minorités
prennent, dans les diverses formes de la représentation nationale,
une place correspondant à leur importance et puissent participer
aux instances exécutives et législatives au gré des jeux de la politique, contribuant ainsi aux grandes décisions de l'État en
s'engageant au sein de la communauté. Dans les consultations

électorales, le mode de scrutin choisi doit permettre une représentation utile des minorités. Chaque minorité doit disposer de libres moyens d'expression et vivre selon ses mœurs dans le cadre des lois de l'État.

Le but, c'est de concilier, autant que faire se peut, la pleine manifestation des particularismes des minorités et les exigences fonctionnelles propres à la santé de la nation une et indivisible et à l'exercice des fonctions politiques fondamentales de l'État. Nul n'a intérêt, ni l'État ni les citoyens, à l'unité monolithique de la nation, au conformisme abêtissant, à un modèle unique, à une homogénéité moutonnière. Tous bénéficient d'une unité harmonique fondée sur la confrontation et la coopération des éléments différents de la communauté. La Justice libérale, l'ordre libéral sont une Justice et un ordre harmoniques. Cette image symphonique de la communauté nationale correspond à la fois à la volonté d'unité et aux respects du pluralisme propres à la doctrine libérale : elle traduit la volonté d'assurer à la liberté raisonnable de chaque individu et de chaque groupe, minoritaire ou majoritaire, ses conditions et ses moyens.

Puisque la culture est primordiale dans l'existence et dans les revendications des minorités, c'est essentiellement à ce niveau que l'État libéral doit assurer leur satisfaction. Grâce au libéralisme, la tolérance est, depuis deux siècles, devenue en Occident, sauf rares exceptions, une réalité vécue : l'extension de la tolérance religieuse aux phénomènes culturels et aux mœurs est aisée et doit être facilitée à ce niveau par une profonde décentralisation. Ainsi pourrait-on répondre aux soucis et aux appels des particularismes régionaux qui tendent volontiers à se constituer de nos jours en minorités agissantes et, quelquefois, violentes.

Le service public de l'éducation, par exemple, doit cesser d'être une entreprise nationale pour être confié aux régions, aux provinces ; les particularismes régionaux et les besoins régionaux pourront ainsi donner leur marque propre aux structures et aux orientations pédagogiques, leur permettre d'assurer, de région à région, une saine émulation, pourvu que soient assurées dans la nation une libre reconnaissance des grades acquis et une circulation des personnels compétents. Il en sera de même des universités qui cesseront enfin d'être des universités d'État distribuant de sacro-saints diplômes nationaux, de plus en plus insignifiants. Les universités provinciales, avec leurs orientations et leurs exigences propres, entreront enfin en concurrence les unes avec les autres, dans la diversité, pour le bénéfice de tous. Il y aura des différences de niveau : tant pis pour les médiocres et tant mieux pour les meilleures. C'est ainsi que l'on peut satisfaire aux besoins appropriés du plus grand nombre et former les élites nécessaires à la nation et à la culture tout en accueillant le grand nombre et en l'éduquant. De grandes écoles nationales subsisteront certes, que se disputeront les institutions décentralisées. En France, l'État n'interviendrait plus que pour imposer la pratique générale de la langue française, sans laquelle notre culture ne serait pas ce qu'elle est et qui lui sert d'irremplaçable véhicule international fondé sur une valeur et un prestige ancestraux. Ainsi disparaîtra cet énorme monstre qu'est le ministère de l'Éducation nationale devenu progressivement un État dans l'État en proie à d'intolérables manipulations politiques et syndicales.

Un grand nombre d'affaires économiques et sociales, liées aux traditions et aux ressources locales, pourraient être remises entre les mains des autorités provinciales enfin utilement décentralisées. Il en pourrait être de même de beaucoup de ces services que l'on appelle publics et qui sont devenus la proie de technocraties ou de bureaucraties impérialistes.

Ces transferts de pouvoirs et de charges impliquent naturellement des transferts de ressources et une redistribution de la fiscalité qui contribueront à diversifier les objectifs et les méthodes en constituant de précieux contre-pouvoirs techniques au pouvoir technocratique centralisé. Grâce aux mesures de décentralisation, les minorités devraient pouvoir cesser d'être confrontées à une majorité globale et pouvoir respirer plus à l'aise.

Le problème politique des minorités est un cas exemplaire de la nécessité de procéder par compromis. Bien sûr, sa solution requiert le bon vouloir des majoritaires et celui des minoritaires : il faut que les minoritaires se reconnaissent comme membres de la communauté nationale, qu'ils prennent part au consensus profond qui forme la nation, et qu'ils pratiquent, non pas seulement le respect de la légalité, mais un lòyalisme authentique à l'égard de la communauté dont ils acceptent de faire partie et de laquelle ils attendent la reconnaissance de leur différence. Réciproquement, les majoritaires doivent respecter les libertés culturelles, sociales, économiques, locales, des minorités et comprendre que celles-ci doivent disposer des moyens de les assumer dans le cadre des lois de l'État.

Il est naturel qu'une grande nation soit formée du rassemblement de groupes divers, qui eux-même, ne sont pas toujours homogènes ; il est naturel que les majorités elles-mêmes ne soient pas homogènes. Une nation est faite de conciliations compréhensives et de compromis raisonnables sur un fond commun d'histoire, de traditions, de valeurs, dont chacun et chaque groupe tire parti à sa façon. Sous le couvert du loyalisme et de la primauté politique de la communauté, le compromis libéral entre majorité et minorités comporte plus d'avantages que de sacrifices ; il est une source de richesses et d'une unité faite d'harmonie.

*

Nous n'insisterons pas sur les minorités d'importation récente dont les errements de l'économie contemporaine ont provoqué l'accumulation dans certains pays d'Occident. Les gouvernements en place ont partout pratiqué, à leur égard, une politique très négligente, dépourvue de précautions et de souci de l'avenir.

Ces immigrations massives, la constitution de minorités artificielles, posent surtout des problèmes techniques, des problèmes de tactique politique. Ces immigrants ne descendent pas, en effet, de lignées intégrées de longue date à la vie nationale et au consensus national ; ils ne participent pas directement aux traditions de la culture nationale. On doit les traiter comme des hommes ; on ne peut et on ne doit pas les traiter comme des citoyens.

Certains, venus d'Europe et élevés sur un vieux fonds de culture judéo-chrétienne sont, l'expérience le prouve, capables de se fondre très rapidement dans la population nationale et d'assimiler la culture du pays. Ceux-là sont les bienvenus sans réserve. Ils ne posent aucun problème politique. Ils ne constituent même plus des minorités. A peine leurs noms suggèrent-ils encore une origine étrangère. Leur intégration constatée, leur loyalisme affirmé, s'ils optent pour leur nouvelle patrie, ils peuvent être accueillis à bras ouverts comme des citoyens à part entière pour le plus grand bien de tous.

Mais l'expérience le montre, certains groupes d'immigrants, appelés par le marché du travail, sont inassimilables. On le sait, la différence des cultures introduit entre elles, et d'autant plus qu'elles sont plus éloignées, des fossés en fait infranchissables. Les communications entre elles demeurent toujours difficiles et tendancieuses. Il y a une science universelle, qui relève d'une civilisation universelle. Il n'y a pas de culture universelle. Et les hommes sont ce que les font leurs cultures bien plus encore qu'ils ne font leurs cultures. On le constate, quelque bonne volonté qu'on y mette, on se trouve en présence de gens inassimilables : ils ne se fondent pas démographiquement dans le reste de la population, ils ne s'absorbent pas dans la culture nationale, ils n'en intègrent pas les mœurs. Ils ne s'assimilent pas et ils ne cherchent pas à s'assimiler. Ils se trouvent indéfiniment dépaysés, désorientés. Ils demeurent des étrangers. Pour se ressaisir, ils se regroupent, se replient sur leurs traditions d'autochtones et durcissent les différences qui les séparent de la population environnante. Ils constituent des minorités en état de tension avec la population et avec les institutions du pays qui les a accueillis pour bénéficier de leur travail. Ils rejettent et ils sont l'objet de rejets.

On sait que des minorités de cette sorte ne sauraient dépasser un seuil que les sociologues ont établi, au-delà duquel les tensions deviennent génératrices de troubles et de violence dangereuses et insupportables. L'homme d'État libéral doit donc, pour tenir compte des réalités, organiser une politique d'immigration limitée, en fonction de l'origine des postulants, n'autoriser d'immigrations dans les cas difficiles que sur des contrats temporaires respectés. En présence de minorités mal supportées par le corps social, il convient, à la fois, de leur assurer des conditions humaines d'existence, de leur donner toutes leurs chances, mais de réduire systématiquement leur nombre au-dessous des seuils dangereux, en bloquant les quotas d'immigration, en ne donnant pas la nationalité française aux enfants nés sur le territoire national, en facilitant leur retour au pays d'origine, en organisant leur départ à terme, en ne régularisant pas des situations irrégulières, en expulsant les délinquants et ceux qui ont maille à partir avec la justice.

Le libéralisme ne consiste pas, en l'occurrence plus qu'ailleurs, à nier les faits, à vouloir assimiler de force l'inassimilable, à prêcher la compréhension entre des populations de cultures hétérogènes qui ne peuvent pas en réalité se comprendre, quand on les plonge par la force des choses, dans le même type d'existence.

Des idéologues, au nom d'un humanisme fumeux, peuvent bien crier au scandale, ou, bien à tort, au racisme. Ce sont des rhéteurs irresponsables, des intellectuels insignifiants. Pour le libéral, il s'agit d'abord de sauvegarder un consensus et de maintenir le maximum de concorde spontanée. Le bien de la nation passe, lorsqu'il le faut, avant le souci de cette soi-disant « humanité ». Il y a moins d'humanité à maintenir des minorités inassimilées et en état de rejet dans une situation qui entraîne leur corruption et leur déchéance qu'à les aider à se réinsérer utilement dans des pays qui sont les leurs et dans des cultures dont ils sont incapables de se déprendre. C'est la tâche de l'homme d'État libéral, responsable de ses actes et soucieux du bien public.

IV. LES FONCTIONS DE L'OPPOSITION EN RÉGIME LIBÉRAL.

Reste un dernier type de minorité ou de groupe de pression qui, en dépit de sa complexité, de sa composition hétérogène et changeante, joue un rôle fonctionnel dans la vie politique et auquel un libéral attache le plus grand prix : c'est l'ensemble des groupes que la prise du pouvoir par la majorité constitue en minorité de fait, c'est la minorité politique de cette majorité : c'est l'opposition. Le libéralisme considère qu'elle a à jouer dans la vie publique un rôle très légitime et très considérable. Mais encore faut-il bien savoir de quelle opposition il s'agit.

*

Dans une communauté politique normalement constituée, la nation tout entière est fondée sur un ensemble de valeurs et de traditions historiques qui lui ont forgé une âme commune. Elle vit sur une culture enfouie dans une sorte d'inconscient collectif qui font de tous les citoyens les enfants d'une même patrie. La vie politique de la nation est l'émanation de cette culture historique et la nation se fonde dans ce consensus profond qui naît en chaque citoyen de cette expérience vécue infuse dans ses manières de vivre, de croire et de penser. A ce consensus profond, si divers et complexe soit-il, mais aussi tellement marqué d'un style et pour ainsi dire, d'une personnalité uniques, correspond en chaque citoyen un sentiment d'appartenance et de fidélité, une capacité de dévouement et de sacrifice, que nous avons appelé « loyalisme ».

Dans une communauté politique saine, l'opposition joue un rôle d'autant plus essentiel qu'elle est une opposition loyaliste. Cela veut dire, d'une part, que chaque citoyen, dans la nation, est bien d'accord sur les valeurs fondamentales qui doivent être sauvegardées, sur les finalités qui doivent être poursuivies, par exemple, en régime libéral, les valeurs de liberté raisonnable et d'accomplissement excellent et généreux des individus. Cela veut dire, d'autre part, que chaque citoyen est ce que les Britanniques appellent *a law abiding citizen,* un citoyen respectueux des lois fondamentales et des lois positives de l'État, bien décidé à vivre et à atteindre ses fins propres et les fins qu'il considère comme les meilleures, dans le cadre et l'usage raisonnable des lois.

Mais il est naturel que, dans une société de liberté, à partir d'un fonds culturel aussi riche et sur des affaires aussi complexes, aussi incertaines et aussi aléatoires que les affaires humaines en général et que les affaires politiques en particulier, des citoyens loyaux, placés dans des situations très diverses et porteurs de dons intellectuels et moraux très différents, aient des opinions très différentes sur les objectifs politiques immédiats à atteindre, sur les moyens et les méthodes à employer, sur l'art de gouverner et sur les personnalités à qui confier le pouvoir. Il est donc conforme à la nature des affaires libérales que certains groupes constituant une majorité et participant au gouvernement exécutif, d'autres soient exclus de ce gouvernement et constituent à la fois une minorité et une opposition, quelquefois unie, le plus souvent multiple.

Dans une communauté politique en bonne santé, où le bien public, le bien de tous, est un objectif commun, il est légitime que l'opposition dispose des informations les plus complètes et des moyens d'expression les plus libres et les plus efficaces, aussi bien dans le cadre des institutions, au Parlement, que dans la vie politique de la nation.

Pour les libéraux, pour tous ceux qui croient à la liberté humaine, il ne saurait y avoir de science politique, au sens strict ; nul n'est assuré d'opter avec une certitude scientifique pour les valeurs les meilleures, de dire le vrai et d'avoir certainement raison : il n'y a qu'un art de la politique et une morale, une philosophie de la politique. L'opposition doit être en mesure de défendre son opinion et d'être écoutée. Un Gouvernement libéral, par devoir prudent et modéré, ouvert au compromis, devrait en tenir compte, dans toute la mesure où ses décisions n'y perdront pas leur sens et leur efficacité. Un vrai libéral ira même jusqu'à dire que les options de l'opposition doivent être satisfaites dans toute la mesure compatible avec les options du Gouvernement. Les hommes d'État au Gouvernement ne doivent jamais oublier que, demain, les hommes d'État de l'opposition peuvent être chargés de ce même Gouvernement et que, peut-être, dans d'autres combinaisons gouvernementales, certains d'entre eux peuvent être amenés à collaborer dans un même Gouvernement avec des hommes d'État de l'ancienne opposition. A l'arrière-plan de ces considérations, il faut garder l'idée qu'en cas de péril, Gouvernement et opposition peuvent être amenés à coopérer ensemble, quelque jour, dans un Gouvernement de salut public. On le voit, les Britanniques n'avaient pas tort lorsqu'ils parlaient de « l'opposition de Sa Majesté » : ils parlaient en vrais libéraux.

*

Mais, à côté de ces oppositions loyales, il s'est développé dans les pays à régime libéral des oppositions d'une autre sorte.

Nous pourrions les appeler, d'un mot à la mode, des oppositions révolutionnaires : elles groupent tous ceux qui, refusant, reniant le consensus national profond produit par la culture historique, se sont fabriqué une autre idée de l'homme et revendiquent, pour eux-mêmes et pour la communauté nationale, d'autres valeurs, d'autres finalités et, au nom de ces valeurs, un autre type de société et une autre forme de régime.

Bien sûr, les États libéraux modernes laissent volontiers les citoyens mécontents libres de franchir les frontières de la patrie qu'ils renient et d'aller s'installer dans un pays où règne un régime plus conforme à leur choix, avec leur famille et leurs biens. On constate d'ailleurs que les « révolutionnaires » usent rarement de ce droit qui leur est laissé.

En fait, ceux-ci demeurent dans leur pays natal sous régime libéral ; des partis révolutionnaires se forment, pratiquant un langage et un vocabulaire révolutionnaires. Ils manifestent, mais d'ordinaire, ils maintiennent dans leur comportement une permanente équivoque : d'un côté, individus et partis respectent les lois civiles et exercent les droits politiques que les lois constitutionnelles accordent à tous les citoyens, tout se passe comme s'ils étaient des citoyens loyalistes et loyaux. De l'autre côté, ces partis professent des idéologies effectivement révolutionnaires ; tel d'entre eux s'inféode à une puissance étrangère dont il reçoit les ordres et dont il applique la tactique ; il infiltre autant qu'il le peut les cadres de la nation et des groupements actifs qui la composent ; bref, il prépare par tous les moyens une action contraire aux lois, une action révolutionnaire. On dira peut-être, non sans raison, que cette idéologie révolutionnaire est souvent bien verbale et que nombre d'électeurs de ces partis ne savent pas ce qu'ils font. Ils traduisent leur mécontentement personnel, leur désespoir, leur envie, par un refus global de l'état des choses sociales et politiques, incapables qu'ils sont de sortir de leur misère par eux-mêmes, ou d'en sortir assez vite, à leur gré. Ils se laissent prendre aux mythes révolutionnaires, si à la mode de nos jours. Les entêtés du « révolutionnarisme » vivent en pleine utopie : ils ne savent pas, ou ils oublient, qu'une révolution est un bouleversement total aux conséquences imprévisibles, aux coûts gigantesques et incalculables, et que ce ne sont jamais ceux qui commencent une révolution qui la finissent et en tirent les profits. Quelle que soit la révolution, ce sont toujours les individus qui en font les frais et qui en sont les victimes. Une révolution n'est jamais une opération rationnelle ; elle échappe sans cesse aux mains de ceux qui prétendent la maîtriser, tant y est grande la part du hasard et tant la violence y déchaîne la violence et la terreur. Sans compter que, lorsqu'elle réussit, une révolution engendre le conservatisme le plus radical, un dogmatisme féroce, une orthodoxie minutieuse, le blocage dans la situation où elle a fini par échouer. Certes, on ne peut être, en effet, ni rationnellement, ni encore moins raisonnablement, révolutionnaire.

Il n'empêche que ces révolutionnaires, si confus que soient leurs sentiments et leurs pensées, sont menés par des chefs affamés de puissance, fortement appuyés par telles puissances étrangères. Ils

établissent une rupture dans le consensus national et constituent
un danger pour la santé de la nation et pour le salut de l'État.
Quelles peuvent être les réactions et les décisions raisonnables de
l'État libéral ?

Il faut distinguer, je crois, la réponse du philosophe et celle de
l'homme d'État. Au niveau des principes, il n'y a pas de problème : tout individu et, *a fortiori,* tout groupe, tout parti qui fait
sécession d'avec le consensus national sur lequel est fondée la
communauté politique, qui veut renverser les lois fondamentales
de l'État, renverser les valeurs de liberté et les structures de la
société, doit être exclu de la communauté nationale, qu'on le prive
de ses droits politiques et civils ou qu'on l'exile purement et simplement vers un pays plus conforme à ses vœux, s'il s'agit d'un
individu, et, s'il s'agit d'un groupe ou d'un parti, qu'on le dissolve
et l'interdise. Dans un État libéral, l'existence d'un individu
ou d'un groupe qui refuse de reconnaître et de pratiquer les
valeurs de liberté réfléchie et raisonnable qui constituent les
droits du citoyen libéral est incompatible, en effet, avec l'ordre
civil et politique de la cité. On ne défend et on ne garantit
pas la liberté, en laissant à chacun la liberté de faire n'importe
quoi.

Dans la pratique, le principe demeurant un principe de droit
public, le Gouvernement demeure juge de l'opportunité d'une
telle décision et de ses conséquences. Il lui appartient d'apprécier
la virulence de l'action révolutionnaire entreprise, la signification
et le degré de cette équivoque qui fait qu'un parti révolutionnaire
demeure respectueux des lois de l'État tout en militant pour les
bouleverser, l'importance du péril couru par l'État en raison du
nombre des révolutionnaires, de leur détermination et de
l'audience dont ils jouissent dans le pays, des moyens dont ils disposent à l'intérieur et à l'extérieur.

En tout cas, la participation aux institutions de l'État et, en particulier, aux institutions parlementaires, de membres d'un parti
systématiquement révolutionnaire est, c'est un fait, de nature à
fausser gravement le fonctionnement des institutions. Cependant,
mieux vaut parfois tolérer des partis soi-disant révolutionnaires,
des propagandes et des manifestations pratiquement inoffensives,
que de transformer les ennemis du régime en martyrs et de les
inciter à se constituer en mouvements clandestins. La défense de
l'ordre public est affaire d'opportunité et de mesure. C'est une
question de tactique.

L'important, en tout cas, pour qu'une communauté politique
libérale soit en bonne santé, est que ses membres soient, de vocation ou de fait, des citoyens loyaux dans leur écrasante majorité.

*

On a accusé le libéralisme de se contredire lui-même et de pratiquer une tolérance qui serait « répressive ». Sous le couvert d'une apologie hypocrite de la liberté, il s'agirait, en réalité, de faire triompher sa propre doctrine. Sous prétexte de prêcher la liberté pour tous, les libéraux ne défendraient que leur propre doctrine et condamneraient, réprimeraient toutes les autres.

En leur reprochant leur contradiction, on les accuse de défendre leur propre liberté par des moyens répressifs, contraintes et violences, destructeurs de la liberté. On les autorise à défendre la liberté seulement par la liberté, c'est-à-dire, sans doute, par l'invocation à la liberté, par la prière et, au mieux, par une éducation à la liberté qui laisserait chacun faire ce qu'il voudrait, c'est-à-dire par une non-éducation.

On reconnaît, sous ce reproche insidieux, les théoriciens de l'ultra-liberté, les utopistes casse-tout de l'anarchie qui croient que tous les hommes sont bons, que toute autorité est mauvaise, les théoriciens irréalistes du « tout est permis ». Leur condamnation ne condamne qu'eux-mêmes qui veulent absurdement faire de la politique sans politique ou pas de politique du tout.

En effet, le libéralisme ne croit pas, nous le savons, à la valeur absolue de la liberté, c'est-à-dire à la valeur de la liberté absolue. La liberté absolue, comme le disait par expérience Hegel, c'est, bientôt, la terreur. Le libéralisme ne croit pas que l'homme soit inconditionnellement bon : l'homme est non seulement, un être « agonistique », mais il est capable d'être méchant. Le libéralisme ne croit pas davantage à l'individualisme absolu, à la capacité d'un homme d'exister sans les autres. Bref il croit à l'insociable sociabilité, à l'existence politique de l'homme, qui ne peut vivre pleinement et réaliser généreusement ses dons et ses vertus que dans un ordre politique et sous une autorité politique. Pour le libéralisme aussi, les hommes ont « besoin de maîtres ».

Mais le libéralisme n'est pas une idéologie parmi d'autres, c'est une philosophie bien accrochée à son histoire de la philosophie, appuyée sur une métaphysique de la liberté et sur une anthropologie régie par un principe régulateur de vérité. Cette philosophie, le libéralisme prétend qu'elle peut être partagée par tous ceux, quels qu'ils soient, qui veulent vivre libres et librement, d'une façon réfléchie et raisonnable. A ceux-là, et qui oserait refuser d'en être, il propose un *credo* moral et politique minimum, sur lequel toutes les philosophies lucides de la liberté peuvent trouver un terrain de conciliation, les éléments d'un consensus qui rende possible l'existence au sein d'une communauté politique et, à partir duquel, chacun peut développer son existence privée comme il l'entend. Comment n'être pas libéral ?

*

On ne saurait enfin passer sous silence une forme d'opposition très contemporaine en raison de la méthode qu'elle emploie : l'opposition par le terrorisme. Nous n'en parlerons qu'afin de montrer pourquoi on ne peut se recommander du libéralisme pour n'en pas poursuivre l'extermination radicale.

Les minorités terroristes n'ont guère en commun qu'un seul trait : le refus de tout consensus national et le refus de tout compromis qui pourrait le rétablir. Ce sont des minorités révolutionnaires, si l'on veut, mais d'un révolutionnarisme purement négateur et explosif : il s'agit seulement de détruire l'ordre établi et les autorités qui l'incarnent. Pour le reste, on verra après, s'il y a un après. Car les terroristes sont d'ordinaire des révolutionnaires désespérés, des révolutionnaires sans projet.

Il a pu se trouver, parmi les minorités terroristes, certaines minorités culturelles qui, refusant tout compromis, récusent toute participation aux institutions d'une nation dont elles estiment ne pas faire partie et ne trouvent d'autre moyen de réclamer et de gagner leur indépendance que le combat et, d'autre moyen de combattre, tant il est inégal, que la pratique du terrorisme. Il s'agit de déstabiliser l'oppresseur à un point tel qu'il soit amené à conclure que la poursuite de la lutte est un coût trop grand.

Mais on trouve plus souvent de nos jours des populations en détresse qui, pour alerter l'opinion mondiale sur leur cas, se livrent à des actes terroristes dans n'importe quel pays qu'ils jugent appropriés : le terrorisme cesse d'être un problème national. C'est aussi le cas, en fait, du terrorisme pratiqué par les groupuscules imbus d'un anarchisme explosif, qui refusent toutes les institutions de l'État moderne, toute autorité politique et même les structures culturelles du monde occidental : le nihilisme de la terreur peut surgir, au hasard des circonstances, dans n'importe laquelle des nations avancées de l'Occident. Ce terrorisme anarchisant, nihiliste, radical, est devenu un problème de notre culture.

Peut-on encore parler d'une opposition politique ? Il s'agit surtout d'alerter l'opinion publique internationale, de tirer parti du rôle de plus en plus grand qu'elle joue dans la politique, en profitant du goût immodéré des *médias* pour le catastrophique et pour le sensationnel.

Pour cela, les terroristes ne cherchent pas tellement à faire peur à tel ou tel individu qui pourrait être responsable de l'injustice qu'ils dénoncent. Ils s'efforcent de déclencher une terreur générale par des attentats aveugles, non pas seulement choquants, mais traumatisants, qui frappent systématiquement des irresponsables manifestes, des innocents évidents, femmes ou enfants, ou de pseudo-coupables symboliques : l'important est de frapper au hasard afin que chacun puisse se sentir confusément menacé. L'une de leurs méthodes favorites consiste dans la prise spectaculaire d'otages afin de soumettre les autorités de l'État concerné à un chantage sensationnel : ils s'acharnent alors, ou bien à condamner la cruauté des hommes au pouvoir qu'ils rendent responsables de l'événement, ou bien, si ceux-ci cèdent, à les déconsidérer pour leur faiblesse. Ils tentent, en les enfermant dans ce dilemme de les rendre méprisables et de déstabiliser les institutions de l'État, et même toutes les institutions politiques en tant que telles.

Pour être véritablement terrifiants, leurs actes doivent être absurdes et inhumains ; ils doivent être imprévisibles, quasiment gratuits et injustifiables. Il n'est donc pas question pour l'homme d'État libéral de les tolérer sous aucun prétexte. Puisque les terroristes refusent d'eux-mêmes les voies de l'action politique, les actes qu'ils accomplissent doivent purement et simplement être classés comme des actions criminelles et punis comme telles. Ils doivent être eux-mêmes poursuivis et condamnés comme des criminels. La peine de mort, qui seule rend inefficaces toutes tentatives de chantage ultérieur, est seule à la mesure de leurs forfaits. Il faut que la vanité de leur conduite, dépourvue de tout sens à force d'être irréaliste, mette en évidence pour tous son absurdité.

CHAPITRE VIII

LA PUISSANCE DE L'ÉTAT LIBÉRAL

I. LE LIBÉRAL ET LE SOUVERAIN.

En tentant de définir, par leurs proportions les plus raisonnables, les rapports qui existent au sein de l'État libéral, entre la puissance publique, les pouvoirs de droit, les pouvoirs de fait et les libertés des individus, nous en arrivons aux dernières conclusions politiques des analyses que nous avons menées jusqu'ici et nous essayons de les rassembler en un corps de doctrine : que peut être, de notre temps, un régime proprement libéral ?

*

Il est clair que le libéralisme raisonnable que nous avons tenté de définir ne peut, en aucune façon, abuser des sens corrompus du mot liberté et, misant sur la liberté de tout faire, c'est-à-dire de faire n'importe quoi, faire dériver le libéralisme vers le laxisme et l'anarchisme. Le libéral n'est pas un philosophe contre le pouvoir, c'est l'homme qui établit, au sein de l'inéluctable communauté politique, une harmonie raisonnable entre les pouvoirs et les libertés, entre les exigences du public et la sauvegarde du privé.

S'il s'agit de la puissance publique et de ses limites, c'est à propos de la traditionnelle querelle autour de la notion de « souveraineté absolue » que ce problème peut être le plus clairement mis au point. Le sage Locke lui-même, si ferme et si soucieux d'efficacité fût-il, évitait d'employer jusqu'au mot de souveraineté. Le terme de Souverain désigne cependant une fonction publique indispensable : il faut bien, dans l'État, qu'une institution, et l'homme en qui elle s'incarne, aient le pouvoir de décider définitivement et en dernier ressort, dans cet espace d'incertitude et de probabilité indéfinie qui subsiste toujours, dans la vie politique, lorsque toutes les informations disponibles ont été rassemblées, toutes les instances consultées, toutes les argumentations et toutes les hypothèses envisagées. C'est cela la souveraineté absolue. Libéral ou non, un régime ne peut esquiver l'exercice d'une souveraineté de cette sorte. Nous en faisons l'observation chaque jour.

Il faut distinguer de la souveraineté absolue, la souveraineté illimitée que le libéralisme condamne radicalement, sur quelque fondement qu'elle se prétende établie. Le pouvoir de tout faire, c'est le pouvoir de faire n'importe quoi. Qu'il s'agisse du pouvoir d'un seul ou du pouvoir oligarchique d'un groupe, du soi-disant pouvoir du « peuple », toute souveraineté illimitée, sans loi et sans contrôle, exerce un pouvoir arbitraire : en l'absence de toute référence à des limites, à un ordre, à une loi suprême, toute souveraineté illimitée perd toute orientation et tout sens ; elle est, par nature, proprement insensée. Si le pouvoir a la même extension que le désir, il peut être à chaque instant la proie de n'importe quel caprice. Aucune volonté humaine ne peut être tenue pour légitimement illimitée, ni la volonté d'un homme, ni la volonté d'un peuple.

Pour le dire d'une autre façon, il convient de rappeler qu'une liberté, lorsqu'elle est transformée en droit, se trouve définie et limitée, ne serait-ce que par le fait que la liberté d'autrui est, elle aussi, transformée en droit. Aucune liberté illimitée ne peut être transformée en droit. La puissance illimitée, c'est-à-dire la liberté illimitée d'un homme ou d'un groupe qui prétend à la souveraineté, ne peut qu'être illégitime.

Tout au contraire, un pouvoir politique libéral, si puissant soit-il, s'exerce dans le cadre d'un ordre, en vue d'un ordre à maintenir dans la communauté politique et en vertu d'un ordre, sous l'égide d'une loi suprême. Pour qu'ils soient libéraux, il faut que ces ordres soient raisonnables, c'est-à-dire qu'ils soient tels qu'ils puissent être compréhensibles et justifiables pour tout membre adulte de la communauté. Je ne dis pas que ces ordres doivent être rationnels, puisqu'une communauté politique n'est pas une machine ; je dis qu'ils doivent être raisonnables puisqu'il s'agit d'ordonner la vie d'hommes capables de liberté et de raison, mais aussi de passion, d'être imparfaits aux dons infiniment divers et inégaux, capables d'être sociables et bons, mais aussi d'être asociables, mauvais et méchants.

Le propre d'un régime libéral, c'est que cet ordre s'exprime, nous l'avons vu, dans une mission, dans une confiance accordée aux gouvernants par l'ensemble de la communauté, pour mettre en place un certain ordre politique et pour le sauvegarder, pour l'adapter au cours des événements, pour le conserver.

Cette mission assigne aux gouvernants des fins. Mais il faut rappeler le paradoxe de la finalité du libéralisme. Les fins ultimes du libéralisme se trouvent situées au-delà des fins proprement politiques qu'une politique peut atteindre : ce sont des fins morales, le plus parfait et le plus généreux accomplissement des dons, des capacités des individus qui composent la communauté, dans leur compréhension et leur respect réciproques. Ce plus parfait accomplissement des libertés et des dons de chacun, c'est, en chacun, son excellence, c'est-à-dire sa vertu, inséparable du développement harmonieux des vertus et des œuvres de chacun. C'est dire que la finalité assignée est une finalité en dernière analyse culturelle, l'art de contribuer à créer et de développer une culture proprement, richement, généreusement humaine. La fin de la politique, c'est la culture, dont elle est aussi l'expression, dans une circularité mouvante qui s'inscrit dans une histoire, l'histoire particulière de cette culture.

Il est bien clair que cette finalité, qui ne peut être accomplie que par des individus, est au-delà des moyens et des prises de la politique et des hommes politiques. Le libéralisme le sait, alors qu'un totalitarisme pourra prétendre qu'il est capable de rendre les hommes bons, vertueux, heureux ou même libres d'une liberté réelle. La finalité proprement politique que le libéralisme assigne aux gouvernants est une finalité intermédiaire : elle porte sur les conditions, sur les situations qui rendent possibles l'exercice de la liberté des individus et l'accomplissement de leurs dons et de leurs vertus. Il peut ainsi rendre possible la satisfaction de leurs passions ; mais il les laisse toujours à leur insatisfaction essentielle. Le bonheur n'est pas une affaire politique.

C'est pourquoi nous avons dit que les fins politiques du libéralisme sont strictement formelles : elles portent sur les conditions formelles de l'exercice des libertés, des capacités et des passions des citoyens, sur les rapports formels qui rendent compatibles la liberté, les talents et les passions des uns avec la liberté, les talents et les passions des autres. Ces conditions formelles s'ordonnent sous le nom de cette Justice politique dont nous avons défini les thèmes fondamentaux : respect des libertés individuelles, respect des biens dans lesquels ces libertés s'incarnent, réciprocité harmonique des relations, détermination des services réciproques des gouvernants et des citoyens dans la sauvegarde de la communauté et la poursuite du bien commun. Toute volonté que pourrait manifester l'État de faire pour les individus ce que, seule, leur propre liberté est capable de faire pour chacun d'eux, est antilibérale : elle porte atteinte au pouvoir de liberté réfléchie, raisonnable et responsable de chaque citoyen.

Aux missions proprement politiques de l'État ne peuvent pas ne pas s'adjoindre, dans l'État moderne, nous l'avons vu, certains services publics concernant les finances, l'économie, les conditions sociales d'existence, l'éducation. Dans ces divers domaines, et plus encore dans le domaine de la culture, la mission de l'État est avant tout une mission d'arbitrage, de prévision à long terme, et, pour l'ensemble, d'incitation, d'équilibrage, d'aide aux transferts et aux transformations que les circonstances imposent, de contrôle enfin. L'État doit gérer par lui-même le moins possible, réduire au minimum les tâches d'une administration toujours envahissante, d'une bureaucratie jamais assez contenue. Tout ce qui peut être accompli par les individus, par leurs associations, par l'entreprise privée, doit être systématiquement exclu du domaine de l'État. L'État ne doit intervenir que là où des tâches nécessaires au bien public et au bon usage du libéralisme social ne peuvent être assumées par l'entreprise privée. Il ne faut pas confondre la puissance de l'État avec son omniprésence, avec son caractère tentaculaire et providentiel. Le monstrueux État totalitaire, si inhumainement tyrannique, est, en dépit de sa puissance illimitée, le plus incapable et le plus misérable de tous.

En revanche, dans le cadre de la mission qui lui est impartie, l'État libéral doit être un État politiquement fort. Il doit disposer des moyens nécessaires à l'accomplissement de sa mission, pour assurer la défense de la communauté politique à l'extérieur et exercer son autorité entre les nations, pour faire régner la Justice, la sécurité, la paix à l'intérieur. S'il est jugé à son efficacité, encore faut-il qu'il en ait les moyens : le monopole de la violence légitime lui appartient. C'est pour faire régner un ordre juste et raisonnable entre les libertés privées, donc entre les violences privées, qu'il a été créé. A la puissance publique d'accomplir sa mission, qui consiste, si libérale soit-elle, à s'en servir efficacement.

S'il n'est pas de son ressort d'assurer la prospérité de la nation, il lui appartient de mettre en place et de sauvegarder l'état de droit qui permet à ses citoyens de contribuer à créer cette prospérité et à en jouir avec sécurité. Le libéralisme naît précisément au moment où, pour assurer la protection des libertés raisonnables, les libertés sont transformées en droits, un état de droit est institué qui donne à la puissance publique la mission de le définir dans sa justice et de le sauvegarder.

Le libéralisme, et surtout les citoyens de l'État libéral, mettront plus de temps à comprendre que l'état de droit est aussi un état de devoir : il n'y a de droits véritables que dans la mesure où l'on s'oblige à les exercer. C'est cela, la vérité pressentie, mais déformée, de la doctrine des « droits réels ». Les libertés ne sont pas seulement des possibilités, des disponibilités, ce sont des devoirs, des tâches humaines à accomplir, des obligations à réaliser l'œuvre possible dont chacun est capable. L'état de droit est un état de devoir, un état de travail et de lutte ordonnée, mesurée, raisonnable, où chacun a pour tâche de se faire, sinon à son gré, du moins en liberté, à loisir. L'État est bien inapte à la création d'une culture humaine : mais en assurant l'état de droit et de devoir, il rend possible la création continuée de la culture nationale, sa mission indirecte et ultime.

Ceux qui revendiquent à tout bout de champ toutes sortes de droits, « leurs droits », devraient savoir que tout droit oblige à un devoir, que tout droit est un devoir.

Qui dit état de droit, dit état défini et conservé par des lois. On n'a point attendu le libéralisme pour déclarer qu'il faut substituer le gouvernement des lois au gouvernement des hommes. On s'est aperçu bientôt, cependant, qu'un pouvoir tyrannique pouvait s'exercer par le moyen des lois, qu'une tyrannie par les lois était parfaitement réalisable. Des lois peuvent être dites scélérates. Ce sont les libéraux qui ont montré que la sauvegarde des libertés était liée à l'existence des lois fondamentales, qui ne dépendent pas des hommes au pouvoir et qui délimitent leur puissance. Les libéraux ont volontiers développé leur souci des lois fondamentales en exigeant qu'elles soient rédigées sous la forme de constitutions. Certains pays ont la superstition de la constitution écrite. La rigueur de la lettre constitutionnelle peut être, en effet, bien précieuse. Mais le libéralisme est bien mal en point s'il dépend seulement d'une ratiocination sur des textes. Plus les textes constitutionnels sont compliqués, moins ils sont utiles. Ce qui compte, en vérité, c'est l'esprit des lois fondamentales, tel qu'il s'inscrit dans les traditions et les tendances d'une culture, tel qu'il se manifeste dans les mœurs, tel que le consensus national profond tend à l'imposer.

*

Le libéralisme a beau être, d'une part, une politique de confiance prudente, d'autre part une politique constitutionnelle, les hommes étant ce qu'ils sont, je veux dire capables de mal user autant que de bien user de leur liberté, il faut, dans tout régime de liberté, qu'une loi suprême, intangible, infrangible, soit respectée par tous, et s'impose à la volonté souveraine, d'où que celle-ci émane. Toute constitution écrite libérale devrait comporter, à titre de préambule, (on songe à la Déclaration des Droits, au *Bill of Rights,* de la Constitution des États-Unis) l'exposé des principes suprêmes de cette Justice qui réglera les relations entre les citoyens et entre les pouvoirs. Ces principes trouvent leur source et leur fondement dans l'interprétation raisonnable des traditions imposées par le consensus national.

Même dans les régimes absolutistes les plus accomplis, une telle loi s'est imposée. Le Roi de France prêtait serment de respecter la loi de Dieu, la loi divine et naturelle de Justice et de servir le bien de ses sujets. En définissant la finalité du libéralisme, nous avons défini l'esprit de cette loi, les fins, les limites et les obligations du pouvoir souverain. Face à ce pouvoir immense, cette loi suprême lui impose de prendre pour fin l'accomplissement généreux de la personne privée et le respect des libertés individuelles fondamentales, liberté de penser, de juger, de croire par soi-même, liberté d'aller et de venir sans justification ni contrôle, liberté d'émigrer avec ses biens si bon semble, liberté d'agir à sa guise et dans le respect des libertés de son prochain, liberté incarnée enfin dans la propriété de sa personne et de ses biens, sans quoi la liberté n'est qu'un faux-semblant, vain et vide. La loi suprême du libéralisme proclame que ces libertés sont inaliénables et imprescriptibles : elle s'impose inconditionnellement au pouvoir suprême. Cette loi suprême du libéralisme est, à la fois, raisonnable et sacrée. Elle est raisonnable, nous venons de le voir, parce que la première condition pour qu'un citoyen participe à une communauté politique et libérale, c'est qu'il soit à même de comprendre, de juger et de croire, de toute sa liberté réfléchie, que telle est la condition la plus raisonnable de son existence et de celle de ses compatriotes. La patrie du libéral, c'est la terre où prospère pour chaque individu sa liberté réfléchie et raisonnable.

Cette loi suprême est aussi une loi sacrée. Elle est sacrée, parce qu'elle peut être l'objet d'un sacrifice, parce qu'elle est rendue sacrée. Elle requiert, en effet, des citoyens qu'ils lui sacrifient, s'il le faut, toutes leurs autres valeurs, tous leurs autres biens et jusqu'à leur vie. N'est-ce pas le principe, la source, de tous les biens de la communauté politique et, en chaque citoyen, de l'homme en tant que tel ? Longtemps, en Occident, la loi sacrée de la cité a pu s'appuyer sur la loi divine et sur une universelle foi en Dieu. De nos jours, l'opinion publique devenue si puissante a cessé d'être unanimement religieuse. Heureux ceux qui ont reçu la grâce de pouvoir encore fonder leur sens du sacré de la cité sur leur foi en Dieu et sur la sainteté d'un sacré divin. Les pays où ils sont nombreux ont beaucoup de chance. Mais, croyants ou non, tous les citoyens doivent reconnaître, au-delà et au-dessus de toutes leurs autres convictions, la valeur sacrée de cet esprit de liberté qui s'inscrit dans la loi suprême de la communauté politique libérale, parce qu'elle s'inscrit dans le cœur de chaque homme, qui trouve en lui l'inspiration de son existence d'homme et de citoyen.

La liberté de l'homme est aussi un au-delà, elle est aussi d'un autre ordre, on peut aussi dire d'elle qu'elle est transcendante. Telle est la loi suprême de la liberté. Tout sacré est l'objet d'une foi et non pas d'un savoir. Il est conforme à la nature des choses, que la rencontre du sacré soit environnée d'incertitudes très humaines. Le loyalisme des gouvernants et des citoyens doit franchir l'incommensurable distance qui sépare le bien des individus du bien commun : c'est pourquoi la reconnaissance de la loi suprême, de la loi sacrée de la communauté, doit pouvoir aller, s'il le faut, jusqu'au sacrifice. Dans cet état de droits et de devoirs, c'est le devoir suprême.

II. LE PLURALISME DES POUVOIRS.

La philosophie du libéralisme semble si conforme à la nature des choses humaines, se soucie tellement d'être raisonnable et de contribuer au libre et au meilleur développement possible de tous, de s'efforcer de mettre en place un système réciproque de droits et de devoirs, d'avantages et de services entre les citoyens, qu'elle devrait aller de soi pour tous. Mais les libéraux savent aussi qu'ils ont affaire à des hommes libres et imparfaits, doués d'intelligences fort inégales et de passions sociales fort différentes, qu'il s'agisse de l'envie, du désir de posséder, du désir de dominer ; ils savent que l'usage de la liberté et la responsabilité de soi-même qu'il implique sont des tâches dures, difficiles, aventureuses, propres à rebuter ceux en qui la paresse, le goût de la facilité, la lâcheté l'emportent.

Les libéraux se sont donc toujours souciés, en conséquence, de donner au pouvoir exercé dans la communauté politique, non seulement des limites théoriques, mais des limites pratiques. Ils ont toujours tenté de constituer des contre-pouvoirs et de fonder l'État sur un équilibre des pouvoirs.

Ils trouvaient déjà en place, dans la réalité politique de la communauté, une grande diversité de pouvoirs de fait, aux mains des individus, des groupes ou de la communauté elle-même. La première tâche des libéraux a été de transformer les libertés individuelles en droit, en donnant ainsi un statut juridique au pouvoir des personnes privées. La seconde tâche va être, mais c'est encore une tâche inachevée, d'ériger les pouvoirs de fait en pouvoirs de droit, d'assurer entre eux et envers le pouvoir public un équilibre raisonnable, afin de donner une existence et des limites, des obligations légales, à des pouvoirs de fait qui, à ce niveau, risquent toujours d'avoir une existence violente.

La puissance publique est fondamentalement une puissance arbitrale. Le souverain n'est pas d'abord un maître, il est d'abord un arbitre. Mais, pour exercer son arbitrage, encore faut-il qu'il se donne des critères et des règles, et qu'il dispose du pouvoir de faire exécuter ses sentences.

Contre la doctrine de Hobbes qui considérait que ces différentes opérations devaient être exercées par la même main, Locke le libéral avait distingué plusieurs espèces de pouvoir d'État, en tenant compte des conditions de fonctionnement de l'État moderne où un Parlement représente l'ensemble des sujets en face du roi et de ses conseillers : il avait reconnu l'existence d'un pouvoir législatif, à ses yeux le pouvoir suprême, d'un pouvoir judiciaire, voué aux fonctions d'arbitre et de juge et d'un pouvoir que l'on a appelé exécutif, à partir de Montesquieu. Locke distinguait ces différentes fonctions, il ne séparait pas systématiquement les pouvoirs correspondants. Avec Montesquieu, le libéralisme de Locke semblait avoir atteint son point de perfection en joignant à une théorie de la séparation systématique des pouvoirs une théorie de l'équilibre et du contrôle réciproque des pouvoirs.

En vérité, on ne peut prendre à la lettre la première théorie énoncée par Montesquieu — même pas sur le modèle britannique dont Montesquieu s'inspirait — ni, par voie de conséquence, la seconde. L'exécutif semble bien exercer des fonctions auxquelles nul autre pouvoir ne prend part, mais c'est compter sans l'intervention d'une administration dont la continuité et la compétence empiètent bien souvent sur l'autonomie des gouvernants. Le législatif — *King in Parliament,* disait Locke — résulte d'une collaboration évidente entre l'exécutif, auteur de la plupart des projets de loi, et le législatif proprement dit, qui se borne à les amender et à les adopter ou à les rejeter. Réciproquement, les contrôles exercés *a posteriori* par le législatif sur les actes du Gouvernement montrent l'imbrication réciproque des deux pouvoirs. Enfin, que le judiciaire soit nommé par l'exécutif ou élu, on ne peut compter que sur des dispositions administratives pour assurer l'indépendance du judiciaire à l'égard du pouvoir gouvernemental. En fait, la carrière des magistrats demeure le point sensible où, en dépit des précautions prises, peut jouer la pression du Gouvernement. Une fois de plus, c'est la force des traditions et la vertu des hommes qui importent ici plus que les règlements.

Mais, en revanche, combien Montesquieu a raison en esprit. L'histoire a montré les faiblesses et les désordres, l'inefficacité aussi, qu'engendre ce que l'on appelle un régime d'assemblée, où les initiatives, les décisions et les contrôles envahissants des assemblées parlementaires affaiblissent et paralysent les Gouvernements. Ce sont alors les administrations qui, vaille que vaille, assurent la marche des affaires. Réciproquement, lorsqu'un pouvoir exécutif transforme les assemblées législatives en chambres d'enregistrement et exténue leur pouvoir de contrôle, le chemin de la tyrannie est ouvert, pour peu que les hommes au pouvoir manquent des vertus nécessaires à leurs fonctions et se laissent aller à leurs mauvaises passions. Le pire devient possible lorsque l'exécutif et le législatif sont inspirés par la même idéologie et tendent à soumettre l'État à un groupe de pression qui, sous le couvert de la Constitution, a entre les mains tous les moyens légaux de bouleverser la société, l'économie, la culture et l'État lui-même.

On en peut conclure qu'un pouvoir politique trop unifié devient par là même un pouvoir omnipotent qui échappe, en raison de sa puissance, à la mission qu'il a pu recevoir et même aux règles constitutionnelles. C'est un pouvoir tyrannique en puissance, capable d'un coup d'État permanent. Pour tout dire, il devient un pouvoir révolutionnaire en mesure de décider de faire n'importe quoi. Ce pouvoir omnipotent, nous l'avons montré, est, par définition, un pouvoir illégitime, même s'il peut prétendre être un pouvoir légal, un pouvoir conforme aux lois. Par là même, il introduit une situation d'illégitimité dans l'État. En exerçant une violence dès lors illégitime, il tend à susciter en face de lui une résistance violente. Il ouvre la voie à la guerre civile.

Enfin, il faudrait signaler l'étrange collusion qui se produit parfois, et pas seulement en période révolutionnaire, entre le judiciaire et le politique. Emportés par leur zèle idéologique, certains magistrats abusent de la large marge d'interprétation que leur offrent les lois qu'ils ont à appliquer pour politiser la jurisprudence qu'ils établissent. Ils méprisent si bien les intentions manifestes du législateur qu'on peut dire qu'ils empiètent sur l'exercice du pouvoir législatif. L'indépendance du judiciaire, on le voit, doit s'affirmer contre les empiétements extérieurs du politique, mais aussi contre une emprise politique intérieure. En régime libéral, le juge ne fait pas la loi ; il juge au nom de la loi et doit se soumettre à la loi comme tout autre citoyen, même si sa conscience va contre la loi. Il peut seulement essayer de faire changer la loi, ou il peut se démettre. Comme toujours, le libéralisme compte plus sur la vertu des hommes que sur la forme des institutions, sur la rigueur des mœurs plus que sur la rigueur des lois : le pouvoir judiciaire doit être pensé, non comme une puissance, mais comme un service et comme un devoir. C'est un office, mais ce terme doit retrouver toute la charge de moralité, de vertu, d'abnégation, de respect de la tâche bien faite que comportait le beau mot latin d'*officium*.

A la suite de ces diverses observations, nous sommes ainsi amenés à substituer à la doctrine classique en régime libéral de la séparation et de l'équilibre des pouvoirs, une doctrine plus souple et mieux accordée aux mœurs de notre temps et à l'expérience acquise.

Premièrement, à l'irréalisable séparation radicale des pouvoirs, nous substituons la loi de la plus grande indépendance possible des pouvoirs, une indépendance qui tiendra autant aux volontés et aux mœurs qu'à la distinction constitutionnelle des pouvoirs.

Deuxièmement, à l'équilibre et au contrôle des trois pouvoirs d'État, nous substituons, d'une part, la reconnaissance d'une pluralité de pouvoirs politiques, d'autre part la constitution d'un système de contre-pouvoirs qui laisse cependant aux instances exécutive et législative leur pouvoir d'arbitrage et de décision.

*

A côté du pouvoir exécutif des gouvernants, il faut bien reconnaître, en fait et en droit, le pouvoir de l'administration, du *civil service*. Au plus haut niveau, même s'il appartient exclusivement aux gouvernants d'arbitrer, d'orienter et de décider en dernier ressort, en fournissant les informations, en proposant les moyens d'exécution, en indiquant les limites du possible et de l'impossible, en suivant l'exécution, les administrateurs, par leur compétence, leur expérience, la continuité de leur fonction, jouent un grand rôle dans l'action du Gouvernement. Ce rôle doit être reconnu, leur indépendance doit être garantie, en même temps que le bien du service, et leur loyalisme, accompagné d'un devoir de réserve, doivent être leur stricte règle de conduite. Ce pouvoir de fait doit contribuer systématiquement à la prudence et à la modération de l'État autant qu'à son efficacité et à sa continuité.

Nous avons vu, d'autre part, qu'à côté des fonctions politiques classiques de l'État, l'État moderne avait été amené à prendre des fonctions supplémentaires, comme les fonctions financières et fiscales, puis à prendre en charge les grands moyens de communication, l'éducation publique, un mécénat culturel, de puissantes entreprises industrielles et, même, à prendre une part très active à l'organisation économique et à la protection sociale. Même le libéralisme le plus pur ne peut pas restituer toutes ces charges à l'initiative privée. Mais il appartient aux libéraux de refuser les monstrueuses bureaucraties centralisées et, en décentralisant hardiment, de rendre à des structures décentralisées — de quelque nom qu'on les appelle, régions ou provinces, départements, communes, — de larges responsabilités dans les domaines de l'économie, de l'aménagement du territoire, de l'éducation, de la culture, en leur attribuant les ressources fiscales et les moyens de décision et de contrôle correspondants. Dans ces divers domaines, l'autonomie des régions, en éliminant l'omniprésence d'un État en proie à des fonctions pour lesquelles il n'est pas fait, serait érigée en bénéfique contre-pouvoir de droit. Certes, les pouvoirs de l'État conservent le privilège exclusif d'exercer les fonctions proprement politiques et l'usage des moyens qui leur sont nécessaires. C'est à l'État qu'il appartient d'arbitrer entre les pouvoirs régionaux, de les coordonner et d'organiser avec ces pouvoirs latéraux un système de collaboration harmonieuse et efficace, de veiller au respect des lois de l'État. Nous nous sommes servis de l'expression toute faite « contre-pouvoirs » ; elle ne doit pas désigner pour autant des pouvoirs hostiles, mais une pluralité de pouvoirs fonctionnels distincts qui concourent à l'harmonie de l'ensemble.

Il s'agit de construire un ensemble harmonique plus qu'un équilibre. Car la pluralité des pouvoirs, la volonté d'établir des institutions telles que les pouvoirs politiques de l'État ne soient pas omnipotents, ne doit ni paralyser l'État, ni entraîner sa dislocation ou celle de la nation. Ici encore, il s'agit d'établir un compromis raisonnable auquel le loyalisme de tous et les vertus civiques et morales des citoyens et des hommes d'État donneront seuls toute sa vitalité.

*

Mais ce n'est pas tout. Car il existe dans la communauté politique moderne, à côté des pouvoirs publics, des pouvoirs privés de fait irréductibles et puissants — nous avons déjà observé certains d'entre eux —. Il faut également les transformer en pouvoirs de droit et, à l'occasion les institutionnaliser.

C'est tout d'abord l'énorme pouvoir culturel des moyens de communication, des *media*, qui déclenche une considérable pression politique et qui constitue un véritable pouvoir politique. Pendant des générations, le libéralisme s'est confondu avec le combat pour la liberté de la presse : la liberté d'expression, non seulement à l'échelle des individus, mais à l'échelle de la diffusion de masse, à l'échelle des *media*, est une des libertés fondamentales revendiquées par les libéraux. Tant que la liberté d'expression des *media* est pratiquée dans un pays, on peut espérer que le caractère libéral du régime sera en fin de compte sauvegardé ou sauvé.

Il est bien clair que la puissance publique en tant que telle ne pense pas, elle n'en est pas capable ; et surtout, elle ne pense pas et elle n'a pas à penser à la place des citoyens. Elle n'a aucun droit de leur imposer des pensées qu'eux seuls sont capables de produire. On ne peut donc ériger en service public, de quelque nom, information ou communication, qu'on se plaise à l'orner, une fonction qui n'existe pas : le seul service de communication que l'on puisse éventuellement ériger en service public, c'est le service du transport des personnes, des marchandises et de la correspondance sous toutes ses formes. C'est un service technique. Quand on institue un service de l'information, c'est afin de diffuser l'opinion de ceux qui disposent du pouvoir politique et d'interdire la propagation de toute autre opinion. Ce ne sont pas des services d'information, mais des services de propagande que, seul, l'état de guerre peut justifier. Lorsque la puissance publique met la main sur les *media* ou sur certains d'entre eux, elle porte une atteinte très grave à une liberté fondamentale, décisive, et met en question la liberté de penser, de juger, de croire, qui est une affaire strictement privée et dont seuls les individus sont, en dernière analyse, capables.

On me dira que même des régimes foncièrement libéraux ont monté des ministères de l'information et ont transformé les *media* audiovisuels en monopole public ou en service public. C'était une erreur et une faute, même si les ministres libéraux qui en avaient la charge avaient davantage le souci d'empêcher l'usage abusif des moyens d'information publique que de propager la « parole de la France », c'est-à-dire la leur. Grave faute, car ils ont donné à ceux qui disposent de dogmes politiques tout faits et qui font de la propagande une doctrine, des moyens d'action tout préparés et en plus, un prétexte et une justification toute trouvée. Faire de l'information un service public, c'est mettre en marche un mécanisme totalitaire.

Il y a d'ailleurs un problème réel sous ces tergiversations malencontreuses. Quand on reconnaît la liberté d'expression publique, la liberté d'expression et de diffusion des *media* comme un droit, il en va comme de la transmutation de toute liberté en un droit : cette transmutation implique la définition des limites et des devoirs de cette liberté. En vérité, en devenant un droit, cette liberté devient un devoir raisonnable, et cela d'autant plus qu'elle met en question la liberté d'expression et d'information, la liberté de formation de l'opinion publique tout entière. On ne peut donc, en dépit de sa valeur cruciale, laisser cette liberté à l'état sauvage. D'autant plus que les *media* se trouvent aux mains de deux sortes de groupes de pression qui ne sont pas nécessairement impartiaux. D'une part en raison de leur importante infrastructure industrielle et technologique, ces groupes de pression doivent disposer de moyens financiers importants ; si on leur laisse une liberté sauvage, on leur accorde un pouvoir de propagande, un pouvoir politique, face auquel la puissance publique se trouve mal armée.

D'autre part, en cas de liberté sauvage laissée aux *media*, ce sont les « intellectuels » qui les préparent, qui rassemblent les informations et qui les rédigent ou les présentent, qui en sont pratiquement les maîtres. Pour des raisons de succès techniques, ils ont toujours tendance à insister sur l'extraordinaire, le catastrophique, le sensationnel et à omettre l'ordinaire, le quotidien. La pseudo-enquête, la prétendue mise au point, se bloquent sur le superficiel, l'éphémère, et ils cultiveront, pour piquer la curiosité, l'exagération bien plus que la litote.

D'autre part, comme ce sont eux qui font le choix entre ce qui sera diffusé et ce qui ne le sera pas, ils disposent d'un pouvoir de censure de fait qui passe peut-être inaperçu, mais qui est aussi arbitraire et aussi malfaisant que la censure exercée par le pouvoir politique : ces intellectuels sans responsabilité ont entre les mains les moyens d'un véritable terrorisme intellectuel qui montre ou dissimule, selon leur fantaisie, les situations et les événements, qui les présente sous le jour partial qui leur convient. Bien plus, ils disposent du pouvoir arbitraire d'accorder la parole à ceux qui leur plaisent et de condamner les autres sans appel au mutisme.

Sans doute, y a-t-il parmi les journalistes des hommes de grand talent, des reporters et des enquêteurs d'une grande culture, qui savent exposer et apprécier les situations avec objectivité, avec loyauté, avec mesure, avec rigueur, et qui sont capables de dominer la marée des événements éphémères pour mettre en évidence l'essentiel. Honneur à eux.

Mais il faut reconnaître qu'ils sont l'exception. L'*intelligentsia* à laquelle sont livrés les *media* se compose plus souvent d'intellectuels que leurs habitudes de penser préparent mal aux responsabilités qu'ils assument en fait. Ils sont appelés à juger de tout en hâte ; à chaque instant, autant en emporte le vent ; ils n'ont guère les moyens d'acquérir le sens des réalités, ils ne tiennent guère compte des conséquences de leurs jugements et ne se préoccupent guère du possible et de l'impossible. Ils ne courtisent le public et ne flattent ses pires penchants que pour mieux le mettre à leur merci. La démagogie est le moyen de leur succès et de l'ampleur de leur audience. Par rapport aux événements et aux hommes politiques, ils sont en permanence dans une fausse situation. Le monde des réalités et le monde du papier journal, de la parole et de l'image, interfèrent sans jamais coïncider. Ces interférences ne vont pas sans manipulations ni sans violences. Ils disposent d'une puissance redoutable dont rien ne fonde la légitimité, sinon pour les meilleurs, leur vocation. Cependant ils n'expriment que des choix et des pensées très subjectives, ou ceux des petits clans d'intellectuels irréalistes et irresponsables auxquels ils appartiennent si souvent.

Il est remarquable que les régimes libéraux, paralysés par leur respect pour la liberté d'expression, ont du mal à établir un statut des *media*, et à définir juridiquement le droit des *media* à leur liberté spécifique d'expression. On ne sait comment définir des pénalités assorties aux mensonges, si patents soient-ils, lorsqu'ils concernent des événements et non des personnes. Et même s'il est porté atteinte à des personnes, par des diffamations ou des atteintes à leur vie privée, les pénalités ne provoquent pas une entière réparation : le mal de la calomnie est déjà fait. Le droit de réponse, quasiment inapplicable pour des raisons techniques dans l'audiovisuel, laisse rarement la partie égale entre le diffamateur ou l'indiscret et sa victime.

Une fois de plus, c'est sur les mœurs et sur les vertus des hommes qu'il faut compter, plus que sur les lois. Une déontologie libérale du métier d'informateur devrait être mise en place. Nous en avions naguère proposé les trois principes majeurs (1).

Le premier, c'est le *principe de loyauté*, loyauté professionnelle de l'informateur par rapport à son public, par rapport à la vérité, volonté de dire le vrai, autant qu'il est possible lorsque l'on travaille, avec les informations du moment, sous la pression de l'actualité. La loyauté implique aussi le souci de respecter son public et de s'adresser à lui comme à un public capable de jugements réfléchis et d'esprit critique. Dans la pratique, il serait bon de bien distinguer, dans la presse, deux types de prestations : les articles d'information et les éditoriaux. Les articles d'information viseraient au maximum d'objectivité. Les éditoriaux seraient des prises de position orientées, exposeraient l'opinion d'un homme ou d'un groupe, d'un parti, mais seraient expressément présentés comme tels. Hors ce principe de loyauté, l'information n'est plus que déformation et désinformation, tromperie et violence intellectuelle à l'égard du public et devrait être réprimée comme telles.

Le second principe consiste à considérer la fonction d'information comme une *fonction spécifique*. La possession d'une tribune et la présence d'un public est une tentation à substituer à la fonction d'informateur et de commentateur la fonction de détective, de redresseur de torts, ou bien de juge et de conseiller politique, voire d'homme d'État simulé. C'est oublier que le journaliste n'a

(1) Raymond Polin, *La liberté de notre temps*, chapitre V, section 2 et plus particulièrement, pp. 238-247.

reçu ni mandat, ni mission de personne. Le mélange des genres est d'autant plus pernicieux qu'il est toujours incomplet. La tâche d'information est assez difficile et assez importante pour se suffire à elle-même et pour susciter une vocation.

Le troisième principe devrait aller de soi. Il consiste à reconnaître le caractère public de la fonction de l'information et à lui interdire toute intrusion dans la vie privée. Cette intrusion peut s'opérer, soit en exhibant indiscrètement la vie privée des autres, soit en exposant la vie privée de ses héros ou des soi-disant héros du jour, en modèles, ou simplement, à titre de points de mire. Il y a dans les *media* un grand moyen de dogmatisme et de conformisme intellectuel et moral ; ils s'immiscent au cœur du foyer, au cœur de la vie privée de chacun.

A force de vulgariser, à force de se mettre au niveau des moins cultivés et des moins subtils, c'est la vulgarité et la médiocrité que l'on finit par colporter de maison en maison. On peut tout dire dans un livre, qui est toujours, comme tout écrit, un appel à la réflexion. On ne peut pas tout dire ou tout montrer dans les *mass media*, surtout dans les *media* audiovisuels, qui sont des instruments de fascination. Plus vitale encore que la liberté d'expression, s'impose et doit être respectée la liberté de réflexion privée, cœur et condition de toute liberté de penser, de toute existence privée, qui a besoin de silence, à l'abri du bruit physique et du bruit intellectuel des *media*. Même si les *media* ne constituent pas un service public, ils ont un immense public et ils exercent une fonction publique : ils ont donc un évident devoir de réserve et de discrétion.

On triomphera cependant difficilement de la tendance des *media* à substituer leur opinion propre à la réalité de l'opinion publique. Les réactions des *media* à l'événement sont trop souvent tenues pour les réactions de l'opinion elle-même. Une sorte de cercle vicieux se forme : en présence de l'opinion publique, spectatrice muette, les *media* n'exposent plus alors que pour eux-mêmes leurs propres opinions.

La puissance publique libérale est-elle en mesure de faire respecter une déontologie de cette sorte ? Doit-elle, au mépris du droit, tolérer n'importe quoi ? Sur ces deux points, au moins, elle peut intervenir efficacement. En premier lieu, en présence de ces puissants contre-pouvoirs qui orientent, forment et déforment, et souvent désinforment l'opinion, dans la mesure où les individus tendent passivement à se laisser faire, la puissance publique doit garder les moyens de s'exprimer, d'exposer ses intentions, ses décisions et de les justifier. En cas de crise nationale, elle doit avoir accès, à l'ensemble des *media*. En période ordinaire, il faut qu'elle puisse disposer directement de certains organes de presse écrite ou audiovisuelle, ou qu'elle puisse se fier à la presse favorable à l'action du gouvernement. Pour exercer son arbitrage, pour assurer l'exécution de ses décisions, elle a le droit de s'exprimer à travers certains *media*, à condition de respecter l'indépendance de tous les autres.

Mais répétons-le, ce pouvoir d'arbitrage, ce droit à l'expression dans les *media*, qui sont nécessaires au bon exercice des fonctions de la puissance publique, ne justifient pas la constitution de la fonction d'information en service public et moins encore la constitution d'un monopole d'État de l'information. Il s'agit là d'un abus et d'une corruption des fonctions de l'État dont nous avons déjà souligné les dangers mortels.

En second lieu, l'État libéral doit favoriser la multiplicité des organes de presse et de diffusion audiovisuels. Il a à sauvegarder l'existence et l'expression d'une pluralité de courants d'opinions qui est congénitale à l'exercice de la liberté.

L'État libéral se doit de briser, et de rendre à des entrepreneurs privés ces énormes machines monolithiques à informer et à divertir qui n'ont qu'un seul public, la masse, qui n'ont d'autre critère de succès que la quantité et qui, situant le plus grand nombre au niveau le plus médiocre, ne cherchent qu'à lui complaire, en se conformant à lui, au lieu de chercher à l'informer, à le former et à l'élever. Il n'y a d'éducation qu'à la faveur de la diversité, dans la culture des différences.

L'État libéral peut aussi espérer que la concurrence entre les *media* les contraindra à davantage de loyauté à l'égard de la vérité des faits et à l'égard de leur public ou tournera en ridicule ceux qui s'enferment dans les fantasmes de leur idéologie au mépris des contraintes de la réalité. Si la concurrence incite parfois à la démagogie, invite à flatter les passions les plus basses, elle rend aussi possibles l'expression la plus généreuse de la liberté, la manifestation des meilleurs talents. La liberté d'expression n'est possible que dans la diversité et dans la multiplicité. L'État libéral ne peut être garant de l'un qu'en étant garant de l'autre.

*

La multiplicité des *media*, le droit à la liberté d'expression publique qui leur est reconnu, dans les limites d'une information honnête et d'une prise de parti loyale, s'inscrit tout naturellement dans la structure mérécratique de la communauté nationale contemporaine. Les groupes de la mérécratie trouvent dans ces moyens d'expression un moyen de pression tout naturel et tout à fait légal, qui contribue à rendre leur action plus saine.

Il est évident que l'efficacité des pressions exercées par les différents groupes n'est pas du tout proportionnelle à leur importance nationale. De ce fait, une défense fort justifiée peut se transformer en action violente.

Pour éviter que leurs pressions ne dégénèrent en violences tolérées, dans les manœuvres des trusts économiques ou financiers, dans les abus du droit de grève, dont les techniques perfides sont une menace permanente qui pèse sur la vie économique et politique de la nation, ou dans les manifestations de rue, qui sont un simulacre de révolte, il faut que la liberté des groupes de pression, elle aussi, soit érigée en droit égal pour tous, avec des garanties et des limites raisonnables. Les groupes de pression, eux aussi, sont des contre-pouvoirs de fait : il est temps de les transformer en contre-pouvoirs de droit. Il faut leur donner un mode de représentation au sein des institutions gouvernementales.

On s'inquiète du souvenir ambigu laissé par le corporatisme, qui avait été malencontreusement exploité, parfois, par des régimes despotiques, pour encadrer et dominer la vie économique et sociale de la nation. N'était ce fâcheux souvenir et le préjugé subsistant contre les corporations d'Ancien Régime, le nom de corporations (que les Anglo-Saxons emploient pour désigner certains groupes économiques) conviendrait fort bien aux groupes de pression.

Pour éviter que des filières parallèles de pouvoir de fait ne s'organisent et ne constituent de véritables États dans l'État, il faut donner aux corporations, une représentation directe et une voix dans les instances gouvernementales. Les partis politiques ne suffisent manifestement plus à représenter l'ensemble des opinions et des intérêts de la nation ; ils sont beaucoup trop axés sur les opinions politiques et expriment trop indirectement des pouvoirs de faits économiques, sociaux, culturels, qui sont maintenant intégrés à la vie de l'État. Réciproquement, il faut donner une fonction politique nationale aux grands groupes de pression économiques, sociaux et culturels.

Il existe, par exemple, au Parlement français, un Sénat que l'on appelle parfois le Grand Conseil des Communes de France. On pourrait imaginer, en lui rendant enfin tous ses pouvoirs législatifs, d'adjoindre à la représentation des communes, celle des provinces et celle des corporations économiques, sociales, culturelles.

Pour assurer l'élection de leurs représentants, on pourrait imaginer que chaque citoyen devrait disposer, à titre d'électeur, de représentant des corporations, à côté de sa voix politique, d'une voix provinciale, d'une voix économique, d'une voix sociale, d'une voix culturelle, selon qu'il prend une part effective à la vie économique, à la vie sociale, à la vie culturelle de la nation, à la vie de ses provinces.

Ainsi serait intégrée à la vie des instances dirigeantes de l'État, l'action des groupes les plus vivants de la nation. La mérécratie de fait deviendrait un État mérécratique.

III. LE LIBÉRALISME ET LA RAISON D'ÉTAT.

Que l'on ne se méprenne pas sur le soin que je prends à entourer de tant de contre-pouvoirs le « pouvoir absolu » nécessaire à l'exercice du pouvoir souverain, et pour le définir dans une mission, qui est une mission de confiance, pour faire de sa liberté non pas la liberté de tout faire, mais un droit, avec ses lois fondamentales et ses principes constitutionnels. Je crois en un libéralisme fort, lucide et, quand il le faut, cynique, au sens le plus noble de ce mot. La liberté, en laquelle je crois, ne se défend pas seulement par la liberté, elle ne se défend pas seulement par l'esprit, mais aussi par les armes et, chaque fois qu'il le faut, par la violence physique et par la violence spirituelle. Je voudrais bien mettre les choses au point sur le thème classique de la Raison d'État.

Les libéraux dégénèrent qui imaginent que le règne des lois suffit à tout, aux temps de crise, comme à la succession des jours paisibles, que leur existence suffit à assurer le respect de l'ordre public et l'éducation des citoyens. Pour ces libéraux mous, tout pouvoir corrompt et, plus il est grand, plus il corrompt. Le moindre pouvoir possible, législateur, arbitre et garant, des lois qui disent le permis et le défendu, une confiance tranquille dans le simple jeu des succès et des échecs : voilà leur idéal politique. Il a tout l'optimisme du libéralisme économique sur lequel il est de plus en plus copié. De même que le libéralisme économique ne fonctionne jamais mieux que lorsque l'État n'intervient pas, de même, ce libéralisme politique facile pense permettre l'ordre et la paix par la force des lois naturelles, pour peu que l'État serve d'arbitre, de législateur et de garant, et cela d'autant mieux qu'il intervient moins. A une grande confiance dans la nature humaine en général, dans la liberté humaine, si perfectible, si éducable, et dans le pouvoir de la raison, si manifeste dans la volonté du peuple, les libéraux mous joignent une grande méfiance à l'égard de chaque homme pris en particulier, et cela d'autant plus qu'il a plus de pouvoir. Si l'on peut faire confiance au citoyen moyen dont les passions et les vices se compensent et se corrigent par les succès et les échecs de la concurrence, un soupçon systématique doit peser, pour eux, sur l'homme chargé d'autorité et de puissance politique, au point de lui refuser, à la limite, les conditions fonctionnelles de l'exercice de sa charge et d'entraver son action. Un certain libéralisme va jusqu'à préférer l'inertie et la passivité des jeux parlementaires aux succès des hommes d'État. Pour ces libéraux-là, il n'y a pas de différence entre le recours à la Raison d'État et la tyrannie.

En son sens le plus large, l'idée de Raison d'État se confond purement et simplement avec celle d'un pouvoir souverain, c'est-à-dire d'un pouvoir suprême, disposant des conditions et des moyens nécessaires à l'efficacité de son fonctionnement, et capable de décider en dernier ressort. Or il n'y a que le succès qui décide, en fin de compte, de la valeur d'une action politique. La nécessité d'un pouvoir souverain, c'est-à-dire la Raison d'État au sens large, est fondée sur deux postulats que nous avons déjà énoncés : à savoir, en premier lieu, que la guerre est première entre les hommes, puisqu'ils sont, par nature, libres d'une liberté qui est principe de différences, donc de conflits et de violences ; à savoir, en second lieu, que leur survie et la régulation pacifique de leurs relations ne sont possibles que dans une communauté politique capable de transformer ces libertés sauvages en droits civils, d'instituer un état de droit et le règne des lois sous l'autorité d'une puissance publique suprême. A cette doctrine large de la Raison d'État, bien qu'ils ne l'aient ni dégagée ni nommée, Machiavel ou Hobbes auraient sans doute souscrit, puisqu'elle découle simplement de l'essence même du politique, qu'ils avaient si bien mise en lumière, chacun à leur façon.

Ce qui a frappé les hommes, c'est que l'autorité politique est, par définition, une autorité qui porte nécessairement, en dernière analyse et, s'il le faut, sur la vie et la mort des membres de la communauté et de la communauté elle-même. Le symbole de l'autorité suprême, c'est le droit de vie et de mort, c'est le droit de grâce, donc le droit de faire vivre et de laisser mourir. Ainsi apparaît en pleine évidence, l'autre aspect de tout pouvoir politique, le droit d'engager de façon définitive et irrémédiable, sans retour, le droit de commettre l'irréparable, pour chacun et pour la communauté.

La guerre elle-même est, a-t-on dit, l'art de conduire une politique par d'autres moyens. Violence collective, elle est aussi essentielle à l'action politique que la violence individuelle. Il ne s'agit ici encore que de la Raison d'État au sens large. On voit donc bien que l'on a tort d'user de ce concept au sens large, car il est coextensif à l'essence de l'action politique et aux nécessités fonctionnelles du gouvernement d'une communauté politique.

*

La doctrine de la Raison d'État au sens étroit, au sens strict de la Raison d'État proprement dite, apparaît plus tardivement, lorsque s'impose un postulat nouveau, l'existence d'un ordre de valeurs morales, de valeurs culturelles ; au sein de cet ordre moral, c'est l'intention qui compte, c'est la foi qui sauve, et c'est la conscience morale, une conscience morale qui parle le langage de l'époque et de ses mœurs, qui porte témoignage et décide du bien et du mal en morale comme en politique. Cet ordre des relations morales ne comporte aucune nécessité fonctionnelle, ne suppose aucune technique de succès. L'ordre politique et l'ordre moral, tout en étant liés entre eux aussi nécessairement que le public l'est au privé, sont deux ordres différents en nature, radicalement hétérogènes et irréductibles l'un à l'autre. Sous-jacente à l'exercice des pouvoirs politiques, agissant en contre-point avec la force et la violence légitimes dont ils disposent pour en assurer l'efficacité, une opinion publique, entée sur les traditions d'un inconscient collectif, sur les valeurs d'une culture profonde, tend à jouer un rôle de plus en plus important dans la vie de l'État moderne ; les individus, à travers leurs valeurs morales, leurs conduites, leurs œuvres, se situent par rapport à elle.

Le concept de Raison d'État au sens strict, le concept significatif de Raison d'État a déjà pu se former, dans un premier temps, lorsque, dans un régime où le gouvernement des lois s'est substitué au gouvernement des hommes, au nom de la Raison d'État, le titulaire du pouvoir suprême est amené à prendre, dans l'urgence et le péril, en vue du salut public, des décisions en dépit des lois ou même contre les lois existantes. Encore faut-il que les lois de cet État soient l'expression de la loi naturelle et qu'elles soient toutes chargées de substance morale. Car nous savons qu'un tyran habile peut exercer sa tyrannie par la loi et dans le cadre de la loi.

L'invocation appropriée de la Raison d'État naît dans un deuxième temps du heurt des décisions du Souverain avec l'ordre des valeurs morales ainsi que de la rupture qu'elle entraîne entre l'action politique et la moralité, la culture reçues.

Les tyrans ou les despotes totalitaires se moquent bien des lois et, s'il leur plaît, ils en connaissent l'usage tyrannique. Ils se moquent bien plus encore des valeurs morales, des exigences de la culture et de l'esprit. Pour eux, tout est Raison d'État au sens large et rien n'est Raison d'État au sens strict : les seules justifications dont ils tiennent compte sont des considérations politiques, des considérations de force et de violence.

Pour que la Raison d'État au sens strict apparaisse comme un

problème et comme une exigence rationnelle particulière, il faut
que le conflit de la politique et de la morale soit ouvert ; il faut
que les convictions des individus et les orientations de l'opinion
publique soient reconnues et jugées dignes de respect. Il faut que
la politique et la morale, en dépit de leur hétérogénéité et de leur
irréductibilité, soient liées par une dialectique indéchirable, que la
politique ait pour fin des valeurs qui la dépassent, des valeurs
morales et culturelles.

En d'autres termes, le problème de la Raison d'État trouve sa
plus grande tension et sa clarté lorsque la politique qui invoque la
Raison d'État est une politique morale. C'est, par excellence, le
cas du libéralisme. Il est donc tout naturel que ce soit le père du
libéralisme politique, John Locke, qui ait, mieux que tout autre,
justifié l'appel à la Raison d'État, sous le nom de « prérogative »
du pouvoir suprême. La « prérogative » est non seulement le pouvoir d'agir à sa « discrétion », sans règle, en vue du salut public,
mais ce peut être aussi, lorsque d'exceptionnelles circonstances
l'exigent, dans l'urgence et le péril extrême, le droit d'agir légitimement, toujours en vue du bien public, « contre les prescriptions
de la loi », « contre la lettre directe de la loi ». Cette conception de
la Raison d'État au sens strict est d'ailleurs bien dans la ligne de la
notion de « mission » de confiance donnée au Souverain pour agir
en vue du bien public. Lorsque le salut public est en jeu, la Raison
d'État accorde au Souverain la confiance faite au philosophe-roi
platonicien qui, dans sa sagesse, était capable de gouverner les
hommes pour leur plus grand bien au-dessus des lois et même en
se passant des lois.

Il est vrai que le pouvoir discrétionnaire exercé au nom de la
Raison d'État est une procédure d'exception. Les libéraux le souli-
gnent, c'est un véritable « droit de nécessité », conféré dans
l'urgence, exclusivement en vue du bien public. Les constitutions
les plus libérales en reconnaissent la nécessité pour une période
brève, bien limitée dans le temps. Son caractère d'exception interdit à la Raison d'État de dégénérer au gré d'un individu ou d'une
faction.

La doctrine de la Raison d'État s'intègre parfaitement à
l'anthropologie libérale et à l'idée libérale que la politique est le domaine de l'incertitude et du risque, de l'à-peu-près et du compromis, où il convient constamment de rechercher une juste mesure
entre le scepticisme et la foi, le dévouement allant jusqu'au
sacrifice, entre la confiance inéluctable et la défiance nécessaire.

Reconnaître la nécessité de la Raison d'État, c'est reconnaître
que la liberté est d'abord une liberté pour le mal, qu'elle n'est une
liberté de perfectibilité que secondairement et par réflexion rai-

sonnable. Certes, les hommes d'État sont des hommes comme les autres, mais il faut prendre le risque de faire confiance à des hommes choisis pour qu'ils gouvernent par la loi et, s'il le faut, sans loi. En temps de crise, les hommes étant ce qu'ils sont, il faut bien prendre le risque que, pour un temps fort court, les hommes qui sont au Gouvernement prennent la charge de tout.

Telle est la Raison d'État libérale. Elle résulte du raisonnement d'hommes qui savent le prix et le danger de la liberté, qui l'aiment comme le principe de leur humanité et de leur culture d'hommes. En temps de crise, il faut accepter de la mettre en question pour essayer de la sauver. La politique n'est-elle pas toujours sanctionnée par son efficacité ? C'est le véritable libéralisme, le libéralisme fort et dur.

IV. LIBÉRALISME ET RELATIONS INTERNATIONALES.

Y a-t-il une politique internationale libérale ?

1) La question se pose parce que, pour les libéraux, l'ensemble international n'est pas un état de droit, mais une situation où règne la loi de nature, c'est-à-dire la loi du plus puissant. C'est un état de guerre latente, où chacun défend ses fins par lui-même, à l'aide de tous les moyens de puissance dont il dispose. Chaque puissance possède ainsi une liberté véritablement absolue. Elle est capable de n'importe quoi qui soit en son pouvoir. La situation internationale est donc fondamentalement interprétée comme une situation de violence dominée par le calcul, une situation à la Machiavel, un état de nature.

Chaque État se constitue comme un ensemble autonome et, à la limite, autarcique. Il revendique son indépendance comme un élément essentiel de son existence. C'est le nom qu'il donne à sa liberté telle que la pratiquent ses Gouvernants. C'est dire que, en dernier ressort, c'est à l'usage bien calculé de sa puissance qu'il se fie exclusivement pour assurer sa sauvegarde et la réalisation de ses fins.

On le voit : à ce niveau d'interprétation, que le libéral considère comme sous-jacent à toute situation internationale, il n'y a ni justice, ni injustice. Tout est affaire de force. Il n'y a pas de droit. C'est une situation limite ; en dernière analyse et dans le fond des cœurs, il n'y a que des ennemis. C'est bien la guerre de chacun contre chacun qui forme la trame indéchirable sur laquelle l'ensemble des relations internationales se trouve brodé, d'une broderie fragile qui peut se trouver détruite à chaque instant.

2) Mais cet état de guerre latente de chacun contre chacun cherche à être aussi intelligent et rationnel que chacun des ennemis potentiels peut le rendre, compte tenu des nécessités vitales de chaque nation. Quels que soient leurs régimes, libéraux, socialistes, dictatoriaux, totalitaires, toutes les communautés politiques se trouvent en présence des mêmes faits patents :

a) La guerre ouverte permanente est une guerre destructrice où il n'y a, en dernière analyse, que des vaincus. Certes, c'est un calcul rationnel, qui répond à un état de nécessité dans un péril extrême, mais, à l'état permanent, c'est un calcul désastreux.

b) De plus, l'indépendance et l'autarcie des États, tout particulièrement dans le monde moderne, sont toutes relatives, tant sont requis pour la satisfaction des besoins nationaux, des échanges de biens, de personnes, de services.

c) Dans ces conditions, les États en présence maintiennent, jusqu'au moment où tel d'entre eux le juge opportun, une situation de guerre latente, de paix armée et visent à maintenir un état d'équilibre, instable certes, entre des violences contenues et maîtrisées.

d) Alors peut se constituer, dans le cadre de cet équilibre, un tissu de relations de type juridique, qui relèvent en fait du troc. Elles n'ont d'autre garantie que l'intérêt réciproque des parties calculé dans la durée. Les traités, les alliances, les accords, les contrats qui les instituent, de façon bilatérale et parfois multilatérale, sont toujours précaires, sujets à rupture ou à révision, dès que se transforment les rapports de forces et d'intérêts. C'est ce que l'on appelle la paix, dont la précarité fait toujours une fausse paix.

En conséquence, le libéralisme tient le pacifisme, la recherche de la paix à tout prix, pour une idéologie absurde, car elle va à l'encontre de ses propres desseins : sous prétexte de sauver la paix, et, avec elle, la vie de chacun dont les pacifistes font une valeur unique, ils organisent la servitude et soumettent ainsi la vie de tous à l'arbitraire et aux caprices des maîtres. En réalité, cette idéologie est le fruit d'une lâche stupidité quand elle n'est pas inspirée, ce qui est le cas le plus fréquent, par une manipulation organisée par des puissances étrangères, exploitant l'inquiétude des particuliers et la transformant par le chantage en terreur. Le pacifisme est la face apparente d'un terrorisme sous-jacent.

Le libéralisme n'est pas pacifiste ; il est pacifique, il veut être raisonnable.

3) En effet, au-delà de ces réalités politiques auxquelles sont confrontés tous les régimes et qu'ils reconnaissent en fait, en dépit

de belles et solennelles paroles, voici ce que le libéralisme apporte et qui est propre à sa conception des relations internationales.

a) Les finalités de l'État libéral sont de l'ordre de la culture et non pas de l'ordre de la puissance. Par rapport au monde extérieur, il recherche toute la puissance nécessaire à l'affirmation et à la défense de son autonomie, et à la défense de ses valeurs mais pas davantage. Contrairement aux ambitions des dictateurs et à l'universalisme des totalitaires, la politique étrangère des libéraux ne vise ni à l'impérialisme politique, ni à l'omnipotence.

b) Les finalités culturelles de l'État libéral sont trop centrées autour de l'expression créatrice et compréhensive de la liberté des individus pour que ne s'ensuive pas la plus généreuse expression de la culture dont il émane et dont il est le serviteur. Ce respect si réciproque des libertés individuelles s'extrapole naturellement et raisonnablement au respect de la pluralité des cultures et, par conséquent, au respect des particularités, de l'originalité de l'esprit de chaque nation et à la reconnaissance de l'autonomie des États. Le souci d'autonomie correspond mieux à la réalité que le respect d'indépendance qui est bien plus théorique que pratique.

Ce respect réciproque dans l'autonomie et la différence convie tout naturellement à l'établissement de relations pacifiques et à une coopération politique et économique de nation à nation, proportionnée aux capacités de chacune d'entre elles dans la compréhension de leurs inégalités.

Ce sens de l'autonomie et de la différence, si distinct de la revendication d'indépendance (même les nations les plus puissantes ne sont pas indépendantes) laisse sceptique le libéralisme sur « le droit des peuples à disposer d'eux-mêmes ». D'abord parce qu'il n'y a pas de droits là où il n'y a pas d'état de droit et de puissance garante de cet état de droit. S.D.N., O.N.U. : toutes les organisations mondiales ne sont jamais que des parloirs et des tribunes, au mieux ce sont des lieux de rencontre. Elles sont privées de toute efficacité. Leur composition est si contraire aux réalités politiques et aux rapports effectifs de puissance qu'elles sont réduites à un bavardage irréaliste. Ensuite parce qu'un peuple n'existe que dans le cadre de ses institutions politiques : auparavant, il n'existe que sous forme de multitudes confuses et d'individus agissant en liaison plus ou moins organisée : de quel sujet d'un droit à disposer de soi pourrait-il s'agir ? Enfin parce que ce sont les cultures qui sont premières par rapport aux institutions politiques : celles-ci en émanent, mais une culture ne suffit pas à se donner une expression politique et des institutions politiques. Il faut aussi des conditions géographiques, historiques, économiques et sociales que le culturel ne produit pas à lui seul. La constitution d'une nation est affaire de réalités et non pas de droits : le droit des peuples à disposer d'eux-mêmes suscite d'insupportables confusions exploitées par de vulgaires idéologies de circonstance.

Cette insistance sur le culturel permet aussi d'échapper à l'un des plus fâcheux préjugés, gros de mécomptes, qu'entraîne l'emprise pesante du libéralisme économique sur la politique internationale des libéraux. Ceux-ci tendent à admettre, en effet, que les relations politiques internationales obéissent aux mêmes lois et aux mêmes impératifs que les relations économiques internationales. Ils imaginent volontiers que l'intrication des relations économiques suffit à entraîner et à imposer des relations politiques pacifiques. Il n'en est rien. Quel que soit le poids de l'économique, le culturel et le politique le débordent largement et, avec eux, l'irrationnel qui outrepasse si radicalement la rationalité abstraite des relations économiques. L'oublier, c'est se condamner aux illusions et à l'échec. Nous n'en prenons pour exemple que la politique menée face au fanatisme bloqué des monocraties totalitaires ; celles-ci engrangent à sens unique les facilités économiques qu'on leur accorde libéralement avec le vain espoir de les amadouer et de les enferrer dans les commodités d'une consommation bourgeoise. Leurs intérêts et même leurs intérêts matériels sont ailleurs. La puissance de l'économie est considérable ; elle n'est rien à côté de la volonté et de la présence de la puissance politique. Elle ne vaut rien sans elles.

4) Enfin, en vertu du respect de la pluralité de la culture, le libéralisme lui-même ne se présente, ni comme l'expression d'une culture universelle, ni, *a fortiori,* comme un régime universel. Certes, il y a une civilisation scientifique et technique universelle, celle, en effet, que l'Occident a construite, mais c'est un système de moyens dépourvu de finalité intrinsèque, qui est de l'ordre de l'intelligence, de la connaissance. Il n'est pas, nous le savons, de l'ordre de la culture, qui est affaire de liberté créatrice de valeurs et de fins. Certes, il y a une espèce humaine qui est une espèce unique, et que l'on appelle l'humanité. Mais il n'y a pas de culture humaine unique, même pas de culture humaine finale, pas plus qu'il n'y a d'histoire unique de l'humanité — c'est la grande erreur de la philosophie de l'histoire devenue une grande tromperie —, mais autant d'histoires particulières, irréductibles, qu'il y a de cultures.

C'est pourquoi le libéralisme condamne tout impérialisme culturel, et tout universalisme culturel, avec autant de force qu'il condamne l'idéologie de l'État universel, et l'effort, toujours vain jusqu'ici, tant il va contre nature, pour le construire. Tout mondialisme provient d'une vision confuse de la réalité des affaires humaines. Sous le masque de son sentimentalisme naïf et raccrocheur, des idéologies peuvent fort bien proliférer à l'aise et travailler à la mise en place d'un conformisme culturel et d'un empire universel.

Tout le confusionnisme intellectuel latent dans les rapports politiques mal compris entre les cultures émerge dans l'appellation que l'on donne aux pays dits du tiers monde : « pays sous-développés » ou, ce que l'on croit être plus poli, « pays en voie de développement ». Ces pays ne sont ni l'un ni l'autre : chacun existe suivant la culture qui lui est propre, et qui est irréductible et même incomparable avec la culture de l'Occident chrétien. Il ne saurait d'ailleurs y avoir de hiérarchie entre des cultures qui n'ont pas les mêmes finalités. Mais ces pays sont tous bousculés et traumatisés par l'irruption universelle de la civilisation scientifique et technique, qui est porteuse d'une incomparable puissance et qui, elle, est effectivement universelle. Eux ont, pour unique avantage, au plan de la puissance, mais il est énorme, leur proliférante démographie et leur richesse en matières premières.

Respectueux de la pluralité des cultures et de leur originalité, le libéralisme, dans un premier mouvement, devrait laisser chacun de ces pays vivre son histoire à sa guise, selon ses valeurs et ses traditions propres, en se gardant de lui infliger des critères matériels que véhicule la civilisation scientifique et technique : à chacun son bonheur, qui n'est pas affaire de bien-être, ni de science, ni de puissance politique ; à chacun ses finalités originales.

Mais si telle doit être l'inspiration majeure de la politique libérale, elle ne peut pas aller sans compromis, compte tenu de deux faits qui mettent en question l'existence de la culture libérale et celle des États libéraux.

Il y a d'abord le fait que les grands équilibres économiques et financiers relèvent aujourd'hui d'une stratégie globale. Les échanges économiques et financiers affectent, à des degrés divers, l'ensemble de la planète. La concurrence inhérente au domaine économique entraîne une guerre économique permanente entre les grandes nations industrielles, libérales ou non, affamées de matières premières, dont le hasard veut que telles nations du tiers monde soient abondamment pourvues. Cette situation de guerre économique se trouve redoublée du fait que le tiers monde est, non seulement un gisement de matières premières, mais aussi un gisement de main-d'œuvre surabondante à bon marché. Des manifestations d'impérialisme économique ne peuvent manquer de résulter de cet universalisme économique de fait. L'économie, à la nature ambiguë, fait, pour une large part, partie de la civilisation technique ; pour cette part, elle est *de facto,* en effet, universelle.

En outre, à la guerre économique permanente se superpose un effet de la guerre froide inscrite dans la nature des relations internationales : à l'avidité économique se superpose l'impérialisme politique et, de nos jours, tout particulièrement, l'impérialisme totalitaire, qui s'efforce de dominer ces pays faibles et fragiles, de se constituer une clientèle idéologique et de s'emparer de gisements de matières premières et de positions stratégiques.

Les confrontations de puissance entre les nations se passent nécessairement à plusieurs niveaux, selon le degré de puissance, l'esprit de décision, la situation géographique des nations en présence. Il existe des inégalités immenses entre les nations, que certains méconnaissent volontiers dans les mots, mais il y a, en fait, des puissances de plusieurs rangs qui sont amenées à jouer leur rôle à leur niveau et à leur façon, chacune pour sa part.

La politique libérale de respect réciproque des cultures et des États ne peut porter fruit que si elle tient compte du fonds de guerre permanente qui est inhérent aux relations internationales et de l'universalisme des relations économiques et monétaires. C'est pourquoi les plus utiles et les plus efficaces des organisations internationales sont encore les organisations internationales monétaires.

Cette politique libérale culturelle ne peut s'établir que dans le cadre d'un équilibre propice aux échanges régis par des droits. L'esprit de domination et d'accaparement des autres États doit entraîner, les États du tiers monde dussent-ils en souffrir, la manifestation de la puissance des États libéraux jusqu'à l'écœurement de leurs adversaires et au retour à un équilibre raisonnable et qui puisse être consenti de toutes parts. C'est la dure, mais inéluctable loi de la guerre froide, que l'on appelle, dans le monde des nations, la paix avec le respect du droit des gens, la paix avec un équilibre économique où chacun peut espérer trouver le type de prospérité accordé avec sa culture.

Les libéraux savent que la paix entre les nations n'est pas une réalité positive fondée sur la concorde et l'amour entre les nations. Faute d'arbitre impartial et de garant tout-puissant, elle n'est jamais un état de droit. Il n'y a pas à proprement parler de communauté politique internationale. La paix n'est jamais qu'un concept négatif et formel qui sert de cadre à des conflits de puissance à puissance, en-deçà du respect d'un droit universel et des prises d'une puissance souveraine. C'est toujours un armistice dont les seules règles sont le calcul des intérêts et le rapport changeant des forces.

Le libéralisme voudrait y ajouter la reconnaissance des cultures dans leur irréductibilité et la reconnaissance des États dans leur autonomie, quel que soit leur régime. Les libéraux souhaitent que cette situation appelée la paix soit faite de plus de coopération consentie et de droits reconnus que d'affrontements de forces et d'équilibres de puissance, autant que la chance et la bonne volonté raisonnable de tous pourront permettre de l'établir dans la longue durée.

V. LE LIBÉRALISME CONSERVATEUR ET RÉFORMATEUR.

Le libéralisme est une grande tradition. De toutes les philosophies politiques de l'Occident, c'est lui qui, depuis trois siècles, depuis qu'une culture de la liberté s'est progressivement mise en place, a inspiré les régimes les plus nombreux et les plus durables. Il est naturel qu'il ait connu des échecs, des difficultés, — surtout quand il a été infidèle à ses principes ou incohérent avec lui-même — et qu'il ait été l'objet des critiques forcenées, à la mesure des déconvenues de ses adversaires. C'est signe de bonne santé.

Ce n'est pas parce qu'il a, depuis si longtemps, inspiré les nations les plus créatrices et qu'il s'est retrempé, d'âge en âge, aux sources des cultures les plus hautes de l'Occident qu'il peut avoir perdu de sa vérité. Il faut avoir l'esprit mal fait pour penser qu'une philosophie perd de sa vérité au fur et à mesure qu'elle prend de l'âge. Il faut surtout n'avoir pas compris que le libéralisme constitue bien plus une attitude — une façon de penser, une façon de vivre — qu'une doctrine. Comment pourrait-il en être autrement d'une philosophie de la liberté ? Sur des thèmes philosophiques permanents, essentiels, elle se transforme librement et s'adapte à la culture de son temps dont elle s'efforce d'être l'interprétation théorique et pratique la plus accomplie, la plus lucide, la plus convaincante aussi.

Le fonds permanent du libéralisme, c'est une certaine conception de l'homme, qui est certes apparue à une certaine époque de l'histoire de l'Occident, mais qui a découvert une certaine vérité de l'homme, lorsque sa culture est devenue une culture humaniste, une culture de l'esprit et de la liberté : cette vérité permanente, c'est une vérité de l'homme en tant qu'homme, la vérité d'un être qui est esprit incarné et, comme tel, capable de liberté et capable de réflexion raisonnable, d'un être qui se nourrit de culture transmise et qui crée sa culture personnelle en participant au devenir de la culture de son temps, à sa façon, en dernière analyse, toujours différente et originale. Bien qu'elle se manifeste sous des espèces et dans des œuvres infiniment diverses et toujours nouvelles, cette vérité de l'homme n'appartient ni à un temps ni à un lieu. Elle fait partie de l'essence de l'homme. Être libéral, c'est adopter une certaine attitude par rapport à l'homme, qui est de tous les temps.

Sur le thème du libéralisme, il est bien naturel qu'il y ait indéfiniment des variations, des libéralismes adaptés aux circonstances. Autant dire que le libéralisme va de transformation en transformation. Et comme il n'est pas simplement une théorie, mais une pratique, une politique morale, il se transforme en réformant les affaires humaines : il est par nature réformateur. Comment en pourrait-il être autrement ? Le libéralisme n'est-il pas une pratique de la liberté, toujours créatrice de nouveautés, l'expression d'une culture engagée dans un devenir historique ? Plus encore : comment le libéralisme pourrait-il être jamais une doctrine statique, lui qui se donne des fins qui transcendent la réalité politique dans laquelle il œuvre, qui transcendent la communauté politique dont il fait partie : face au défi qui lui est ainsi sans cesse lancé, comment ne chercherait-il pas toujours de nouveaux moyens pour y répondre ? Il sait trop que les moyens dont il dispose ne sont que des moyens politiques, des moyens de puissance et de force et que, par conséquent, ils sont toujours inadéquats aux fins morales et spirituelles qui sont, par nature, ses fins essentielles.

Cette situation d'insatisfaction permanente, si humaine, le libéralisme la ressent, non comme une critique justifiée, mais comme une situation essentielle, comme une invitation au dépassement de ses œuvres déjà accomplies, mais aussi comme une invitation à la prudence, à la modération, à la mesure. La dure épreuve de leur insuffisance, de cet échec en esprit, mêle à la foi des libéraux en l'homme, en l'individu, en sa liberté réfléchie et, s'il se peut, raisonnable, une vision lucide, cynique et, après tout, sceptique, des moyens dont les hommes disposent et des conditions de leur vie politique où s'affrontent tant d'imprévisibles libertés par nature insatisfaites. Les libéraux pratiqueront donc des réformes prudentes ; ils les soumettront à l'épreuve des faits, ils les étaleront dans la durée pour n'en retenir, comme par décantation, que ce qui réussit. Ils n'oublieront pas qu'il ne s'agit pas de réformer pour réformer, mais pour conserver le meilleur. Le libéralisme est réformateur parce qu'il est conservateur.

On pourrait dire aussi bien qu'il est conservateur parce qu'il est réformateur. Lorsqu'il s'agit des affaires humaines, dépassement et conservation vont de pair. Hegel avait coutume de désigner ces deux opérations, cette double opération, d'un seul mot : *Aufhebung*. Comment faire face autrement à la nouveauté des inventions, grandes ou infimes, éphémères ou durables, locales ou bientôt généralisées, auxquelles se livre chaque individu dans son indéfinie liberté, tout au long de son existence, pour le meilleur ou pour le pire ? Ce qui doit être conservé, c'est l'essentiel, c'est ce qui fait en nous la force de notre nature d'homme. Les innovations portent toujours dans leurs manifestations historiques quelque chose de contingent qui affecte les événements et les circonstances. Aux meilleurs d'entre les hommes, d'en dégager, d'en sauver, d'en conserver libéralement ce qui est essentiel à l'homme et d'assurer sa permanence.

Comme tel, l'homme d'État libéral est fidèle à la mission de toute politique qui fut, d'abord, une politique de conservation. Ne consiste-t-elle pas à sauvegarder, à maintenir, un ordre réputé juste et à ne le transformer que pour le rendre plus juste encore, mieux conforme à son humaine finalité. Même le révolutionnarisme, dans son absurdité passionnelle, dans son aveugle démagogie, établit, dès qu'il est au pouvoir, sur les ruines de ce qu'il a détruit, le conservatisme le plus étroit, le dogmatisme le plus strict, l'orthodoxie la plus rigoureuse : qui n'est pas d'accord, qui n'est pas conservateur, pour le révolutionnaire au pouvoir, est un étranger, un aliéné, un malade mental.

Dans une philosophie de l'ordre vrai et de l'État parfait, comme parfois Platon l'a imaginé, la science politique, qui serait alors une science au sens strict, une science de la perfection, assurerait l'établissement et la conservation de l'ordre public, immuable dans sa perfection.

Le libéralisme, lui, qui est une philosophie de l'homme libre et imparfait, qui n'envisage qu'un ordre politique essentiellement imparfait et toujours à améliorer, dénie la possibilité d'une « science » politique et ses prétentions toujours néfastes qui tournent au totalitarisme ou, au mieux, à l'arrogance de la technocratie. Le libéralisme pratique, avec prudence et mesure, un art politique de dépassement et de conservation : afin de permettre à chaque homme de développer en liberté, au plus haut point et avec le plus de générosité possible, ses dons, l'homme d'État doit lui en fournir les conditions politiques et les moyens sociaux, en conservant les principes de l'ordre le plus humainement juste qu'il se pourra, en adaptant à chaque instant leur application au devenir toujours incertain et aléatoire de la culture de son temps.

DU MÊME AUTEUR

L'ESPRIT TOTALITAIRE, *Sirey.*
LES ILLUSIONS DE L'OCCIDENT, *Albin Michel.*
LE TOTALITARISME, *P.U.F.*

CLAUDE POLIN

LE LIBÉRALISME

PÉRIL

Première Partie

IL ÉTAIT UNE FOIS LA LIBERTÉ...
(Petite histoire de l'idée de liberté)

Tous les hommes n'ont pas toujours aimé la liberté. Nos contemporains croient et voudraient faire croire l'inverse, mais vingt ou vingt et un siècles d'histoire et de philosophie les démentent, sans compter les témoignages prodigués par le nôtre sur les charmes que la soumission présente pour beaucoup. Cela ne signifie pas que l'idée en ait été ignorée jusqu'à nos siècles, et qu'il n'y ait pas eu des hommes pour chercher le bonheur d'être libre : simplement, tous n'ont pas toujours donné le même sens à ces mots.

A parler de liberté, il faut donc avant toute chose en distinguer la figure moderne et la figure classique.

CHAPITRE I

LA LIBERTÉ DES ANCIENS

1. La liberté des Grecs.

Considérez les Grecs que nous décrivent les poètes et les philosophes, les orateurs et les tragiques de l'Athènes classique. La plupart croyaient qu'au-delà du monde qu'agitent les passions des hommes et celles aussi des dieux, il existait un monde où règnent l'ordre et la raison, le calme et la beauté, et qui était la vérité ou le modèle de celui dans lequel ils vivent. La plupart croyaient que les choses ont leur nature, que celle-ci existait avant eux et continuerait d'exister après eux, intelligible ou mystérieuse, mais toujours immuable. Ils croyaient en contempler l'image dans un ciel qui leur offrait le spectacle de ses révolutions tranquilles, toujours recommencées et, leur semblait-il, essentiellement harmonieuses. Sa beauté leur suggérait la bonté essentielle de l'ordre général de l'univers, et même si celui-ci leur demeurait souvent caché, ils n'en savaient pas moins qu'il leur serait profitable de tenter de le découvrir.

Certes ils n'ignoraient pas que si un crime se commettait, qui dût être puni, il fallait en découvrir l'auteur, c'est-à-dire le responsable. Mais comme la conviction les habitait que les affaires des hommes devaient être réglées conformément à un ordre naturel qui leur était propre, et que cet ordre était juste et salutaire pour tous, ils ne pouvaient imaginer qu'un homme pût volontairement le violer, c'est-à-dire être consciemment méchant. Ils n'ignoraient sûrement pas la place que la passion occupe dans la vie des hommes, eux qui se ravissaient au spectacle de ce qu'elle faisait faire à leurs dieux mêmes ; ils les ignoraient si peu qu'ils les nommaient destin, ce à quoi nul n'échappe. Mais ils proclamaient aussi par là que le mal, c'est-à-dire le désordre, est toujours le produit d'un aveuglement, d'une ignorance ou d'une impuissance. Lorsqu'ils cherchaient donc à établir une responsabilité, ils ne songeaient guère à se demander si l'auteur de l'acte était ou non un agent libre, la cause première, et à ce titre, responsable de part en part de ses actes, comme le feraient nos contemporains : ils voulaient d'abord savoir simplement par qui et en quoi l'ordre avait été troublé, de manière à le rétablir par la punition du coupable ; et pour cela il leur suffisait de ne pas douter de leurs valeurs et de savoir à qui imputer la faute. Quant à imaginer que l'acte fût l'effet d'une décision volontaire, c'est-à-dire libre, c'est-à-dire encore perverse, comment l'auraient-ils pu ? Le criminel était donc victime du destin, cette forme générique des passions des hommes, comme elles aveugles, et comme elles incompréhensibles ; on savait qu'il n'était peut-être pas vraiment coupable, mais n'en devait pas moins être châtié, comme l'attestent toutes les tragédies de l'époque. La responsabilité ne supposait pas la liberté ; cette idée intrigue et scandalise nos siècles : ils ne comprennent point qu'elle est seulement le corollaire de la foi en une nature, que nul ne songe consciemment à violer, et dont il faut simplement rétablir l'ordonnance lorsque les passions ou le hasard en dérangent l'harmonie.

De manière plus générale, l'homme qui croit en un ordre des choses naturel et bon est spontanément porté à croire aussi qu'il y participe à sa manière, c'est-à-dire qu'il y a une place, conforme à l'ordre général, et que cette place est sa nature propre. Quel sort pourrait lui paraître plus enviable que de vivre conformément à cette nature, c'est-à-dire que de devenir pleinement ce qu'il est fait pour être ? Il est dans la nature de chacun, disait Aristote, de devenir en acte ce qu'il est en puissance. Comment et pourquoi irait-il imaginer qu'il est dans la nature et dans l'intérêt de l'homme de disposer, comme on le pense en nos siècles, d'une liberté qui sait pouvoir ne pas refléter en lui l'ordre général, de mentir à sa nature, d'être autre que ce qu'il est ? A cet homme qui marche les yeux levés aux cieux, la liberté d'un moderne, c'est-à-dire cette capacité de n'avoir d'autre nature que celle que l'on se donne, est comme le puits dans lequel, tel Thalès, un malheureux hasard le fait quelquefois tomber. La liberté selon la tradition païenne, c'est, en profondeur, la nécessité comprise parce qu'elle est raison.

Pourtant l'homme de Démosthène, de Sophocle ou de Platon ne méprise pas la liberté, tout au contraire, il n'a de considération que pour l'homme libre. Il faut expliquer ce paradoxe, qui n'est pas si étrange. Dans le monde des anciens, il y a en effet place pour deux sortes de libertés.

D'abord, comment le principe de la distinction entre un monde des apparences et un monde réel ne se fût-il pas appliqué à l'homme même, dès lors que, s'il y avait des apparences, c'était précisément parce qu'il y avait en l'homme une certaine partie de lui-même qui s'y laissait prendre, mais aussi, puisqu'il y avait en lui la capacité d'y voir des apparences, une partie capable d'en déjouer les pièges ? Dès lors que la vérité pouvait être dissimulée par l'erreur, il fallait supposer en l'homme une double faculté, celle d'y tomber et celle d'y échapper. Dès lors que l'homme pouvait vivre dans deux mondes, dont l'un seul était bon pour lui, il fallait qu'il y eût deux hommes en l'homme, chacun fait pour vivre dans l'un des deux, et donc l'un noble et l'autre vil, l'un fait pour commander et l'autre pour se soumettre. L'homme se concevait donc non comme un être achevé d'emblée, mais comme un être qui doit faire effort pour devenir ce qu'il est, comme un être qui n'est pas naturellement parfait. Il y avait place dans le monde des anciens pour ce que les chrétiens appelleront l'humilité, c'est-à-dire qu'il y avait place pour l'idée que l'homme libre était celui qui ne laissait pas commander en soi à cette partie de soi qui n'était pas faite pour commander, et qu'il ne pouvait y avoir qu'asservissement à soumettre en soi la partie naturellement faite pour commander à la partie naturellement faite pour obéir. Être libre, en un mot, c'était apprendre à se libérer : la dimension de l'intériorité était une dimension essentielle de la liberté, et l'esclave pouvait être plus libre dans ses chaînes que le tyran à la tête de la cité.

Et dès lors, comment imaginer que cet homme capable de maîtrise de soi, c'est-à-dire convaincu d'avoir à jouer son rôle dans un ordre général des choses, ne fût pas par là même un homme sociable ? Il eût été étrange que l'homme fût doué de parole, et que la société de ses semblables ne fût pas dans l'ordre des choses. L'homme solitaire, dit Aristote, est une brute ou un dieu. Non pas que les autres hommes soient pour chacun ce démiurge individuel ou collectif, tantôt bienveillant tantôt criminel, que nos modernes veulent si souvent qu'ils soient : rien de plus étranger à l'idée grecque de la sociabilité que cette sorte d'intrusion, nocive ou bénéfique selon les cas, mais toujours irrésistible et décisive, de l'autre dans la conscience la plus intime de chacun ; nulle trace chez eux de ces forces d'anthropogenèse dont l'invention fit la fortune d'un Marx ou d'un Freud. La nature voulait que l'homme vive dans une cité, image prochaine de l'ordre général des choses, dont il fût une partie organique, c'est-à-dire un citoyen. Encore fallait-il, pour que cette société eût un sens, que les citoyens pussent se connaître les uns les autres : aux yeux d'un Grec, une société de millions d'individus eût été un non-sens. Encore fallait-il donc que cette cité ne se confondît avec aucune autre, c'est-à-dire qu'elle fût libre. Ainsi pour les Grecs la liberté n'était pas seulement intérieure, mais c'était alors une liberté collective, ce que nos siècles ne peuvent plus guère comprendre : être libre c'était ne subir aucun joug étranger. Catégorie sociale et juridique, la liberté était encore une catégorie politique. Être libre consistait donc à se plier à toutes les obligations que la société impose.

2. La liberté des chrétiens.

Le christianisme surgit au crépuscule du monde grec, et avec lui cette liberté dont Dieu fit la grâce à l'homme pour qu'il connût l'épreuve du péché. Pourtant, quoique sa figure fût en partie nouvelle, cette liberté ne laissa pas de parfaire, en lui empruntant l'essentiel de ses traits, celle que lui avaient façonnée les Grecs.

Le chrétien mit certes la liberté au centre du monde : l'univers résulte d'un acte de souveraine liberté, la création ; Dieu crée l'homme à son image, c'est-à-dire libre ; et la liberté de la créature est aussi totale que celle de son créateur, quoique non parfaite, puisqu'elle peut être en l'homme puissance de mal. Là où les anciens voyaient surtout une qualification juridique ou politique, les chrétiens virent donc une qualité ontologique et morale : l'homme se définit désormais par cette liberté qui fait de lui un être responsable et moral ; ce fut sa dignité en même temps que sa croix d'être libre.

Pourtant ils comprennent bien mal le christianisme, ceux qui voudraient qu'avec lui et grâce à lui, l'humanité ait changé d'univers, et que dans les profondeurs de la Révélation ait mûri souterrainement la révolution dont serait sorti le monde occidental contemporain. Certes, l'homme fut proclamé libre comme il ne l'avait jamais été auparavant, mais sa liberté ne le détourna pas du monde antique : elle n'était pas encore celle des modernes.

C'était en effet par amour pour l'homme que Dieu lui avait donné la liberté : si l'homme avait été fait libre, c'était pour qu'il pût participer volontairement à l'œuvre divine, se joindre de volonté à Dieu, être en quelque sorte son coadjuteur en intention, et devenir ainsi aussi admirable qu'une créature peut l'être. La liberté de l'homme devenait le signe de la bonté de Dieu comme de la bonté de son œuvre. Ce que le christianisme découvrit, ce fut donc moins la liberté que l'amour (la charité) : l'homme n'était libre au fond que pour mieux exprimer la conscience qu'il avait de la bonté divine et le gré qu'il en savait à Dieu.

Ainsi le christianisme renouait-il à sa manière avec la tradition grecque, et avec le triple caractère qu'avait pour elle la liberté humaine. L'amour divin donne à l'homme la possibilité de devenir parfait en tant qu'homme, mais celui-ci ne peut prétendre à cet accomplissement qu'en consacrant sa liberté à trouver — ou retrouver — les voies que Dieu lui a préparées : plus il fait un bon usage de sa liberté, et plus il s'incorpore à l'ordre éternel voulu par Dieu. Aussi, entre le Grec qui, au travers du voile des apparences, ou par-delà la menaçante fabrique des forces obscures du destin, pressent et quelquefois recherche l'existence d'une réalité lumineuse et intelligible, et puis le chrétien qui, du fond du péché où sa liberté l'a jeté, entend la voix de Dieu lui dicter la Loi, il n'y a pas la différence que l'on imagine d'ordinaire ; il y a seulement le fait que l'Amour est au principe du monde plutôt que la simple Beauté ou la simple Raison, et il y a en conséquence le fait que le salut, c'est-à-dire la réconciliation de l'homme avec l'Éternel, est désormais ouvert à tous, car tous les hommes peuvent aimer alors qu'il en est peu à pouvoir comprendre. Seuls quelques Grecs pouvaient accéder à la sagesse, comme seuls quelques chrétiens peuvent accéder à la béatitude : mais tous les hommes savent aimer, ou peuvent être touchés par l'amour. La philosophie grecque était celle d'une élite, et laissait le plus grand nombre dans l'horreur craintive de divinités sanglantes, vindicatives et imprévisibles ; il était de l'essence du paganisme que l'univers y fût inintelligible comme un théâtre rempli de choses sans nom et où s'agitent incessamment les ombres de la mort, du sexe et du sang. On ne s'émerveillera jamais assez de ce que certains surent y voir un simple théâtre d'ombres, et n'eurent de cesse qu'ils n'entrevissent le monde ensoleillé et transparent où resplendissait la raison des choses. Mais il fallut un miracle peut-être plus grand encore pour qu'il fût donné à tous, simplement par l'humble usage de leur cœur, de pénétrer ce même monde, c'est-à-dire de devenir libres (1).

(1) Très curieusement, ce sont les mêmes idées que l'on peut d'une certaine manière trouver encore jusque dans l'hérésie protestante. C'est en effet selon l'esprit du christianisme un dogme hérétique que le dogme de la prédestination, parce qu'il méconnaît l'amour que Dieu porte aux hommes et fait de la divinité un être implacable et distant ; mais s'il est hérétique, c'est qu'il s'enracine dans une vérité tout à fait catholique : si Dieu est parfait, c'est aussi en tant qu'il possède, d'une manière qui demeure d'ailleurs mystérieuse, la faculté de sonder les cœurs lors même qu'il les laisse libres. Luther eut certes le tort, en tant que catholique, d'ôter à l'homme la capacité d'imiter Dieu volontairement, et à Dieu celle d'aimer à ce titre sa créature ; mais ce n'était pas un tort de rappeler à tous que leur vraie vocation était la soumission à l'ordre du monde, en tant que celui-ci est le produit de la volonté divine. Luther ôta à cette soumission ce qu'elle avait de noble et d'intelligent, et il en trahit l'esprit ; mais il demeure comme le symbole de ce que le monde vraiment chrétien, jusque dans ses hérésies, ne peut sans médiation être appelé à la paternité du monde moderne, en général, et plus particulièrement à celle de l'idée moderne de liberté. L'amour avait remplacé la contemplation

L'intuition originelle étant la même, il n'est donc pas surprenant que la liberté chrétienne ait également hérité des deux autres caractères de la liberté grecque.

Et d'abord la définition de la liberté comme liberté d'abord intérieure, c'est-à-dire comme capacité de maîtrise de soi, capacité à laquelle l'idée de péché donnait évidemment une dimension ou une profondeur nouvelle, mais dont elle ne constituait qu'un approfondissement. Si la liberté a été donnée à l'homme pour qu'il soit cause responsable du bien et du mal qu'il peut commettre, et puisque l'homme n'est pas maître de l'idée du bien et du mal, c'est qu'il y a en l'homme une partie qui tend au bien et une autre qui tend au mal. Le christianisme plante donc au cœur de l'homme, comme un aiguillon brûlant, l'exigence d'un dépassement de soi en tant que capable de mal, et d'accomplissement de soi en tant que capable de bien ; il met l'humilité en son cœur, c'est-à-dire la conscience de n'être pas parfait et de ne peut-être jamais pouvoir l'être, mais de devoir y tendre ; il le laisse être méchant, mais maintient en lui le feu flamboyant du remords ; toutes choses qui se résument dans le dogme du péché originel, marque de la finitude actuelle de l'homme, mais aussi de sa grandeur potentielle. La liberté de l'homme ne peut donc s'accomplir que dans le renoncement de l'homme à une partie de soi, précisément cette partie qui pourrait se passer de Dieu parce qu'elle est en l'homme dévotion exclusive à soi-même : la liberté chrétienne, comme la liberté des Grecs et pour les mêmes raisons, est une ascèse, au terme de laquelle l'homme nouveau se libère de la prison du vieil homme, de celui qui idolâtre ses passions, qui idéalise ce qu'il a de subjectif et de particulier comme si c'était là une valeur absolue, et non la simple conséquence de l'incarnation de l'esprit.

Et c'est pourquoi la liberté des chrétiens ne pouvait pas ne pas être toute pétrie de sociabilité. Si être libre c'est aimer Dieu, être libre c'est aimer les hommes, car les hommes portent la marque de Dieu. Et comme ce qu'il y a d'aimable dans son prochain est ce qu'il y a en lui de semblable à Dieu, comment ne pas vouloir qu'en son prochain resplendisse cette image ? Comment les chrétiens ne se seraient-ils pas aidés les uns les autres à être le reflet toujours plus fidèle de ce que tous, dans le silence de leurs passions, ont pour nature d'admirer, et de vouloir contempler ? La

(sans l'exclure, puisque le christianisme a ses mystiques comme la Grèce ses sages) mais, amour ou contemplation, la liberté humaine avait pour bornes, pour fin et pour norme la vie conforme à la nature. La liberté des modernes, c'est au contraire la volonté de remodeler cette nature, si tant est qu'elle ne consiste pas dans l'acte de la créer.

logique de la pensée chrétienne conduisait ainsi à assimiler le bon exercice de la liberté au développement des liens sociaux : pour le chrétien comme pour le Grec, l'homme solitaire ne pouvait être qu'une brute ou un dieu. Être libre, c'était être un bon père, un bon voisin, un bon citoyen, un bon compatriote.

Les notions grecques ou chrétiennes de la liberté régnèrent presque sans partage sur l'Occident pendant les dix-huit premiers siècles de l'ère chrétienne. Cependant, dans les deux ou trois derniers siècles de leur empire, un long travail de sape s'opéra sur leurs fondements, et lorsqu'enfin elles s'abattirent, sur leurs ruines se dressa une figure toute nouvelle : la liberté des modernes. Comprendre pourquoi elle fut façonnée est en quelque sorte l'objet même de cette enquête. Mais avant de tenter de découvrir le sculpteur, il convient de décrire l'idole, qui a trois visages. Car la modernité fut le théâtre d'une triple lutte, sourde et obscure, le plus souvent inconsciente, mais bien réelle, pour une nouvelle liberté, ou pour trois nouvelles libertés, pour la liberté spirituelle, pour la liberté politique, et pour la liberté économique. Il est certain que la lutte ne fut ni pensée systématiquement, ni par conséquent coordonnée. Il n'en est pas moins possible de faire ressortir qu'elle poursuivit un objectif identique, procédant de la volonté de substituer à une liberté définie essentiellement comme soumission à un ordre du monde, et donc comme sociabilité et maîtrise de soi, une liberté fondée sur la négation de tout ordre préétabli, et entraînant par conséquent une nouvelle conception des rapports de l'homme à l'homme et de l'homme à soi-même.

CHAPITRE II

DIEU EST MORT, VIVE LA LIBERTÉ
OU
LE LIBÉRALISME INTELLECTUEL

Considérons d'abord ce qui en vint progressivement à être appelé la liberté de pensée. Elle représente un des premiers visages sous lesquels la liberté des modernes se manifesta à la conscience. Au nombre de ses avatars, l'on peut compter dès le XIᵉ siècle la querelle des universaux ; après le nominalisme, au XIVᵉ siècle, la naissance de la science expérimentale ; au moment de la Réforme, la revendication du droit au libre examen ; au XVIIᵉ siècle, la campagne pour la tolérance ; au XVIIIᵉ siècle enfin, le triomphe de la libre-pensée. Chacun de ces événements, pris isolément, n'est rien : pris ensemble, ils constituent les signes visibles de la gestation secrète de cette idée nouvelle de la liberté dont l'Occident accouchera comme d'une nouvelle Minerve, d'emblée adulte, au Siècle des Lumières.

La querelle des universaux doit être considérée comme un des premiers spasmes de cette parturition de trois ou quatre cents ans. Il ne s'agissait en apparence que de savoir si une idée générale, comme l'idée d'arbre, était autre chose qu'un simple signe auditif permettant une désignation rapide mais grossière de tel ou tel arbre, chacun étant en réalité un être singulier, irréductible à sa ressemblance avec d'autres. Mais le débat portait secrètement plus loin. Car on avait jusqu'alors compris les concepts, non pas comme de simples titres superposés à des collections d'individus similaires, mais comme la traduction sur le plan de l'intellect humain, de l'existence d'une réalité commune à tous ces individus, et constituant en quelque sorte leur principe, leur raison d'être, ce que l'on appelait leur essence. On avait jusqu'alors vécu dans un monde foncièrement platonicien, où les êtres concrets n'avaient de réalité que dans la mesure de leur participation à celle de l'idée éternelle qui leur correspondait et dont ils étaient l'image mobile temporelle. Le christianisme n'avait d'une certaine manière rien changé à cette représentation des choses (1). A présent au contraire, c'est à elle que l'on s'attaquait. En ôtant toute épaisseur ontologique aux concepts, on ôtait sa réalité à l'ordre du monde, et toute vraisemblance à l'idée qu'il portait un ordre, c'est-à-dire une fin, accessible à l'intellect humain ; on le réduisait ainsi à l'état de vaste conglomérat d'êtres absolument singuliers, entrant en interaction les uns avec les autres chacun selon ses lois propres.

Le fruit de ces idées mit deux siècles à mûrir : ce fut le nominalisme philosophique qui, sous la plume d'Occam, établit la liberté sous la forme très provocante et très moderne d'une liberté d'indifférence. Le christianisme avait certes reconnu la nécessité, pour donner de la moralité aux actions humaines, d'admettre en l'homme la capacité de n'être pas déterminé par l'idée de bien, et d'y être par conséquent d'une certaine manière indifférent : à cette condition seulement pouvait-il lui être compté comme un mérite de lui obéir. Néanmoins, le christianisme, faisant en cela acte d'allégeance à l'Antiquité, n'avait jamais cessé de croire en une nature à la fois des choses et des hommes. Loin d'être contradictoires, les deux idées formaient système : l'homme eût-il été parfait qu'il eût été d'emblée conforme à sa propre nature ; mais l'homme ayant péché, sa faute l'avait en quelque sorte jeté hors de soi : il lui appartenait donc d'en être responsable, c'est-à-dire de pouvoir choisir de vivre hors de soi, sans qu'il fût nécessaire pour autant d'imaginer qu'il devait, pour être vraiment responsable, ne nourrir aucune propension à recouvrer son être véritable. Totalement libre de ne pas accomplir sa propre finalité naturelle, il ne laissait pas d'en avoir une : il pouvait donc être libre d'une bonne et d'une mauvaise liberté. Le nominalisme naquit sur les ruines de la foi en une nature des choses ou en un ordre général du monde, en un sens naturel de l'univers duquel se déduisît pour chacune de ses parties sa finalité naturelle, c'est-à-dire son essence. Il ne pouvait dès lors plus y avoir deux formes de liberté pour l'homme, non plus que de milieu entre être ou n'être pas absolument libre, c'est-à-dire indéterminé à agir en quelque sens que ce soit. Aussi bien pour Occam et derrière lui pour tout le nominalisme, la moralité d'une action consista dans le respect d'une loi, imposée, comme un impératif absolu et sans autre fondement que d'être la

---

(1) La principale différence avec la conception grecque concerne la définition de l'individualité humaine. Dieu, pour les chrétiens, a créé des hommes à son image, mais chaque créature est individualisée non seulement par la matière (son corps) mais par sa forme (son âme).

nue volonté de Dieu, à une liberté elle-même absolue et choisissant d'obéir d'une manière finalement entièrement arbitraire. Les bases étaient jetées d'une conception de la liberté comme pouvoir de commencement absolu, comme autonomie radicale, essentiellement étrangère à la mentalité et des anciens et même des chrétiens. Occam entendait glorifier Dieu plus encore que l'Église ne le faisait, en lui donnant la puissance de n'être asservi à rien que l'homme pût comprendre, c'est-à-dire en étant au regard de l'homme essentiellement arbitraire. Mais l'absolu même de cette transcendance était porteur de sa propre négation, d'autant que, corrélativement, l'homme devait, pour être une créature morale, être doué d'une égale puissance d'arbitraire. Le décor était prêt pour une émancipation radicale, c'est-à-dire laïcisante ou athéisante, de la liberté humaine, sous la forme d'une liberté dite d'indifférence ou d'indétermination ; car il suffit alors que la Foi se desséchât au cœur de l'individu, ce qui ne pouvait manquer d'advenir puisque sa Foi même lui enseignait à quel point Dieu lui était étranger, pour que sa liberté lui apparût désormais comme une capacité de faire ce que bon pouvait lui sembler, c'est-à-dire de faire n'importe quoi.

L'idée d'une « scienza nuova » suivit naturellement de ces prémisses. On était passé d'un univers essentiellement intelligible parce qu'organisé comme un tout, c'est-à-dire ordonné dans toutes ses parties par rapport à une fin, à un univers essentiellement éclaté en parties innombrables, sans liens nécessaires les unes avec les autres, parce que chacune constituait un être à part entière que l'on ne pouvait réduire à aucune ressemblance avec une autre sans la mutiler dans sa réalité authentique. Ce monde réclamait évidemment une autre sorte d'intellection que par le passé. Jusqu'alors on avait cru que comprendre une chose c'était d'abord en comprendre la forme et la matière, puis encore la cause productive ou, pour parler comme Aristote, la cause efficiente, et enfin et surtout la cause finale : comprendre vraiment une chose, c'était en comprendre la fin. Désormais cette causalité apparaît obscure et verbale. Ce qui n'a rien que de naturel : le monde lui-même n'a plus de fin, mais seulement des causes. On ne peut plus espérer en percer le sens, puisqu'il n'en a plus : on peut seulement observer ce qui s'y passe. Si l'on y observe des constances, des régularités, on estimera progresser dans sa connaissance ; si l'on peut répéter, reproduire artificiellement cette régularité, on dira qu'une connaissance est désormais vérifiée : on aura inventé l'expérimentation. Dès lors, le vrai savoir n'est plus philosophique ou idéologique, mais scientifique au sens moderne du terme. On dira évidemment que la science n'exclut ni l'idée d'un ordre

naturel des choses ni par conséquent l'idée de vérité, comme adéquation de la théorie scientifique à cet ordre. Sans nul doute.
Encore faut-il comprendre que toute vérité scientifique est alors
éminemment provisoire, parce que toujours plus ou moins partielle : précisément parce que l'ordre qu'elle introduit dans les
phénomènes est un ordre mécanique et non un ordre finalisé,
c'est-à-dire un ordre qui n'a pas de sens, on ne peut jamais
embrasser assez de phénomènes pour être sûr, à propos d'un fait
quelconque, d'en avoir isolé toutes les causes possibles. C'est ce
que Hume exprimait à sa manière en disant que n'importe quoi
peut produire n'importe quoi. La vérité scientifique des modernes
c'est le contraire de la vérité des anciens. En dépit des apparences,
le désordre universel est définitif pour le savant, qui est comme
un aveugle progressant à tâtons et satisfait seulement de pouvoir
continuer son tâtonnement. L'absence de tout ordre des choses
interdit à jamais de penser que l'on puisse avoir une connaissance
vraie d'une partie seulement du tout, puisqu'il n'est pas certain
qu'il y ait un lien quelconque entre cette partie et le tout. La
reconstruction de l'animal à partir d'une vertèbre n'est possible
que si l'on présuppose l'organicité de l'animal. Jamais la tradition
n'avait maintenu que l'homme pût posséder la vérité entière ;
mais sa foi en l'intelligibilité des choses lui donnait la certitude de
pouvoir détenir des vérités partielles. Ambitions désormais vai-
nes, le monde n'étant plus qu'un agrégat dont il n'est pas sûr qu'il
y ait une vérité.

Par une conjonction apparemment contingente, la Réforme
vint prêter ses clameurs à ces grondements encore souterrains.

A n'écouter que Luther ou Calvin, on voit mal quelle pierre la
Réforme a pu apporter à l'édifice de la liberté moderne. Leurs
sombres propos ne semblent avoir qu'un but : persuader l'homme
de l'insondable profondeur de sa déchéance et de son indignité, le
remplir du sentiment de son écrasante impuissance, et en rabais-
sant la créature plus bas que terre, ne lui donner d'autre ambition
que la mortification et l'attente angoissée de la grâce. Le péché a
jeté l'homme dans un monde obscur où Dieu ne paraît plus, et où
il est condamné à errer sans autre certitude que celle de la rigueur
du châtiment. Il a ôté à l'homme le pouvoir de bien faire, de penser juste, de rien savoir de vrai : qui donc oserait dire libre un être
dont tout acte est nécessairement vicieux ? Qui oserait soutenir
que cette corruption est capable de se racheter elle-même ? Dieu
seul peut le décider ; quant à l'homme, créature dominée par ses
passions, par ses vices, possédée par le mal, que pourrait-il avoir
de mieux à faire que de trembler pour éviter de pécher ?

C'est pourtant à concevoir la liberté de la manière la plus

extrême que conduisait la conviction que l'homme n'était point libre mais prédestiné. Car il fallait être Luther ou Calvin pour conserver la volonté de plaire à un Dieu si lointain, si irrémédiablement transcendant, qu'il était impossible de jamais savoir quand on lui déplaisait. Ce Dieu terrible laissait en quelque sorte l'homme à soi-même, et pénétré du sentiment de ne pouvoir rien faire pour devenir meilleur. Ce que sa déréliction même avait de radical devenait ainsi pour la créature la raison de ne plus chercher à en sortir. A moins d'une foi dévorante, il devenait bien tentant pour elle de se laisser aller à ses passions et à ses désirs, puisque de toute manière, on la persuadait qu'il n'était pas à sa portée de se laver du péché, et qu'en sus, la grâce divine, insondable et mystérieuse, pouvait la toucher quoi qu'elle fasse. Ainsi, en dernière analyse, c'est la servitude même de son arbitre qui incitait la créature à s'abandonner aux caprices de sa sensibilité, et bientôt, pour une contamination ultérieure entièrement logique, à prendre pour liberté sa propre licence. La Réforme contribua ainsi, quoique évidemment sans le vouloir à l'origine, à discréditer l'assimilation typiquement classique de la liberté à une libération, et à accréditer au contraire la définition, typiquement moderne, de la liberté comme pur libre arbitre, c'est-à-dire comme capacité d'arbitraire, comme simple capacité de faire ce que bon semble.

Ce à quoi le pécheur était encore déterminé d'une autre manière, peut-être plus connue : car la Réforme voulut d'abord être celle de l'Église catholique, dont les réformateurs contestaient le rôle médiateur entre le croyant et son Dieu. L'objet le plus célèbre de la Réforme, on le sait, fut de reconnaître à tout homme la liberté d'interpréter selon sa conscience la parole divine. Mais comment ne pas voir qu'en affirmant que Dieu parle directement à tout homme, on faisait de chaque homme un arbitre de la arole de Dieu ? Luther ou Calvin, dont la foi était indubitablement profonde — on connaît la sombre intensité du luthérianisme, la violence désespérée de l'ascétisme calviniste — ne voulurent pas voir que, semée en des âmes plus faibles, cette idée engendrerait progressivement et irrésistiblement la conviction que Dieu habite tout homme, et par conséquent bientôt la conviction que tout homme est Dieu. La foi ne brûlant pas aussi ardemment dans l'âme de leurs disciples que dans celle des maîtres, la Réforme se trouva avoir accouché d'un homme différent en tout de ce qu'il avait été jusqu'alors. Elle avait semé le germe d'un orgueil métaphysique dans des âmes auparavant pénétrées d'humilité, la conscience de l'imperfection et de la transcendance du modèle achevé céda la place à la certitude de la perfection immédiate.

Puisqu'à présent Dieu parle à chaque homme, pourquoi chaque homme ne serait-il pas désormais possédé d'une absolue confiance dans la valeur de son propre jugement et de ses propres idées ? A tout homme sûr de soi, sa vérité. Et par là même, sa propre loi : car quelle autre loi que la sienne, ou que celle qu'il accepte librement, peut convenir à l'homme qui possède la dignité suprême d'être le confident de Dieu ? La créature se définit désormais par son autonomie, ce qui signifie surtout par sa fierté d'être ce qu'elle est précisément, dans toute la singularité que lui confère sa subjectivité : c'est à moi, qui ai tel goût, tel penchant et telle passion, que Dieu parle. Totalement content de soi, totalement autonome, et totalement certain de la valeur de sa subjectivité, l'homme réformé n'est plus un homme simplement revenu à soi, c'est un autre être.

Le XVIIᵉ siècle vit apparaître le thème de la tolérance. La Réforme avait engendré la guerre des dogmes, qui ne demeura pas longtemps abstraite. Le sang coula et le sang répandu appela à répandre le sang, d'autant plus passionnément que la guerre était d'abord civile. Il parut génial et raisonnable de demander, comme le fit Locke dans une Lettre mémorable, à la fois que l'on respectât la religion et que l'on ne confondît plus le for interne et la place publique, les convictions qui ne regardent que la conscience individuelle et les coutumes ou les conceptions nécessaires à la vie en commun, la Foi et le fanatisme. Il sembla que l'on pouvait légitimement prêcher la coexistence pacifique des religions, sans demander aucun sacrifice à la ferveur religieuse, simplement en rendant à César ce qui appartenait à César, et à Dieu ce qui était à Dieu. En réalité le scepticisme, et bientôt l'athéisme, dormaient dans la tolérance comme l'ivresse dans le vin. Car être tolérant suppose nécessairement soit qu'on ne tienne aucune idée pour plus particulièrement vraie qu'une autre, soit qu'on tolère ce que l'on tient pourtant, en tant que précisément on la tolère, pour une erreur. La tolérance apparut généreuse, parce qu'on y vit la patience qu'il est en effet humain et bon d'avoir à l'égard de qui a d'autres idées que soi ; mais on ne prit pas garde si cette patience était celle du pédagogue pour le disciple qui apprend, ou celle du sceptique qui supporte parce que cela ne lui coûte rien. Or il est difficile d'imaginer conviction qui ne soit prosélyte, certitude qui ne cherche à se communiquer. Sans doute il y a des intolérances brutales, stupides, absolument condamnables. Mais elles ne doivent point être confondues avec la conviction douce qui s'efforce de persuader en suivant l'ordre des raisons. Ainsi toute tolérance doit envelopper l'espoir de convertir, sous peine de n'être que le signe de l'indifférence, ou plus encore du doute sur la validité absolue de toute espèce d'idée. Lorsqu'on proclame que chacun a sa vérité, et qu'il faut les respecter toutes, pourvu que chacun les garde pour soi, c'est que l'on juge *in petto* qu'il n'est pas d'idée susceptible de convaincre tous les hommes, et qu'ainsi tout effort pour en faire une vérité officielle implique nécessairement l'usage de la violence. En un mot, dire que toute intolérance est tyrannique, c'est dire de manière compliquée et oblique qu'il n'y a pas de vérité.

Ainsi, au terme de cette longue genèse, la liberté dont on se représenta qu'elle devrait être celle de l'esprit ou de l'intelligence, fut tout entière différente de celle à laquelle les hommes avaient jusqu'alors aspiré : elle incarna ce que les Grecs auraient appelé « ubris », et que les chrétiens appellent toujours « orgueil ».

Son principe premier, c'est en effet l'idée qu'il n'existe plus d'ordre des choses accessibles (au moins en partie) à la raison humaine, dans lequel l'homme ait sa place et auquel il ait non la nécessité mais le devoir de se conformer, pour autant qu'il dépende de lui. Au contraire, l'homme est en quelque manière laissé entièrement à soi, ce qui fait qu'il en est nécessairement réduit à prendre pour fins toutes celles qu'il veut bien s'assigner à soi-même, sans qu'aucune soit susceptible de l'emporter sur une autre autrement que par le libre décret de sa volonté. De la sorte, si l'homme n'est pas nécessairement content de ce qu'il fait ou est effectivement dans le monde, il est pourtant en quelque manière ontologiquement satisfait de soi : puisqu'il n'a d'autres fins que celles qu'il choisit de se fixer, il ne peut par définition faire d'erreur en les choisissant ; du simple fait que son libre arbitre est total, il ne peut pas ne pas être immédiatement tout ce qu'il peut être : il est ontologiquement infaillible ; il est donc tout simplement parfait.

Du sentiment de cette perfection suivit tout naturellement la conviction que chacun avait un droit naturel à juger de tout, et en dernière analyse par soi-même : ce qu'on nomma la liberté de pensée s'identifia tout naturellement à la faculté d'exercer une véritable souveraineté intellectuelle. On déclara d'abord que chacun avait droit à ne tenir pour vrai que ce qu'il jugeait évidemment être tel ; chacun étant juge de cette évidence, ce fut bientôt une tentation irrésistible (on voit mal au nom de quoi on y eût résisté) pour tous ceux à qui une vérité échappait, ou bien qu'une vérité gênait, d'en contester la validité et de se poser en maîtres de la vérité ; bientôt on eut tendance à penser que chacun pouvait avoir sa vérité, ou que, ce qui revient au même, toute idée qui n'était pas accessible à tous ne pouvait être tenue pour vraie. Cette liberté reconnue à tous d'avoir sa vérité n'entretient évi-

demment aucune mesure avec la capacité à juger des apparences
en quoi consistait pour la tradition la vraie liberté : celle-ci
était soumission virtuelle à la vérité, conçue comme une réalité
indépendante de l'adhésion des hommes, de sa reconnaissance
par eux, de son accessibilité à tous ; celle-là préfigure dans la
sphère intellectuelle la souveraineté que l'individu va réclamer
dans la sphère politique.

Dans cette liberté, on peut ainsi pressentir toutes les autres.
Dans ce seul caractère, les autres sont déjà dessinés comme en
creux.

Cet homme dont la pensée n'est plus naturellement ordonnée à
la saisie d'un sens objectif des choses et de soi-même, est mûr
pour se comprendre comme pure indétermination et pour se vouloir comme tel. Car il ne conçoit plus avoir une nature, c'est-à-
dire il ne se conçoit plus comme un être dont toute la liberté
consiste dans l'accomplissement de fins qui lui sont données par
nature. Et dès lors, être pour lui ne peut plus consister que dans la
seule capacité à être précisément tout ce qui lui semble bon
d'être ; être, pour lui, c'est être capable de décider en tout, c'est-
à-dire finalement de choisir librement jusqu'à l'être même qu'il
veut être.

Comment donc cet homme n'éprouverait-il pas une propension
naturelle à considérer la raison seulement comme l'un des principes possibles de son action, au même titre que n'importe quel
autre, et non plus comme son principe suprême ? Si l'homme était
déterminé par la raison, entend-on, il ne serait plus libre. Certes.
Cependant, si l'on conteste qu'il soit dans la nature de l'homme
d'être libre tout en obéissant à la raison, c'est-à-dire d'être porté
par une vocation naturelle à lui obéir, on fait que la raison devient
pour lui un simple mobile parmi d'autres, ravalé au même rang
que le caprice, le désir ou l'impulsion. A moins que plus brutalement encore, tout simplement mise au service de ces derniers, son
statut désormais ancillaire soit consacré sous le nom d'entendement et non plus de raison : être raisonnable consiste alors pour
l'homme non plus à savoir maîtriser ses caprices, ses impulsions,
et en général ce qu'il y a d'irrationnel en lui, mais à savoir reculer
suffisamment la satisfaction de son propre désir de manière à
l'assouvir plus sûrement, quoique plus tard.

Ce qui revient à dire qu'il y a chez ce même homme une propension naturelle à assimiler sa liberté à une capacité de faire ce
qui lui plaît, c'est-à-dire à la licence. Certes, il ne s'agit pas d'une
fatalité, et rien ne l'empêche de se fixer les fins les plus nobles.
Mais dans la mesure même où sa liberté est capacité de pure indétermination, on voit mal comment il ne serait pas tenté de se juger

libre lorsque ses actes ne sont pour lui la source d'aucune
contrainte, d'aucune gêne, plutôt que lorsque ses actes lui imposent peine, labeur et déplaisir. De la conviction d'une perfection
intime au simple hédonisme, il y a continuité métaphysique.

Cette même conviction équivaut encore à la disparition du sens
de l'intériorité. Celle-ci n'existe que comme distance entre
l'homme tel qu'il est et l'homme tel qu'il sent lui-même qu'il
doit être : elle est l'expression psychologique d'un dualisme ontologique. Lorsque l'individu se saisit comme un être capable de
choisir librement sa nature, parce que n'ayant d'autre nature
que celle qu'il se donne, cette sorte de distance de soi à soi disparaît.

D'où cette conséquence considérable que sa liberté tend à se
porter tout entière au for externe. L'homme de la tradition tendait
à se représenter sa vie comme une lente ascension le hissant progressivement au-dessus du brouillard des apparences, et par
conséquent aussi comme une difficile recherche et une lente révélation de sa vraie nature ; quelque insatisfait qu'il fût dans sa vie
quotidienne, cette insatisfaction ne pouvait pas ne pas garder
quelque chose de superficiel ou de secondaire : il voulait toujours
se changer plutôt que le monde. L'homme moderne au contraire,
puisque son être même consiste à vouloir être tout ce qu'il veut
être, puisqu'il est pure virtualité, puisqu'il n'existe plus d'ordre
surnaturel des choses par rapport auquel se définirait sa vraie
nature, ne peut pas ne pas être immédiatement tout ce qu'il peut
être ; il ne peut donc pas ne pas être essentiellement insatisfait dès
l'instant que sa situation ne correspond pas à ses désirs ou à ses
rêves : exactement à l'inverse de ses ancêtres qui se contentaient
volontiers d'une certaine médiocrité parce que leur sort leur
paraissait dépendre plus de ce qu'ils étaient que de ce qu'ils
avaient, c'est précisément parce qu'il est si content de ce qu'il est
qu'il peut être si malheureux de ce qu'il a. D'où chez lui une propension caractéristique à mépriser le connaître au bénéfice de
l'agir.

D'où par conséquent encore cette autre propension, si manifeste
depuis deux siècles, à rendre l'univers responsable de ses malheurs. La liberté de l'homme moderne, étant tournée non plus
vers l'intériorité mais d'abord vers l'extérieur, est comprise surtout comme une capacité à modeler son environnement ; et
comme cet environnement est fait et de choses et d'hommes, la
liberté des modernes tend naturellement à être d'une part maîtrise
de la nature, et d'autre part indépendance par rapport à autrui,
chacun se jugeant d'autant plus libre qu'il est moins dépendant
des autres. On voit ainsi comment, si l'homme ne parvient à éle-

ver assez haut le mur de sa vie privée, ce désir d'indépendance
risque toujours de prendre la forme d'une aspiration, jamais entièrement satisfaite, à la domination sur autrui ou, à défaut, à une
radicale égalité avec lui.

CHAPITRE III

ENRICHISSEZ-VOUS,
OU LE LIBÉRALISME ÉCONOMIQUE

Dans le même temps que changeaient les croyances spirituelles, les mœurs subissaient elles aussi un bouleversement radical : l'expansion des activités économiques, qui marqua la fin de l'ère médiévale, vint mettre une force irrésistible au service de cette liberté nouvelle qui s'imposait peu à peu dans le monde.

Les sociétés antiques et médiévales n'avaient certes pas ignoré l'activité économique en général, ni même aucun de ses différents domaines. Toutes avaient nourri en leur sein des artisans, des marchands, des financiers. Mais le changement qui s'amorce vers la fin du XIIIᵉ siècle ne consiste pas dans la multiplication du nombre des hommes qui se consacrent à ces professions, il consiste en ce que les différentes barrières qui s'opposaient à cette multiplication sont levées les unes après les autres, et d'autant plus irrésistiblement que grandit en même temps la masse de ceux qui ont intérêt à les voir levées. De quelque manière qu'on considère les choses, on ne peut ignorer en effet cette évidence : la tradition avait toujours attaché quelque chose d'infamant à la poursuite exclusive d'activités purement économiques, et le pouvoir politique avait traduit en son langage cette répulsion d'abord morale et spirituelle : au XVIIIᵉ siècle encore, il est dégradant pour des nobles de se livrer au commerce. Ainsi le développement économique qui inaugura et accompagna celui du monde moderne ne refléta pas simplement le développement d'une tendance, mais supposa une émancipation révolutionnaire des liens qui l'avaient jusqu'alors bridé. Et même une triple émancipation : dans les franchises réclamées par les bourgeois de la fin du Moyen Age, se dissimulait la nécessité d'ôter leur puissance éminente aux commandements de l'Église, de se libérer des coutumes et des traditions, enfin de retirer ses prérogatives au pouvoir des princes.

Cette émancipation commença comme une révolte des villes contre le système féodal. Les bourgeois réclamèrent leurs franchises, protestèrent contre les impôts et les octrois, les monopoles des corporations et les privilèges des nobles. Les villes ne furent jamais à l'origine, que de simples marchés. Mais bientôt ceux-ci, devenant permanents, réclamèrent liberté et protection d'abord locale, puis sur une aire de plus en plus étendue à mesure que s'élargissaient leurs clientèles. Ainsi la ville enfanta une révolution politique. Celle-ci mit quatre siècles à éclater, parce qu'il fallait que fussent d'abord discréditées les idées et les croyances qui inhibaient l'émancipation réelle de l'activité économique : la révolution française fut comme une de ces lames de fond qui déferlent sur le rivage et en modifient toute la physionomie, mais qui ne le rencontrent que parce qu'elles y sont poussées par une houle lointaine ; la révolution fut le produit d'une révolution d'abord métaphysique et morale.

La révolution métaphysique est à la fois évidente et généralement minimisée. Le développement économique est très manifestement proportionnel à celui des échanges de biens matériels, si tant est qu'il ne se confonde pas avec lui. Tout aussi manifestement, ce dernier n'est lui-même possible que si se multiplient les biens produits, c'est-à-dire que si on reconnaît comme souhaitable leur multiplication. Mais cette évidence masque l'essentiel. Qui n'applaudirait à la satisfaction des besoins des hommes, à la disparition de la misère, de la faim et de la souffrance ? Cependant lorsqu'on imagine que l'activité économique s'est développée pour satisfaire des besoins, on oublie cette évidence élémentaire que l'on ne vend rien à qui ne peut acheter, et que la production n'a pas pour destinataire naturel le pauvre mais le riche, quitte à ce que, naturellement, le pauvre s'enrichisse en travaillant à produire ce que le riche achètera. Dès lors l'expansion de l'activité économique vers la fin du Moyen Age ne s'explique plus comme une réaction à la soudaine découverte qu'il y avait des hommes dans le besoin, mais au contraire à la soudaine découverte que les riches pouvaient avoir des besoins au-delà de ceux-là mêmes qu'ils pouvaient satisfaire ; elle ne résulte plus de ce que soudain certains se seraient mis en peine du sort de leur prochain, mais plutôt de ce qu'il apparut soudain loisible aux uns de nourrir en leur sein des désirs nouveaux et aux autres de les satisfaire, de les entretenir, et d'en susciter sans cesse de nouveaux. A ce moment seulement s'amorce le processus d'encouragement réciproque, sans terme assignable, de l'offre et de la demande, sans lequel l'activité économique fût demeurée nécessairement bornée à la satisfaction étroitement régulée de certains besoins rigoureuse-

ment définis et limités. L'accroissement du volume produit suppose l'extension de la clientèle, et par conséquent la création d'un
pouvoir d'achat dans des masses grandissantes d'individus, ce qui
suppose évidemment de leur part une capacité de production,
seule génératrice de ce pouvoir d'achat ; mais celle-ci est corréla-
tive de leur capacité à susciter des besoins qu'ils puissent satisfaire
par leur travail (1).

L'activité économique ne devint en d'autres termes la dimension essentielle des sociétés modernes, qu'à partir du moment où
s'estompa le sentiment qu'il y avait des besoins utiles et des
besoins inutiles, des satisfactions nécessaires et des satisfactions
superflues. C'est d'une certaine manière sur la distinction même
entre de vrais et de faux besoins que reposait la société traditionnelle ; car elle était la réfraction la plus immédiate, dans la vie
quotidienne, de la croyance qui était leur âme même : la foi en
une vocation naturelle de l'homme à être plus qu'un être de
besoins matériels, n'ayant d'autres soucis que de les combler. La
transformation de l'*oïconomia* en *économie politique*, qui symbo-
lise et résume la transformation subie par l'activité économique
dans les sociétés modernes, supposa donc comme sa condition de
possibilité une indifférence, et bientôt une hostilité, peut-être
inconsciente dans leur principe mais bien réelle dans leurs manifestations, envers toutes les doctrines qui pourraient ôter à
l'homme le souci de ce monde-ci. D'un mot, on ne peut donner
dans l'économie à moitié : il est clair que le progrès économique
au sens moderne du terme suppose que ce progrès lui-même ne
soit pas seulement un moyen, mais soit considéré comme une fin
en soi : Imagine-t-on un commerçant qui chaque jour fermerait
boutique après avoir gagné le strict nécessaire ? En dépit des sentiments mêmes de certains parmi les plus célèbres avocats du progrès économique, l'avènement de sociétés où l'activité la plus
décisive passe pour être l'activité économique est donc l'avènement de sociétés qui, de quelque manière qu'on appelle cela, ne
croient plus en Dieu.

La naissance de l'économie, au sens moderne du terme, supposa
tout autant une révolution morale.

A partir de quand en effet un comportement peut-il être appelé

_____

(1) C'est la cause majeure du sous-développement. Celui-ci signale seulement
l'impossibilité de certains pays, dits sous-développés, à offrir des biens tentants pour
les pays dits développés, en aussi grand nombre qu'il le faudrait pour que les échanges
soient équilibrés. Le développement économique suppose le développement des
besoins de toutes les parties prenantes à ce développement. En langage économique, il
y a sous-développement parce que les pays sous-développés ne savent pas s'ouvrir des
marchés suffisants dans les pays développés (et parce que ceux-ci ne savent pas non
plus le faire !)

économique ? On peut semble-t-il répondre que c'est à partir du moment où intervient d'une part un calcul des moyens les plus adéquats à atteindre la fin poursuivie, d'autre part une appréciation de leur coût relativement aux ressources dont on dispose. La détermination des moyens les plus efficaces et les moins coûteux d'atteindre une fin correspond précisément à la détermination des moyens les plus économiques en vue de cette fin. De cette idée simple, et difficile à mettre en doute, suivent deux conséquences essentielles.

Si cette définition est exacte, l'adoption d'une fin quelconque ne peut plus être considérée comme absolument indépendante du coût des moyens à mettre en œuvre pour y parvenir. Ce qui signifie que l'homme ne peut plus se représenter aucune fin comme absolue, ou d'un seul mot, qu'il ne peut plus rien y avoir qui puisse constituer pour lui une obligation morale, un devoir. Car l'action que le devoir impose est précisément l'action qui doit être accomplie quel qu'en soit le prix. Cette conséquence est usuellement ignorée, et l'on veut qu'il n'y ait pas incompatibilité entre l'existence d'un devoir et le calcul des moyens les plus économiques d'y satisfaire. Pourquoi, dira-t-on, ne pas faire son devoir au meilleur coût ? Mais la simple question trahit son intention. Songer en effet à ne dépenser que le moins possible des ressources dont on dispose pour faire son devoir, suppose évidemment qu'on souhaite en économiser le plus pour d'autres fins que ce devoir, fins dès lors placées exactement sur le même plan que le simple accomplissement de ce dernier. Le simple fait que l'individu se soucie de la répartition des moyens potentiels d'action dont il dispose revient à dire que le devoir prend désormais place pour lui, même s'il n'en a pas clairement conscience, parmi la multitude des fins alternatives auxquelles ses moyens lui permettent de prétendre. En un mot, il est tout simplement illogique de comptabiliser les coûts d'une action, et de prétendre que leur appréciation n'intervient en aucune manière dans la décision de s'y donner. Dès lors, il ne peut plus y avoir de fin absolue, de celles qui exigent l'application de la maxime kantienne : « tu dois, donc tu peux » ; désormais l'action obéirait plutôt à la maxime : « si tu peux, tu dois » ; ou pour mieux dire : « tu peux, donc tu peux (si tu veux) ». L'évidence s'impose ainsi d'une antinomie entre le rationalisme économique et la raison morale, entre l'obéissance à des impératifs hypothétiques et le respect d'impératifs catégoriques, entre l'éthique de l'efficacité et l'éthique de la conviction (1).

(1) Il est bien clair que le dépérissement des convictions proprement éthiques est solidaire de la décomposition du monde d'où celles-ci tiraient leur sens : c'est une seule et même chose de dire que le bien et le mal sont des idées éternelles, absolues, univer-

*

De cette double révolution, inconsciente mais décisive, dans les convictions métaphysiques et morales, on reconnaît aisément les prémisses d'une nouvelle conception de la liberté, qui ressemble trait pour trait à celle qui s'impose désormais dans la sphère spirituelle.

De ce que l'individu ne croit plus à un ordre dans lequel il ait à s'insérer, non plus qu'au caractère sacré et absolu d'une loi qui soit comme le signe manifeste de l'existence de cet ordre, il suit avec assez de logique que cet individu est par définition ouvert à tout projet, capable de s'assigner quelque fin que ce soit, pourvu qu'il lui plaise de la choisir. Mieux encore, c'est cette capacité même qui lui paraît constitutive de son être même, et qu'il va être tout naturellement porté à appeler sa liberté. A l'instant où il ne sent plus qu'il soit de sa nature de dompter en lui ce qu'il peut y avoir de rebelle à un commandement qu'il ne comprend plus, toutes les fins se valent pour lui, et seule sa liberté est habilitée souverainement à en préférer une aux autres. Que la possibilité lui soit retirée de choisir dans l'éventail entier des fins que son esprit peut concevoir, le voilà porté à se considérer comme esclave. C'est par un seul et même mouvement que l'individu en vient à se consacrer à l'activité économique, à concevoir que l'essence de l'homme c'est la liberté, c'est-à-dire à s'identifier à sa liberté, et à identifier celle-ci à une simple capacité d'indétermination (1). Car, qu'est-ce que l'acte économique précisément, si ce n'est, on l'a vu,

selles, indépendantes de toute circonstance de temps et de lieu, hors des prises de l'arbitraire humain, et de croire qu'il existe un univers dans lequel l'homme est appelé à vivre et dont le bien est la loi. Quand meurt la foi en cette surnature, conçue comme la vraie nature de l'homme, disparaît aussi l'urgence de la soumission à des impératifs désormais dénués de tout sens ; le dessèchement de la conscience morale est indissociable d'une révolution métaphysique, ou plus rigoureusement, d'une révolution contre la métaphysique.

(1) Il n'est pas inutile de remarquer que c'est à ce moment que la liberté devient une fin en soi. La liberté avait toujours passé pour précieuse, mais en tant que moyen ; à présent, du simple fait que ce qui transforme les fins en valeurs, c'est le libre arbitre de l'individu, celui-ci ne peut plus se définir par rapport à ses fins, qui sont toutes également respectables et toutes également indifférentes : la réalité de l'individu se concentre dans cette capacité de n'être déterminé à l'action par aucune d'entre elles ; alors qu'on avait toujours rapporté — et mesuré — la liberté à la fin qu'elle poursuivait (la considération de la fin permettant de savoir si l'individu était ou non libre, le fou ou le criminel ne l'étant pas, et le sage l'étant), désormais être libre est une qualité constitutive de l'homme même, dont il lui est impossible de se dépouiller (tous les hommes sont nés libres, ils n'ont plus à le devenir), et dont en conséquence il y a crime à vouloir le dépouiller : ce qui n'était qu'une faculté nécessaire à l'accomplissement d'un être, et proportionné à sa nature, est devenu l'essence même de cet être. Les libertés sont devenues la liberté ; les libertés étaient toujours définies par rapport à leurs fins, la liberté est désormais une fin en soi.

l'acte calculé pour obtenir le maximum de résultats avec un minimum de moyens, donc calculé non seulement en vue d'un profit
maximum, mais avec le souci de préserver le maximum de
moyens en vue d'autres actions du même ordre ? Le but du progrès économique n'est donc en un sens rien d'autre que ce progrès
même, conçu comme une accumulation des moyens permettant
de poursuivre des fins de plus en plus variées, c'est-à-dire en
somme comme un accroissement de la capacité d'indétermination
de tous et de chacun. L'argent apparaît en ce sens comme l'expression matérielle par excellence de la liberté : en tant que l'argent est
le moyen du plus grand nombre imaginable de fins, l'argent maté-
rialise littéralement celle dont un homme peut jouir et dans la
perspective qui est la leur, nos contemporains n'ont pas tort de
croire volontiers qu'un homme est d'autant plus libre qu'il est
plus riche, parce qu'alors grandit le nombre des possibles qui lui
sont ouverts. Il est naturel que l'enrichissement devienne une fin
en soi quand la liberté consiste à pouvoir faire n'importe quoi :
progrès économique et liberté d'indifférence sont comme les deux
faces d'une même médaille, mais, si l'on peut dire, l'une concrète,
l'autre abstraite.

Comment alors l'individu choisit-il entre les différentes fins
qu'il peut se proposer ? De ce qu'il n'existe plus pour lui de fin qui
corresponde plus particulièrement à sa nature, puisque toute sa
nature consiste à être libre, c'est-à-dire à pouvoir choisir indifféremment entre toutes les fins, il suit logiquement qu'il est impossible, sous peine précisément d'ôter l'individu à soi, que quiconque définisse à sa place le ou les fins de ses actions et en général de
sa vie. Deux seules raisons subsistent pour lui de préférer une fin à
une autre : la facilité avec laquelle elle peut être atteinte, et l'agrément qu'elle peut lui procurer. Dès lors comment l'agrément ne
serait-il pas en dernière analyse le seul décisif ? Car, la facilité (ou
la difficulté) que l'individu peut rencontrer à atteindre tel but plutôt que tel autre constitue en elle-même un agrément cependant
que la difficulté d'y parvenir est toujours mesurée à l'agrément
qu'il peut y trouver, et paraît d'autant moindre que le désir est
plus violent. Ainsi, le facteur déterminant du choix libre, c'est en
dernière analyse le sentiment individuel, ce qui revient à définir
la liberté comme la capacité de faire ce qui nous plaît, ou
d'agir selon notre bon plaisir. Ce ne saurait être un hasard si le
XVIIIᵉ siècle, qui créa l'économie politique, fut aussi un siècle où
les sens, les sentiments, la sensibilité, l'affectivité, le plaisir et la
peine, et en un mot l'hédonisme, jouèrent un si grand rôle.

Dans un univers qui n'est plus régi par une raison universelle, la
soumission à la raison va donc à juste titre passer pour tyranni-

que : une décision sera considérée comme d'autant plus libre
qu'elle tiendra de plus près à ce que l'individu a de plus irréductiblement subjectif : sera dit libre l'acte qui ne peut avoir été commis que par l'individu qui l'a accompli ; mais cette autonomie
sera désormais obéissance à soi-même, certes, mais à soi-même
compris comme être de plaisir et de douleur, obéissance non à la
loi de la raison, mais à la loi du sentiment individuel.

Dès l'instant que l'homme ne cherche plus à n'avoir pas de
désirs, mais cherche au contraire à satisfaire tous ceux qu'il peut
avoir — dès lors qu'il est satisfait de se considérer comme un être
de désirs —, il ne peut plus être malheureux que d'une chose : non
de soi-même, mais de ce que ses désirs ne soient pas comblés ; et
comme, à moins de folie, on ne peut supposer qu'il soit lui-même
la cause de sa propre frustration, il reste que la seule cause de
celle-ci, c'est-à-dire de son malheur, doit être pour lui le monde
extérieur qui l'entoure ; être libre, pour cet homme, c'est donc
encore n'être pas empêché de poursuivre la satisfaction de ses
désirs, que ce soit par les hommes ou par les choses. La liberté
concerne donc désormais non le for interne mais d'abord le for
externe ; loin d'être d'abord connaissance et maîtrise de soi, et
secondairement capacité d'action accordée à la nature de chacun,
elle tend à n'être plus que domination de la nature et indépendance à l'égard d'autrui ; ou plus rigoureusement, elle tend à être
conçue comme directement proportionnelle à la maîtrise que
l'individu peut exercer sur son environnement. Ainsi, libre en
principe d'une liberté absolue et sans limite, mais constamment
borné dans sa faculté d'exercer effectivement sa liberté, l'homme
moderne est une créature amère et revendicative, parce que toujours en quête d'une improbable satiété, donc inquiète et malheu-
reuse, accumulant, sans savoir quoi en faire, des provisions jamais
suffisantes pour un futur toujours menaçant.

Toutes les formes concrètes de la liberté économique ont ainsi
ce point commun : elles sont autant de manières de préserver et si
faire se peut d'accroître l'aire d'action matérielle de chaque individu. Être libre, ce sera par exemple être propriétaire, parce que la
propriété est droit reconnu à la possession des richesses matérielles que l'on a pu se procurer, c'est-à-dire à la possession des
moyens matériels de sa liberté. Être libre ce sera encore pouvoir se
retirer à l'abri du mur de la vie privée, soustraire une partie au
moins de ses actes au contrôle des autres et dans la sphère privée
au moins retrouver la liberté de l'état de nature. Être libre, ce sera
encore être l'égal de tout autre ; dans un monde où les individus
sont conçus comme appelés à jouer chacun un rôle différent, à une
place différente, dans une organisation différenciée, la liberté de

chacun n'appelait pas l'égalité ; dans un monde où la différence de
chacun à chacun a été exacerbée au point d'être assimilée à
l'essence même de l'individu, et où donc il n'est plus aucune arti-
culation possible, autrement que par hasard, de l'existence de l'un
avec l'existence de l'autre, la liberté de chacun se confond avec sa
capacité à n'être pas empêché de vivre différemment, c'est-à-dire
avec l'égalité de tous avec tous, conçue précisément comme capacité de chacun à vivre sans avoir à se conformer à autrui. Ce qui
ne signifie pas que l'une des manières de se garder d'autrui ne soit
pas d'avoir un pouvoir sur lui : être libre ce sera donc encore être
puissant, ce qui peut se faire de deux manières : en acquérant du
pouvoir, ou, à nouveau, en acquérant des richesses ; non seulement parce que l'argent élargit le champ des fins que l'on peut se
proposer, mais parce que l'argent est une forme de pouvoir, tant
sur les hommes que sur les choses, par l'intermédiaire d'autres
hommes. Il n'est pas jusqu'à la science qui sous cette lumière
n'apparaisse comme l'un des moyens d'être libre : car la science
au sens moderne du terme, celle qui cherche à prévoir pour pouvoir agir, est ce savoir qui donne le pouvoir sur les choses, et à
travers lui, le pouvoir sur les hommes, et qui, mise au service de
l'humanité, lui apporte collectivement le moyen de n'être plus à la
merci de la nature.

Pour finir, cette liberté enferme donc l'individu en soi, comme
dans une île. Sa liberté fait de lui un être métaphysiquement solitaire : elle n'est plus, dans son principe même, immédiatement
identifiable avec sa sociabilité. Toute convergence dans les choix
de deux hommes, tout accord ou toute harmonie de leur conduite,
ne peut être que de rencontre ; comme toute rencontre, que le fait
du hasard, donc le plus souvent passagère et le plus rarement
durable : l'altruisme même ou la sociabilité sont des choix rigoureusement personnels. Mieux encore, la liberté étant capacité
d'être tout à soi, le voisinage d'autrui constitue un risque constant
d'interférences entre des projets dont la nature n'est pas d'être
coordonnés ou de concurrence si d'aventure il se trouve que les
fins d'autrui soient identiques aux miennes : la société risque toujours de se faire au détriment de la liberté. Même s'il peut se faire
que la première fois soit quelquefois utile, ou même nécessaire, à
la seconde, ce ne sera jamais que par la force des choses et l'individu ne garantira jamais sa liberté qu'en risquant d'en sacrifier
une partie. Pour être libre, le mieux est donc d'être seul.

CHAPITRE IV

VIVE LA RÉPUBLIQUE
OU
LE LIBÉRALISME POLITIQUE

Dans le sillage de ces nouvelles idées et de ces nouvelles attitudes, émergea enfin une nouvelle conception de la liberté politique.

Du début du XIIIᵉ siècle au début du XVIIᵉ, un courant souterrain mine les soubassements de l'Occident chrétien, et l'on voit sourdre, ici avec Marsile de Padoue la revendication du pouvoir civil contre le pouvoir religieux ; là, avec La Boétie la contestation de tout pouvoir civil ; ici, avec Bodin, l'affirmation des droits inaliénables du citoyen devant son prince ; là, avec Théodore de Bèze, Plessis Mornay et les monarchomaques, la critique de l'absolutisme royal ; ici, avec Thomas More, la résistance à l'arbitraire du pouvoir temporel ; là, et un peu partout, avec les fous de Dieu, les puritains, et tout le grouillement millénariste qui bat la muraille médiévale, la lente sape des structures politiques et sociales traditionnelles. Le courant surgit à l'air libre au XVIIᵉ siècle et dépose sur les rivages de l'Europe l'idée d'état de nature.

Il n'importe pas tant ici de savoir quelle pouvait être sa source précise, il suffit de constater avec quelle fidélité l'évolution des idées politiques reflète l'évolution des mœurs et la révolution des croyances. On ne peut s'empêcher de noter la troublante ressemblance qui existe entre le portrait de l'homme à l'état de nature et l'homme auquel le développement des activités économiques donnait naissance. On avait jusqu'alors soutenu, avec Aristote, que l'existence humaine se jouait sur plusieurs registres, harmoniques mais non réductibles les uns aux autres : l'homme animal politique était distinct de l'homme père de famille, bien qu'ils composassent ensemble un tout cohérent. Au contraire, il n'y a rien dans la nouvelle figure politique de l'homme que l'on ne

puisse trouver aussi dans sa figure privée, et en particulier économique, rien dans sa liberté politique qui ne soit dans la liberté
qu'il s'octroie sur le plan économique, comme si l'une était le
reflet de l'autre : cet aplatissement de l'individu constitue l'un des
traits les plus révolutionnaires et les plus caractéristiques de
l'homme moderne.

*

Ce n'était pas la première fois qu'était évoqué le thème d'un
premier âge de l'humanité : Grecs et chrétiens l'avaient décrit, les
anciens comme un âge d'or, et les autres comme un paradis. Les
descriptions d'un Hobbes ou d'un Rousseau leur ressemblent en
apparence beaucoup, en réalité les intentions sont très différentes.
Il s'agit désormais de montrer que les institutions au sein desquelles vit l'homme d'aujourd'hui sont uniformément mauvaises,
parce que non conformes à sa vraie nature, qu'il s'agit par conséquent de retrouver. Mais, dira-t-on, n'est-ce pas constamment
dans ce but que l'on a toujours fait référence à un état originel, et
ne s'est-il pas toujours agi de mettre sous les yeux de l'homme
corrompu le modèle de l'homme parfait ? Sans doute, mais à deux
différences près, qui mettent toute la distance du monde entre les
conceptions classiques et modernes de cette perfection.

D'abord, si, dans la tradition gréco-chrétienne, la perfection
était donnée au départ, elle ne l'était jamais en quelque sorte que
comme une virtualité : il revenait encore à l'homme de l'actualiser. Cela se voit clairement dans Platon, pour qui les hommes à
l'âge d'or vivaient comme des moutons, et n'étaient pas encore
pleinement des hommes ; pour les chrétiens, si Adam était certes
innocent, il était pourtant en quelque sorte dans sa nature de
pécher, de manière à recouvrer, par la maîtrise de soi, une innocence dont il fût pleinement responsable. Ce qui frappe au
contraire dans les tableaux que les maîtres modernes peignent de
cet âge d'or, c'est que l'homme y est toujours représenté comme
en quelque manière définitivement achevé : il n'y a rien dans sa
nature qui appelle le perfectionnement, l'homme est d'emblée
tout ce qu'il peut être et tout ce qu'il sera jamais. Ce qui ne veut
pas dire qu'il ne soit pas amené à sortir de l'état de nature : mais le
changement d'état ne sera jamais présenté comme un changement
de nature, ou comme un perfectionnement de cette nature ; au
contraire on peut dire que toute la question sera de savoir comment faire pour qu'il puisse, à l'état social, continuer à être, autant
qu'il sera possible, tel qu'il était à l'état de nature.

La deuxième différence réside précisément dans la conception
de ce qu'est l'homme à l'état de nature, c'est-à-dire de la nature

humaine. L'homme de la tradition regardait ses désirs et ses besoins comme un défaut de sa nature : la satisfaction, l'ataraxie, la béatitude, étaient pour lui le signe d'un bonheur malheureusement réservé aux dieux, ou à quelques trop rares sages ou saints. L'homme que le mythe de l'état de nature incite à considérer comme l'homme de référence, c'est un être réduit aux seules dimensions de ses besoins matériels et de ses désirs sensibles, c'est un être de manque, et qui ne souffre jamais que d'une chose : l'incapacité où il pourrait être de ne pouvoir assouvir dans l'instant tous ses besoins et tous ses désirs.

Ces deux différences sont étroitement liées, et à vrai dire, la deuxième explique la première. Si en effet l'homme à l'état de nature est en quelque sorte immédiatement tout ce qu'il peut être, immédiatement parfait ou achevé dans sa nature, c'est précisément parce qu'il est un être dont la nature ne consiste qu'à éprouver des besoins et des désirs. L'homme qui est simple capacité d'éprouver des besoins, c'est l'être qui éprouve la morsure du besoin mais n'y voit d'autre remède que le combler, donc l'être incapable de concevoir que sa propre perfection demande qu'il domine ses désirs et ses besoins ; incapable de s'imaginer que sa nature ne s'achève pas dans leur satisfaction, et par conséquent incapable encore d'apercevoir en soi le principe qui lui donnerait la faculté d'agir sur soi. C'est une créature totalement adéquate à soi-même, c'est-à-dire dont la nature est une et non double, donc d'emblée achevée.

On perçoit sans mal les considérables bouleversements qu'entraîne, pour la conception de sa liberté, cette réconciliation de l'homme avec soi-même autour de ce qu'il a de plus immédiat. Être libre cesse d'avoir le sens que l'expression avait toujours eu pour les classiques, et en revêt un contraire, ou plutôt deux, étroitement liés : être libre, c'est être libre de satisfaire ses désirs, et, plus profondément, être libre d'avoir les désirs que l'on veut.

L'homme de la tradition savait que si le contentement était rare parmi les hommes, c'est qu'ils cherchaient en général à éteindre le désir en le rassasiant, alors qu'ils eussent dû tenter d'en tarir la source d'abord en eux-mêmes. Il voyait ainsi dans ses désirs autant de mirages sans cesse renaissant, le condamnant à se jeter sans cesse hors de soi, à la poursuite d'une satiété sans cesse dissipée, et comme tombant d'une chute sans fin dans le puits vide des plaisirs passagers. Il voyait donc que sa liberté consistait à se libérer de ses désirs, de ses passions, de ses besoins mêmes ; sa liberté prenait pour lui la forme de la domination de sa propre faculté de désirer. L'homme des modernes, au contraire, confère d'emblée une légitimité définitive à tous ses désirs, puisqu'il ne vit que comme un être de désir, et que son bonheur tient à leur satisfaction, son malheur à leur frustration : l'homme à l'état de nature a un droit naturel à tout ce à quoi ses forces lui permettent de prétendre. Or, comme on ne peut supposer, à moins de folie, que chacun prenne plaisir à exacerber en soi le désir en ne le comblant point, la satisfaction ou la frustration de ses besoins ne peut donc dépendre à ses yeux que du monde extérieur, et de sa capacité à agir sur lui, dans tous les cas où il ne se prête pas à ses entreprises. Ainsi, tandis que l'homme d'autrefois voyait dans sa liberté une capacité à se libérer de soi-même, l'homme moderne y va désormais voir une capacité à se libérer des choses ou des hommes, ou simplement le fait de n'être pas empêché d'agir à sa guise par ce qui l'entoure, homme ou chose. La différence est radicale, et, de plusieurs manières, se marque très concrètement.

Auparavant, il suivait de la nature même de ma liberté que je ne pusse être toujours assuré que chacun de mes actes fût libre, quand bien même aucun obstacle ne se présentât qui en prévînt l'accomplissement, et tous mes actes pussent-ils en dernière analyse m'être imputés. On savait qu'il y avait des actes accomplis sous l'empire des passions, c'est-à-dire dont l'homme pouvait être dit responsable, mais qui n'en révélaient pas moins son asservissement à un démon intérieur ; il y avait un bon et un mauvais usage de la liberté ; la vraie liberté consistait dans le pouvoir de choisir délibérément ses actes. Désormais, il ne s'agira plus de savoir si je manifeste réellement ma liberté en commettant cet acte, mais seulement de savoir si j'ai le pouvoir matériel de le commettre ; je ne cherche plus à savoir ce que je dois faire pour être libre, mais seulement si mes forces me permettent de le faire ; ma liberté n'est plus une conquête sur moi mais sur le monde ; elle n'est plus une qualité de l'être, mais une qualification du faire. D'où cette conséquence considérable que ma liberté ne résulte pas de moi, mais de ce qui m'entoure. Si je ne suis pas libre, la faute en est nécessairement aux circonstances, aux choses ou aux autres ; jamais, dans la pire insatisfaction, je n'aurai l'idée de me changer plutôt que l'ordre du monde, l'homme plutôt que la nature ou les autres hommes.

La liberté cesse donc d'être conçue comme l'obéissance à un devoir, pour la simple raison que l'on ne conçoit plus que le devoir puisse être autre chose qu'une contrainte. Comment pourrait-il se faire qu'un homme avant tout soucieux de savoir ce qu'il peut faire n'oublie pas de chercher d'abord s'il doit le faire ? L'homme, dit Jean-Jacques, a un droit naturel à tout ce à quoi ses forces lui permettent de prétendre : qu'importe donc qu'il veuille ceci plutôt que cela, puisque la seule question est de savoir s'il peut l'obtenir ? Et de même il est inévitable que se dilue le sentiment que la liberté sert surtout à établir la responsabilité d'un homme : il ne peut plus lui être fait grief de vouloir ceci ou cela, puisqu'il est par définition capable de le désirer ; tout au plus est-il nécessaire d'imputer l'acte à son auteur, de manière à ce qu'il puisse y avoir compensation s'il se trouve nuire à quelqu'un. La liberté est devenue simple indépendance de fait. Indépendance conquise sur la nature — la liberté c'est la puissance matérielle, celle par exemple que va donner la science — ; et puis, et peut-être surtout, à moins de vivre d'une vie entièrement solitaire — la solitude est une forme de la liberté —, indépendance conquise sur les autres hommes.

On n'aurait pourtant rien compris encore à cette liberté, si l'on n'en comprenait pas ce qu'elle a de radical.

L'homme de la tradition pourchassait en soi le désir dans toute la mesure de ses forces et, en tout cas, savait discerner le superflu du nécessaire. Il pensait qu'il ne trouverait jamais le bonheur à le faire dépendre de ce qui ne dépendait pas de soi. Le sage savait qu'il n'y a de contentement que pour celui qui a compris que tout contentement est impossible à moins de savoir discerner en soi ce qui peut le lui donner : le sage se réconcilie ainsi avec le monde en même temps qu'avec soi en œuvrant d'abord sur soi. Il savait que le désir, en faisant accroire que le bonheur est de l'ordre de l'avoir et non de l'ordre de l'être, projette toujours en quelque sorte l'individu en dehors de soi, le lance dans la poursuite indéfinie d'une réconciliation désormais impossible avec lui-même, et le détourne de cette connaissance de soi qui recèle, à moins que le monde ne soit absurde, la connaissance du monde où les hommes sont faits pour vivre (1). L'homme moderne, tout au contraire, idolâtre le désir qui est sa nature même. On dira que c'est faux, puisqu'il ne cherche qu'à l'assouvir, c'est-à-dire à s'en délivrer. C'est là une apparence, à laquelle d'ailleurs, il se prend soi-même. Nos contemporains se fâchent à l'idée qu'il y a des vrais et des faux besoins. Ils veulent bien admettre qu'il y a des besoins plus vitaux que d'autres, mais ils voient le tyran pointer chez quiconque oserait dire qu'il y a des désirs que les hommes n'ont pas le droit d'avoir. En quoi ils sont entièrement logiques avec eux-mêmes : l'homme de désir ne peut se concevoir libre s'il n'a pas la liberté d'avoir les désirs qu'il veut ; la liberté d'un être de désir. c'est la liberté de désirer, c'est-à-dire de désirer tout ce qu'il lui plaît de désirer ; pour lui, seuls les morts ne désirent plus rien, et seuls

(1) La tradition n'encourageait pourtant pas à la passivité : elle mettait simplement des hommes au désir de changer le monde, à ce qu'on pourrait appeler le penchant prométhéen de l'homme.

les esclaves ont peu de désirs. Mais cela revient à dire que dès l'instant où il recherche leur assouvissement, son désir suprême est de ne pas cesser d'en avoir. L'homme moderne est par nature désir de désirer, désir de désir. D'où cette conséquence considérable eu égard à sa liberté, qu'il la conçoit nécessairement comme une totale indétermination, et que, comme le disait ce philosophe bien de son temps, il n'y a pas pour lui de degrés dans la liberté.

Celle-ci n'a ainsi plus rien de commun, si ce n'est l'apparence des mots, avec la liberté qui consistait à s'accomplir soi-même. C'est une chose de devenir ce que soi-même on est par essence, c'est-à-dire de réaliser progressivement l'adéquation à un modèle qu'on porte en soi mais qui est par définition distinct et distant à l'origine de cet autre soi-même qui a pour vocation de se conformer à lui ; et c'est une tout autre chose de n'être porteur que de désir, et d'assimiler la réalisation de soi à la satisfaction de ces désirs. Dans un cas l'homme a une essence et sa liberté s'appelle libération, dans l'autre l'homme n'est que ce qu'il fait et sa liberté consiste dans une pure indétermination. Ce n'est pas un hasard si les doctrinaires de l'état de nature préfèrent parler de nature humaine ou de condition humaine plutôt que d'essence de l'homme. Si l'homme a une essence, il doit d'une certaine manière dominer sa particularité pour accéder à son essence ; sa particularité, en tant qu'individu, n'est qu'une manière particulière d'assumer une essence qui, elle, n'est pas particulière, c'est-à-dire est le signe de sa finitude. Si l'homme est un être de désir, c'est-à-dire si ce qui compte en lui est sa subjectivité même, parce qu'il est le seul à savoir comment exactement il éprouve ses propres désirs, cette subjectivité a la forme d'un devenir permanent, d'un changement incessant, d'une virtualité définitive : en soi l'individu n'est plus rien, il n'est plus que la somme parfaitement indéterminée et en dernière analyse arbitraire d'une série de volitions successives. Cet homme qui ne cherche qu'à s'exprimer n'a plus rien à dire, plus rien en tout cas à quoi il puisse dire pourquoi il y tient. Sa liberté consiste dans une indétermination radicale par rapport à tout ordre possible, par rapport aux autres hommes, et finalement par rapport à soi-même (1).

_____

(1) Il vaut la peine de le remarquer : c'est parce qu'elle est désormais conçue comme pure indétermination que la liberté est amenée à prendre la valeur d'une véritable fin en soi, d'un bien sacré pour lequel les hommes lutteront et mourront, d'une condition de leur dignité parce qu'expression de leur humanité même. Non que la liberté n'ait pas toujours passé pour un bien ; car, cela a été dit, elle était le moyen nécessaire grâce auquel l'homme pouvait en effet accomplir son destin de créature morale ou de puissance qui tend à l'acte. Mais précisément, la liberté, quoique nécessaire, n'était jamais conçue que comme le moyen d'une fin plus haute qui était l'homme même. A présent, l'essence de l'homme se réalisant dans l'acte libre comme tel, s'achevant dans la simple

*

Comment s'étonner alors des conséquences politiques de ces idées ? Dans quelque société qui existât, un tel homme, bien qu'il fût né libre, ne pouvait être que dans les fers : il fallait concevoir une nouvelle sorte de société dans laquelle la liberté naturelle, celle dont il jouissait à l'état de nature, fût en quelque sorte préservée. Jusqu'au moment où l'on invente la notion d'état de nature, l'envie n'avait pas manqué de dénoncer le pouvoir politique. Mais on n'avait jamais pu le faire qu'au titre des abus auxquels son usage donnait trop souvent lieu. On n'avait jamais, sauf dans les derniers temps, pensé vraiment que l'organisation des rapports humains en rapports politiques fût de soi une chose mauvaise : l'homme était par nature un animal politique. A présent, on se trouve affronté à la nécessité de créer, puisque l'homme devient un être par nature essentiellement solitaire, une société entièrement artificielle.

On en connaît les deux idées maîtresses.

La première est celle de souveraineté du peuple.

Pourquoi donc les peuples voulurent-ils être souverains ?

On voit mal, d'abord, pourquoi on ne tiendrait pour légitime qu'un pouvoir collectif, ou que la volonté qui suit d'une manière ou d'une autre de la volonté expresse de tous (1), si l'on ne considère pas d'abord qu'il n'est personne en particulier dont la volonté puisse être légitimement imposée à tous les autres, au moins préalablement à un accord unanime. L'affirmation que le seul gouvernement légitime possible est le gouvernement de tous par tous n'aurait aucun sens, si on estimait que certains hommes se trouvaient, indépendamment de la volonté de leurs semblables, investis du droit de gouverner. C'est parce que nul n'a par nature plus qu'un autre un droit quelconque à se faire obéir de son voisin, ou de tous, que chacun estime, si un gouvernement apparaît nécessaire, pouvoir gouverner autant qu'un autre. D'un mot ce qui est sous-jacent au dogme de la souveraineté populaire, c'est le dogme de l'illégitimité de tout pouvoir d'un homme sur un autre, c'est-

---

capacité à être une pure indéfinitude, la liberté devient à soi seule une fin. L'assimilation de l'histoire universelle à la lente expansion de la liberté dans le monde, n'est pas simplement une idée hégélienne, c'est le dogme essentiel de nos siècles ; l'homme des cavernes voulait secouer ses chaînes parce qu'elles l'empêchaient d'être, l'homme des lumières pense qu'il lui suffit de n'être empêché de rien pour être quelque chose. Il croit ainsi poursuivre une tradition séculaire, et prétend étancher enfin une soif de liberté qu'il veut consubstantielle à l'humanité même ; pourtant, ce n'est pas de la même liberté qu'il s'agit.

(1) Que ce soit directement la volonté de tous ou que tous aient accepté de reconnaître pour leur une volonté élaborée selon des procédures unanimement acceptées.

à-dire de leur droit à l'indépendance les uns à l'égard des autres, c'est-à-dire encore de l'égalité des hommes, au moins en tant qu'ils sont amenés à entrer en relation politique les uns avec les autres.

Mais pourquoi faut-il donc encore que ce pouvoir collectif soit dit souverain ? Ce qui vient d'être dit le fait comprendre. Car c'est une seule et même chose de dire que tous les hommes ont un droit égal à n'obéir à personne ; de dire qu'ils ont un droit égal à participer au gouvernement auquel ils seront soumis ; de dire encore qu'il ne peut rien y avoir qui ait un titre quelconque à la soumission de mon jugement ou de ma volonté si je ne l'ai d'abord jugé ou voulu tel ; ou de dire enfin qu'il n'y a par nature de dieu ou de maître qui puisse réclamer mon obéissance que le dieu ou le maître que je reconnais de mon plein gré être tel : tout cela ne signifie rien sinon que par nature je suis un être radicalement libre, c'est-à-dire tout simplement souverain. Le ressort caché de l'attachement au dogme de la souveraineté populaire, n'est pas celui que l'on dit, le respect des autres, mais celui que l'on cache, le souci de la suprématie du moi. Le principe de la souveraineté du peuple, c'est la souveraineté de l'individu, et c'est parce que je veux être souverain que je proclame qu'il faut que le peuple le soit. Le dogme de la souveraineté populaire n'est jamais que la forme la plus fardée d'une sacralisation de l'égocentrisme.

Une fois reconnue la souveraineté individuelle, il fallait encore concilier la souveraineté de chacun avec celle de tous les autres. Tâche particulièrement ardue, parce qu'on avait donné à chaque homme un pouvoir dont le despote le plus achevé, le roi le plus absolu n'avait jamais rêvé, car ceux-ci savaient encore les limites de leur puissance, le premier parce qu'il savait avoir intérêt à ne point maltraiter ses victimes au point de les rendre désespérées, le second parce qu'il savait ne tenir son pouvoir que de Dieu. Dire que chaque homme a droit d'être souverain avait quelque chose de prodigieux et d'inouï, car cela ne consistait en rien moins qu'à donner à chacun le droit de prétendre à la place que Dieu seul avait semblé jusqu'alors capable d'occuper, à proclamer qu'il n'est rien que sa volonté ne puisse décréter, quand ce serait même la définition du bien et du mal. La sociabilité humaine avait été jusqu'alors fondée sur la certitude que régnait tout-puissant dans l'âme de chaque homme le respect d'une loi qui lui rende autrui sacré, et que, s'il l'enfreignait, la conscience de sa faute le poursuivrait jusque dans la tombe. Mais la conscience d'un devoir ne pouvait demeurer dans l'âme d'un homme pour qui il ne peut rien y avoir d'antérieur à sa propre volonté et à ses propres désirs.

En revanche, dès l'instant qu'il perçoit le prix de l'aide d'autrui

pour la satisfaction de ses désirs, cet homme-là est bien fait pour
comprendre qu'il a tout intérêt à respecter autrui juste assez pour
que ce dernier consente précisément à l'aider, pourvu naturellement que l'autre en fasse de même à son égard. Comme le dit
excellemment Hume, il n'existe pas d'obligation naturelle pour cet
homme, mais le calcul peut lui faire observer un impératif rationnel à l'égal d'une obligation absolue, et l'habitude peut lui en donner le respect à l'égal d'une loi morale. Ainsi le clef de la nouvelle
sociabilité humaine, c'est-à-dire de la coexistence pacifique de
libertés qui par nature s'ignorent réciproquement, c'est la convention passée entre tous de ne jamais user de leur liberté au point de
se nuire les uns aux autres, convention à laquelle chacun souscrit
librement et dans son propre intérêt, et qui fait donc que chacun
demeure aussi libre qu'à l'état de nature, et soit pourtant respectueux de la liberté d'autrui. Il n'y a plus désormais de liberté pour
l'homme que dans les sociétés fondées sur un contrat.

On voit ainsi reparaître, dans le domaine politique, les trois
grands caractères de la liberté moderne.

L'idée que la vraie nature de l'homme est celle de l'homme à
l'état de nature reflète l'idée qu'il est un être dont toute l'essence
est immédiatement déployée puisqu'elle consiste dans sa liberté,
et qu'il n'est pas en lui de modèle à qui il doive ployer sa
nature.

En conséquence, il ne peut être dans sa nature de chercher à
comprendre ce qu'il doit faire en essayant de discerner un ordre
des choses, mais seulement de chercher à agir, et à se faire en
faisant.

Et c'est pourquoi la réflexion politique lui apparaît simplement
comme la réponse à une seule question : comment faire, s'il ne
peut vivre solitaire, pour empêcher la liberté des autres hommes
d'empiéter sur la sienne ; problème dont les deux concepts corré-
latifs de souveraineté du peuple et de contrat social lui paraissent
les seules solutions adéquates.

CONCLUSION

LA NOUVELLE MINERVE

La liberté des modernes est comme un fleuve qui aurait trois sources, et dont il ne serait pas facile de savoir quelle est la principale : est-elle la fille d'une révolte contre les dieux, contre les trônes ou contre la nature et les autres hommes ? Mais peut-être suffit-il de dresser le constat : quelque père qu'on lui attribue, les traits de l'enfant ne changent pas ; et surtout, quelque père qu'on lui attribue, les effets de cette liberté sur le monde ne varient pas non plus.

Les anciens pensaient qu'être libre consistait pour chaque homme à retrouver une nature perdue par sa faute, ou pour chaque homme à devenir ce qu'il est par nature : ils ne se jugeaient pas parfaits dès leur naissance. Les modernes estiment que la nature de l'homme consiste à faire librement sa nature, à la créer, et donc pour chaque homme à être ce qu'il a voulu devenir : l'homme à sa naissance est comme un dieu qui peut tout faire à commencer par soi-même, et qui n'a d'autre loi que son pur vouloir. La liberté des classiques découle d'une conception dualiste de la nature humaine, celle des modernes d'une conception moniste.

Du simple fait qu'ils reconnaissaient la double nature de l'homme, les anciens étaient donc logiquement conduits à penser que l'homme libre était l'homme qui avait appris à dominer, de toutes les choses possibles, d'abord soi-même ; que la liberté était au terme d'un effort, et que cet effort portait d'abord sur l'homme même. Les modernes pensent que l'homme libre est l'homme qui n'est pas empêché de faire ce qu'il veut ; ils croient que ce qui se dresse entre l'homme et soi-même, ce sont les conditions dans lesquelles il vit, qui ne lui laissent ni le loisir, ni tout simplement la possibilité, de devenir tout ce qu'il pourrait devenir si on le laissait faire. Les anciens estimaient donc qu'être libre c'était parvenir à être ce que l'on est, et pour cela il n'était nul besoin de dominer choses ou hommes. Les modernes jugent que pour être il faut faire, ou que l'on n'est que ce que l'on fait, donc qu'être libre c'est être capable de faire, et que pour être assuré d'être libre, il faut à la fois s'être institué maître et seigneur de la nature, et n'être soumis à personne. La liberté des classiques répondait au primat qu'ils accordaient au connaître sur l'agir, la liberté des modernes au primat qu'à leurs yeux l'agir possède sur le connaître. La liberté des classiques était d'abord intérieure ; au for externe, pourquoi l'homme eût-il souhaité jouir d'une liberté que son être intérieur ne réclamait pas ? Non qu'il méprisât entièrement la liberté d'agir : mais il en connaissait la mesure, il savait être tempérant. La liberté des modernes ne concerne au contraire que le for externe, et, n'ayant plus de norme interne, la soif qu'en ont les hommes n'est jamais satisfaite.

Les anciens pensaient que l'homme ne pouvait être libre que parmi d'autres hommes libres, la différence de chacun à chacun étant moindre que la participation à une réalité transcendante qui les unissait tous, la multiplicité étant au service de l'unité comme les membres sont au service du corps. Les modernes sont convaincus du contraire : pour eux, l'homme n'a pas un besoin naturel de l'homme, si tant est que l'irréductible singularité de chacun ne le condamne pas à rencontrer l'autre sur son chemin sans cesse comme un obstacle virtuel. Les anciens ne voyaient aucune contradiction entre la liberté et la sociabilité, les modernes se demandent comment concilier la liberté avec la sociabilité. Pour les anciens l'homme ne pouvait vivre seul sans être si pleinement libre que lorsqu'il est solitaire. Être libre pour les anciens c'était être capable de citoyenneté, parce que la sociabilité s'ajoutait à l'accomplissement, c'est-à-dire à la maîtrise de soi, comme à la jeunesse sa fleur. Être libre pour les modernes, c'est être libre de vivre parmi les autres comme si l'on était seul au monde.

Il n'est pas vrai que les anciens n'aient pas eu une idée de la liberté : elle était simplement toute différente de ce que les modernes se représentent par ce mot. La liberté des modernes n'est pas l'achèvement de la liberté des anciens, elle en est tout à la fois la simplification et le contraire. Et c'est sur cette liberté-là que se bâtit la première des sociétés modernes, la société libérale.

Deuxième Partie

LES PROPOS DE LA SAGESSE CONTEMPORAINE
OU
LES VERTUS DE L'ÉCHANGE

LE LIBÉRALISME : QUELLE LIBERTÉ ?

Il suit de ce qui précède que le libéralisme, s'il est une philosophie dont l'alpha et l'oméga est la liberté de l'homme, peut en logique pure avoir deux visages, ceux-là mêmes qu'offre la liberté humaine.

On peut entendre par libéralisme une philosophie qui subordonne la liberté de l'individu à sa libération, et qui affirme donc qu'elle n'est pas un donné de nature, encore moins un droit, mais un terme et un achèvement auxquels atteignent seulement ceux qui ont su comprendre que faire n'importe quoi n'était pas le dernier mot de la liberté. Cette philosophie n'implique en rien que chacun se réfugie dans un monde purement intérieur, mais elle suppose que l'ordre intérieur précède l'ordre extérieur, que la pensée précède l'acte et le façonne. L'idée mère de ce libéralisme c'est que l'homme a une double nature, et que l'une est faite pour se plier à l'autre. Ou bien on peut entendre par libéralisme une philosophie qui cherche à trouver la loi commune sous laquelle peuvent se ranger, pour vivre ensemble en paix, des êtres dont chacun considère par nature être à soi-même son unique loi, pour ainsi dire dès l'instant de sa naissance. Cette philosophie n'implique pas nécessairement que l'individu soit pur égoïsme, elle implique infiniment plus, car elle institue l'individu capable d'une liberté totale, immédiate et irrévocable, par cela seul qu'il n'y a rien en lui d'antérieur à sa liberté même ; et ainsi cette philosophie-là suppose que l'individu soit à ses propres yeux comme un dieu pour soi-même. Lors même que ce libéralisme paraît rejoindre le précédent, il en diffère donc du tout au tout : il semble qu'il le rejoigne en conférant à l'individu, avec une liberté totale, la responsabilité ultime de tous ses actes et de toutes ses pensées ; en réalité, n'y ayant point de règle qui permette de faire le départ entre les bonnes et les mauvaises actions, l'individu peut donc bien être estimé responsable de ce qu'il est, cette responsabilité ne peut servir à le juger, comme ayant failli à une règle universelle, mais seulement à lui imputer ses actes, s'ils nuisent à autrui. Ce qui lui est donc réellement conféré, c'est le droit à n'accepter jamais que quoi que ce soit, si ce n'est soi-même, lui dicte sa conduite, c'est le droit à une indétermination radicale ; c'est donc encore le droit à ne pas se considérer comme un être en puissance, ayant à actualiser sa nature, c'est-à-dire finalement le droit de se considérer comme parfait. L'idée-mère de ce libéralisme est, au contraire de la précédente, que chaque homme est un être en qui il n'y a rien d'antérieur à sa liberté même, c'est-à-dire un être un, et donc en quelque sorte immédiatement parfait, en tant et parce qu'il est un.

Il y a entre ces deux libéralismes toute la différence du monde, même s'ils utilisent souvent les mêmes mots. L'un marche à hue et l'autre à dia.

Ainsi on entend souvent dire que le libéralisme est une philosophie de la raison. Mais la raison des modernes n'est pas celle des anciens. On devrait plutôt l'appeler entendement et ne pas confondre une philosophie de la raison avec une philosophie du calcul rationnel. Dans le premier cas, l'homme est un être qui participe d'un ordre général des choses, que sa raison est faite pour discerner ou qui se manifeste à lui par le fait qu'il est doué de raison : cette faculté est alors en lui comme une faculté législatrice suprême dont les maximes valent en soi, et comme une exigence qui domine toutes les autres et demeure en lui-même s'il y désobéit. Selon le deuxième libéralisme, le mot de raison ne peut plus signifier la même chose, puisque par définition il ne peut plus y avoir d'ordre qui préexiste à la liberté individuelle : la raison ne peut donc plus être qu'un entendement calculateur, capable de discerner le moyen le plus sûr et le plus rapide de satisfaire les désirs de l'individu, mais incapable de se poser en face d'eux comme une fin pouvant être recherchée pour elle-même ; lorsque cette philosophie prononce le mot « raisonnable », elle veut seulement dire que l'homme est une créature capable de différer sa satifaction pour mieux l'assurer ou qu'il est un être capable de respecter autrui parce que ce respect lui paraît le meilleur moyen de parvenir à ses fins.

De la même manière, on dit souvent que le libéralisme est une philosophie de l'autonomie individuelle. Mais le mot peut avoir deux sens fort différents, selon que l'autonomie consiste dans l'obéissance à une loi que l'individu se donne, mais qui est en lui comme une nature qu'il n'a pas choisie, bien qu'en même temps elle soit sa nature propre et profonde, bien qu'elle soit son être même. Mais l'autonomie prend évidemment un sens tout différent si l'individu n'obéit à d'autre loi que celle qu'il se donne absolument, c'est-à-dire dont il soit et se sache être l'auteur. Alors son autonomie équivaut par-dessus tout à une capacité d'indétermination radicale : l'individu libre est seulement l'individu qui, de sa naissance à sa mort, est capable à chaque instant de se choisir soi-même, par un choix radicalement souverain, absolu, et peut-être même gratuit.

De ces deux libéralismes (logiquement) possibles, que, métaphysiquement, l'on pourrait appeler, l'un dualiste et l'autre moniste, quel est le libéralisme contemporain, c'est-à-dire le libéralisme réel ?

On peut toujours soutenir que c'est le premier. Mais c'est à condition d'ignorer quelle évolution l'idée de liberté a subie dans les temps modernes. Or, n'est-il pas bien improbable que les idées sur la liberté aient changé, sans que change la philosophie qui souhaite en incarner la défense ?

Au demeurant, les temps contemporains offrent assez de signes sur la manière dont la majeure partie de ceux qui se réclament du libéralisme comprennent leur propre doctrine : il est assez clair que pour la plupart des gens, c'est d'abord une philosophie de la liberté de devenir ce que l'on veut, sans que l'individu ait par nature à se plier à une règle qu'il n'aurait pas d'abord posée lui-même. C'est donc à cette sorte de libéralisme que les analyses qui suivent seront consacrées.

CHAPITRE II

L'IDÉE LIBÉRALE

I. LE PROBLÈME

Quelque abstraites que puissent paraître les idées jusqu'ici évoquées, elles le sont en réalité aussi peu que possible, car elles constituent toutes ensemble l'idée-mère de nos sociétés, le principe à partir duquel elles se sont élaborées, et dont ont dérivé leurs lois. C'est, en effet, autour de cette notion ou de cette triple notion de la liberté que peu à peu, depuis le XVIIIᵉ siècle, s'est construite la société occidentale. C'est parce que celle-ci les a prises pour principe qu'elle constitue un modèle social d'un genre entièrement nouveau en regard de tous ceux qui l'ont précédé.

La définition de l'homme par sa liberté, au sens désormais pris par ce terme, imposait inévitablement de considérer sa sociabilité comme problématique.

D'abord, comme l'individualité d'un homme semblait désormais prendre d'autant plus de consistance qu'il apparaissait plus différent de celle de son voisin, et comme à la limite cette originalité devenait ainsi une fin, il devenait impossible de considérer comme légitime (c'est-à-dire comme compatible avec sa nature d'homme libre) tout ordre social construit en vue d'une seule fin, ou de quelques-unes : au nombre des sociétés désormais condamnées étaient donc toutes celles dont l'organisation prenait pour but la puissance ou la gloire de la collectivité, l'adoration de Dieu, ou *a fortiori* la satisfaction des volontés d'un seul ou de quelques-uns ; il était tout aussi impossible que les finalités y fussent simplement hiérarchisées : l'autonomie individuelle ayant pris le sens d'une capacité d'indétermination, il n'était plus aucune fin qui pût passer pour supérieure à une autre, si l'on voulait que tous fussent libres ensemble. Il était désormais implicitement proclamé que mériteraient d'être dites libres seulement les sociétés organisées de manière que chacun puisse y poursuivre ses projets singuliers, c'est-à-dire que celles où toutes les fins possibles pourraient être choisies ; et qu'inversement toute société pourrait être dite tyrannique où des fins seraient présentées, indépendamment de l'adhésion personnelle de chacun, comme bénéfiques à tous. Il devenait donc nécessaire de concevoir un nouveau mode d'organisation sociale tel que chacun vivant dans la compagnie de ses semblables, et lié à eux par les liens qu'aucune société ne peut s'empêcher de tisser, fût pourtant aussi libre que s'il vivait solitaire et ne fût lié que par des liens de son choix. Il vaut la peine de remarquer que la difficulté ne tient pas seulement, comme on le dit trop souvent, à ce qu'il s'agit de concilier des projets dont la caractéristique essentielle serait l'égoïsme. Cela en est naturellement la forme la plus aiguë ; mais elle demeure entière même si l'on suppose que les projets individuels ne sont pas égoïstes (si un individu décide de prendre l'altruisme pour maxime de vie) ; car il reste toujours à savoir comment coordonner des projets qui, du simple fait de leur essentielle singularité, sont par définition élaborés et poursuivis sans aucun souci les uns des autres. Comme il semble difficile de concevoir un ordre qui ne soit pas un ordre par rapport à quelque chose, la question revient à se demander en quoi peut consister un ordre qui n'a pas de but, une société qui soit organisée mais par rapport à une fin ou encore, pour parler comme Kant, une société qui soit une finalité sans fin (1).

Question d'autant plus urgente que l'*homo faber* avait triomphé de l'*homo sapiens,* c'est-à-dire que les hommes concevaient désormais leur liberté comme une liberté de faire plutôt que de penser, de transformer plutôt que de contempler, d'agir plutôt que de comprendre. Leurs projets individuels ayant ainsi tous une dimension inévitablement temporelle (les fins recherchées ne le fussent-elles pas elles-mêmes), le risque n'était pas seulement probable mais presque inéluctable qu'ils se heurtassent les uns aux autres. Chacun devant en effet, pour manifester sa liberté, se procurer les moyens de son action, il eût fallu, pour que chacun ne

(1) Nul doute que la métaphysique leibnizienne est à cet égard symbolique : elle révèle à qui veut bien l'entendre l'inquiétude de toute une époque sur ses capacités à assurer aux hommes une existence paisible et tout simplement sociale. Comment, se demande-t-on obscurément, faire cohabiter sans conflit des êtres chacun différent du tout au tout des autres, chacun fermé sur soi parce que chacun se prend pour une fin en soi. La réponse leibnizienne, c'est en germe la réponse de nos siècles : il faut espérer qu'il y ait entre toutes ces entéléchies une harmonie préétablie telle que chacune suivant sa course se trouve pourtant cheminer parallèlement à toutes les autres. Toute la question est naturellement de savoir si le meilleur des mondes est aussi un monde réel.

devînt pas le concurrent et bientôt l'ennemi de son voisin, que les ressources nécessaires à l'action de tous fussent en suffisance pour tous, c'est-à-dire que règne l'abondance. On pouvait rêver d'abondance (en supposant qu'elle ne fût pas un idéal absurde, si chacun conçoit sa liberté comme une capacité d'indétermination sans cesse renouvelée) ; mais en tout état de cause, la rareté est jusqu'à nouvel ordre un des caractères de la condition dans laquelle l'homme est plongé. Dès lors, quand même les fins recherchées ne seraient pas d'ordre matériel, il suffit qu'elles mobilisent certaines de ces ressources pour que la poursuite de l'une prévienne la poursuite d'une autre : la construction d'un couvent peut empêcher celle d'une cantine d'usine. Il fallait donc inventer une forme de société où la poursuite par chacun des ressources nécessaires à son existence d'agent libre n'entraînât point la guerre de tous contre tous, bien que la liberté de chacun fût proportionnelle à la somme des moyens à sa disposition, et que tous recherchassent par conséquent à s'en approprier la plus grande quantité possible.

Dans cette situation, trois solutions étaient possibles.

Évidemment, tous avaient conscience qu'ils seraient d'autant plus libres qu'ils seraient plus seuls, chacun agissant à sa guise, certain de ne pas trouver sur son chemin la malveillance d'autrui. Mais l'histoire est ironique : les mêmes raisons qui leur donnaient cette conscience leur ôtaient la possibilité d'y obéir. Car si leur liberté leur paraissait désormais être à la mesure de leur solitude, c'est parce qu'ils la concevaient comme une liberté d'agir plutôt que de contempler ; leur liberté leur paraissait donc d'autant plus grande qu'ils avaient de ressources à mettre à sa disposition, ce qui les mettait dans la nécessité non seulement d'en trouver, mais d'en trouver la plus grande quantité possible. De la sorte, c'est le désir d'être libres qui les jetait dans les bras les uns des autres. Ils pouvaient certes être libres solitaires, mais d'une liberté étroite, étriquée, sans cesse bridée par la faiblesse des forces de l'individu. Ils sentaient donc d'autant plus le prix de l'aide d'autres hommes que leurs ambitions, c'est-à-dire leur soif d'être libres, étaient grandes. Et c'est pourquoi il s'est toujours rencontré, parmi les hommes, depuis que leur liberté a pris à leurs yeux la forme de la souveraineté individuelle, des avocats de la vie simple et frugale, prêts à ramper dans des cavernes sauvages qu'un seul homme peut aménager parce qu'il les trouve toutes faites ; mais ils furent peu à ne pas voir que cette vie précaire et craintive, obsédée de ses besoins même s'ils étaient simples parce qu'obsédée par l'incertitude de pouvoir les satisfaire, offrait de biens minces satisfactions à qui voulait être libre de faire ce que bon lui chante. Pour qui la liberté consiste à pouvoir tout goûter et

tout faire, brouter des racines dans une paix solitaire ne peut en
représenter que le degré zéro. La verdurolâtrie, si à la mode de nos
jours comme elle l'était déjà il y a deux siècles, est une attitude
contradictoire parce qu'elle procède sans en avoir conscience de la
philosophie même dont elle condamne les conséquences. Fi du
progrès, entend-on partout. Ces sermonneurs rousseauistes ne
comprennent pas qu'ils sont le simple revers de la médaille qu'ils
trouvent si laide : à moins naturellement qu'ils ne cherchent seulement, et plus simplement, à vivre au crochet du progrès qu'ils
vilipendent à bon compte, ils ne voient d'autre moyen pour éviter
les maux d'une civilisation dont ils dénoncent obscurément les
vices, que d'essayer de communiquer l'envie de marcher à quatre
pattes. Ainsi pour eux il faut choisir entre l'asservissement social
et la solitude animale, où la vie dans des sociétés essentiellement
momentanées parce que rassemblées par le seul lien du plaisir et
de la sensation. Le hippisme n'est pas une autre philosophie, c'est
un simple refus de ce qui est la philosophie de l'époque et qui l'est
même aux yeux de ceux qui la dénoncent puisqu'ils n'y voient
d'autre substitut que sa simple négation. Les hippies ne vivent pas
frugalement, ils singent la frugalité.

Dans ces conditions, deux choix seulement restaient : contraindre l'autre, par la force, à servir ses projets, et l'ôter en quelque
sorte à lui-même ; ou bien tout au contraire, trouver moyen que
l'un apporte bien son concours à l'autre, mais volontairement.
Solution évidemment plus habile que la première, parce qu'à la
fois plus sûre et d'un rapport beaucoup plus considérable : régner
par la crainte que l'on inspire, c'est régner sur des hommes dont le
premier souci sera de secouer leurs chaînes et le dernier de vous
bien servir ; tandis qu'on peut se reposer sur qui ne vous aide que
parce qu'il le veut bien. Reste à faire naître l'envie de favoriser des
projets autres que les siens chez un homme qui n'a que ceux-là en
tête. Reste à découvrir un mode d'existence social tel que tous les
hommes y soient également libres d'avoir leurs projets propres et
d'en poursuivre la réalisation sans nuire à celle des projets
d'autrui, où l'épanouissement de chacun concoure à l'épanouissement de tous et réciproquement, où le respect de la liberté de chacun apparaisse comme une fin, mais où la liberté de chacun soit
précisément le moyen du respect de la liberté de tous. Reste en un
mot à trouver une forme d'association par laquelle chacun de ces
touts parfaits et par conséquent solitaires que sont désormais les
hommes s'unisse à tous mais n'obéisse pourtant qu'à soi-même et
demeure aussi libre qu'auparavant.

II. Comment les hommes peuvent vivre libres,
égaux, et ensemble

Le problème est en apparence définitivement insoluble. Pourvu qu'on la prenne comme il faut, une notion en donne cependant la clef, celle d'échange.

Qu'est-ce en effet qu'un échange ?

Chacun le sait. C'est l'acte par lequel je donne à autrui un bien que je possède, qu'il n'a pas et dont il a besoin, cependant qu'il me donne un bien qu'il possède, que je n'ai pas, et dont j'ai besoin. Derrière cette évidence se dissimule l'essentiel, qui est de savoir comment les hommes comprennent le lien qui les unit alors. Tout change en effet selon que l'on considère l'échange comme l'un des rapports que la société rend possible, ou comme le rapport constitutif de tout état de société entre les hommes ; comme une relation qui ne comporte pas ses propres lois, mais qui a à en respecter d'autres, antérieures à lui, et d'une plus haute dignité, ou comme une relation avant laquelle il n'y a pas de loi sociale, parce qu'elle est le prototype de toute relation sociale, et en vérité le fondement de la sociabilité humaine et son unique ressort.

Le premier cas correspond évidemment à ce que l'on pourrait appeler la forme traditionnelle de l'échange : étant unis parce qu'il est dans leur nature d'être sociables, et qu'il est donc dans leur nature de se plier aux exigences de cette sociabilité qui ne sont alors que celles de leur nature même, les hommes se livrent à l'échange sans que jamais la manière dont ils y procèdent menace leur union même. Ce qui signifie en particulier que chacun des partenaires n'y ait pas seulement le souci de soi, mais aussi le respect de l'autre.

Le second cas correspond à la forme moderne ou si l'on préfère, constitue la forme pure de l'échange que l'on peut appeler échange pur et simple et qu'on a toujours dénommé échange commercial : l'échange est alors un acte qui permet à chacune des deux parties d'avancer ses propres affaires, sans qu'aucune des deux ait pourtant à cœur celles de l'autre ; c'est une relation où chacun ne songe qu'à son profit, mais où tous trouvent quand même le leur. Nulle loi n'en règle le déroulement, si ce n'est le bon plaisir de chacun des partenaires : que l'autre y souscrive ou non, c'est son affaire ; les conditions résultent d'un accord mutuel où la considération d'autrui n'entre pas. L'échange crée ainsi une relation qui peut devenir régulière et stable entre deux individus dont chacun a pour seul souci ses fins propres et se moque de celles du voisin.

Rencontre miraculeuse pour qui est persuadé que chaque homme est un atome solitaire, poursuivant une course qui ne pourra jamais être tout à fait celle d'autrui ! Admirable retour des choses, si l'on croit que l'homme est un animal autarcique, mais que des circonstances malheureuses mettent dans le besoin du secours d'autrui ! L'échange fonde un rapport social, et pourtant au sein de la société qui en résulte, chacun demeure libre de vaquer à ses fins comme s'il était seul au monde. La relation d'échange est comme un cercle enfin devenu carré : l'entrecroisement des insociabilités individuelles ne laisse pas de donner naissance à une certaine sociabilité, chacun demeure entièrement libre de se fixer des fins et d'œuvrer à leur accomplissement, mais la liberté de l'un ne détruit pourtant pas la liberté de l'autre, ces individus que tout sépare se retrouvent pourtant unis, et leurs trajectoires, quoique radicalement indépendantes, constituent toutes ensemble un monde qui n'est pas un chaos ; l'échange assure la coexistence pacifique d'un nombre illimité de projets radicalement singuliers ; il devient, pour deux libertés qui chacune cherchent à cheminer sur sa voie propre, la seule manière de le faire tout en continuant ô paradoxe, à cheminer de concert. En toute société constituée d'individus irréductiblement singuliers, et qui donnent à la manifestation de leur singularité le nom de liberté, on peut alors dire que le degré de liberté qui y règne est rigoureusement proportionnel à l'extension qu'y prend la pratique de l'échange pour tous les rapports que ses membres ont entre eux : que chacun en vienne à compter sur ce qu'il peut obtenir d'autrui pour accomplir ses propres desseins, et l'on verra se fabriquer et se dérouler un tissu social étroitement noué bien qu'il ne comporte aucune trame particulière qui en lie impérativement tous les points.

Mieux encore : pour un homme qui assimile sa liberté à une capacité d'action concrète, l'échange ainsi compris devient le moyen d'ouvrir à sa liberté le plus grand champ qui se puisse concevoir. Comme chacun ne reçoit qu'autant qu'il donne, plus il voudra recevoir, plus il travaillera pour avoir à offrir, et mieux il travaillera pour que ce qu'il offre soit demandé : comme l'offre a besoin de la demande, l'intérêt de chacun est de satisfaire autrui. L'échange étant une relation réciproque, chacun aide d'autant plus qu'il a lui-même besoin d'être aidé. Tout s'y passe donc comme si chacune des deux parties avait à cœur l'intérêt de l'autre, comme si chacun pouvait compter pour le succès de ses entreprises, sur le concours et même sur la diligence d'autrui. Aucun dévouement exclusif à soi-même ne peut être d'un pareil rapport. En vivant sur ses seules ressources, l'individu devrait se contenter de ce qu'il peut produire, tandis qu'en se portant à soi-même cet amour plus machiavélique qui passe pour l'intérêt apparent pour autrui, il se met dans la situation de retirer quelque fruit des efforts de tous. Dans cette société d'échange généralisé, la collectivité entière est en quelque manière au service de chacun parce que chacun est au service de la collectivité entière.

Il y a plus. Chacun, parce qu'il sait qu'il peut se procurer par l'échange tout ce qui lui fait défaut, a désormais la possibilité de se consacrer entièrement à la production d'un seul bien, à l'exécution d'un seul service. Or qui peut refuser l'évidence des bénéfices de la spécialisation des tâches ? Là où tous font un peu tout, tous le font mal ; là où chacun ne fait plus qu'une chose, inévitablement, elle sera de mieux en mieux faite, et si ce n'est par l'un, ce sera par l'autre, qui découvrira le moyen de ce progrès.

Née du désir qu'a tout homme de satisfaire ses besoins, la division du travail permet à chacun non seulement de combler ceux qu'il a, mais d'en nourrir sans cesse de nouveaux.

Robinson Crusoé a pu vivre seul parce qu'il vivait mal —, et encore faut-il remarquer que sa condition s'est trouvée considérablement soulagée par le pillage de son ancien bateau, c'est-à-dire grâce au travail antérieur d'autrui. L'esclavage accompagnait des sociétés matériellement peu développées, car le maître qui ne disposait que d'esclaves pour se faciliter l'existence était contraint de vivre très frugalement : toute mauvaise volonté des seconds mise à part, il ne pouvait exiger plus que ce que le travail et le talent de quelques hommes pouvaient fournir. Alors, peu à peu s'imposa comme la seule réponse au développement de nos exigences matérielles, la coopération entre de plus en plus d'hommes, le nombre des coopérateurs étant en quelque manière directement proportionnel à la variété des besoins qu'ils entendaient satisfaire. Ainsi naquit la vraie division du travail, moment décisif dans l'évolution des sociétés humaines. Et il est bien clair qu'elle ne doit connaître, entretenue comme elle l'est par la montée des désirs à laquelle elle contribue en même temps, d'autres limites que celles de la planète même, car ce n'est que lorsque tous les hommes travailleront que tous les rêves humainement possibles pourront être réalisés.

Enfin, chacun étant libre de mettre ce que bon lui semble sur le marché, chacun trouve son intérêt à y offrir la marchandise la plus attrayante, c'est-à-dire la plus soignée et pour le meilleur prix. Quiconque trouve à améliorer le produit tout en abaissant son coût a toutes les chances d'attirer la demande : l'intérêt de chacun est donc de faire toujours mieux et d'utiliser le plus rationnellement les ressources à sa disposition. Ainsi l'intérêt de chacun est aussi l'intérêt de tous, la concurrence de tous profite à chacun. De même, chacun est naturellement poussé à satisfaire tous les besoins non encore satisfaits, voire à en susciter des nouveaux. Le développement des échanges suppose la multiplicité des besoins, mais en retour les désirs se multiplient à mesure que les échanges s'accélèrent. Comme l'échange peut me permettre de me procurer n'importe quoi, je peux rêver à tout : tous sont donc en permanence incités à nourrir tous les rêves.

Ainsi l'échange donne des ailes à ma liberté, et comme l'échange ne produit tous ses fruits que parce qu'il est lui-même celui de la liberté individuelle, on peut dire que la liberté de chacun est la condition du plus grand développement de la liberté de tous.

*

On dira sans doute qu'aucune société ne peut fonctionner sans règles, et l'on aura raison. Mais la grande force d'une société où les relations entre les hommes sont de cette nature, est qu'il n'y est besoin que d'une seule convention. Elle est facile à percevoir et à vrai dire, est fort simple à formuler : nul ne peut évidemment entrer dans une société dont la règle est l'échange, s'il y entre avec l'intention d'user de la force envers autrui. L'échange est, à peine de ne rien vouloir dire, une relation dans laquelle la contrainte ne doit pas entrer ; tout échange doit être libre et volontaire, tout échange compte comme sa condition de possibilité le libre assentiment des deux parties, qui doivent trouver chacune leur intérêt à y procéder ; l'échange exclut par définition l'usage de la violence, et même si l'échange appelle la concurrence, l'échange demeure toujours une relation formellement pacifique. Une société d'échange mutuel exige donc de chacun qu'il cesse de s'emparer de tout ce dont ses forces naturelles lui permettraient de s'emparer, et qu'il consente à ne considérer comme sien ou à ne tenter d'acquérir que ce qu'autrui voudra bien lui offrir en échange de ce qu'il offre.

Cette première et unique convention étant posée, il n'est besoin d'aucune autre règle et tout va au contraire d'autant mieux que tout va seul. Pour que le système fonctionne, il suffira en somme qu'il soit interdit d'interdire. A condition que l'homme se trouve dans une société où ne règnent que les règles de l'échange, le plus bas prix, la plus haute qualité, la plus forte rentabilité, le plus faible coût, la plus grande justice, la plus exigeante honnêteté, la plus constante efficacité, supposent qu'on laisse tout simplement chacun aller où l'attirent ses propres désirs, et qu'on le laisse libre de calculer les moyens les plus économiques de les réaliser. Et au reste, cet heureux effet n'a rien de mystérieux. A le bien prendre, le système tout entier consiste en ce que chacun se serve d'autrui pour ses propres fins, chacun étant une fin pour soi et un moyen pour les autres, et réciproquement. Chacun se trouve donc devant ses semblables comme devant une somme de moyens utilisables dont chacun cherche à tirer le plus grand parti, en tenant compte de leur nature, qui est de rechercher son propre avantage. La machine tend donc spontanément à son plus haut rendement possible, sans que la liberté individuelle rencontre jamais d'autres limites que celles que toute liberté individuelle trouve également sur son chemin. Chacun est en quelque sorte seul devant tous les autres, et les lois de l'équilibre général ont pour tous les mêmes caractères que les lois de la nature. Il n'est au pouvoir de personne de les modifier, mais il appartient au contraire à chacun d'en jouer à son profit. Personne n'est soumis à la volonté d'un autre, mais seulement à des lois dont aucun en particulier n'est responsable, mais dont tous sont ensemble les auteurs, même s'ils en sont en même temps les sujets, parce qu'elles naissent du comportement spontané de tous les autres. La situation de chacun est exactement celle dans laquelle se trouve son voisin, par rapport auquel il joue à son tour le rôle d'élément constitutif de l'état de choses avec lequel il doit composer ; et ce n'est pas parce que la conjoncture est à tel moment favorable à l'un ou à l'autre qu'on peut accuser l'un ou l'autre de l'avoir engendrée. Ainsi donc, malgré qu'elles ne répondent à aucun plan préconçu ; malgré qu'elles ne soient ordonnées à aucune finalité supérieure ; malgré qu'elles ressemblent, plus qu'à toute autre chose, à un récipient d'eau bouillante où chaque particule s'agite selon ses lois propres ; malgré qu'elles paraissent prêtes à verser dans l'anarchie, à moins qu'on ne les y juge déjà plongées ; malgré que nulle contrainte n'y règne ; malgré tout cela les sociétés libérales sont des sociétés où règne un ordre, le seul, parce qu'elles sont comme ces organismes où tout se passe comme s'il y régnait une finalité alors qu'ils n'ont aucune fin, qui soit compatible avec la pleine liberté des hommes.

*

On dira peut-être que l'on attribue ici à l'échange des grâces dont il vaudrait mieux remercier la science, et que ce n'est pas tant le commerce qui fait la richesse que l'industrie, c'est-à-dire les arts techniques et mécaniques. Il n'est, dira-t-on, que de considérer nos sociétés : elles ne sont point d'abord mercantiles mais industrielles, c'est-à-dire que ce sont les premières dans l'histoire des hommes à avoir compris tout le parti que, pour améliorer la vie des hommes, on pouvait tirer de la science, mère de la technique, et à avoir voulu en être les vestales. Cela est fort juste. Mais on oublie seulement que nos sociétés n'ont pu devenir industrielles que parce qu'elles étaient mercantiles, ce qui est d'ailleurs entièrement conforme à la logique. Car jamais le développement des techniques n'y eût connu l'essor que l'on sait, s'il n'avait été constamment suscité par la conscience qu'un marché existait pour les produits de cette technique. Un individu solitaire peut s'amuser à inventer des machines, comme Archimède ou Léonard de Vinci : il ne construira une usine que lorsque les échanges se seront suffisamment développés pour que sa machine devienne autre chose qu'une curiosité scientifique, c'est-à-dire un moyen de production. Les applications utilitaires de la science, en quoi prendra source tout ce que nos sociétés ont d'industriel, ne sont recherchées qu'à partir de l'instant où le savoir scientifique est conçu non plus comme une forme particulière de la contemplation, mais comme une source de biens échangeables.

Le productivisme de nos sociétés, que beaucoup critiquent de travers, n'est illogique qu'amputé de sa vraie finalité, qui est l'échange pur et simple. Et la division du travail, où beaucoup voient le caractère distinctif de nos sociétés, ne prend tout son sens que si on la comprend comme l'effet d'une généralisation de la mentalité d'échange. En terminant aujourd'hui de monter son millionième volant, l'ouvrier ne travaille pas seulement pour soi et pour une paie quotidienne, mais inconsciemment pour autrui et parce qu'autrui, dans le même temps, élève le poulet dont il fera demain son repas. Les civilisations industrielles sont en vérité des civilisations essentiellement commerciales, où l'industrie n'est que le moyen du commerce. Marx se trompe lorsqu'il fait de l'homme, parvenu au stade de l'évolution où nous le connaissons, d'abord un producteur ; il l'est, certes : mais on perd trop de vue qu'il n'est producteur que pour être échangiste. L'homme qui compte, celui qui engendre le monde de demain, ce n'est pas le travailleur comme tel, mais le travailleur qui échange : l'homme vrai n'est pas l'*homo faber*, mais l'*homo mercantilis*.

Dans le même temps qu'il fertilise le germe de la liberté, l'échange constitue aussi le plus puissant facteur de l'égalisation des hommes.

D'abord parce que l'échange est le plus puissant facteur d'une amélioration très générale des conditions. On imagine trop vite que, puisque que chacun ne joue que pour son propre compte, la ruine d'autrui doit lui être indifférente pourvu qu'elle lui profite. Certes, c'est une attitude courante que de fausser les termes du marché, quitte à mettre en difficulté la clientèle qui l'alimente. C'est pourtant l'une des intuitions maîtresses de la science économique libérale, et l'une de ses forces, d'avoir compris qu'en somme, le revenu de l'un est la dépense de l'autre, et réciproquement ; que de la sorte, il se crée entre tous une solidarité de fait, étroite, même si elle est involontaire, et qu'ainsi, sinon immédiatement du moins à long terme, ou même déjà à moyen terme, les sorts de tous se trouvent indissolublement liés. Nul n'a donc intérêt, en réalité, à la ruine réelle d'autrui, et nul, si tous réfléchissaient clairement, ne viserait ce but (1).

Ensuite parce que, n'y ayant d'échange qu'entre égaux, l'échange habitue les hommes à se traiter en égaux. Toute autre situation que celle de l'égalité la plus complète transforme la relation d'échange en relation de pure et simple domination, au sein de laquelle l'échange qui peut prendre place est un simple mot : nul n'échange à proprement parler sa bourse contre sa vie, il cède à la force. Chacun peut naturellement se tromper dans ses évaluations, et être amené (sous la pression de la passion, du désir) à surestimer la valeur « réelle » (c'est-à-dire la valeur auprès d'autres que lui, mesurée à l'aune des mêmes biens qu'il est disposé à céder) de l'objet de ses désirs. Il n'en reste pas moins que, *subjectivement,* ce qu'il cède équivaut pour lui, fût-ce momentanément, à ce qu'il acquiert. Il échange quantités égales (subjectivement égales) contre quantités égales. Il ressent comme injuste (comme un vol) qu'on lui impose une autre équivalence que celle qu'il considère lui-même comme juste. Là où règne l'échange règne donc l'égalité. Le commerce, comme disait Montesquieu superbement, est la profession de gens égaux, et faire que toutes les relations entre les hommes soient des relations d'échange, c'est instituer l'égalité parmi eux. Et comme, du seul fait qu'ils sont tous entièrement égaux, les hommes sont tous parfaitement libres, on peut dire que l'échange, en établissant l'égalité entre les hommes, y assure encore la liberté.

*

On peut soutenir que l'échange rend les hommes vertueux.
Autrefois, Dieu, le Prince, les hommes, la conscience retenaient

(1) L'une des idées les plus évidentes et en même temps les plus difficiles à accréditer est en effet que l'échange profite à toutes les parties prenantes. En réalité, la difficulté est peut-être surtout d'ordre verbal. Il suffit de comprendre que si l'on vous propose la bourse contre la vie, on ne vous propose pas à proprement parler un échange ; on vous propose une alternative dont vous ne pouvez aucunement formuler les termes : on ne vous donne pas votre vie en échange de votre bourse, on vous menace de vous la prendre en vous prenant en sus votre vie. Il n'y a d'échange au sens propre que si d'une part chacune des parties est libre de procéder ou non à l'échange, et si d'autre part chacune des deux parties est satisfaite d'y avoir procédé, c'est-à-dire trouve son compte, quel qu'il soit, à la transaction.

au bord de l'acte celui que le mal tentait. A présent, tout se passe comme s'il était dit au criminel en puissance : « Vous pouvez craindre Dieu et les hommes ; mais vous devriez craindre, avant même leur châtiment, la force des choses ; quand même Dieu serait aveugle et les hommes inattentifs, le système est ainsi fait que le crime ne paie pas. »

Point n'est besoin de lois fixant le juste prix des choses : s'il existe un besoin d'un certain bien, son prix tendra de soi-même à s'établir au plus bas, compte tenu de la rémunération de ses facteur de production, parce que tout prix supérieur laisse subsister la possibilité pour un concurrent qui se contenterait de moins, de réaliser cependant des bénéfices. Tel est le lien entre les intérêts individuels qu'il n'est même plus besoin de condamner comme immorale l'exploitation de l'homme par l'homme : la nature des choses la condamne, et condamne ceux qui s'y livrent. Car le revenu de chacun n'étant fait que de la dépense de tous, diminuer la possibilité de dépense des autres en diminuant leurs revenus, c'est indirectement mais inéluctablement diminuer son propre revenu. Aussi est-il non seulement moral mais même tout simplement nécessaire que règne parmi les membres de ce genre de système social une certaine égalité ou une certaine justice dans la distribution des revenus. Et l'on pourrait ainsi multiplier les exemples, qui tous procéderaient de cette même simple et unique réalité : l'échange pur et simple, tout en permettant à chacun d'aller où bon lui semble, lie le progrès de l'un au progrès de l'autre, en sorte que nul ne peut nuire à quiconque sans en ressentir aussitôt quelque dommage. La solidarité est mécanique et peut se passer de tout ressort intérieur moral. Cette substitution d'une sanction externe et mécanique à la sanction interne du simple remords apparaît ainsi aboutir à la reconstitution d'un équivalent de l'ordre naturel traditionnel dont les fondements mêmes avaient pourtant été minés par le développement de l'échange, et constitue aux yeux du libéralisme même l'un de ses plus grands titres de gloire ; quelle admirable société qu'une société où règne la justice sans qu'il soit besoin qu'aucun de ses membres en ait le souci ou le respect ! Ce qu'on a accompli autrefois à coups de lois et d'interdits, d'éducation morale et religieuse, de contrainte policière ou armée, est désormais assuré de manière entièrement automatique.

*

Enfin l'échange est source d'amitié entre les hommes.

Si les hommes n'avaient pas été conduits à échanger entre eux des biens et des services, ils eussent été contraints, sauf dans le cas nécessairement rare où les sentiments les eussent rapprochés, soit à s'ignorer, soit à se haïr, selon qu'ils auraient eu la chance de désirer des choses constamment différentes, ou que, ce qui est infiniment plus probable, ils seraient entrés en concurrence pour l e s

mêmes : l'idée d'échanger permet la spécialisation de chacun et instaure la complémentarité entre tous. Ainsi la division du travail social, c'est-à-dire l'échange général, en établissant entre les hommes des liens durables et pacifiques, en faisant naître dans leur cœur un sentiment de mutuelle reconnaissance et dans leurs esprits la conscience d'une identité de condition, constitue pour eux une incitation permanente à la fraternisation et à l'amitié.

On connaissait de longue date les bienfaits de la division du travail social. Mais autre chose est une société où les échanges apportent un surcroît de bien-être à chacun, autre chose une société où le circuit des échanges est à ce point développé que l'individu qui n'y est pas intégré ne peut plus songer à survivre. Autre chose est une société où chacun, outre qu'il possède son poulailler, son verger ou sa vache, exerce un métier lui permettant de se procurer des biens qu'il ne trouverait ni dans son poulailler, ni dans son verger, autre chose la société où chacun est entièrement spécialisé, c'est-à-dire ne fait rien d'autre en dehors du métier que son ancêtre exerçait comme de surcroît. Autre chose est une société où les hommes se rendent service, autre chose une société où tous sont au fond les salariés de tous. C'est toute la différence qui sépare les sociétés où règne une certaine division du travail, et les sociétés qui comme les nôtres sont des sociétés de pure division du travail.

Il semble donc que grâce à elle, l'homme devient un dieu pour l'homme, et le libéralisme ne se tient pas d'admiration pour cet agencement. L'homme est un être de besoin, cela est sa croix mais aussi son salut : car c'est en tant qu'il est un être de besoin qu'il se découvre aussi le besoin des autres, celui-ci étant en proportion directe de ceux-là. Mais si le besoin est à l'origine de la sociabilité humaine, la société de consommation est la forme la plus achevée de société possible, celle où la solidarité humaine est devenue véritablement organique. L'aliénation humaine aurait donc du bon : c'est parce qu'il veut triompher de la nature que l'homme apprend à connaître qu'il ne peut le faire tout seul et ainsi de proche en proche, que l'humanité est un tout qui ne se divise pas. Grâce à l'échange, l'humanité est en marche vers la société générale du genre humain, et tout homme apprend à vivre pour autrui.

*

Chacun connaît la fière devise de la révolution française. Si l'échange est à l'origine de la liberté, de l'égalité, de la fraternité, et même de la justice parmi les hommes, ne semble-t-il pas soudain que cette devise ne soit rien sinon l'expression même des vertus du commerce ?

CHAPITRE III

PROSOPOPÉE DES SOCIÉTÉS LIBÉRALES

« De quel opprobre, de quels sarcasmes, de quelles haines ne sommes-nous pas accablées, nous autres sociétés libérales, depuis que nous sommes nées ! De quels maux ne sommes-nous pas rendues responsables ! Pourtant nous avons tant fait pour les hommes et il y a tant à dire pour notre cause ! Mais jugez-en plutôt.

« L'histoire prouvant que nous n'appauvrissons pas les hommes, on nous accuse à présent d'être des sociétés matérialistes. On veut que nous ignorions ce que la nature de l'homme a de spirituel et que nous nous moquions des besoins et des joies de l'esprit. On veut que nous nous bornions à gaver les hommes comme des pourceaux, et si l'on reconnaît combien c'est grâce à nous qu'ils sont repus, on nous reprochera quand même de n'avoir au fond que doré leurs bauges. Le procès est instruit de plusieurs manières.

*

« Nous ne songerions apparemment qu'à produire sans cesse plus de biens matériels, et nous enfermerions l'humanité dans la course déréglée d'une croissance sans norme et sans fin. Esclaves d'un genre nouveau, parce qu'esclaves volontaires et consentants, les hommes deviendraient incapables de jouir de l'existence parce qu'obsédés de se procurer les moyens de la goûter mieux.

« Mais en vérité, il faut beaucoup de mauvaise foi pour ne pas reconnaître ce qui est notre plus grand mérite : avoir compris que la vraie source, la source authentique des malheurs de l'homme et de ce que nos philosophes nomment l'aliénation, était en dernière analyse la nature, cette marâtre qui loin de distribuer ses bienfaits, comme tant de siècles naïfs l'ont cru, les concède à regret au labeur humain. Oui, ingrats, pourquoi serions-nous honteuses d'être les premières à avoir distinctement perçu qu'en dernière analyse les hommes sont méchants seulement parce qu'ils sont condamnés à s'arracher les uns aux autres des biens que l'avarice de la nature se refuse à donner en suffisance à tous ? D'être les premières à pouvoir à bon droit nourrir l'orgueil d'avoir définitivement libéré l'homme de sa tutelle séculaire ou, comme l'a dit notre maître à tous, de l'avoir rendu maître et possesseur de la nature, de lui avoir donné la victoire sur la faim, le froid, la souffrance, c'est-à-dire sur tous ces périls dont le cours ordinaire des choses, autant que les catastrophes extraordinaires, sont la constante cause. L'« *american way of life* », quoi qu'en disent les repus, permettra seul un jour de débarrasser l'humanité du sombre fardeau de sa survie, et de lui faire retrouver un nouvel Éden.

« Permettez-nous de le proclamer : la libération de l'homme est un tout, elle ne se divise pas, et il n'y a pas d'excès dans la consommation parce qu'on ne peut interdire le lève-vitre électrique sans mettre en péril le progrès tout entier, et donc la liberté. Peut-on imaginer qu'il y ait des hommes, et qui pensent, à n'avoir pas la télévision ? Non en vérité, il est bien clair que seule l'abondance de biens matériels autorise l'homme à se livrer à des tâches plus hautes et plus nobles que celles que requiert sa simple survie ou son simple confort. Et si l'échange est à la source de cette abondance, eh bien, reconnaissons que l'échange est le second des créateurs de l'homme.

*

« Libération, nous dit-on alors ? Ne pensez-vous pas plutôt qu'en faisant rêver les hommes d'on ne sait quel paradis retrouvé, vous les condamnez en fait à un enfer quotidien ? En assaillant sans relâche son esprit de tentations nouvelles n'avez-vous pas fait briller d'un éclat artificiel d'innombrables objets sans valeur réelle ? N'avez-vous pas simplement affaibli en l'homme le sentiment de la distance qui devrait toujours séparer le nécessaire du superflu, les vrais besoins des faux ? Consommer, est-ce l'alpha et l'oméga de votre monstrueux credo : hébété, ahuri, assourdi, ébloui, l'homme réduit aux dimensions d'un consommateur névrosé est désormais comme un mouton docile mené en souriant aux abattoirs de l'esprit.

« Oh, nous ne connaissons que trop les discours de tous les verdurolâtres et de tous les bousophiles que nous avons la faiblesse de réchauffer dans notre sein. Ne les avez-vous jamais vous-mêmes entendus ? Malheureuses », nous disent-ils en somme, « les maux de l'humanité auxquels vous prétendez remédier viennent tout simplement de ce que vous tournez le dos à la nature. Certes, qui nierait que la nature est austère et que l'homme au sortir des mains de celle-ci est moins armé que beaucoup d'autres créatures pour lutter avec elles ? Mais enfin, reconnaissez aussi qu'elle a disposé l'homme à tirer profit de ses rudes leçons : elle l'a fait frugal, robuste, agile, elle l'a rendu habile en le dotant de la station droite et d'un pouce opposable, elle lui a conféré le goût de presque tous ses fruits, et donc la capacité de se nourrir aisément, et on peut dire qu'en somme elle l'a choyé plus que tout autre de ses enfants. Elle lui a donné de pouvoir vivre heureux pourvu qu'il s'en tienne à ses instincts primitifs, et pour autant qu'il vive selon les simples préceptes qu'elle a mis comme des bornes naturelles à sa liberté. A suivre la nature, on mène assurément une vie simple et sans grande douceur, mais saine et, forte et sereine, libre et vertueuse. Et il faut savoir n'aller point au-delà de ces limites vite atteintes : qui les franchit sent aussitôt brûler en lui des désirs jusqu'alors insoupçonnés, et qu'il a tôt fait de nommer des besoins ; et le voilà parti, courant d'une satisfaction à l'autre, sans cesse provoqué à en souhaiter de nouvelles, et parce que son habitude du luxe aiguisera ses exigences, et parce qu'il verra d'autres hommes découvrir de nouvelles jouissances. En son âme, bientôt livrées à ses passions, l'envie le disputera à la cupidité, la corruption à la méchanceté. C'est donc en regard de ces perversions qu'il faut juger les sciences et les techniques : il est clair qu'elles sont filles de la tentation du superflu, et qu'en permettant aux hommes de combler de plus en plus de désirs et de passions, elles alimentent leur perversion, comme cette perversion entretient le goût et le culte qu'on leur porte. Née de son innocence perdue, la science est le mauvais génie de l'homme, et les dieux ont eu raison de punir Promothée : il faut, croyez-nous-en, revenir à la nature car, comme disait notre prophète, c'est dès l'origine qu'il faut borner le luxe, et tout est source de mal au-delà du nécessaire physique ».

« Eh bien ! ç'en est trop, et tous ces discours sont vraiment déraisonnables. Laissez-nous rappeler quelques évidences.

« D'abord un besoin est chose éminemment subjective, et quel droit aurait quiconque d'imposer sa propre échelle de besoins à son voisin ? Ou pourquoi, réciproquement, de ce que tel besoin prime chez lui sur tel autre, faudrait-il qu'il en aille ainsi chez tous ? Certes, il est difficile de nier qu'il existe chez tous les hommes des besoins fondamentaux grossièrement identiques ; mais on n'arrive à discerner aucune raison pour laquelle une fois ces besoins-là satisfaits, il faudrait subitement cesser de considérer également comme un besoin toute chose dont on pourrait alors ressentir le manque, et dont l'acquisition semblerait à quelques-uns susceptible de leur procurer quelque satisfaction. Dès l'instant qu'un besoin est suffisamment défini — et l'on ne voit pas qu'il puisse en aller autrement — par la jouissance ressentie à le combler, on ne voit pas non plus quelle norme on pourrait invoquer pour déclarer légitime celui-ci, artificiel celui-là. Quand même, comme on se plaît à le colporter de nos jours, les besoins naîtraient surtout d'un effet d'entraînement social, et du désir d'avoir aussi ce dont le voisin fait étalage, on n'en demeurerait pas moins fondé à appeler cette convoitise un besoin pour qui l'éprouve comme tel. Tout ce dont on sent la privation, dès lors que la satisfaction n'en est pas interdite par les lois, peut être à bon droit considéré comme un besoin, du seul fait que c'est le sentiment qui est en l'occurrence souverain.

« L'avouerons-nous ? Nous sommes fort d'avis de soupçonner d'intentions tyranniques ceux qui prétendent définir en dehors d'eux les besoins des hommes : les amis de l'austérité ont toujours été aussi les ennemis du progrès et de la liberté. Où règnent le consommateur, ses goûts et ses choix, fleurit l'entreprise libre, la concurrence qui optimise la production, suscite l'innovation, abaisse les coûts et en un mot élève le niveau de vie du plus grand nombre, tout en éduquant son sens des responsabilités, son sentiment du réel et son respect du travail. Il n'est que de bien observer les choses pour s'apercevoir que les critiques de la société de consommation sont constamment le fait de gens qui fuient la peine et le risque, la responsabilité individuelle et la nécessité du jugement, et qui préfèrent conjuguer l'agrément d'un salaire régulier avec la latitude de rêver aux frais de la communauté, à moins que ce ne soit encore des gens qui, au lieu de s'élever lentement à force de travail, préfèrent gagner d'emblée les cimes du pouvoir en empruntant le frauduleux raccourci de la politique.

« Quant à ceux qui vont clamant que la société de consommation fait de l'homme un robot conditionné à réagir mécaniquement aux stimulis publicitaires, manipulés par des producteurs assoiffés d'argent, qu'ils essaient donc de vendre quelque chose dont nul ne ressent en effet le besoin. Nous ne parlerons même pas de ceux qui font bon marché de tout le confort matériel que la société de consommation rend accessible au plus grand nombre : on voit bien que ce sont surtout des gens qui n'ont jamais connu le besoin. Quant aux autres, on exagère beaucoup l'efficace de toutes les incitations à consommer dont notre paysage social est, il est vrai, constamment traversé, et l'on se convainc un peu trop facilement de l'indéfinie plasticité des désirs de nos contemporains. On ne voit pas assez que ce sont moins de nouveaux besoins que l'on suscite que des besoins permanents que l'on satisfait de manière sans cesse plus efficace, plus simple, plus rapide, plus complète. Sous prétexte qu'il y a innovation, on ne veut pas voir qu'elle porte non sur les désirs mais sur les moyens de les combler. Mais la fonction d'utilité, elle, est stable, et le besoin n'est jamais nouveau. Les publicistes vous le diront : on déclame contre la voiture, le réfrigérateur, la télévision, les gadgets ; mais l'homme n'a-t-il pas toujours voulu voyager, conserver sa nourriture, communiquer avec ses semblables et d'une manière générale, pour mieux se consacrer à des choses plus élevées, gagner du temps sur la hantise du quotidien ? Le besoin de moyens de locomotion n'est pas nouveau mais latent, le réfrigérateur est plus commode que la saumure, la radio que le messager ou le porte-voix, l'allumette que le silex, et nous en passons...

« Nos braves verdurolâtres sont donc un peu trop vifs à dénoncer les raffinements techniques comme superflus et comme destructeurs de plaisirs simples, maintenant révolus. Ne se pourrait-il pas que ce soit l'abondance même de ces biens qui en fasse aujourd'hui oublier la vraie valeur, et la nécessité foncière, comme on oublie celle de l'eau ou de l'air ? Et ne se pourrait-il pas qu'en réclamant la satisfaction de leurs esthétiques besoins, ils se bornent à revendiquer des biens, aujourd'hui rares, non pas au lieu d'eux, mais en sus de ceux qui leur sont aujourd'hui couramment assurés ? Dites-nous : souhaiteriez-vous vraiment n'avoir plus d'électricité, ou ne désireriez-vous pas simplement vous offrir, en plus de l'électricité, le luxe bourgeois de la bougie ?

*

« Ajoutons une chose, et non des moindres. De quel droit nous accuser du mauvais usage des richesses que nous permettons à tous d'accumuler ? Que l'homme riche soit avare ne condamne pas la richesse mais l'individu. En produisant sans cesse plus de biens matériels, on ne fait qu'accumuler des ressources de plus en plus abondamment disponibles pour les finalités les plus variées et qui précisément peuvent ne rien avoir de matériel. Une société riche, c'est-à-dire une société où la circulation des biens est très rapide, est une société plus à même qu'une société pauvre de construire des monuments, sans qu'elle soit pour autant dans la nécessité de vouer une partie de sa population à l'esclavage. Loin de condamner les hommes à l'obsession des biens matériels, — n'est-ce pas une des choses les plus fortes que l'on puisse dire en notre faveur ? — l'abondance des biens matériels leur permet de choisir en toute liberté la finalité à laquelle ils veulent consacrer leur existence. En les libérant du souci de leur survie, nous n'avons fait que permettre aux hommes qui le souhaitaient de se livrer à la contemplation et à la réflexion.

« Avons-nous jamais empêché quiconque de s'y livrer, à quelque moment que ce fût ? Bien sûr, certains ont, sous notre couvert, commis quelque excès et retiré à ces moines la possession de leurs couvents. Mais le zèle des nouveaux convertis est souvent cause d'erreurs condamnables, et au demeurant, il s'agissait surtout d'ôter à quelques hommes le pouvoir qu'ils entendaient, par des voies cachées et machiavéliques, s'arroger indûment sur leurs concitoyens : il s'agissait de protéger la liberté de tous, et d'empêcher quelques-uns d'user d'influence dans la détermination de la voie que chacun avait le droit de se choisir seul. Tolérantes par principe, et même en quelque sorte par définition, nous ne nous armions que contre l'intolérance. Amies de la liberté, nous n'élevions la voix que contre ses ennemis. N'est-ce pas Locke qui voulait que nul ne pût être membre d'une société civilisée s'il n'était croyant ? Avons-nous jamais privé de leurs droits civiques les hommes qui voulaient être des missionnaires, et avons-nous jamais fait autre chose que de donner les moyens d'être généreux aux fidèles de l'Église dont ils étaient les envoyés ? Avons-nous jamais interdit l'activité des banques catholiques Et trouvez-vous qu'il y a moins de peintres, de sculpteurs, de romanciers et de poètes de nos jours que lorsque leur existence était suspendue au bon vouloir et aux goûts d'un riche mécène, croyez-vous que les œuvres de l'esprit étaient plus nombreuses lorsque les famines ravageaient les populations que lorsque les voitures encombrent les routes ?

« Notre nature veut que nous répugnions à être organisées en vue d'une seule fin, et qu'au contraire, comme cela a été dit, nous encouragions chacun à se donner à ce qu'il juge être sa vocation, que ce soit la plomberie, la politique, ou la poésie. Pour nous toutes les fins se valent, et sont également respectables. Qui peut donc sans mauvaise foi nous dire matérialistes ? Disons, si vous le voulez, que nous sommes foncièrement relativistes, et même un peu sceptiques : non seulement nous le reconnaîtrons, mais nous irons jusqu'à nous en faire gloire. Car nous avons toujours vu tourner en fanatiques les hommes qui croyaient posséder la vérité.

« Oui, la vérité, voilà ce qui nous effraie, car qui peut démontrer à la satisfaction de tous qu'il la possède ? Tandis qu'il suffit de croire la posséder pour s'estimer en droit de commettre tous les crimes et pour justifier toutes les tyrannies. Tenez ! nous admirons la science, nous aimons l'histoire, et nous respectons la Foi. Mais jamais nous n'admettrons que la science, l'histoire ou la Foi s'arrogent le droit de régler l'existence de tous. Dangereux entre

tous, les hommes qui jugent détenir une vérité qu'ils croient révé-
lée : principe de tous les fanatismes, qui met l'homme en dessous
de la bête, parce qu'il fait de lui un animal non seulement cruel
mais conscient de l'être, et qui fait le mal avec bonne conscience.
Que chacun croie donc ce qu'il souhaite croire, à condition qu'il
ne cherche jamais à imposer par la force sa croyance à autrui, et
qu'il la tienne enfermée en ce for intérieur où il peut se comporter
absolument à son gré, voilà notre dogme à nous autres qui aimons
la liberté. Appelez-nous athées si vous voulez, nous n'en discon-
viendrons pas. Nous devons beaucoup à Prométhée, à ce génie
audacieux qui nous a montré le chemin en s'en prenant aux
dieux : car les dieux ne sont jamais que la simple nature, revêtue
d'un caractère sacré et transcendant par la crainte qu'éveillent en
l'homme, créature physiquement faible et sans arme naturelle, les
manifestations formidables de son écrasante puissance. Et ne nous
croyez pas pour autant gagnées par une certaine idéologie : nous
en avons tout autant au service de la science, dont pourtant nous
admirons aussi vivement qu'il est possible les bienfaits. Il n'est
pas de science dont on puisse déduire une morale, comme le voulaient certains vieux rêves, et l'on n'a pas le droit de faire tourner
une société comme une machine, à moins d'être un tyran, dégui-
sant son arbitraire sous les dehors d'une science affirmée supérieure. Une société ne peut être que la résultante de l'entrecroisement de projets individuels, et rien d'autre. La même raison fait
encore que nous détestons les philosophies de l'histoire. Sous
l'apparence éminemment fallacieuse d'un sens de l'histoire, les
historicistes donnent en réalité toutes les excuses et toutes les justifications à la tyrannie de ceux qui s'en veulent porteurs. *A fortiori* détestons-nous le déterminisme matérialiste, qu'un flux a
rendu si populaire : à nos yeux il cumule les périls, en voulant que
l'histoire des hommes n'ait qu'un sens, et en voulant que les hommes n'aient d'autre souci que celui de leur ventre. Oui, en vérité,
vous le voyez, notre credo tient en quelques mots, nous croyons
que l'existence individuelle est une réalité irréductible et sacrée,
qu'il y va du salut de la liberté humaine et donc de l'homme
même, que chacun a le droit le plus imprescriptible à s'assigner
ses fins propres, et qu'en un mot une société libre comporte autant
de fins que d'individus.

*

« De quels péchés décidément ne sommes-nous pas coupables !
On nous accuse enfin, nous autres sociétés libérales, d'accoutumer
les hommes à n'éprouver d'attraits que pour le profit, de les dresser à ne faire autre chose que s'enrichir, et en un mot de cette riche

matière dont est fait l'homme, nous aurions fait la plate créature, l'être unidimensionnel que depuis le XVIIIe siècle on a coutume de nommer " homo œconomicus ".

« En vérité, est-ce notre faute s'il est toujours des esprits simplistes, des intelligences médiocres ? Qu'y pouvons-nous si l'apparence est toujours plus frappante que la réalité ?

« Certes, nous ne nierons pas avoir donné naissance à l'économie politique, et avoir communiqué aux activités économiques une impulsion qu'elles n'avaient jamais au départ connue auparavant. Nous ne contestons pas d'être les premières sociétés humaines qui puissent être appelées des sociétés de marché, ni même, si vous y tenez, d'être des sociétés économiques de part en part. Seulement vous ne savez pas ce que veut dire économique, pas plus que vous ne savez pourquoi l'économie a pris grâce à nous l'essor que vous dénigrez, tout en en profitant d'ailleurs. Vous vous bornez à croire et à répéter que nous avons rapetissé l'âme humaine aux dimensions d'un porte-monnaie, que nous avons, par pure bassesse d'esprit, légitimé tous les désirs, toutes les passions, encouragé la licence, et en un mot, détourné l'homme de ce qu'il a de plus noble.

« En réalité, la croissance de l'économie tient à une découverte dont elle a certes bénéficié, mais en quelque sorte par hasard. Cette découverte est toute simple, mais les hommes ont pourtant, cela est fort curieux, mis des siècles à la faire. Elle tient en quelques mots : la condition humaine est d'abord faite par la rareté des ressources disponibles à l'homme, ce qui fait que tout choix d'une fin, c'est-à-dire toute décision volontaire, résulte d'un calcul, et suppose l'établissement d'une comptabilité en partie double, au terme de laquelle se fait le calcul. En effet, il n'est aucune fin qui ne suppose la mise en œuvre de ressources, l'individu dût-il n'y consacrer que cette ressource élémentaire qui est son temps. Et ces ressources sont par nature rares, à l'image du temps dont dispose chacun : quand même toutes les autres ressources nécessaires seraient déjà en abondance, ce qui est au demeurant difficile à imaginer, il n'en resterait pas moins que toute activité humaine demande à tout homme du temps, et suppose donc la détermination d'une préférence entre des usages alternatifs de ce capital. Dès lors on peut dire que toute action humaine, quelle qu'elle soit, a un coût, et même ce qui en constitue le degré zéro, comme par exemple la paresse. La détermination de ce coût résulte de la comparaison de la satisfaction qu'apporteraient les mêmes moyens à d'autres fins, et la satisfaction qu'apporte leur utilisation à la fin choisie ; le coût d'une action, c'est le coût des moyens utilisés (exprimé par les satisfactions alternatives qu'il pourrait procurer) rapporté au bénéfice attendu de la réalisation de la décision.

« Tout choix d'une fin est donc en réalité le calcul d'un coût, tout geste est le résultat d'un choix entre différents coûts et entre ce qu'ils rapportent chacun. Il y a donc encore une illusion, d'ailleurs séculaire, à imaginer que le choix de certaines fins ne suppose aucun calcul. Il se trouve simplement qu'il peut exister des cas où ce calcul est en quelque sorte tout fait, où tout est pesé d'avance, de sorte qu'on peut avoir l'impression d'agir sans en avoir délibéré. Ainsi lorsqu'on agit selon la coutume, lorsqu'on se conforme aux usages en vigueur, lorsqu'on obéit aux normes de conduite qui nous ont été inculquées : dans tous ces cas, les habitudes, et l'éducation, rendent le coût de l'infraction très élevé en regard des jouissances qu'elle peut permettre, mais ce n'est pas parce que le calcul est quasi instinctif qu'il n'en intervient aucun.

« Or qu'est-ce que l'économie ? Selon une définition tout à fait reçue, c'est la science des choix par lesquels est déterminée une allocation rationnelle des ressources rares en fonction de fins alternatives. Un acte économique consiste, et c'est en quoi même le sens commun est porté à le nommer économique, à utiliser les ressources dont l'agent économique dispose de la manière qui lui rapporte le plus de satisfaction possible au moindre coût ; ce qui suppose que l'agent calcule simultanément comment les utiliser le plus rationnellement possible pour chaque but auquel il peut les affecter ; quelle est la répartition éventuelle entre différents buts qui équivaut à la meilleure utilisation de la totalité de ses ressources, quel est enfin le but qu'il recherche le plus et en fonction duquel le résidu s'en distribuera de la manière qui consiste pour lui dans leur utilisation optima. Un acte économique, c'est une utilisation économique des ressources nécessaires à l'accomplissement de son but. La décision économique apparaît donc comme l'archétype de toute décision volontaire ; l'acte économique est par excellence la résultante de la comparaison entre les coûts de certains actes possibles et les bénéfices qui en peuvent être retirés. Or telle est précisément l'origine de l'erreur si couramment commise sur notre compte à nous, sociétés libérales. Car il suit de ce raisonnement que tout acte humain peut être d'une certaine manière considéré comme économique, puisqu'il comporte un calcul qui est bien effectivement un calcul à proprement parler économique. Mais, comme le mot d'économie est chargé d'un sens plus populaire dont il est difficile pour l'imagination de le séparer, on a cru que nous étions des sociétés vouées exclusivement à cette activité désignée par le sens courant du mot. En réalité, dire que toute action humaine est économique, c'est, à pren-

dre le mot dans son sens général mais profond, dire que simplement toute action humaine est rationnelle, dans la mesure où
toute rationalité consiste dans la considération des fins et des
moyens, et dans un calcul des meilleurs moyens à prendre pour
atteindre les fins qu'on se propose. En réalité par conséquent,
l'économique au sens populaire n'est qu'un cas particulier de
l'économique au sens abstrait, c'est-à-dire du rationnel. Nous ne
sommes pas des sociétés économiques, nous sommes des sociétés
rationalisées.

« La différence entre le domaine de l'économique au sens courant, et le champ entier de l'activité humaine, tient donc tout
entière en ceci : le calcul rationnel, en quoi consiste tout acte
volontaire, ne s'exprime pas nécessairement de manière très
rigoureuse (et donc très perceptible) parce qu'il ne porte pas nécessairement sur des données chiffrables ; au contraire, à partir du
moment où l'activité économique prend la forme de l'échange, le
calcul économique se rapproche plus que tout autre de la forme
idéale d'un calcul rigoureux, parce qu'il est dans la nature d'un
bien économique d'avoir un prix, ne serait-ce que celui qui lui est
conféré par l'échange auquel il donne lieu.

« Et c'est pourquoi il n'y a pas à s'étonner que l'économie ait
pris une si grande place en notre sein : mais elle n'a pu la prendre
que parce que dès l'origine nous avions entrepris de donner un
tour rationnel à toutes les actions humaines, et à tous les rapports
que les hommes étaient susceptibles de nouer entre eux.

« Admirable agencement des choses ! c'est parce que nous vou-
lions favoriser le bonheur des hommes sans nuire à leur liberté
que nous avons pris l'échange comme maxime suprême. Or voilà
que l'échange vient aider encore au progrès en aidant à la rationa-
lisation des activités humaines. Pour nous il n'est d'action vraiment libre que celle que l'agent commet en toute connaissance de
cause, c'est-à-dire en sachant en particulier le coût de son accomplissement comme de ses conséquences. Mais comment l'agent
pourrait-il connaître le coût de toutes les ressources qu'il peut
imaginer se procurer pour ses fins propres, sinon peut-être en le
mesurant, lentement et sans grande précision, au temps qu'il met
à les atteindre ? Calcul qui devient d'autant plus improbable à
mesure que la quantité et la vérité de ces ressources augmentent.
L'échange revêt dès lors un caractère providentiel : c'est en
s'échangeant les unes contre les autres que les choses acquièrent
un prix ; et c'est parce que le développement des échanges impose
le recours à la monnaie qu'elles acquièrent un prix parfaitement
précis, qui s'appelle prix de vente s'il s'agit de celles qu'on possède, ou prix d'achat s'il s'agit de celles que l'on désire. La ratio-

nalité prend dans les conduites humaines une extension qui est exactement proportionnelle à celle qu'y prend l'échange, parce qu'elle peut s'exercer d'autant plus qu'il y a plus de choses à recevoir un prix et que les prix naissent de l'échange. Pourquoi donc ne nous glorifierions-nous pas d'être des sociétés de marché ? Cela ne veut pas dire que nous n'ayons cherché à être que des sociétés exclusivement mercantiles ; cela veut dire que nous avons donné aux hommes la possibilité de peser le plus précisément possible leurs actions, en faisant que la plus grande part de leurs actes ait désormais un prix. Ce n'est pas parce que nous aimons la monnaie que nous aimons l'argent : il se trouve simplement que nous pensons que la monnaie est le moyen le plus simple d'effectuer des évaluations précises et des calculs rigoureux. Ce n'est pas parce que nous ne rêvons que de nous enrichir que nous faisons l'éloge du profit : il se trouve tout simplement que le profit constitue à nos yeux un indicateur élémentaire des désirs de tous, et le plus simple moyen pour un homme de savoir comment faire avancer ses affaires et pour tous de réaliser l'allocation la plus utile possible des ressources communes. Ce n'est pas parce que nous sommes avides que nous souhaitons que tout se paie : c'est parce que nous savons d'expérience que c'est ce que l'on n'achète pas qui coûte le plus cher, parce qu'on n'hésite jamais à le gaspiller. Ce n'est pas par égoïsme que nous défendons la propriété privée : c'est parce que nous avons toujours vu que seul le propriétaire était soucieux de gérer rationnellement son bien. Ce n'est pas par épicurisme, ou par on ne sait quel grossier sensualisme, que nous admirons ceux qui savent, avec un minimum de dépense, se procurer un maximum de satisfaction : c'est parce que faire le plus avec le moins nous a toujours paru constituer la définition même de la rationalité ou de l'intelligence, et nous voyons mal comment cela signifierait que nous prisons seulement les satisfactions matérielles.

« Non décidément ! Notre dieu n'est pas l'or ; c'est la raison. Sans doute ce n'est pas cette raison dont parlèrent pendant si longtemps les philosophes, dont ils prétendaient, de manière ô combien mystérieuse, tirer des principes et des fins dernières. Comme notre ami Kant l'a si bien montré, cette raison-là est une faculté bien fumeuse, et dont les fumées risquent fort de masquer les ambitions du despotisme et les périls de l'arbitraire. Notre raison à nous, c'est bien plus modestement mais bien plus fructueusement, une faculté de comparer, de peser, de déduire, de discerner les causes et les effets, et en un mot de calculer : elle n'entend plus légiférer sur les fins, mais, en laissant au contraire chacun souverain arbitre de ce qu'il préfère, éclairer pour lui comme un phare le plus court chemin qui puisse le mener à l'objet de son désir. Nous voulons que nos citoyens soient raisonnables : mais cela ne veut pas dire qu'ils aient des principes intangibles, cela veut dire seulement qu'ils sachent composer avec un monde dont ils ne peuvent exclure ni la rareté ni autrui, et dans lequel il leur appartient seulement de découvrir la voie qui leur est la plus avantageuse.

« Nous en avons dit assez : résumons-nous, et que les mauvaises fois se taisent. Même s'il est évident que nous prisons fort les jouissances matérielles, on ne saurait nier que toute vertu demande quelque aisance, et qu'après tout il serait difficile de penser s'il ne fallait songer qu'à se nourrir, à se vêtir, à se loger ou à se défendre. Même s'il est bien clair que nous avons engendré un goût des jouissances matérielles plus prononcé qu'il ne l'a jamais été, il est tout aussi clair qu'il n'est imposé à personne par la contrainte, et qu'au contraire, notre credo est que chaque fin en vaut une autre pourvu qu'elle soit élue par un individu. Même si les égoïsmes paraissent souvent exacerbés, il ne fait pas plus de difficulté de reconnaître que nous sommes peut-être, de toutes les sociétés connues, celles où le meilleur parti, c'est-à-dire le parti le plus généreux, est tiré de l'égoïsme même, sans qu'il soit besoin de souligner qu'on y voit souvent des saints et des hommes désintéressés, et même souvent respectés. L'égoïsme est seulement le risque encouru par quiconque entend faire respecter l'ego, c'est-à-dire le sujet, il n'en est pas le produit nécessaire. Même si les hommes que nous aimons paraissent couramment se comporter ·comme des caissiers derrière leurs tiroirs respectifs, il n'y a rien d'illogique à soutenir que ce n'est pas l'activité économique comme telle qui est l'unique objet de nos soins, mais l'action rationnelle, dont le comportement économique est seulement un cas particulier, remarquable, et encouragé par la nature des choses. C'est en un mot se faire de nous une image caricaturale de nous attribuer, comme autant de tendances irrésistibles, des penchants matérialistes, égoïstes et mercantiles. Tout homme de bonne volonté le comprendra : nos vrais penchants, que nous cultivons en effet de manière consciente et organisée, sont bien plutôt le relativisme, le subjectivisme et le rationalisme. »

Troisième Partie

LES PROPOS D'UN INSENSÉ
OU
LES DILEMMES DE L'ÉCHANGE

CHAPITRE PREMIER

LA CLEF DE VOÛTE LIBÉRALE
« IL MUNDO VA DA SE »

Ce système d'idées est à l'évidence imprégné d'un dogme, à moins que ce ne soit d'une espérance, dont en vérité il dépend tout entier : à savoir, que moins on cherche à penser par avance la machine sociale, mieux elle fonctionne ; plus on laisse faire les individus, plus aisément naîtra une société ordonnée tout en étant libre ; moins on usera de force, moins il sera nécessaire d'en user ; moins on a de plans préétablis, plus tout se passe comme si l'on en avait un ; moins on gouverne les hommes, plus les choses s'organisent d'elles-mêmes. Non que la paix règne spontanément entre les membres d'une même communauté : au contraire, l'ordre naît de l'affrontement (toutes les fois, disait Montesquieu, qu'on voit une société dont rien ne vient troubler l'ordre, on peut douter que la liberté y règne). Mais il y a une pesanteur naturelle, une nature des choses, des lois naturelles, et d'abord celles de l'économie : elles assurent que de la poursuite individuelle du bonheur naît le plus grand bonheur possible pour le plus grand nombre, comme l'harmonie résulte de la discordance des notes qui composent un accord.

Le libéralisme ne peut se défaire de cette conviction sans s'ôter l'un de ses plus solides fondements. Car, puisqu'il n'existe aucun homme qui soit par nature fait pour commander à ses semblables, ni aucune idée, ni aucune doctrine, ni aucun dogme qui lui donne le droit de le faire, il faut que les choses aillent d'elles-mêmes, ou que certains hommes règnent sur les autres par la force. S'il n'y a pas de société sans lois, il faut que ces lois s'imposent à tous sans qu'aucun puisse penser qu'un seul les a faites, ou que ces lois cachent la tyrannie d'un seul ou de quelques-uns. Si tous les hommes doivent être libres, il faut que chacun n'obéisse qu'à soi-même, et que pourtant il ne nuise jamais à son voisin : il faut que les choses soient ainsi faites que chacun respecte les autres sans jamais cesser de ne songer qu'à soi, ou que ce respect lui soit imposé par la crainte, donc par la violence. Si les hommes n'entrent en société que pour les avantages qu'ils y trouvent, il faut que tous soient satisfaits de ce qu'ils en retirent, et qu'aucun ne puisse se sentir lésé que par sa propre faute : autrement, tous les discours qu'on lui tiendra sonneront comme des cliquetis de chaînes.

Il est en un mot indispensable que tous reconnaissent que, même si les choses ne sont pas parfaites, elles vont néanmoins le mieux qu'il est possible qu'elles aillent, et qu'en somme, tout est pour le mieux dans le meilleur des mondes possibles, c'est-à-dire qu'aucun homme n'est particulièrement responsable du mal qui y subsiste. Le libéralisme est ainsi fait qu'à moins de persuader tous les hommes que l'ordre naturel des choses ne leur permet pas d'espérer plus que ce qu'ils ont, il les porte nécessairement à soupçonner le despotisme et l'injustice. Tous doivent donc être persuadés qu'une main invisible et bienveillante gouverne le monde, et qu'à vouloir lui substituer la main de l'homme, on ne fait que l'empêcher de tourner.

Il reste à savoir si les choses vont bien en effet d'elles-mêmes.

CHAPITRE II

LE LIBÉRALISME ET LA FRATERNITÉ
OU
DE L'INSOCIABLE SOCIABILITÉ
DE NOS CONTEMPORAINS

Il faut être fou pour croire qu'il y a en ce monde des cités idéales. Il faut être encore plus fou pour douter que les sociétés libérales, qui sont pleines de vices, n'en demeurent pas moins parmi toutes celles qu'on a conçues, celles qui en ont le moins. Certains en doutent pourtant, ce qui prouve qu'ils n'ont pas tous leurs esprits. L'un de ces égarés discourait l'autre jour dans un jardin public et ses propos égayaient les passants.

« Il est vrai », disait-il, « qu'aujourd'hui, en Occident, une société industrielle offre l'apparence d'une coopération générale de tous avec tous. Il semble qu'on y voie les hommes travailler les uns avec les autres et les uns pour les autres, que chacun y sache combien il dépend d'autrui, et que la conscience de la réciprocité des services y construise une solidarité très active : beaucoup y sont égoïstes, mais on y voit également de grands dévouements, des charités admirables et des dons immenses faits sans espoir de retour. Voyez ici cette fondation, là cette autre, et partout une assistance sociale qui assure aux plus démunis et aux plus malchanceux l'aide des plus riches et de ceux que le sort a favorisés ! Les sociétés occidentales modernes semblent répondre aux souhaits les plus antiques de l'humanité : que l'homme soit au service de l'homme, que la société soit le moyen de l'épanouissement de tous, et qu'ainsi soit accompli le vieux credo stoïcien qui voulait qu'il n'y ait rien de plus utile à l'homme que l'homme.

« Mais on aura beau faire, il est aussi une chose que l'on ne peut nier, parce qu'elle est la base de tout l'édifice des sociétés libérales modernes, et qui n'est autre que la raison même pour laquelle l'échange s'y est tant développé. Le libéralisme a toujours parlé clair sur ce point.

« Les hommes ont toujours su combien il leur était avantageux d'échanger entre eux biens et services. Chacun sait, à avoir lu Margaret Mead, H.S. Maine, Malinovski ou Mauss, que l'échange prend régulièrement chez les peuples sauvages la forme d'une cérémonie sacrée, accomplie suivant des formes rituelles. Mais chacun sait donc aussi la signification qu'avait alors l'échange pour ces peuples que nos contemporains se plaisent à nommer primitifs. Si l'on ne se bornait pas à pratiquer l'échange, et si on le célébrait, c'était parce qu'il constituait la manifestation la plus visible de l'esprit de solidarité sans lequel, aux yeux de ces hommes que l'on dit sauvages, ils n'auraient pas constitué ensemble une société. C'est ainsi que le même objet pouvait être rituellement donné, puis reçu, puis donné encore, et cela plusieurs fois pour revenir enfin à son propriétaire originel ; c'est ainsi que, selon un autre rite, chacun s'efforçait de donner plus qu'il n'avait reçu ; c'est ainsi encore qu'Aristote, philosophe admirable mais primitif, voulait que le prix demandé par un vendeur à un acheteur fût toujours un prix d'ami, ou que le prix d'un service fût fixé par celui auquel il était rendu.

« Coutumes et réflexions sans nul doute plus qu'étranges pour nos contemporains, parce que totalement étrangères à leurs propres mœurs et à leur philosophie spontanée ! Ce qu'ils aiment dans l'échange, ce n'est pas le lien qu'il institue avec autrui, c'est au contraire qu'il permet à chacun de s'unir à tous, et ainsi de vivre mieux, et pourtant de n'obéir qu'à soi-même, et de rester aussi libre qu'il l'était dans la solitude ; à tous de s'entraider mutuellement, et pourtant de s'ignorer s'ils le souhaitent ; aux hommes de se côtoyer, et pourtant chacun d'aller son chemin comme s'il était seul. Pour les hommes d'aujourd'hui, le miracle de l'échange, c'est d'opérer la réconciliation de la solitude et de la sociabilité, du respect de chacun pour tous et du respect de tous pour chacun, d'offrir le progrès à tous en laissant chacun ne regarder qu'à soi.

« Ce que nos contemporains voient dans l'échange, ce n'est donc pas le moyen d'aider autrui, c'est le moyen de s'aider soi-même. Chacun donne à autrui, mais ce n'est pas parce qu'il est porté à aider autrui, c'est pour qu'autrui lui donne. Les hommes ne sont pas sociables par choix ou par aptitude particulière, mais parce qu'ils y sont forcés par le besoin. Le sentiment que l'un peut éprouver pour l'autre, la pitié qu'il peut nourrir pour lui, l'amour dont il peut brûler à son égard, peuvent s'ajouter à l'échange et le charger de bienveillance ou de générosité, mais demeurent étran-

gers à la nature de l'acte. Au cœur de la pratique de l'échange il y a
la conviction qu'il est dans la nature de l'homme de s'aimer
d'abord soi-même, et que cet amour de soi, qui est naturel, est par
là même légitime. Le bénéfice a beau être mutuel, il n'en reste pas
moins que chacun ne recherche que le sien propre, le fait qu'il soit
partagé n'a rien d'intentionnel, mais constitue seulement un heureux hasard naturel qui rend l'échange utilisable pour les hommes.
Ce n'est pas un hasard si Rousseau voulait que ce soit la pitié, et
non la charité, qui fût en nous le seul sentiment à nous porter vers
autrui. Car la pitié est faite de compassion déguisée pour soi, et la
vraie loi, non écrite, de l'échange est : " Chacun pour soi. "

« Je veux bien qu'il ne faille pas confondre la subjectivité des
choix individuels avec l'égoïsme. Je ne vois pas pourtant ce que
cela change à notre question. Car dès l'instant que l'action individuelle est la recherche de fins qui, si nobles et si désintéressées
soient-elles, ont une valeur à mes yeux d'abord parce que j'ai
décidé souverainement qu'elles devaient en avoir une, l'amour
d'autrui devient lui-même l'effet de l'amour de soi. Comment
imaginer qu'un homme qui n'obéit qu'à soi pense à autrui dans
l'instant où il échange avec lui ? Lorsqu'un homme décide d'être
charitable, il cherche dans l'échange le moyen de l'être, sa charité
s'exerce peut-être dans le moment du don, mais non dans le
moment où il acquiert par voie d'échange ce qu'il va ensuite donner. Ce qui obscurcit pour la pensée la manière dont les hommes
se traitent les uns les autres quand ils procèdent à des échanges,
c'est que bien souvent ceux-ci sont en quelque sorte tempérés par
des considérations annexes et étrangères à la nature de l'acte : tout
en échangeant un service avec un ami, j'aime aussi à lui rendre ce
service comme il aime à m'en rendre un ; sans doute il y a
échange, mais l'échange compte moins que la volonté réciproque
de rendre service. Ce qui illustre au contraire l'échange que l'on
met chaque jour en pratique aujourd'hui, c'est l'achat que je fais
dans une ville inconnue à quelqu'un que je n'ai jamais vu ni ne
reverrai jamais : l'un est heureux d'acheter, l'autre de vendre,
mais ni l'un ni l'autre n'achète ni ne vend pour faire plaisir à
autrui. L'heureux hasard de la rencontre de deux intérêts différents fait tout l'échange, et c'est cette propriété qui a retenu
l'attention des modernes.

« Le penchant à se préférer soi-même est d'ailleurs d'autant plus
prononcé que les civilisations modernes sont industrielles. Car il y
a quelque chose de contradictoire à supposer que l'on puisse travailler à la production de biens matériels et qu'on le fasse par
simple amour pour autrui. La raison en est toute simple, c'est que

je ne peux vouloir le bien-être d'autrui parce que j'aime le mien, comme je peux aimer une idée et, parce que je l'aime, vouloir qu'autrui la partage. Aussi tout paraît nécessaire à qui aime les biens matériels, et il n'est pas d'homme riche qui ne cherche à le devenir sans cesse plus : on n'a jamais fini de songer à soi quand il s'agit de son bien-être. La vérité est brutale et nos contemporains n'aiment pas à la regarder en face : la dévotion au bien-être procède du culte de soi-même et y enferme l'individu. Il est certain que ce n'est pas une pratique solitaire et que chacun vit d'autant plus comblé que tous acceptent de se prêter assistance ; mais il n'en reste pas moins que lorsque tous recherchent le bonheur, c'est d'abord le sien que chacun poursuit, et seulement par accident celui des autres. Aussi évidemment que l'échange fasse avancer les affaires de tous, c'est au sien propre que chacun regarde et le hasard seul, un hasard heureux certes mais un hasard quand même, fait que les affaires des autres avancent d'un même pas.

« Certes, les libéraux ont raison de dire qu'on les caricature en faisant d'eux des nouveaux pourceaux d'Épicure. Ils ont raison de souligner que leur premier souci est au contraire de rendre possible à chacun de s'attacher aux fins qu'il veut. Mais ce pluralisme même comporte un danger : c'est que les fins individuelles sont ainsi nécessairement mises sur le même plan. Si chacun a un droit imprescriptible naturel à se donner les fins qu'il veut, c'est donc bien que d'une certaine manière, aucune n'a un droit imprescriptible naturel à s'imposer à l'attention d'un homme. Certaines peuvent être considérées comme plus nobles, chacun n'en a pas moins un droit imprescriptible et naturel à en choisir de moins nobles sans déchoir pour cela de sa qualité d'homme : toutes sont donc d'une certaine manière sur le même plan. C'est dire que le bon plaisir de l'individu est en dernière analyse souverain. Une civilisation libérale n'est peut-être pas une civilisation matérialiste, elle ne peut pas ne pas être, dans ses profondeurs, une civilisation hédoniste.

« Ainsi, quand même la préférence pour soi ne serait pas inévitablement de l'égoïsme, ou quand même l'égoïsme n'en serait que la forme la plus vulgaire et la plus basse et pas nécessairement la plus répandue, ramenée à ce qu'elle a d'essentiel, elle n'en dériverait pas moins du sentiment qu'a l'individu de constituer un tout parfait en tant que tel souverain, c'est-à-dire qu'elle n'en incarnerait pas moins dans la vie quotidienne un des dogmes fondamentaux de notre civilisation, ce qui en fait bien plus qu'un simple travers de tempérament.

« Ainsi, dans la mesure où les hommes se considèrent les uns les autres comme de simples partenaires d'un échange, les hommes d'aujourd'hui, consciemment ou non, *volens nolens*, sont conduits à se traiter les uns les autres comme de simples moyens, et s'habituent de plus en plus à le faire.

*

« Conséquence tragique d'un miracle apparent. Car se peut-il qu'il y ait alors société ? Est-ce une société que le berger forme avec son troupeau, le cavalier avec sa monture, ou n'y a-t-il pas société si les hommes se respectent les uns les autres comme des semblables, comme des égaux, et seulement s'ils se considèrent les uns les autres comme des fins les uns pour les autres ? Toute société véritable, disait Aristote, est une communauté d'hommes libres. Mais comment faire que la liberté de chacun n'empiète pas sur celle des autres, si chacune ne consiste qu'en la possibilité de traiter son voisin comme un outil au service des fins qu'elle se fixe souverainement ? C'est tout simple : je ne crois pas qu'il y ait société entre deux hommes qui ne sont pas prêts à penser qu'ils peuvent compter l'un sur l'autre ; entre deux hommes qui ne sont pas convaincus chacun de la sincérité et de la loyauté de l'autre. Je prétends que la véritable société ne commence entre les hommes qu'à l'instant où ils savent tous, comme de science certaine, que l'obéissance d'autrui aux lois communes est chose qui lui est spontanée et qui ne tient pas essentiellement et fondamentalement à la surveillance à laquelle il peut être soumis. Je prétends qu'il n'y a société qu'entre gens qui aiment les lois qui les unissent et que lorsque chacun a de bonnes raisons de penser que la désobéissance aux lois communes est chose exceptionnelle. A quelles conditions s'établit dans un pays l'opinion générale que tous les citoyens sont portés à aimer ses lois, voilà donc bien en effet la grande question dont dépend, comme un fleuve dépend de sa source, l'existence même de ce pays.

« La contrainte n'en peut être le principe. Certes il n'y a pas de société qui à un moment ou à un autre n'empêche l'individu d'agir complètement à sa guise. Mais qui peut soutenir que la mise en esclavage d'un pays par un despote en fasse une société ? Qui traiterait de société un rassemblement d'hommes dont chacun n'aurait plus grande hâte que d'en sortir ?

« Aussi bien n'est-ce pas là l'opinion générale de nos siècles, qui jugent au contraire que nous ne pouvons aimer nos lois que si nous y sommes intimement forcés. L'opinion générale de nos contemporains est donc que ce ressort intérieur est l'intérêt : il n'existe aucun autre moyen de lier l'homme à l'homme que d'en appeler à l'intérêt que chacun se porte à soi-même. La démonstration de cette opinion, qui est l'une des mieux assurées de notre temps, tient en quelques mots et revient toujours à ceci. La situation des partenaires d'un échange, quel que soit leur nombre, est essentiellement une situation de dépendance réciproque. Le sentiment de cette mutuelle dépendance ne peut pas ne pas s'imprimer dans leur esprit avec une force toute particulière. Il ne peut manquer de leur apparaître avec une évidence immédiate que s'ils se laissaient aller à commettre aujourd'hui quelque injustice aux dépens d'autrui, celui-ci se trouverait toujours en mesure de la leur faire payer d'une injustice égale. La vraie raison et la vraie garantie de la confiance que tous se portent réciproquement, c'est que nul n'a intérêt à trahir la confiance que l'autre met en lui. Et ainsi l'échange engendre spontanément chez les hommes, pourvu qu'on ait affaire à des esprits raisonnablement intelligents, le sentiment de l'utilité de la justice, et développe donc spontanément le respect de cette vertu dans leurs âmes.

« Nos contemporains en concluent donc qu'il suffit de placer les hommes en situation de mutuelle dépendance, pour que le sentiment de leur intérêt conjugué avec l'évidence de la réciprocité de leur situation, fasse d'eux des collaborateurs loyaux et dévoués. Ils estiment ainsi retrouver la vieille sagesse séculaire qui voulait qu'il n'y ait de société qu'entre amis.

« Nos contemporains appliquent en effet ce raisonnement à toutes les vertus qui pendant longtemps ont apparu comme des vertus nécessaires à la sociabilité même. Mieux que toute autre raison, l'intérêt même peut selon eux persuader le commerçant de l'utilité qu'il y a pour lui à être honnête. Sachant la dépendance mutuelle qui l'unit aux autres, l'intérêt plus sûrement que tout autre mobile pousse chacun à comprendre la nécessité d'être secourable à autrui. De même encore la nécessité de la tempérance se tire non de la conscience d'une quelconque obligation mais bien plus immédiatement et clairement du simple intérêt de l'individu, qui se trouve aussi être l'intérêt de tous. Ainsi chacun sait qu'une entreprise qui n'épargne pas pour réinvestir est une entreprise condamnée à plus ou moins long terme ; et chacun sait aussi combien la continuité de l'investissement est indispensable au maintien de l'emploi, à l'absence de chômage. Sans multiplier les exemples, c'est ainsi que depuis deux ou trois siècles, on juge que la stabilité du lien social tient à l'avantage que chacun en tire (la société n'étant, selon les termes de Rousseau, " qu'un échange avantageux d'une manière d'être incertaine et précaire contre la protection commune de la personne et des biens de chaque associé ") ; et qu'ainsi les hommes respectent chacun les lois parce que l'amour de soi est le mobile le plus impérieux de tous leurs actes (1).

« C'est là l'idée mère de notre civilisation. La sagesse ancestrale de l'humanité avait toujours considéré comme nécessaire à l'existence d'une véritable société entre les hommes un certain nombre de vertus qu'on appelait cardinales. Nos contemporains en conviennent, en tout cas pour autant qu'ils demeurent libéraux. Mais ils les croient bien plus assises dans nos sociétés que dans toutes les sociétés du passé, parce qu'au lieu d'en implanter le respect dans l'âme de l'individu, le simple jeu des relations sociales le force à agir comme s'ils les respectaient. A leurs yeux on ne peut rêver de société plus juste qu'une société où tous se conduisent conformément à la justice même si personne n'a le souci d'être juste.

« Eh bien je prétends justement que cette vertu mécanique et extérieure est infiniment plus fragile que celle qui repose sur la conscience individuelle ; que la conscience de la réciprocité des situations conduit peut-être à adopter un certain nombre de normes de comportements qui donnent l'illusion, parce qu'elles leur ressemblent extérieurement, d'être des normes morales ; mais que cette éthique essentiellement utilitaire ne peut, même si elle tempère la violence des désirs, peser sur l'âme de chacun du poids d'une véritable obligation ; et qu'ainsi, sans méconnaître les vertus de l'échange, on ne saurait en faire le vrai fondement de la sociabilité humaine. Certes, nul n'a intérêt à faire que la situation soit onéreuse pour autrui, parce qu'elle pourrait être un jour la sienne ; mais qui ne voit que la conscience de la réciprocité des situations est le contraire d'un sentiment altruiste ? Il n'est personne qui ne songe à soi-même en votant pour tous, dit l'irremplaçable Jean-Jacques. Et dès lors, tout ce qui m'importe est de savoir ce qui peut m'assurer qu'autrui ne cherchera pas à agir par tous les moyens qui sont de nature à faire avancer ses affaires au détriment des miennes. Ce qui empêche généralement que l'on saisisse l'urgence de ce souci, c'est qu'on imagine l'individu lié par toutes sortes de règles, et agissant au grand jour. Mais précisément, toute la force de mon argument réside en ceci que, à mes yeux, la signification des règles est en elle-même la preuve que l'on ne compte pas sur la bonne volonté d'autrui et qu'il faut sans cesse en introduire de nouvelles précisément parce qu'autrui découvre toujours de nouveaux moyens de profiter de ce qu'une

_____

(1) Hume voit bien dans l'habitude le vrai ciment social : mais elle naît du caractère habituel des avantages que l'individu retire de la vie en société ; sans la continuité de ces avantages, elle n'existerait point.

chose n'a pas explicitement été défendue pour s'autoriser à la faire. Au fond, ma question est vieille comme Platon : ce qui m'intéresse n'est pas ce qu'autrui fait sous le regard des lois, mais ce qu'il ferait s'il lui était donné un anneau qui, comme celui de Gygès, lui assure l'impunité avec l'invisibilité. Il me semble qu'avoir confiance en autrui, c'est précisément continuer à avoir confiance en lui lors même qu'on se trouve dans l'incapacité de savoir ce qu'il fait : le reste n'est que de la méfiance déguisée.

« Or, je ne pense pas, précisément, que l'intérêt, s'il lui est donné le manteau de l'invisibilité, soit de nature à faire que l'individu préfère celui d'autrui au sien : cela est même fort proche d'être une contradiction. Cet intérêt met bien l'individu sur le chemin de la justice lorsqu'il sent la menace d'une possible rétorsion : mais si l'acte est caché et secret, l'intérêt ne peut plus se sentir en situation de réciprocité, et commande d'agir comme si l'intérêt d'autrui n'existait pas.

« On dira peut-être que ces situations sont rares ? Peut-être, ou peut-être pas. Car il suffit qu'elles soient possibles pour ruiner la confiance que je mets en autrui. Ce qui fait la confiance, ce n'est pas le nombre, qui peut être infini, des actes qu'il peut commettre de telle manière que je ne puisse en subir aucun dommage, c'est la certitude que dans ces cas où l'impunité lui serait assurée, autrui n'en tirerait pas parti (1). Ce que je vois mal est, si vous préférez, ceci : d'un côté nos contemporains font de chaque homme une entité souveraine, dans laquelle le souci d'autrui n'entre que par accident, puisque l'intérêt même qu'un homme peut porter à un autre est suspendu à la décision souveraine que cet homme peut prendre d'éprouver ou non cet intérêt ; ce qui revient à dire que sa sociabilité même est en lui l'objet d'une libre décision, puisque si elle est un devoir elle est soumise à son agrément (lui seul peut décider de s'y soumettre) et si elle est un simple penchant, elle se range parmi les différents affects qu'il est susceptible d'éprouver et auquel il est libre de souscrire ou non. D'un autre côté, nos contemporains voudraient que ce même homme se montre juste, tempérant et amical et en un mot sociable à l'égard de ses sembla-

(1) Nombreux parmi les esprits les plus réputés sont ceux qui ont perçu la difficulté. Thomas Hobbes n'en fait pas mystère, et l'honnêteté de sa réponse est peut-être la raison pour laquelle on lui fait de nos jours une réputation si peu flatteuse : des conventions sans le glaive, dit-il, ne sont que des paroles dénuées de la faculté d'assurer aux gens la moindre sécurité (Léviathan, XVII). On ne peut faire confiance à autrui que si l'on est sûr qu'autrui a peur. C'est aussi la raison pour laquelle David Hume distingue entre l'accord qui naît de l'intérêt immédiat et l'obligation des promesses, obligation qui est tout à fait seconde et ne peut naître que de la conjugaison de l'habitude et du sentiment. Et n'est-ce pas pourquoi J. Bentham écrit un « Panoptikon » ? La catégorie de privé, en climat libéral, est nécessairement ambiguë.

bles. Eh bien, je vois mal comment cette sociabilité peut aller au-delà de ce qu'elle peut être en vertu du seul calcul de l'utilité que l'autre présente pour chacun, c'est-à-dire au-delà d'une justice, d'une tempérance, ou d'une amitié de pure contrainte. Nos sociétés nous en apportent chaque jour la preuve. Comment est défini le prix d'un objet, le salaire d'un travail, le loyer d'un champ ? Par l'application de normes éternelles de justice et d'équité, ou par l'équilibre entre une offre et une demande ? Ou encore par l'équilibre entre les menaces que peuvent faire peser certains groupes, et les résistances que peuvent offrir celui ou ceux auxquels ils s'opposent ? Comment s'apprécie la valeur d'un objet ? Au travail qui y est incarné, répondent certains, soucieux de trouver un étalon objectif de la valeur des biens échangés. Juste ambition sans nul doute, mais vaine tentative : on n'a jamais pu expliquer qu'à ce compte une peinture de maître vaille plus qu'un bateau dans une bouteille.

« Non, décidément, je vois mal comment on peut penser que des hommes portés à se traiter les uns les autres comme des moyens soient aussi portés à s'accorder mutuellement leur confiance. Avoir confiance en quelqu'un c'est l'imaginer bienveillant à notre égard, et capable de nous vouloir du bien ou de vouloir notre bien. Mais quelle bienveillance attendre d'un homme qui n'échange que pour gagner le produit de cet échange ?

« Je prétends donc qu'une société fondée sur la subjectivité, égoïste ou non, mais triomphante, de ses membres, est comme une sorte de création continuée ; et que sa longévité est comme une suite de miracles instantanés, chacun improbable, et dont la série donne le vertige. Car je ne vois pas de maxime qui puisse donner plus de versatilité à un comportement : ici est aujourd'hui mon intérêt, demain il sera là, selon les circonstances, qui ne dépendent pas de moi ; et quand les circonstances demeureraient suffisamment stables, encore faudrait-il faire que ma volonté ou mes passions le soient aussi.

« Je veux bien qu'un grand danger, pesant également sur tous, fasse à chaque instant sentir que le dévouement au salut commun et le sacrifice dans l'immédiat d'intérêts plus privés sont nécessaires du point de vue même de l'égoïsme le plus lucide. Mais ôtez l'ennemi et avec la crainte disparaît toute raison de s'unir. Faudra-t-il donc susciter en permanence un tiers hostile pour que le contrat subsiste ?

« Le raisonnement ramène donc toujours à cette alternative : ou bien toute société humaine dépend entièrement de la volonté des hommes, et elle ne peut être que constamment révocable, ce qui revient à dire que la société n'est pas l'état naturel de l'homme ;

ou bien il y a une forme de société qui préexiste à celle que l'on veut instaurer à partir de la seule convention, et qui à vrai dire seule peut donner vie et force à cette dernière. En un mot, tout tiers exclu, il n'y a de société entre les hommes que naturelle, ou il n'y a pas véritablement de société possible entre les hommes, mais seulement ce que l'on veut que la société ait été avant les temps modernes, des compositions injustes mais momentanément stables de rapports de forces sans cesse changeantes. »

CHAPITRE III

LE LIBÉRALISME, L'ÉGALITÉ ET LA JUSTICE SOCIALE

Le lendemain, l'insensé revint sur le lieu de ses discours. Quelques-uns le reconnurent et par curiosité, ou par dérision, lui demandèrent s'il en avait d'autres à tenir. Prosélyte comme beaucoup de fous, celui-ci ne se fit point trop prier pour continuer. Qui sait, pensait-il, j'en convaincrai peut-être un ?

« Je vous ai dit hier, commença-t-il, qu'à mes yeux, à force de se regarder comme les simples partenaires d'un échange, le risque était grand que les hommes ne se regardent plus qu'avec méfiance. J'irai plus loin encore, et je crains que chez certains, cette méfiance ne se transforme bien vite en animosité, et qu'ainsi la société tout entière devienne le lieu de la plus atroce des guerres, la guerre civile. Que tous ne le souhaitent pas est certain, mais l'inimitié n'a pas besoin d'être réciproque pour faire qu'il y ait des ennemis.

« Nous sommes des sociétés d'échange. Nous sommes donc des sociétés où, s'il en est, doit régner l'égalité entre les hommes : l'échange en effet exige l'égalité, et entretient l'égalité.

« L'échange suppose l'égalité, car que serait un échange dont l'un des partenaires serait en mesure d'imposer les termes, sinon un vol plus ou moins violent ? Pour qu'il y ait véritablement échange et non exploitation ou extorsion, il faut que toutes les parties prenantes à cet échange soient dans une situation grossièrement équivalente, telle que nul ne soit en mesure de s'attribuer la part du lion. C'est le cas lorsque le besoin ou le désir existe de part et d'autre avec une acuité approximativement similaire. Certes, cette égalité ne s'exprime pas toujours de manière entièrement rigoureuse, et souvent elle n'a qu'un caractère purement subjectif ; mais cette subjectivité ne lui ôte rien : l'égalité prévaut parce que c'est l'anticipation de satisfactions subjectivement identiques qui commande de part et d'autre l'échange, et que chacun est d'accord pour considérer la satisfaction qu'il compte retirer de l'échange comme supérieure à celle qu'il pourrait retirer du bien qu'il cède, s'il en conservait la possession ; besoin et satisfaction peuvent être subjectifs, ils n'en existent pas moins de part et d'autre.

« L'échange entretient donc nécessairement l'égalité qu'il suppose. Si j'échange sur pied d'égalité, par définition je ne peux gagner qu'autant que l'autre gagne aussi, parce que je cherche à échanger des quantités égales contre des quantités égales ; j'échange, je ne donne pas : je ne veux donc pas perdre. L'échange se fait parce que chacun y gagne, parce que le profit est mutuel, mais en tant que le profit de chacun est déterminé par ce seul échange, ce profit mutuel doit être également réparti.

« Au reste, il est de l'intérêt même de ceux qui veulent vendre de ne pas fausser les termes de l'échange, parce qu'en appauvrissant leurs clients, à terme ils s'ôtent leur clientèle. Un enrichissement constant, régulier et général, est la condition principale du développement des échanges, car celui-ci suppose un accroissement également réparti du pouvoir d'achat. Ainsi ce n'est pas seulement la justice qui veut l'égalité dans les échanges, c'est aussi l'intérêt même de ceux qui souhaitent l'épanouissement de leurs propres affaires.

« Il n'est donc pas dans la nature de l'échange de comporter la justification d'un profit qui soit plus grand pour l'une des parties que pour les autres. Chacun ne donne que ce qu'il reçoit, et ne recevant que ce qu'il donne, comment peut-il se faire que l'un gagne plus que l'autre ? La question résulte de la nature même des choses, et c'est celle-ci, et non le socialisme, qui l'a fait naître dans l'esprit de tous ceux qui pratiquent l'échange.

« Les sociétés dans lesquelles nous vivons sont des sociétés fondées non sur la domination mais sur le contrat volontaire, non sur la force mais sur l'échange. Cependant, il est patent que des inégalités non seulement y existent, mais s'y renouvellent sans cesse. Comment est-ce donc possible ?

« La belle question que voilà, dira-t-on à nouveau ! Si certains hommes parviennent, sans jamais enfreindre l'équité, à devenir plus riches que d'autres, c'est tout bonnement qu'ils travaillent plus et mieux que d'autres, qu'ils sont moins dépensiers, et qu'ils savent économiser.

« La réponse est aussi fallacieuse qu'apparemment évidente. Nul doute en effet que ce ne soit le cas dans une cité aux besoins simples, et auxquels chacun cherche d'abord à pourvoir par soi-même. L'inégalité qui peut régner dans une société de petits propriétaires fonciers, vivant tous plus ou moins en autarcie, peut ainsi s'expliquer. Mais dès l'instant que la richesse provient des échanges, les choses changent. Car je ne peux rien gagner que celui avec qui j'échange ne gagne aussi : comment puis-je m'enrichir plus que cet homme, alors que je ne donne qu'autant que je reçois, et que je ne reçois qu'autant que je lui donne ? Nous pouvons tous les deux nous enrichir en même mesure, mais comment expliquer que l'un s'enrichisse plus vite que l'autre ?

« Que l'un travaille plus, ou mieux, ne change rien à l'affaire : quand on supposerait que ce travail me rend plus riche de tous les biens que j'ai été plus qu'un autre capable de produire, cette richesse ne représenterait qu'un potentiel d'échange, et elle demeurerait virtuelle tant que je n'aurais pas trouvé preneur pour ce que j'aurais à vendre : je veux bien que certains travaillent plus que d'autres, ou que certains travaux vaillent plus que d'autres, mais d'où vient alors que les uns puissent vendre si les autres, qui sont moins riches puisqu'ils travaillent moins ou que leur travail vaut moins, ne peuvent leur acheter tout ce qu'ils sont disposés à vendre ? D'où vient qu'ils soient plus riches s'ils ne peuvent vouloir produire que ce que les autres peuvent leur acheter ? La richesse n'est qu'à proportion de celle des autres, et mon travail ne m'enrichit que si d'autres travaillent tout autant, de manière à pouvoir acheter ce que j'ai à vendre. Si l'équité doit être respectée, l'enrichissement d'un homme par son travail suppose le travail de tous, et leur enrichissement simultané.

« Jamais vous ne convaincrez donc l'esprit simple que le gain soit possible sans que l'échange soit égal.

« Il faut donc, diront d'autres, que l'on n'échange pas des choses égales, c'est-à-dire que ce que vend l'un vaille plus d'une fois ce que vend l'autre. Je le veux bien. Mais d'où vient alors la différence de valeur ? Certains ne cessent de retomber sur une vieille lune : ils veulent que le travail soit le fondement de la valeur. Indépendamment de toute autre difficulté, pourraient-ils m'expliquer seulement qu'un vase de Gallé vaille tellement plus qu'un bateau dans une bouteille ? La fabrication d'une voiture de série demande infiniment plus d'hommes et d'efforts que n'en demandait au XVIIIe siècle celle d'un secrétaire, mais celui-ci vaut infiniment plus que celle-là : dites-moi donc pourquoi ?

« C'est en effet, diront alors nos économistes, une idée bien naïve de croire que la valeur dépend du seul travail : il est bien clair que la valeur d'une chose réside avant tout dans la demande qui en existe, qu'elle est en somme relative au désir du consommateur. Et c'est bien pour cela que tout véritable échange à la fois suppose et entretient la liberté et l'égalité parmi les hommes :

nul ne peut m'imposer d'acheter à n'importe quel prix, c'est toujours en dernière analyse mon sentiment personnel qui règle les termes de l'échange, et je n'échange jamais que contre ce qui me paraît en valoir la peine, à égalité de profit de part et d'autre, puisque de part et d'autre chacun préfère ce qu'il acquiert à ce qu'il cède.

« Je répondrai ceci : il est bien vrai que, comme l'école dite marginaliste l'a si éloquemment démontré dès le siècle précédent, le désir individuel, le sentiment subjectif d'utilité, bref la demande, jouent un rôle décisif dans la constitution de la valeur d'un bien ou d'un service. Chacun de nous le sait d'expérience, et d'expérience quotidienne : il n'est que d'aimer les poireaux en salade pour s'apercevoir que ce légume vulgaire peut atteindre des prix surprenants dès qu'il fait froid, parce que le Français se met alors à raffoler de soupes chaudes. La rareté même du produit est ainsi toute relative, parce qu'elle-même est tout entière relative à la demande dont il fait l'objet : rien ne serait jamais rare si personne n'en voulait.

« Mais à ce compte, vous introduisez dans les termes de l'échange, dans la condition initiale des futurs partenaires, une inégalité qui d'une part n'est pas accidentelle, mais consubstantielle à la nature des choses, et que d'autre part vous ne pouvez aucunement justifier par la peine, le talent, l'économie de celui contre qui ou au profit de qui elle joue. Dès l'instant que ce n'est plus le travail qui fait la valeur, chacun, dès qu'il entre en relation d'échange, se trouve nécessairement en situation de bénéficier d'une rente de situation qu'il n'a pas méritée, ou de souffrir d'un dommage dans lequel il n'est pour rien. Dès lors, même si l'échange est formellement équitable, il ne se fera jamais qu'aux cours du marché, et l'inégalité de situation sera toujours à bon droit ressentie comme injuste par la partie défavorisée. En bref, vous faites de l'exploitation d'un monopole un caractère constitutif de l'échange, parce que vous le mettez non pas seulement dans l'intention de l'acteur, mais dans la structure même de la situation d'échange : vous faites de la relation d'échange une relation nécessairement vécue comme injuste.

« C'est d'ailleurs pourquoi certains ont voulu que le travail justifie l'enrichissement des uns et l'appauvrissement des autres. Il serait en effet plus conforme à la morale et à la justic que le travail fût au principe de la valeur : mais c'est là un requisit dont se moque l'économie pure.

« Ainsi la question revient toujours de l'origine de l'inégalité parmi les hommes. On aura beau faire et attribuer la richesse à tous les mérites que l'on voudra imaginer, il n'en restera pas moins qu'une civilisation de l'échange ne peut pas ne pas être une civilisation où l'inégalité des richesses présente quelque chose de scandaleux parce que d'inexplicable et d'inexplicable parce que d'illogique.

*

« Par un funeste retour des choses, une civilisation de l'échange ne peut pourtant qu'engendrer des inégalités.

« La raison en est simple, et chacun la perçoit aisément, pourvu qu'il se rappelle ce qui fut dit hier : chacun songeant d'abord à soi, on ne peut compter sur la bonne volonté d'autrui. Il faut donc, pour que les échanges soient équitables, que les situations soient égales. Cette égalité peut se produire par la vertu du hasard, mais il faut considérer que nul ne la recherche : si chacun songe d'abord à soi, pourquoi chacun ne serait-il pas tenté au contraire de mettre autrui dans une situation telle qu'il puisse lui imposer le marché qui lui plaît le mieux ? Dans une civilisation fondée sur l'amour de soi, on peut toujours présumer à bon droit qu'il n'y a donc guère de transaction qui se fasse en respectant la justice.

« Mais il y a plus. Il y a tout lieu de penser en effet, qu'il n'y a de progrès du niveau de vie qu'à partir du moment où l'on admet le droit de chacun à s'enrichir par tous les moyens qui lui paraissent efficaces, fût-ce sur le dos du voisin. Là encore, cela résulte très clairement de ce que je vous disais hier.

« Si en effet c'est le nombre et l'importance des échanges dont elle est le théâtre qui font la richesse d'une nation, et si c'est le profit qu'ils en retirent qui pousse chacun de ses membres à s'y livrer, on peut dire que ce sont les efforts faits par chacun pour s'enrichir qui conduisent à l'enrichissement ; mais si l'enrichissement individuel est le plus grand lorsqu'un individu est en mesure de vendre très cher en achetant très bon marché, on peut dire que ce sont les efforts de tous pour acquérir des positions de force sur le marché qui produisent la richesse générale, c'est-à-dire encore que celle-ci a pour cause directe l'inégalité des citoyens, ou du moins, qu'elle est en proportion directe des inégalités qui règnent dans la nation. Pour concevoir clairement la chose, il suffit d'ajouter que ces inégalités sont fécondes seulement si elles ne sont pas statutaires, c'est-à-dire seulement si à chacun est offerte la possibilité de procéder à l'espèce de transaction qui lui permettra d'introduire l'inégalité particulière qui lui est profitable.

« Mais dira-t-on, que penser de celui qui afin de vendre beaucoup cherche à vendre au plus bas prix ? Et le bon négociant ne souhaite-t-il pas mettre les prix au niveau le plus bas compatible avec les coûts de production ? Certes. Mais on oublie alors que l'avantage du consommateur est payé par l'abaissement des coûts de production, de telle sorte que le producteur n'en continue pas moins à tenter d'acheter bon marché pour vendre cher. Certes, cette croissance, à terme, profite à tout le monde, parce qu'elle permet une meilleure allocation des ressources existantes : s'il est possible de produire à plus bas prix, il y a gaspillage à produire de manière moins rentable ; il est de l'intérêt de tous que les ressources affectées auparavant à cette production, et désormais superflues, soient affectées à d'autres productions, que ce soit le travail de certains ouvriers ou l'entreprise d'un concurrent moins adroit. Mais il n'en est pas moins hypocrite d'imaginer que dans l'immédiat, l'avantage collectif ne soit payé par personne : il y a toujours quelqu'un à faire les frais d'un progrès. Tous profitent de ce que chacun cherche à mieux faire que le voisin, mais l'effort de chacun introduit une rivalité entre tous qu'on ne nomme pas guerre simplement parce qu'elle n'entraîne pas, sauf involontairement, mort d'homme. On aura beau faire, il faut avouer que le progrès résulte d'une guerre librement consentie, et qu'il ne se fait que parce que tous cherchent à être plus forts que leurs voisins, c'est-à-dire à leur être inégal.

« Les optimistes diront que ces inégalités s'annulent plus ou moins, et provoquent une sorte d'égalité générale dans une aisance sans cesse accrue. Ils auront raison, mais il n'en restera pas moins que le succès individuel sera toujours logiquement acquis au prix d'une inégalité particulière avec autrui, dans un système tout entier fondé sur la volonté de faire que les hommes soient égaux. Encore une fois, l'échange étant ce qu'il est, il n'en résulte en rien que celui qui n'y gagne pas autant que l'autre n'y trouve pas aussi son compte, et au contraire, l'autre partie n'accepterait probablement aucun échange si elle n'y gagnait quelque chose, fût-ce évidemment moins. Mais quand l'un y gagnerait autant que l'on voudra, le but de l'autre n'en demeure pas moins de gagner encore plus, et réciproquement. D'où cette conséquence considérable et à vrai dire terrible pour les sociétés d'échange : le risque y est constant parce qu'il est naturel que l'échange laisse toujours à l'un des deux partenaires au moins, et peut-être aux deux, un goût d'amertume, et même un relent d'injustice (1). On pourra, aussi souvent que l'on voudra, rappeler que dans tout échange, le profit est mutuel, la difficulté demeurera entière. Il restera toujours à savoir en effet si ce qui frappe la conscience ou

---

(1) On peut imaginer que tous s'enrichissent par l'échange également et d'un même pas ; il est également improbable que les affaires de tous suivent constamment un rythme rigoureusement égal : qui peut croire que tout se vendra également ?

l'imagination de l'individu est le bénéfice qu'en tout état de cause l'échange lui rapporte, ou si c'est la considération de son profit propre relativement au profit que son partenaire en retire. Dans la mesure où il ne regarderait qu'à son profit personnel, tout irait bien naturellement. Mais comme il ne peut pas ne pas être conscient de ce qu'il constitue le moyen du profit de l'autre, il ne peut pas ne pas regarder au profit de ce dernier tout autant qu'au sien, et au profit d'autrui comparé au sien. On aura beau dire et répéter que l'échange, et les circuits économiques qu'il engendre, ne sont pas des jeux à somme nulle, il n'en reste pas moins qu'il y aura toujours dans l'esprit des gens une tendance spontanée et au demeurant entièrement compréhensible à la considérer comme un jeu à somme nulle. Car si l'échange incarne le besoin où deux individus sont l'un de l'autre, et s'il est proclamé par une hypothèse qu'il n'y a d'échange que sur des termes auxquels souscrivent tous les partenaires, comment expliquer, à moins qu'il n'y soit forcé, que l'un accepte de recevoir moins qu'il ne donne ? Ce qui revient à dire qu'il y a dans nos sociétés une tendance naturelle à considérer comme scandaleuse toute inégalité excessive entre les profits comparés de deux individus, dans la mesure précisément où l'échange est supposé se faire sur la base d'une égalité de principe des partenaires.

« Et cela d'autant plus, d'ailleurs, que le même raisonnement conduit à cette conclusion qu'il n'y a de richesse que collective : non seulement parce que pour que l'un vende, il faut que l'autre puisse acheter, et pour que l'autre puisse acheter, il faut qu'il puisse aussi vendre (1) ; mais aussi parce que dans une société de division du travail, c'est-à-dire dans une société où tous offrent leurs services — et leur travail — à tous, il est particulièrement intolérable que ce soit le travail de l'un qui en somme fasse la

(1) Moyennant quoi d'ailleurs, il n'y a pas de milieu entre le progrès et la régression : une société d'échange n'est pas capable de se reproduire de manière stable ; il n'existe ni ne peut exister ce que certains nomment une croissance zéro : ce concept contradictoire a probablement été élaboré à seule fin de gangrener les économies du monde occidental. Dès l'instant qu'un des acteurs du marché général cesse de vouloir améliorer son sort, dès l'instant qu'il cesse donc de vouloir vendre (ou de travailler pour vendre), pour pouvoir acheter (ou de travailler pour acheter), il induit une attitude identique chez son voisin : nul ne travaille que s'il est sûr de pouvoir vendre ; et comme le voisin n'achètera plus non plus, la dépression, comme une épidémie, gagnera de proche en proche l'ensemble du système, qui tournera alors à l'envers, c'est-à-dire dans le sens de la dépression du volume produit et de la richesse acquise. Certains économistes classiques pensaient que, moyennant quelques ajustements sectoriels et quelques décalages chronologiques, tout ce qui se produit s'achète. C'était ne pas tenir compte de l'effet multiplicateur des anticipations des acteurs économiques, qui ne sont pas en position d'apprécier la durée ou la portée de ces ajustements et de ces décalages. La survie du système économique libéral tient à sa capacité d'assurer une croissance continue, c'est-à-dire à sa capacité de pratiquer une sorte de constante fuite en avant.

richesse de l'autre, et quel que soit le travail de ce dernier parce qu'il a quand même besoin du travail d'autrui (1).

*

« Ainsi, à mesure que les hommes vivent de plus en plus de l'échange, et qu'ils en vivent mieux d'ailleurs, s'aiguise en eux la certitude qu'ils ne pourront jamais entièrement compter sur l'équité du voisin. A mesure que les hommes deviennent plus riches, grandit en eux et, comme il est naturel, singulièrement chez ceux qui se trouvent moins bien lotis, le sentiment qu'il n'est jamais absurde de soupçonner la société d'injustice. Mais une société libérale est une société où, s'il en est, doit régner l'équité, puisqu'une société libérale est une société où l'échange sert de lien social, et qu'il n'y a d'échange qu'entre gens égaux. S'il n'est pas possible de prouver qu'elle y règne, c'est le ressort même de cette société qui est cassé, et son fondement qui s'anéantit. Car quoi de plus scandaleux que l'inégalité qui se fonde sur le respect apparent de l'égalité entre les hommes ? Quoi de plus odieux, de plus hypocrite, de plus condamnable, que de faire d'autrui son esclave en ayant l'air de se comporter comme son frère ? Que de condamner autrui à ne pouvoir se défendre, puisqu'on lui fait croire qu'on ne lui fait pas la guerre, alors qu'on le traite en ennemi ? Si le libéralisme veut survivre, il lui faut donc avant tout montrer qu'il est à même de garantir que l'échange se fera toujours selon sa loi écrite, et en un mot qu'il sera toujours juste : il n'est pas exagéré de dire que son sort est suspendu à cette question.

« Sinon, on sait ce qui l'attend : au nom de la justice sociale, le citoyen productif se verra ôter le moyen, non pas même de s'enrichir, mais d'offrir à autrui les moyens de s'enrichir à son tour. Des politiciens, qui se croiront habiles, exploiteront la mauvaise conscience des uns et l'envie des autres, pour procéder à des redistributions démagogiques qui tueront chez tous, riches et pauvres, quoique pour des raisons contraires, l'envie de travailler. Et le moindre des paradoxes n'est pas que c'est au nom même de la justice sociale qu'on s'ôtera les moyens d'aider véritablement les malheureux : non seulement disparaîtra le surplus de richesses nécessaires à faire disparaître la pauvreté, mais l'entraide étant extorquée par la haine au lieu d'être dispensée par l'amour, nul ne sera plus tenté de s'y adonner de soi-même. La justice sociale accomplira sa vraie nature dans la nuit uniforme d'une misère partagée par tous, sauf peut-être par quelques hypocrites privilégiés. Non décidément il faut choisir : l'égalité dans la pénurie, ou

(1) Cf. mon essai sur « le totalitarisme », « Que sais-je ? », Paris, 1982.

l'inégalité dans l'accroissement constant de l'aisance. Le libéralisme, qui défend la deuxième hypothèse, est-il capable de persuader le citoyen ordinaire que l'inégalité qui le vexe lui est en dernier ressort bénéfique ? Le succès, en pleine ère libérale, du slogan : il faut faire payer les riches, serait de nature à en faire douter.

« La passion du ressentiment d'un côté, de l'autre celle d'acquérir, sont comme les deux côtés d'une même médaille : mais peut-il exister une médaille dont les deux faces se font la nique ? »

CHAPITRE IV

LE LIBÉRALISME ET LA PROSPÉRITÉ

Avec les beaux jours, les discours de l'insensé attiraient plus de monde : on pouvait se chauffer au soleil, tout en jouant avec quelques idées trop simples pour être importantes.

« Je vous le disais hier », fit cet homme enfermé dans son délire, mais logique avec soi, « c'est un argument souvent utilisé pour plaider l'équité foncière des systèmes libéraux que la capacité de libéralisme à assurer indéfiniment le progrès général des conditions. Si l'égalité entre les hommes n'y est pas immédiate, disent ses avocats, c'est qu'elle résultera demain des efforts déployés par tous : à preuve la lente mais constante égalisation des conditions dont les sociétés libérales offrent le spectacle ; certes elles semblent s'accommoder de grandes inégalités dans la richesse mais c'est que, pense-t-on, l'appauvrissement des riches consisterait à mettre hors d'état d'épargner les seuls qui soient capables de le faire, et ce faisant, à ôter aux pauvres d'aujourd'hui la possibilité d'être les riches de demain ; elles paraissent tolérer l'inégalité présente, mais comme étant le seul moyen de faire régner l'égalité future ; et ainsi elles souhaitent prendre à la richesse seulement le superflu qui est à la fois inutile à ceux qui le dépensent et scandaleux pour ceux qui le voient dépenser, mais elles ne veulent pas tuer la poule aux œufs d'or.

« Ces discours supposent le plus grand nombre prêt à supporter l'inégalité présente au bénéfice d'une égalité lointaine ; mais que cela soit ou non, ils démontrent par là même à quel point la croissance continue de la prospérité est nécessaire à la survie de ces sociétés. Or je vois le libéralisme dresser lui-même trois obstacles sur son propre chemin.

*

« Travaillez et enrichissez-vous, dit l'économiste libéral à ses ouailles, il n'est d'autre source à la richesse des nations que leur travail ; il n'est pas de richesse sans labeur, en tout cas pas de richesse durable, et pas de richesse personnelle sans labeur personnel. Le rentier, espèce au demeurant en voie d'extinction, met sa fortune à la merci de ceux qui travaillent pour lui, de leur compétence comme de leur dévouement. L'héritier qui ne fait que dépenser met peu de temps à dissiper la plus grande fortune, quand son fondé de pouvoir ne la lui vole pas. Quant au retraité, il ne fait que se rembourser sur la génération qui le suit du travail dont il a fait don à la génération qui le précédait.

« Mais de ce que le travail engendre la richesse, suit-il que ce soit toujours l'attrait de la richesse qui fasse travailler ? Rien n'est moins certain.

« Tous les hommes ont d'abord travaillé, depuis toujours semble-t-il, non par choix, mais tout simplement parce qu'il leur était impossible de survivre sans le faire. Sous quelque forme que le mythe en fût répandu, l'Éden a toujours désigné cette contrée où il n'était point nécessaire de travailler pour vivre : rêve commun à une humanité contrainte au travail pour ne pas mourir de faim, et pour qui le travail prend aisément les allures de malédiction ou de châtiment. Ayant acquis les moyens de survivre, les hommes se sont ensuite découvert la passion de vivre sans cesse mieux, c'est-à-dire plus facilement, plus agréablement, plus confortablement : en devenant la condition d'une jouissance, le travail n'a pas changé de sens ; il est devenu simplement plus manifeste qu'étant le contraire de son but, il se trouvait être seulement, par un malheureux accident, le moyen de cette fin, et sans aucune autre raison d'être, sinon la force, combien regrettable, des choses.

« Cependant les hommes ont souvent travaillé pour d'autres raisons, dont j'aperçois au moins deux. Ainsi, beaucoup ont travaillé parce qu'ils avaient la fierté de faire, et de bien faire : tel l'artisan possesseur d'un savoir et d'un savoir-faire mettant son honneur à travailler selon les normes que son métier lui-même lui imposait et qu'il ne pouvait enfreindre sans nourrir, fût-ce obscurément, la conscience de manquer à soi-même. Car ce qui définit l'artisanat, c'est que son produit ne peut pas ne pas porter toujours la marque de la main humaine : l'artisan n'existe que parce qu'il fait ce qu'aucune machine ne peut faire ; il ne peut donc pas ne pas être son travail même : étant irremplaçable dans son accomplissement, il est ce qu'il fait, et ne serait rien sans son travail. Pour cet homme, le travail n'est pas une malédiction mais un achèvement.

« Une autre raison encore, presque universelle celle-là, a amené les hommes à travailler : le devoir de subvenir aux besoins de leur famille, ou quelquefois de certains autres hommes. En se destinant à cet objet, le travail acquiert insensiblement un nouveau titre de noblesse. L'une des différences de l'animal avec l'homme est la portée de leurs affections, et s'il y a des familles animales, on ne saurait croire que le père y ait le souci de ses petits-enfants ; la famille humaine se reconnaît au contraire (du moins lorsqu'elle est conforme à sa nature) à sa continuité au fil des générations, à ce que chacun de ses membres honore ses lointains ancêtres et songe à de lointains descendants. Pour lors le travail de chacun, et d'abord celui du père, ne peut plus consister à assurer seulement la survie puis les jouissances de ses proches ; il sert des fins plus hautes ; en songeant à ses enfants, le chef de famille songe à ses petits-enfants, et cherche les moyens de perpétuer indéfiniment sa propre famille : il élabore quelque chose dont il veut qu'il puisse être transmis, et qu'on appelait autrefois un patrimoine ; en travaillant, il fait bien plus qu'obéir à la nécessité : il parle à l'avenir, dont il se sent en quelque manière responsable : l'homme ne travaille plus, il s'éternise.

*

« On peut douter si la civilisation libérale, malgré qu'elle en ait, encourage également ces trois différentes conceptions du travail et l'on en peut douter pour différentes raisons, qui tiennent toutes à ce qu'une civilisation libérale est une civilisation de l'échange.

« Dans une société d'échange, on ne donne que parce qu'on reçoit en retour. On y aime donc peu l'échange à très long terme : plus la compensation en est éloignée, plus le bénéfice est aléatoire ; y a-t-il rien de plus normal que de craindre l'avenir quand on sait qu'il ne dépend pas de soi de le façonner ? L'homme qui vit d'échange est évidemment dans la dépendance de ses fournisseurs et de sa clientèle : il sait ce qu'il peut en attendre dans l'instant, mais dans l'avenir beaucoup moins, et d'autant moins qu'il regarde loin dans cet avenir ; il n'y a rien de plus fluctuant qu'un marché, et rien de plus risqué que de miser sur sa stabilité. Il peut y avoir des hommes à risquer, mais ce sont des joueurs qui aiment d'abord à parier, ou ce sont des entrepreneurs, mais c'est qu'ils aiment d'abord à créer. Plus le projet d'échanger l'emporte au contraire sur la volonté de construire, plus la richesse passe par l'échange, et plus il est naturel que s'amenuise la confiance en l'avenir, plus on travaille pour le lendemain et non pour l'an prochain. Insensiblement, et en suivant une pente toute naturelle, la portée du regard individuel diminue ; la famille se resserre, et se restreint aux yeux de chacun : s'il cherche encore à protéger son sort, et à assurer ses jouissances, il perd peu à peu le souci de ce que deviendront les enfants de ses petits-enfants ; l'homme, s'il naît enfant trouvé et meurt célibataire, est naturellement moins porté au travail que ses ancêtres, et surtout au travail dont le fruit est lointain. Il n'est pas dans la nature d'un être qui vit d'échanges d'aimer les grandes entreprises : tout le porte au contraire aux actions ponctuelles dont l'effet est immédiat, ce qui est le contraire du travail.

« Il est vrai d'autre part que les sociétés occidentales sont des sociétés riches entre toutes. Mais la marque distinctive de leur richesse est non pas la richesse de quelques-uns et la pauvreté de la masse, mais l'aisance du plus grand nombre. Rien d'étonnant d'ailleurs, le système économique libéral suppose en effet comme la condition de son propre fonctionnement, la richesse la plus diffuse et un pouvoir d'achat le plus homogène qu'il se peut : la raison toute simple en est que la prospérité matérielle y est proportionnelle au nombre et à la rapidité des échanges. Elle l'est donc à la quantité de produits échangeables, et cette quantité est exclusive sinon de leur qualité, du moins de ce que la tradition artisanale a toujours appelé leur qualité. Lorsque la quantité importe, on ne peut plus songer au travail qu'il faut pour achever l'ouvrage, sinon pour le diminuer ; on ne peut songer à l'homme qui le fabrique, sinon pour le rendre aussi remplaçable que possible par un autre ; on ne peut plus songer aux finitions qu'il doit comporter, sinon pour les réduire à celles-là seules qui sont compatibles avec sa production massive ; on ne peut plus songer à ceux auxquels il est destiné, sinon pour faire en sorte qu'ils soient les plus nombreux possible. Le produit industriel, quel qu'il soit et quelles que soient d'autre part ses qualités, est donc nécessairement un produit essentiellement peu individualisé. Rien ne ressemble plus à une automobile que sa sœur produite quelques secondes après elle, et toute différence entre elles correspond à un défaut de l'une ou de l'autre : il est souhaitable que l'on ne sache ni qui l'a produite, ni qui s'en servira. La massification est à ce prix. En reconnaître les vertus du point de vue du plus grand nombre ne doit pas empêcher de comprendre que le travail qui assure la diffusion de la richesse ne peut plus avoir pour mobile la fierté de l'ouvrier, et qu'on ne saurait demander à quiconque de travailler pour l'honneur en plus de son salaire.

« Dans la simple mesure où échanger n'est pas donner et où l'échange suppose une référence et une attention soutenue au gain individuel, la pratique constante de l'échange habitue encore l'individu à songer d'abord à soi et lui fait trouver de plus en plus naturel de le faire à mesure que sa vie prend plus la forme d'un échange permanent. L'indulgence pour soi de chacun grandit, c'est-à-dire le culte qu'il porte à sa propre subjectivité ; chacun devient sans cesse plus incapable de résister à ses désirs, que plus rien ne lui rend illégitimes. Il est, me semble-t-il, bien difficile de n'en être pas frappé : c'est dans le même moment que les philosophes inventent l'état de nature et découvrent les vertus de l'échange ; dans le même instant qu'ils font de l'homme un être social contractuel et un être qui a un droit naturel à tout ce à quoi ses forces lui permettent de prétendre ; un être pour qui la notion de devoir perd son sens, et qui n'accepte de lois que celles dont il convient, par un accord mutuel avec son voisin ; un être de besoin et un être de progrès ; un promeneur solitaire éperdu de jouissance de soi, et le signataire d'une convention stipulant que la réciprocité est le seul vrai fondement légitime de toute société. Une civilisation de l'échange ne peut être qu'une civilisation du plaisir pour cette raison toute simple qu'elle est une civilisation de l'amour de soi, premier ressort de l'amour du plaisir. C'est donc aussi une civilisation où le travail tend à être considéré, non comme un accomplissement, mais exclusivement comme une tâche que l'on s'inflige pour le seul amour des jouissances dont il peut donner la possibilité. Par un paradoxe tout apparent, une civilisation de l'échange ne tend donc à autre chose qu'à être une civilisation des loisirs.

« La même conclusion s'impose enfin si l'on considère que la richesse des sociétés libérales est due à un travail essentiellement collectif.

« Les sociétés libérales sont riches parce que chacun y perçoit que sa richesse dépend de sa capacité d'offrir quelque chose à la fois d'utile et d'original, chacun s'efforçant ainsi d'acquérir une place distinctive sur le marché social. La division du travail a ainsi atteint un degré qu'aucune société n'avait connu auparavant. Il en est résulté une dépendance toute particulière de chacun à l'égard de tous. Elle frappe évidemment tous ceux qui concourent ensemble à la production d'un même objet fini, mais également ceux dont l'activité ne requiert la collaboration directe de personne d'autre : le rendement individuel est proportionnel à la spécialisation, seuls ceux qui veulent être pauvres cherchent à vivre entièrement par leurs propres moyens, c'est-à-dire, puisque leur pauvreté les met dans l'incapacité d'avoir beaucoup à échanger, ceux qui veulent s'exclure de toute vie sociale. La survie de chacun a donc cessé d'être affaire individuelle, elle est devenue l'affaire de tous. Si le travail de chacun lui rapporte de quoi vivre, c'est moyennant le travail de tous, qui lui fournit tout ce qui lui manque. Certes, chacun apporte son obole à la caisse commune ;

mais il est tout aussi vrai qu'il ne dépend pas de lui mais des autres que son obole lui permette d'y trouver ce dont il a besoin. Et il en va de même, à la limite, de sa fortune : quel que soit son talent, et son labeur, il n'aurait pu en fournir, ni s'adonner à sa vocation, s'il n'avait pas trouvé en autrui des collaborateurs inconscients et intéressés mais collaborateurs quand même. Les sociétés industrielles colportent ainsi sans le savoir un collectivisme spontané. On n'y a pas toujours pris garde, mais on n'a encore moins pris garde que cette collectivisation insensible était de nature à ôter insidieusement à l'individu le goût du travail.

« N'est-il pas naturel en effet qu'à force de considérer le travail comme une chose collective, l'individu devienne insensible au devoir qu'il a d'y prendre part, voie dans la peine qu'il se donne comme une quantité énorme pour lui mais insensible pour les autres, et soit finalement tenté de devenir le rentier de la collectivité ? Certains, me semble-t-il, ont bien perçu comme l'habitude de la dépendance faisait insensiblement perdre le goût de la responsabilité personnelle, et comme, à force de se persuader qu'il ne pouvait rien sans l'aide d'autrui, l'individu était porté à s'abandonner aux autres. Nous sommes, disent certains, devenus des sociétés d'assistés ; mais ils en voient la cause dans les penchants de leur gouvernement au socialisme. Que ne voient-ils donc que ce ne sont pas leurs gouvernants mais leurs sociétés qui mènent au socialisme, parce qu'en exaltant l'interdépendance des individus, elles suggèrent lentement mais irrésistiblement que chacun y est mis dans la situation de dépendre de tous, et par conséquent qu'il n'est que justice que tous se sentent responsables de chacun. Il n'est que de regarder autour de soi pour le constater, chaque jour grandit le nombre de ceux qui trouvent normal de vivre aux dépens de la collectivité : la paresse est certes naturelle à l'homme, mais pourquoi a-t-il fallu attendre nos sociétés pour qu'elle commence à n'être plus un péché ?

« Mais à vrai dire, la paresse n'est pas le plus redoutable effet de cette collectivisation inconsciente de l'effort. A mesure que tous deviennent plus conscients de leur interdépendance, il est naturel aussi qu'ils deviennent plus revendicatifs : si vraiment le sort de chacun dépend du travail de tous, il est naturel que beaucoup en viennent à estimer que ceux qui sont plus riches qu'eux ne le seraient pas devenus sans leur collaboration. Tant qu'il subsiste des inégalités, il sera toujours assez facile d'en convaincre un bon nombre qu'ils travaillent pour les autres plus que les autres ne travaillent pour eux, et qu'en conséquence la simple justice veut qu'ils travaillent moins, et en outre qu'ils prélèvent sur ceux qui sont plus riches qu'eux la part de cette richesse qui en réalité est censée leur revenir de droit. Ainsi les uns sont-ils encouragés à ne pas travailler, et les autres découragés de le faire. Il y a ainsi dans les sociétés industrielles une pente qui les porte à distribuer, au nom de la justice, c'est-à-dire au nom de leur propre logique, la richesse qu'elles engendrent. Comme cette redistribution apparaît juste, nul n'en peut faire le procès sans paraître inique. Il n'en est pas moins indiscutable qu'elle constitue l'amorce d'un processus au terme duquel se trouve la pénurie. »

LE LIBÉRALISME ET LA LIBERTÉ

L'insensé devenait, dans le jardin public où il pérorait, une sorte de monument, à l'égal du bassin où flottaient les pétales des voiles enfantines. Tout en surveillant leur progéniture, certains s'asseyaient pour l'écouter d'une oreille indulgente.

« La philosophie libérale, reprit-il ce jour-là, a (lisez Hobbes, lisez Rousseau, lisez Kant, et j'en passe) donné pour origine à la liberté de l'homme celle dont il dispose à l'état de nature, et qui consiste dans la capacité à obtenir tout ce à quoi ses forces lui permettent de prétendre et en général à pouvoir suivre en tout son sentiment sans autre règle que la nécessité de se plier aux contraintes naturelles. La doctrine libérale s'élabore donc comme une réponse à la question qui l'avait fait naître : comment assurer la coexistence pacifique de ces libertés, dès l'instant que, pour quelque raison que ce soit, il leur devient impossible de vivre dans la solitude ? Quelle qu'elle soit, cette réponse ne peut qu'envelopper la même idée : chacun doit, s'il veut vivre en société, abdiquer quelque chose de sa liberté naturelle. Ainsi le libéralisme est, considéré sous l'angle de la liberté, la description des raisons pour lesquelles la liberté naturelle est appelée à se tranformer en liberté civile, et la force du libéralisme tient donc directement à la force des raisons poussant chacun à accepter que sa liberté naturelle soit réduite à sa liberté civile.

*

« La pratique systématique de l'échange, à nouveau, paraît donner à la fois le moyen de civiliser la liberté en lui ôtant ce qu'elle a de sauvage à l'état naturel, et le moyen que chacun consente à cette transformation. Dans l'échange, en effet, chacun gagne, et les

ambitions de la liberté naturelle sont satisfaites ; mais dans le
même temps, chacun comprend que pour retirer de l'échange tout
ce qu'il peut en attendre, il lui faut se soumettre aux lois de cet
échange, dont la première est précisément de consentir à ne pas
faire usage de violence à l'égard d'autrui. Ainsi s'opère, du moins
est-ce ce qu'espère le libéralisme, la transmutation admirable de
l'amour de soi en respect d'autrui, ainsi les lois morales mûrissent
et s'épanouissent sur le fumier des passions individuelles, ainsi la
brute devient homme et l'homme des bois citoyen.

« Néanmoins nul ne prétend que l'échange change de nature en
se généralisant : son ressort demeure le souci pour chacun de préserver dans toute la mesure du possible sa liberté naturelle.
L'échange fait cesser la guerre mais non l'ambition ; la violence
est châtiée, mais le droit à la réussite personnelle reconnu. Dès
lors, les règles de l'échange ne sont observées que par crainte que
l'autre ne les observe pas, comme le respect dont elles font l'objet
est tout pénétré de la conscience qu'elles risquent d'être violées
chaque fois qu'il est possible de le faire sans être surpris ni
puni (1).

« Ce fait simple, et que l'on veut trop oublier, que les mobiles
qui sont à l'origine de l'institution de l'échange ne cessent jamais
d'influer, lors même que l'échange est devenu une habitude, sou-
lève une question à laquelle le libéralisme n'a jamais répondu
parce qu'il n'a jamais fini d'y répondre : comment abolir la liberté
naturelle au profit de la liberté civile sans abolir l'échange qui
suppose comme son propre moteur l'exercice de la liberté naturelle ?

« On peut considérer que le libéralisme a répondu jusqu'à présent de trois manières, d'ailleurs composables et souvent compo-
sées, mais dont aucune n'est vraiment satisfaisante.

« C'est un espoir constant, caché au fond de tout libéral, que la
transformation se fera toute seule, en quelque sorte mécaniquement, et par la vertu de cette grande maîtresse de tous les cœurs
qu'est l'habitude. Lisez Tocqueville : c'est en pratiquant la démocratie que l'on devient démocrate, c'est la pratique de la liberté
civile, c'est-à-dire les mœurs, qui en enracinent peu à peu l'amour
en en faisant constamment ressortir les bienfaits à l'esprit. Lisez
Montesquieu, et ses héritiers révolutionnaires : les bonnes lois,

---

(1) « Chaque individu », dit Rousseau, « peut comme homme avoir une volonté
particulière contraire ou dissemblable à la volonté générale qu'il a comme citoyen. Son
intérêt particulier peut lui parler tout autrement que l'intérêt commun ; son existence
absolue et naturellement indépendante peut lui faire envisager ce qu'il doit à la cause
commune comme une contribution gratuite dont la perte sera moins nuisible aux
autres que le paiement n'en est onéreux pour lui. »

insensiblement mais irrésistiblement, font les bonnes mœurs. Lisez Kant : l'histoire est l'histoire de la transformation, cachée aux hommes, mais voulue par une nature qui sait ruser avec eux, du respect d'autrui dû au simple calcul au respect d'autrui émanant d'une loi supérieure. Lisez Hume, le maître à penser de ce libéralisme, et le plus lucide peut-être : le respect de la justice n'a d'autre source que l'intérêt ; mais quand l'éducation, le sentiment et l'habitude s'associent au sens de l'intérêt, ils engendrent tous ensemble le sens moral ; et ainsi, insensiblement, les règles de la justice viennent tempérer les penchants spontanés d'une liberté qui par nature s'accorde toujours la préférence à soi-même.

« Malheureusement, on voit mal pourquoi la liberté naturelle, sous la seule poussée de l'habitude, consentirait à se modérer elle-même, et à prendre le pli de la civilité. Certes, l'observation répétée des bénéfices de la loi peut engendrer l'habitude de réfréner ses ardeurs. Mais le souci de son intérêt ne cesse point avec la sociabilité puisque celle-ci est fondée sur celui-là : pourquoi donc l'habitude de se préférer ne ferait-elle point naître une habitude concurrente de la précédente, et ne lui cédant qu'en cas de nécessité ? Si la raison seule suffit à persuader la liberté naturelle des mérites usuels de l'échange, comment suffirait-elle à la convaincre d'en respecter l'équité, puisqu'elle n'a été persuadée de ses mérites qu'au nom du principe même qui pousse chaque fois que cela est possible à violer cette équité, à savoir, l'avantage même qu'elle en retire ? S'il suffisait de la coutume, pour que la loi de l'intérêt devienne loi morale, les lois deviendraient de plus en plus superflues, et à mesure que la société se développerait, la nécessité de punir de plus en plus rare. Une générosité humaine étendue, dit Hume, détruirait l'idée même de justice en la rendant inutile. Aussi bien Hume juge-t-il — et la leçon vaut pour le libéralisme entier — que la liberté ne devient vertueuse que parce qu'il se trouve que l'homme est capable de sympathie à l'égard de ses semblables : la liberté ne se civilise pas de soi, mais seulement parce qu'elle est combattue par un sentiment propre à la nature humaine, et qui est comme un frein d'ailleurs miraculeux à ses excès. Au reste, il y a dans ce sentiment, comme dans la pitié de Rousseau, un amour de soi déguisé qui n'est pas bien fait pour ôter à l'individu l'habitude de se préférer, ni à la liberté l'habitude de suivre sa première nature.

« Cette alchimie mystérieuse, cette décantation de l'intérêt en bienveillance et en justice, doivent être comptées parmi les images les plus représentatives du libéralisme. Une société libérale est le plus souvent conçue comme une société où la liberté de chacun est assurée par le règne de la loi, c'est-à-dire par la suprématie de la loi sur la volonté individuelle. Cela est vrai, mais cet état de loi n'en constitue pas moins, on l'oublie trop volontiers, seulement un pis-aller, sans cesse plus menaçant pour la liberté individuelle, si les lois ne s'appuient sur les mœurs, qui sont comme la preuve permanente que les citoyens aiment leurs lois et sont par conséquent peu portés à les violer ; lorsque les mœurs n'apportent pas cette preuve, combien de périls ne fondent pas sur la liberté ? On commence par faire de belles lois, mais le recours aux lois positives est déjà en soi la preuve que la liberté individuelle demeure rétive à son insertion dans une communauté paisible ; puis on est conduit à les multiplier indéfiniment, car la mauvaise volonté de tous, rendue inventive par les contraintes, ne cesse de trouver les moyens de tourner celles qui existent ; de multiples petits liens enserrent peu à peu l'individu, qui ne s'en débat que de meilleur cœur ; et surtout, lorsque les lois se mettent dans le détail des actions, elles en viennent nécessairement à perdre le caractère de généralité qui les marque lorsqu'il s'agit seulement d'établir un contrat de société ; elles en viennent à régir des actions particulières qui ne peuvent être le fait que de certains, et peu à peu nul ne songe plus à faire des lois mais seulement à mettre la force des lois de son côté. La liberté civile est donc le mieux établie et le libéralisme le plus fort quand les lois sont rares, quand les mœurs sont sûres, et qu'elles sont en harmonie avec les lois.

« Beaucoup de libéraux l'ont donc compris : il leur fallait inventer le moyen artificiel par lequel les libertés naturelles seraient sans cesse retenues d'obéir totalement à leur propre nature, c'est-à-dire un moyen de prémunir la liberté civile contre les tentations de la liberté naturelle, ou de garantir à tous qu'ils n'aient pas à souffrir d'avoir échangé leur liberté naturelle pour une liberté civile. « Chacun voit », écrit encore Rousseau, guide involontaire du labyrinthe où il s'est lui-même enfermé, « que toute société se forme par les intérêts communs, que toute division naît des intérêts opposés ; que mille événements fortuits pouvant changer et modifier les uns et les autres, dès qu'il y a société, il faut nécessairement une force coactive qui ordonne et concerte les mouvements de ses membres afin de donner aux communs intérêts et aux engagements réciproques la solidité qu'ils ne sauraient avoir par eux-mêmes. » Le libéralisme se trouva donc dans la nécessité d'inventer une forme de pouvoir qui fût menaçant pour les seules libertés naturelles mais tutélaire pour les libertés civiles. Sur la forme à lui donner, le libéralisme n'a jusqu'à présent jamais donné naissance qu'à deux écoles.

*

« La première est à la fois la plus réaliste et la plus logique, parce que la plus conforme aux premiers principes de la doctrine. Le libéralisme y apparaît partisan d'un pouvoir fort, et c'est pourquoi beaucoup l'appellent alors conservateur. Il est, dit-il, en somme, non pas seulement improbable mais tout simplement contradictoire que les libertés naturelles consentent jamais à abdiquer pour longtemps leurs propres penchants. Ce n'est pas par inclination spontanée, mais par calcul et par nécessité, que les hommes viennent à la société, et l'artifice qui marque la naissance de la société ne peut jamais cesser d'en accompagner l'existence. Il faut donc juger qu'ils ont une chance suffisante, si le calcul de leurs intérêts bien entendu conduit le plus grand nombre à juger dans le même moment que la soumission à des règles est préférable au risque de la liberté absolue. Mais cette chance n'est pas inépuisable, et l'on ne saurait trop compter qu'à chaque instant, et surtout s'ils croient à leur impunité, le même raisonnement les conduise tous à révérer indéfiniment les lois dont ils avaient un instant senti la nécessité. Aussi, pensent ces hommes sans illusions, il est nécessaire de fonder d'un seul coup et les lois et le moyen qu'elles soient dans l'avenir constamment respectées. Il n'est donc d'autre moyen d'assurer la société que de la constituer par un acte de soumission universelle à une autorité entre les mains de qui chacun remettra sa force, et qui sera chargée seulement d'assurer la paix générale, c'est-à-dire la sécurité de tous ; elle devra seulement faire peur aux méchants, en détenant une sorte de monopole de la violence légitime. Il serait contradictoire qu'elle s'exerçât sur d'autres sujets, et qu'elle fît plus que de demander aux citoyens la soumission aux arrêts qu'elle prend pour leur sécurité commune : nul n'entre en société que pour profiter plus sûrement de ses œuvres, et l'on voit mal pourquoi il consentirait au pacte social s'il y perdait tout et n'y gagnait rien. Cela fait, la société aura donc reçu toute l'extension qu'elle pourra jamais avoir. Pour le reste, il appartiendra à chacun d'agir comme bon lui semble, en quelque sorte dans l'interstice des interdits prononcés par la puissance publique souveraine.

« Le même raisonnement imposait que cette autorité souveraine fût détenue par un homme, et que la liberté de tous fût confiée au pouvoir d'un seul et des lois qu'il édicterait : le paradoxe n'a rien que de logique et peut à bon droit être entendu par tout défenseur de la liberté. Car chacun se préférant aux autres, la consultation de tous ne peut aboutir qu'à la confrontation sans vraie solution, soit de tous, soit de quelques grands intérêts. Il vaut donc mieux faire en sorte qu'il n'y ait qu'un homme à n'avoir d'autre intérêt que celui de tous, ce qui peut se faire tout

simplement : s'il est un homme dont l'unique charge soit de faire
régner la paix il ne peut manquer de lui apparaître que son sort est
lié à la capacité de la faire régner. Quant à craindre qu'il abuse de
son pouvoir, le risque en est certain mais limité. Car si les hommes n'entrent en société que pour leur sûreté, il est impossible,
sans provoquer la révolte et donc sans qu'elle se dissolve, d'y faire
régner la crainte que les hommes cherchent initialement à fuir en
y entrant. En dépit des apparences, le pouvoir du souverain est un
pouvoir limité et ce régime qui a des airs monarchiques est entièrement libéral : la liberté naturelle de chacun y est préservée (dans
la mesure de sa compatibilité avec celle d'autrui), et la puissance
publique (nécessaire pour assurer la liberté civile) fondamentalement limitée.

*

« Cependant il est une autre école pour qui la liberté civile ainsi
que son garant n'ont pas cette figure, qu'elle estime être celle du
despotisme : c'est l'école, bien plus populaire de nos jours, du
libéralisme démocrate et égalitaire.

« Comment, disent ces esprits méfiants, faire confiance à un
homme pour sauvegarder la liberté de chacun ? Puisqu'il est
admis que chacun regarde d'abord à ses propres fins, plutôt qu'à
celles des autres, comment imaginer qu'un homme à qui l'on
donne du pouvoir n'en abuse pas à son profit et au détriment
d'autrui ? Et en outre, comment compter sur autrui, s'il n'est
retenu de nuire que par la crainte d'un maître ? Celui-ci ne peut
avoir l'œil partout. Il faut donc, raisonnent-ils, condamner résolument l'horrible système de ces hommes qui se veulent libéraux, et
qui sont les tenants cachés du despotisme. Il faut donc trouver le
moyen que chacun décide des lois qui règlent sa conduite, mais
sans que ces lois l'avantagent particulièrement ; en somme qu'il
vote pour tous sans pourtant jamais cesser de penser à soi ; et
qu'en demeurant un homme libre, il n'en devienne pas moins un
citoyen.

« Le problème serait évidemment insoluble s'il fallait que le
citoyen demeure aussi libre que l'homme à l'état de nature. Mais
si l'on consent que ce que la liberté naturelle perd en latitude
d'action, elle le gagne en sécurité, on peut juger que la réduire n'est
pas la dénaturer : il s'agit surtout de faire que chacun participe à
l'élaboration des lois sans s'y donner la préférence, bien que ce
soit dans sa nature et qu'on ne puisse la lui ôter sans en faire un
esclave.

« A bien prendre la question, la réponse n'est pas si difficile, elle
est même d'une terrible simplicité. Pour faire que chacun, en ne

songeant qu'à soi, vote cependant pour tous, il faut et il suffit de
mettre les hommes dans une situation telle que nul ne puisse nuire
à autrui, sans qu'autrui ne lui nuise aussitôt ; dans une situation
où chacun soit immédiatement conscient qu'autrui sera en mesure
de faire tout ce qu'il fera à autrui, c'est-à-dire dans une situation
de réciprocité parfaite. Or, il est un moyen simple d'instaurer une
complète réciprocité entre les hommes, c'est de les rendre entièrement égaux, c'est-à-dire identiques. Et pour que tous soient égaux,
il suffit que chacun consente à l'aliénation de tous ses droits à la
communauté. Ainsi, « chacun se donnant tout entier, la condition
est égale pour tous, et la condition étant égale pour tous, nul n'a
intérêt de la rendre onéreuse aux autres ».

« On pourrait donc désormais croire la difficulté résolue : les
lois auxquelles chacun obéira sont celles qu'il se donne ; chacun
n'obéit donc qu'à soi-même ; mais comme nul ne peut séparer le
souci de soi de celui des autres, puisque tous sont égaux, chacun
est entièrement libre, et pourtant nul n'inquiète la liberté d'autrui.
Pour que tous soient libres ensemble, il suffit que chacun n'ait
d'autre liberté que celle dont tous jouissent. L'égalité de tous est le
fondement de la liberté de chacun, et la démocratie fondée sur le
contrat social est l'énigme résolue de la sociabilité humaine. Nos
siècles applaudissent : ils aiment l'idée que les hommes sont égaux
par nature.

« Las ! Je crains fort que ces beaux raisonnements, tant admirés
depuis bientôt trois siècles, pèchent dès l'origine, et que ces siècles
ne comprennent plus pourquoi ils aiment tant l'égalité et la démocratie. Car il est bien vrai qu'en mettant tous les hommes sur pied
de complète égalité, on les contraint à songer aux autres alors
qu'ils ne sont portés qu'à songer à soi. Mais il n'en est pas moins
vrai — et les disciples de Jean-Jacques ne le comprennent plus
guère — qu'à le bien prendre, le contrat social ne fait pas reposer
la démocratie sur l'égalité mais sur la réciprocité : l'égalité n'y est
que le moyen de la réciprocité. Jean-Jacques n'a jamais dit que les
hommes fussent invinciblement attirés par l'égalité : il ne cesse au
contraire de répéter que le principe de ces sociétés est que les
hommes n'y entrent que parce qu'ils y trouvent avantage. En quoi
il a entièrement raison : au nom de quoi accepteraient-ils d'anéantir cette liberté dont on leur dit qu'elle est naturelle ? Tout au plus
est-il raisonnable qu'ils consentent à en borner l'exercice pour
mieux le garantir à l'intérieur de ces limites. L'égalité n'est donc
que le moyen par lequel ils s'assurent tous que les formes sont
définies avec équité ; ces bornes une fois posées, chacun peut
jouir, dans l'espace qu'elles délimitent, de toute la liberté qu'il
veut. Le contrat n'a pas pour fin de faire régner l'égalité, mais de

faire que chacun vive en société aussi libre qu'auparavant, au moins dans toute la mesure du possible. L'égalité n'y entre en quelque sorte que par hasard, et parce qu'elle paraît le moyen le plus commode, *parce qu'elle assure la réciprocité*, d'assurer la liberté de tous. Ainsi nos siècles perpétuent un profond contre-sens : ils croient que la valeur suprême est l'égalité et ils veulent qu'elle soit naturelle aux hommes ; tandis que celui-là même dont ils se veulent les disciples leur enseigne en réalité qu'elle est artificielle et que les hommes à qui elle est nécessaire n'en ont cure au fond d'eux-mêmes. Chaque homme ne cesse d'avoir comme particulier une volonté différente de celle qu'il a comme citoyen, celle-ci ne sert qu'à assurer celle-là.

« Jean-Jacques et tous ses disciples l'avouent ainsi inconsciemment : pour eux, la concurrence de la liberté naturelle et de la liberté civile ne cesse en somme que le temps de voter les lois ; la liberté naturelle demeure comme un vice et comme une tentation de nature au sein de la liberté civile, qui n'en triomphe qu'autant que tous sont mis sur pied d'égalité, ce qui n'arrive que dans le moment du vote, où chaque homme ne vaut qu'une voix ; c'est seulement dans l'instant où il fait acte de citoyenneté que chaque citoyen peut consentir sans crainte d'être dupé à abdiquer sa liberté naturelle. La souveraineté législative du corps politique, dont tous sont également membres, n'assure donc que très imparfaitement la liberté des particuliers : d'abord tout ce qui n'est pas explicitement défendu par les lois demeure permis, de sorte que s'il y a des crimes que les lois omettent de châtier, chacun risque d'en être impunément victime ; mais mieux encore, nul ne peut garantir que chacun obéisse en toute circonstance à des lois auxquelles il n'accorde d'autre valeur que de le protéger d'autrui ; d'une manière ou d'une autre, il faudra multiplier les lois, et régler la vie de chacun de manière de plus en plus détaillée ; mais on ne songera jamais à tout, et quelle que soit l'inflation des lois, elle ne passera jamais la crainte qu'autrui ne découvre de *nouveaux moyens de léser autrui*. Jean-Jacques l'avait bien dit : " C'est parce que la force des choses tend toujours à détruire l'égalité que la force de la législation doit toujours tendre à la maintenir. " Propos entièrement logique, mais hélas formule cruciale et sinistre, qui va déchaîner dans le sein même des partisans de la liberté la passion de la servitude, et qui va opérer pour la doctrine libérale comme une gangrène indécelable et par là même fatale.

« Qui n'entrevoit en effet le terme de cette fièvre législative ? Chacun conviendra sans doute que le seul défaut du contrat social est d'être trop ponctuel : il suffit donc en somme de trouver le moyen de le rendre permanent pour que tous croient la liberté enfin fondée ; il faut que le sentiment d'être en complète réciprocité ne cesse pas lors même que l'homme n'est pas en train d'accomplir ses devoirs proprement civiques, il faut qu'il soit de tous les instants ; il ne faut pas civiliser la liberté seulement dans l'instant de sa participation au souverain, il faut rendre cette participation constante, abolir la distinction de la vie privée et de la vie publique, la distance du particulier au citoyen, et en un mot faire en sorte que la vie de chacun, jusque dans ses plus petits gestes, soit comme un contrat continué.

« Ce qui n'est point si difficile, et chacun d'entre nous en connaîtrait au fond de soi-même le moyen même s'il n'avait pas été décrit par des auteurs fort célèbres. Car au fil de ces idées, la liberté a cessé d'être conçue dans son rapport à l'individu, et n'est plus pensée que dans le rapport d'un individu à un autre. La liberté est devenue d'abord l'indépendance à l'égard d'autrui. Et ainsi, il est deux manières de concevoir cette indépendance. Selon l'idée la plus naturelle et la plus spontanée, l'indépendance consiste évidemment à ne pas dépendre du tout d'autrui. Mais sitôt que cela paraît impossible, on peut avoir l'idée (qui a quelque chose de maladif et de vicieux, mais qui a la force des choses derrière elle), que l'indépendance d'un homme à l'égard de son voisin consiste à rendre celui-ci aussi dépendant de soi que soi-même on l'est de lui. Et ainsi, ce n'est plus dans l'indépendance que l'on verra la liberté, mais dans la dépendance mutuelle, pourvu qu'elle soit égale. La liberté c'est désormais l'interdépendance. La doctrine libérale a achevé son retournement : l'histoire du libéralisme commence avec l'exaltation de la liberté individuelle, elle s'achève avec la collectivisation de la liberté. Nul n'est plus libre qu'autant qu'autrui consent à ce qu'il le soit, l'homme libéral qui était l'homme capable de se faire soi-même, est devenu l'homme des foules, qui n'est ce qu'il est que parce que les autres veulent bien qu'il le soit ; et l'homme seul, l'homme qui n'aime pas dépendre des autres, l'homme confiant dans ses talents et son étoile, même s'il a la conviction qu'il y a un Ciel, n'est plus qu'un marginal que tous regardent d'abord avec un mépris méfiant, et bientôt avec une haine née de l'envie, parce qu'il est ce que chacun n'ose plus être. Le libéralisme des origines avait gardé le sentiment qu'il y a quelque chose d'avilissant à être la chose d'un autre ; pour des raisons entièrement logiques et qui tiennent à l'idée qu'il se fait de la liberté, il y a dans le libéralisme un penchant qui le porte à concevoir que la liberté pour tous consiste pour chacun à être la chose de tous. Le bon sens est par terre, mais sur ses ruines pousse une nouvelle idée de la liberté, qui consiste dans l'esclavage réciproque.

*

« Je sais bien ce que vous murmurez : voilà bien les propos d'un insensé. Certes, mes maîtres, je suis un insensé, puisque je ne suis pas des vôtres. Mais avez-vous pour vous autre chose que la force et le nombre ?

« Car enfin je ne suis pas seul à penser en ces termes. Lisez les grands favoris de notre époque, considérez les grands courants qui la traversent. Croyez-vous que le marxisme fût né, s'il n'avait partagé le sentiment que l'homme moderne était un " individu séparé de la communauté, replié sur lui-même, uniquement préoccupé de son intérêt personnel, [pour qui] la vie générique elle-même, la société, apparaît comme un cadre extérieur, comme une limitation de son indépendance initiale, les hommes étant réunis par le seul lien de la nécessité naturelle, du besoin et de l'intérêt privé, la conservation de leur propriété et de leur personne égoïste " ? Mais alors que le libéralisme juge que la force des choses rend cet homme social même s'il n'est pas originellement sociable, Marx, précisément parce qu'il croit lui aussi que cet homme, qu'il appelle bourgeois, est l'homme naturel, l'homme par nature, et qu'il est donc à la fois impossible à transformer, et définitivement, parce que naturellement, insociable ; — Marx juge donc, avec une logique sans faille, que la seule liberté qu'il est possible de laisser à cet homme, à l'état de société, c'est la liberté que ses semblables voudront bien lui laisser, c'est-à-dire la liberté dont dispose une roue dentée dans un engrenage. Tel est le sens du dogme de l'appropriation collective des instruments de production. Il est certain que la propriété des moyens de survie individuelle est la base de toute liberté individuelle : qui ne possède pas les instruments de sa propre survie est condamné à l'esclavage ou à la mort. Naturellement, l'idée peut être prise en bonne part : il est légitime de vouloir que nul ne soit ainsi à la merci d'un autre. Mais le marxisme ne l'entend pas ainsi (sinon il serait indiscernable du libéralisme) : l'appropriation collective des instruments de production, c'est aussi l'appropriation de chacun par tous et de tous par chacun ; et, pourvu que l'on pense que la dépendance d'un homme à l'égard d'un autre pour sa survie matérielle est une assez bonne définition de l'esclavage, sous couleur de renverser le despotisme de quelques-uns, c'est peut-être le despotisme de tous sur tous que l'on installe. Cette appropriation, c'est la forme réelle de la communauté que le contrat bornait jusqu'alors au seul domaine politique : " dans la communauté réelle, écrit Marx, les individus acquièrent leur liberté simultanément à leur association, par cette association et en elle ". Mais pourquoi leur liberté naît-elle de leur association, sinon parce qu'elle est précisément celle-là seulement que chacun consent à reconnaître à son voisin ? Et qu'est-ce que la société communiste, sinon une société où tous sont propriétaires de chacun, et chacun de tous, c'est-à-dire une société où tous se tiennent mutuellement dans une dépendance réciproque que tous appellent désormais leur liberté, mais qui est le contraire de tout ce que l'on avait jusqu'alors entendu par ce mot ?

« Ainsi, voyez-vous, il n'est pas besoin d'attendre, comme Marx, l'avènement de cette forme ultime de la sociabilité humaine pour comprendre que cette caricature de la liberté n'a rien d'abstrait. En vérité, voilà qu'elle a déjà pris corps parmi nous : nous en avons tous les jours sous les yeux des preuves manifestes.

« La plus évidente est l'extension de la condition de travailleur salarié. Les jugements portés sur le travail en général ont fort évolué : les anciens ne jugeaient pas comme les modernes que le travail fût la fin de l'homme, mais plutôt la contemplation (1). Mais l'opinion n'a jamais varié sur un point : l'homme dont le travail est dans la dépendance de la volonté d'autrui est un esclave ; c'est la même idée exactement qui court d'Aristote à Marx en passant par Kant (2). Ce qui est le cas non seulement de l'esclave proprement dit, mais même du travailleur libre lorsqu'il est salarié : Aristote l'avait dit, mais son disciple le plus célèbre sur ce point, et sans nul doute le plus inattendu, est Marx, qui recopie littéralement la " Politique " lorsqu'il condamne comme contraire à la nature des choses la vente par le prolétaire de sa force de travail au capitaliste. Or, nos siècles adorent le salariat, et abominent de plus en plus explicitement les professions qu'il sera bientôt presque injurieux d'appeler libérales : un homme politique français ne clamait-il pas récemment que les seuls hommes dignes de considération en France étaient " les moyens et moyens-petits salariés " ? D'où vient donc que nos concitoyens aiment si fort ce que tant de siècles et jusqu'à l'archange du socialisme ont toujours jugé dégradant ?

« Le développement de la division du travail a évidemment donné la forme d'une raison à ce qui n'était que passion, mais il ne faut pas ignorer que la passion a en retour dénaturé cette division. Nos ancêtres n'en avaient pas ignoré les vertus, mais ils avaient toujours pensé qu'il n'y avait pas de société véritable qui

---

(1) On notera que c'est finalement le sentiment même des modernes, puisque la cité idéale des travailleurs est, de l'aveu même de son inventeur, une société où les hommes ne travaillent plus.

(2) Aristote : cf. *Politique*, L. I ; Marx : cf. *Capital*, L. I ; Kant : cf. *Doctrine du droit*.

ne fût une société d'hommes libres, c'est-à-dire qui ne supposât
ses membres tous individuellement capables d'une certaine indépendance les uns à l'égard des autres. Ils croyaient que cette indépendance pouvait seule garantir que les liens susceptibles d'être
noués ne le soient pas par force mais par choix, pas par calcul
mais par attirance. Pour eux la sociabilité était faite d'une dépendance mutuelle fondée sur une relative indépendance. Ils ne refu-
saient pas de s'entraider, au contraire, mais ils pensaient que
l'entraide est le plus efficace lorsque chacun est d'abord capable
de s'aider soi-même. La division du travail prit une autre figure
lorsque la société en vint à n'être plus que le moyen pour chaque
liberté naturelle à la fois de démultiplier ses ambitions et d'en
assurer, mieux que par la rapine et la guerre, la satisfaction. Loin
que la division du travail fût bornée à ce qui était nécessaire pour
répondre à quelques besoins simples, elle ne cessa de progresser
pour en satisfaire sans cesse de nouveaux. Loin que les hommes
n'y fussent liés que pour une partie d'eux-mêmes, elle les absorba
sans cesse un peu plus au point que la personne de chacun
consista d'abord dans la fonction qu'il y occupait. Chacun devenait donc de plus en plus dépendant des autres. Mais dans le
même temps, nul n'eût consenti à cette division du travail s'il n'y
eût vu son avantage ; nul n'aurait accepté d'entrer dans la dépendance d'autrui sinon à la condition que sa liberté naturelle y trouvât son compte. Ainsi, par le fait même que le développement de
la division du travail était dû à celui des besoins de chacun, et
qu'elle était proportionnelle aux exigences de la liberté sauvage de
chacun, il arrive aujourd'hui que la division du travail a pris sous
nos yeux un sens entièrement nouveau, et tout en continuant en
apparence à satisfaire un désir croissant de bien-être, sert en secret
à empêcher que quiconque gagne trop d'autonomie par rapport à
ses semblables. Plus cette division s'accentue, moins les individus
peuvent se passer les uns des autres ; et comme nul n'entre en
société que pour sauver son indépendance naturelle, plus il est
nécessaire, si l'on ne veut pas que certains tombent dans un état
de dépendance unilatérale et non réciproque, que la dépendance
soit la même pour tous ; la pente est naturelle, elle est logique, elle
est presque fatale.

« C'est pour la même raison que l'on voit aujourd'hui tant de
gens acharnés à généraliser la condition de salarié. Tant que la
division du travail repose sur la propriété, elle comporte le risque
que chacun puisse, ne serait-ce que parce que ses services sont
plus demandés que ceux du voisin, tirer avantage de cette supériorité peut-être involontaire mais inévitable : comment supposer
que les services de tous puissent être également nécessaires à

tous ? En supprimant la propriété, et en réduisant chacun à la condition de salarié, l'inégalité qui subsiste est constamment à la merci de l'opinion publique, qui peut la réduire autant qu'il lui plaira. La critique socialiste de la propriété privée, qui est si célèbre, comporte ainsi quelque ambiguïté : s'agit-il de supprimer vraiment l'état de dépendance d'un homme à l'égard d'un autre, c'est-à-dire le salariat, ou s'agit-il de supprimer le salariat en supprimant tous ceux qui ne sont pas salariés, et en quelque sorte d'abolir le salariat simplement en le généralisant ?

« Il semble donc venir un moment où la division du travail pousse mécaniquement à la salarialisation de tous les travailleurs. Ainsi se fait-il que l'indépendance finisse par prendre la forme de l'interdépendance, et que le désir d'indépendance de chacun finisse par trouver sa satisfaction suprême dans le contrôle de l'indépendance d'autrui, c'est-à-dire dans son abolition. Quant à ceux qui refuseraient de voir là leur liberté, on les forcera, comme disait Jean-Jacques, d'être libres ! Certes, le libéralisme n'a jamais voulu cela, mais s'il veut l'empêcher, encore faut-il qu'il accepte de penser que la liberté naturelle de l'homme n'est pas la forme véritable de la liberté humaine (1).

(1) La même idée prend souvent une figure un peu différente : certains ont ainsi inventé que les sociétés libérales n'ont pas su donner naissance à la liberté, mais seulement à une forme embryonnaire de liberté, qu'ils appellent alors formelle. Le libéralisme, disent-ils, n'arrive pas à émanciper vraiment l'homme. Il a inventé les droits de l'homme, ou il a ramassé tous les éléments de sa conception de la liberté. Mais ces droits ne sont que les droits de bourgeois, qu'ils n'ont d'autre but que de protéger : la liberté qui consiste dans le droit de faire tout ce qui ne nuit pas à autrui, c'est tout simplement la liberté de ne pas se préoccuper du sort du voisin, c'est la liberté d'être riche à côté d'un pauvre, ou de mourir de faim à la porte des maisons où l'on se gave. C'est, dit Marx, " la liberté de l'homme considéré comme monade isolée ". Il est tout à fait remarquable que la description de ce qu'il appelle la liberté bourgeoise soit donc à nouveau très exactement celle de ce que les écoles libérales appelaient l'homme à l'état de nature. Voilà qui fait la lumière sur la raison d'être du socialisme, et lui donne sa vraie figure, en même temps que le sens profond de la distinction si populaire entre liberté formelle et liberté réelle. Vue sous ce jour, la doctrine du socialisme, comme toute l'école du contrat social, a pour principe la nécessité de rendre compatibles entre elles les libertés individuelles qui par nature sont des libertés sauvages. Mais à la différence de l'école du contrat social, les socialistes jugent qu'il est contradictoire (ou, dans leur langage, injuste) de vouloir, comme Rousseau, que l'homme abdique sa liberté naturelle, et qu'il ne le fasse que pour mieux assurer la propriété de tout ce qu'il possède, c'est-à-dire précisément cette liberté naturelle même, diminuée seulement du droit d'user de violence contre autrui. En quoi ils ont naturellement raison, et dans le jugement qu'ils portent sur la signification du contrat social, et sur son intrinsèque absurdité. Ils sont donc très naturellement et très logiquement conduits à rechercher que cette abolition soit réelle, c'est-à-dire que le contrat ne consiste pas seulement à donner au loup le droit d'être un loup qui achète sa viande chez le boucher.

Mais il n'est pas difficile de voir que cet argument est seulement une autre forme du précédent : opposer la liberté formelle à la liberté réelle, c'est opposer la liberté sauvage, égoïste et naturelle à la liberté civile et respectueuse de la liberté d'autrui, la liberté définie comme radicale indépendance à l'égard d'autrui à la liberté définie par l'interdépendance réciproque, la liberté affirmée par chacun à la liberté consentie par

« A l'avenir, que préféreront nos contemporains ? Voudront-ils que la chance soit laissée à tous, comme des joueurs qui obéissent à l'arbitre, d'user de leur liberté naturelle dans les limites définies par les lois pour leur plus grand profit personnel, et ainsi, mais indirectement, pour le profit des autres, ou préféreront-ils que chacun ne jouisse d'une autre liberté que celle dont tous jouissent, et mettront-ils toutes les ressources de la haine et de l'envie à s'opprimer les uns les autres ? Choisiront-ils l'inégalité dans la croissance ou l'égalité dans la pénurie, la liberté dans l'inégalité ou l'égalité dans la servitude réciproque (1) ? »

tous à chacun, la liberté comme puissance d'inégalité à la liberté rendue synonyme de l'égalité, la liberté comme capacité d'indétermination à la liberté suspendue à l'agrément d'autrui, et finalement la liberté privilège de quelques-uns à la liberté droit de tout homme. Les mots sont efficaces, mais ils sont trompeurs : la critique du caractère formel des libertés libérales naît spontanément de l'incapacité, d'ailleurs parfaitement compréhensible, du libéralisme à faire que les hommes soient tous ensemble libres de la même liberté. Mais c'est parce que libéralisme et socialisme se font la même conception de la liberté qu'ils sont à la fois des frères et des ennemis, dont l'un est d'ailleurs plus l'ennemi de l'autre que celui-ci ne veut le croire.

(1) On voit par là que le concept de lutte des classes n'est qu'un cas particulier de la lutte de tous contre tous, ou si l'on préfère, son stade initial. Mais il n'y a aucune raison pour que la guerre s'arrête le jour où les protagonistes en seront regroupés en camps...

Quatrième Partie

LES PROPOS D'UN INSENSÉ (*suite*)
OU
L'ARBITRE TRICHE TOUJOURS

CHAPITRE PREMIER

LE LIBÉRALISME ET LE POUVOIR
DE L'HOMME SUR L'HOMME

La plume du jet d'eau décrivait au gré des vents de gracieuses arabesques qui paraissaient se moquer lorsque l'insensé pérorait. La jeunesse, fatiguée de ne rien apprendre, appréciait indolemment ces correspondances symboliques.

« Le libéral, faut-il le répéter, disait ce jour-là l'insensé, est un homme qui souhaite que les hommes puissent vivre libres ensemble. On me dira que depuis qu'il y a des hommes raisonnables sur terre, c'est ce qu'ils ont tous souhaité, et que ce n'est point là définir la liberté. Non pas. Car, si beaucoup ont nourri ce souhait, il leur paraissait tout naturel, et il n'en pouvait être à leurs yeux de plus réalisable pourvu que chaque homme veuille bien vivre conformément à sa propre nature : que les hommes vivent libres et ensemble leur semblait en somme ne requérir d'autre effort de la part de chacun que de se connaître soi-même. Tout fut changé lorsque l'on inventa que l'homme à l'état de nature n'était pas le même que l'homme en société, que la nature spontanée de l'homme n'était pas identique à son être social : il fallut alors inventer le moyen que le sauvage devînt un citoyen sans perdre pour autant sa liberté, il fallut assurer la transmutation de la liberté naturelle en liberté civile. C'est dans cette invention que consista à proprement parler le libéralisme, en tant que doctrine politique originale, et distincte en particulier des doctrines antiques et médiévales.

« Aucune doctrine libérale n'a jamais défendu que la liberté naturelle fût la bonne, et toutes ont au contraire insisté sur ce qu'elle avait de sauvage. Il n'en est pourtant aucune non plus qui y ait vu à proprement parler un vice : que la liberté de l'un ne s'accommodât pas aisément de la liberté de l'autre dans l'état de nature imposait certes d'en limiter l'exercice ; mais qu'on reconnaisse pour naturelle à l'homme, c'est-à-dire comme étant dans la nature de l'homme, cette liberté débridée, suffisait à conférer aux limites à lui imposer la valeur d'un artifice sans doute nécessaire mais inévitablement fâcheux. Quoi qu'on en ait, il fait partie de la tradition libérale de considérer que tout homme a un droit naturel à avoir les désirs qu'il lui plaît, et à essayer de les satisfaire dans toute la mesure où il pourra le faire sans empiéter sur la liberté d'autrui. Affirmer que tous les jugements individuels sont également respectables est une des constantes du libéralisme et on la retrouve aujourd'hui maintenue sous le nom de pluralisme. Or, qu'est-ce que ce pluralisme sinon un hommage naïvement rendu à la liberté de l'homme à l'état de nature ? Pour toute la tradition libérale, l'homme est par nature un être appelé à se donner à soi-même sa propre loi, un être naturellement autonome : vieux mot sans doute, mais qui prend avec le libéralisme un sens tout nouveau. Car c'est une chose de choisir d'obéir librement à des lois qu'on n'a pas faites soi-même, mais pour lesquelles on ne peut pas s'empêcher de sentir du respect ; et c'en est une autre de se considérer comme libre à la seule condition non seulement de choisir d'obéir, mais encore d'écrire soi-même la loi à laquelle on choisira ensuite d'obéir. Comment ne pas reconnaître dans cette acception du mot d'autonomie l'écho de la définition que donne le libéralisme de la liberté de l'homme à l'état de nature ?

« Ainsi ce lui est une conviction toute naturelle que de considérer qu'entre toutes ces limites, les plus illégitimes sont celles que la volonté d'un homme peut mettre à la liberté de ses semblables, et les plus tolérables, celles auxquelles la nature elle-même l'a habitué. Car si la liberté naturelle à l'homme est celle qu'il possède à l'état de nature, c'est-à-dire s'il est dans la nature de la liberté humaine d'être aussi illimitée que possible, les plus insupportables des obstacles qu'elle peut rencontrer sont évidemment ceux dont il est concevable qu'elle les évite ou les lève : tandis que je ne peux rien sur les choses, il m'est possible d'agir sur les hommes et de faire que leur volonté ne se dresse pas sur mon chemin ; il est évidemment logique qu'un être qui vit au ras de la nature s'irrite d'abord des barrières qu'il sait pouvoir franchir. Au fond, le vieux Hobbes ne disait rien d'autre lorsqu'il écrivait qu'à l'état de nature règne l'égalité entre les hommes, tous pouvant également tuer leur semblable : il est insupportable que l'autre m'impose sa volonté parce que je peux la briser ; il peut me gêner d'être pris par la pluie, au moins n'est-elle pas avilissante.

« Il est donc absolument dans la nature du libéralisme d'éprouver à la fois une hostilité irrépressible pour le fait politique, et un penchant constant à espérer que tout marche tout seul : *diavolo*, s'émerveillait le libéral, *il mundo va da se.*

« Qu'est-ce en effet que la politique, sinon cet aspect de l'organisme social qui résulte de la domination de certains hommes sur d'autres ? Il y a du politique parce que certains hommes commandent à d'autres et parce que d'autres leur obéissent ; il y a du politique parce que certains hommes ont du pouvoir sur d'autres. Que le libéralisme ait, dès sa naissance, reconnu ce que ce fait avait d'inévitable, ne l'empêcha jamais de souhaiter en borner les effets, et d'entretenir pour tout pouvoir de l'homme sur l'homme la méfiance la plus sourcilleuse et la plus incessante. A l'idée libérale est indissolublement associée celle de limitation du pouvoir politique, de contrôle des gouvernants par les gouvernés, de lien contractuel des uns aux autres. En tant qu'il procède de la conviction que l'homme est libre d'une liberté que l'on crut longtemps être le propre des dieux seuls, le libéralisme ne peut jamais s'empêcher de regarder le pouvoir politique comme un mal, fût-ce comme un mal peut-être nécessaire.

« Aussi éprouve-t-il un penchant, que l'histoire des idées rend manifeste, pour toutes les formes d'organisation sociale qui peuvent donner le sentiment de fonctionner mécaniquement, c'est-à-dire représentent l'espoir que les hommes n'ont pas besoin de se dominer les uns les autres. Ainsi les lois économiques ne lui semblent pas une entrave à la liberté individuelle plus gênante que les lois naturelles, dont elles sont à vrai dire à ses yeux un exemple. S'appliquant également à tout homme, elles ne s'appliquent à aucun en particulier, tous y étant également soumis, et nul ne s'en pouvant dire la victime exclusive : preuve s'il en est qu'elles ne sont le fait d'aucun homme, c'est-à-dire qu'elles sont le contraire des lois politiques. Une société de marché, étant une société dont les seules lois sont les lois naturelles de l'économie, est donc la forme de société la plus compatible avec la liberté naturelle de l'homme ; chacun y peut faire ce qu'il veut, aussi longtemps qu'il ne lèse pas autrui ; et s'il le fait, la simple force des choses se charge de le châtier : un commerçant qui vole ses clients ne les conserve pas longtemps. D'où cette idée célèbre qu'il y a comme une main invisible au principe de ce miraculeux équilibre entre les volontés humaines, qui gouverne le corps social aussi sûrement que celle d'un prince à la fois juste et omniscient, et qui pourtant n'est pas celle d'un homme : admirable conjugaison de l'état de nature et de l'état de société, la société corrigeant la nature mais pourtant sans rien lui ôter vraiment.

« Tel est du moins le rêve libéral. Il a marqué les temps modernes, puisque même le socialisme, qui se veut l'ennemi du libéra-

lisme, lui emprunte cette intuition centrale. Certes, le rêve est
doux, mais est-ce autre chose qu'un rêve ?

« Dès l'instant en effet qu'à la base de l'édifice social on met la
préférence que chacun se donne à soi-même, et la conviction du
droit naturel de tout homme à tout ce à quoi ses forces lui permettent de prétendre, on voit mal comment la conscience, intimement vécue par chacun, des vraies raisons pour lesquelles il vit
avec ses semblables, ne lui donnerait pas toutes celles d'être sûr
que chacun saisira toutes les occasions à sa portée de servir ses
intérêts plutôt que l'intérêt commun. Tout homme qui veut donner des lois doit d'abord se persuader que les hommes sont
méchants, disait Machiavel : le libéralisme ne les suppose pas
méchants, il les sait simplement attachés d'abord chacun à soi,
mais c'est assez pour ruiner l'espérance d'on ne sait quelle providence, se chargeant des hommes comme des choses. Car si l'ordre
de la nature est si régulier, c'est que les objets n'ont pas d'âme
pour y désobéir ; les hommes au contraire savent sinon désobéir à
ces mêmes lois, du moins les tourner, et c'est ce qu'ils appellent
la science. Ils n'ont pas été faits pour s'élever dans les airs, mais
ils en ont trouvé le moyen. Or, avec quelle passion, quel constant
acharnement ne pas soupçonner qu'ils s'appliquent à tourner celles de l'économie, quand ce n'est pas seulement leur curiosité qu'il
s'agit de satisfaire, mais leurs désirs et leurs intérêts ? Adam Smith
croit que l'intérêt même fera régner l'ordre, et donc qu'il n'est
surtout pas besoin pour cela que les hommes soient bons ; mais
pourquoi s'arrête-t-il en somme en chemin, et pourquoi juge-t-il
impossible que les hommes redoublent en quelque sorte
d'égoïsme ou de passion ? Certes, l'intérêt du boulanger est de
faire du bon pain ; mais s'il gagne à en faire du mauvais et s'il peut
mettre ses clients dans la nécessité de l'acheter quand même, au
nom de quoi se refusera-t-il à le faire ? Le monopole n'est pas
contraire à la loi du marché, c'en est une application détournée.
Qu'il y ait une balance naturelle des actions et des réactions des
hommes est possible, mais que chacun songe à utiliser cette
balance à son profit n'en est pas moins évident par les mêmes
principes.

« En somme, il n'y a pas moyen de faire que les choses humaines aillent d'elles-mêmes.

« Il faut donc que les hommes interviennent dans leurs propres
affaires pour en régler le cours, dès l'instant qu'ils veulent vivre
ensemble. Ainsi le libéralisme se trouve contraint, en quelque
sorte malgré soi, à avoir une doctrine politique.

« Chacun en connaît les principes essentiels. Ils tiennent en trois
mots : arbitre, lois, sécurité ; ils procèdent tous d'une même inten-

tion : puisque pouvoir il doit y avoir, il convient au moins qu'il soit aussi limité que possible.

« Pour qu'il soit limité, il ne faut point qu'il soit dévolu à un homme ; tout homme puissant est nécessairement mauvais, puisqu'il est par nature porté à servir d'abord ses intérêts, donc à mettre son pouvoir au service de ses intérêts, donc encore à l'accroître indéfiniment pour assurer le succès de ses projets. Il ne doit donc y avoir de pouvoir qu'impersonnel, c'est-à-dire de pouvoir que de la loi. L'État libéral tend par nature à être un état de droit.

« Du simple fait que la loi seule y commande, nul homme ne le fait qu'au nom de la loi et en tant qu'interprète ou exécutant de cette loi. La société libérale est comme un terrain de balle au pied, où chaque joueur agit au mieux de ses intérêts, dans le cadre des règles préalablement définies, et où un arbitre indifférent aux intérêts de chacun a pouvoir de sanctionner un joueur, mais seulement si ce dernier manque à l'une des règles du jeu, et non selon son bon plaisir.

« Enfin la loi, c'est-à-dire le pouvoir politique, ne peut avoir d'autre objet, si elle veut être impartiale, c'est-à-dire impersonnelle, que de garantir à chacun l'exercice de toute la liberté compatible avec l'exercice de la liberté d'autrui. En termes concrets, cela signifie que l'État n'a d'autre fonction que d'interdire la violence ; ce qui se comprend assez : cette interdiction est la principale différence entre l'état de nature et l'état de société, lequel, si la violence était permise, ne se distinguerait plus en rien du premier. Le pouvoir politique, dans la tradition libérale, n'a d'autre sens que d'encourager chaque liberté individuelle à se déployer pleinement, pourvu que ce soit de manière pacifique : l'État libéral en un mot assurera la sécurité intérieure et extérieure des biens et des personnes, la concorde intérieure et la paix extérieure, et rien d'autre.

« Mais à l'instant où l'on comprend que les hommes peuvent tourner les règles du jeu comme ils tournent les lois de la nature, l'État libéral ne peut plus se contenter de tâches de simple police : il doit être juste. Car il convient de s'assurer que l'arbitre saura discerner d'autres fautes que les coups bas manifestes, et voudra les punir avec équité. Il va donc falloir désigner un bon arbitre, c'est-à-dire un arbitre désintéressé. Mais précisément est-ce la chose qu'on puisse demander à ce genre de système politique ? »

CHAPITRE II

LIBÉRALISME ET DÉMOCRATIE

« En réalité, poursuivit l'insensé, admettre la nécessité du pouvoir politique constitue pour le libéralisme le début d'une série d'embarras dont je le vois mal jamais venir entièrement à bout.

« On voit sans difficulté le premier. Il n'y a de lois que s'il y a des hommes pour en faire, et elles n'ont d'efficace que s'il y a des hommes pour les faire appliquer. A l'instant où il apparaît donc inévitable de donner à certains hommes du pouvoir sur d'autres, il ne suffit pas d'affirmer platoniquement la nécessité d'y apporter des limites : il faut encore dire comment elles peuvent être définies, c'est-à-dire ce que ce pouvoir aura concrètement le droit de faire, et qui en seront le ou les détenteurs.

« La réponse dépend évidemment des fins qu'on entend lui assigner. Pour le libéralisme, la chose fait peu de doute, comme je viens de le dire : il s'agit de protéger l'individu, et les institutions n'ont d'autre fin que de laisser chacun vivre à sa guise, dans toute la mesure où il n'empêche pas son voisin d'en faire autant.

« Or, la raison pour laquelle il est, aux yeux du libéral, si nécessaire de défendre l'individu, est celle même pour laquelle il le croit en danger, et la même encore au nom de laquelle il veut la limitation du pouvoir : le libéral croit que la liberté individuelle doit sans cesse être défendue parce qu'il la croit sans cesse en péril, et il la croit sans cesse en péril parce qu'il croit qu'à l'état de nature, c'est-à-dire par nature, il n'y a pas grand-chose qui rapproche l'homme de l'homme, mais tout pour opposer au contraire l'homme à l'homme. Le libéral sait que, même si l'homme est suffisamment capable de raison pour dominer la plupart du temps son naturel, celui-ci est en tant que tel toujours prêt à revenir au galop : " S'il n'y avait point d'intérêts différents, dit Rousseau, à peine sentirait-on l'intérêt commun qui ne trouverait jamais d'obstacle ; tout irait de lui-même et la politique cesserait d'être un art. "

« C'est d'ailleurs une idée simple. Le libéralisme, dit-on, est le système politique qui entend défendre avant tout l'individu contre l'État. Mais pourquoi l'individu serait-il sans cesse en danger ? La tradition définissait l'individu comme un composé, c'est-à-dire comme un être à nul autre pareil pour une partie de soi, mais en même temps, et sans que cela nuise en rien au sentiment de son unicité, comme porteur d'universalité, c'est-à-dire comme détenteur pour une autre partie de soi de quelque chose d'identique d'homme à homme, de présent en tous, qui fait que tous les hommes peuvent se comprendre et qu'on a longtemps appelé sa raison. L'individu pouvait craindre l'occasionnelle méchanceté humaine, mais il savait qu'il avait pour lui la nature des choses, et la sienne propre, qui faisait qu'il ne pouvait jamais être entièrement retranché de la société des hommes ; jamais un Grec, à moins qu'il ne fût hors de soi, ne trouva normal que l'on maltraitât un esclave. Au contraire, comment l'individu ne se sentirait-il pas d'autant plus menacé qu'il ramène son essence tout entière à ce qu'il y a en lui d'irréductiblement original, à ce qu'il a de définitivement singulier, en un mot à sa subjectivité ? Plus l'individu donne d'importance à sa particularité subjective, à ses passions et à ses émotions, à ses sentiments et à ses intérêts, à ses goûts et à ses désirs, plus évidemment il court de risques au voisinage d'autrui.

« L'idée peut prendre une forme triviale. L'impression que l'individu doit être constamment protégé ne fait qu'un avec le sentiment que la raison n'est plus en chacun la faculté dominante, et qu'elle a cédé le pas aux appétits en acceptant de devenir simple entendement calculateur, au service de ces derniers. En cessant d'être un universel en puissance, en s'acceptant pour toujours comme un particulier, l'individu réduit les liens qui pouvaient l'attacher à autrui à celui seul, fragile et sans cesse révocable, de l'affection personnelle qu'il peut éprouver pour l'un ou l'autre de ses semblables : il est donc tout naturel que tous les autres deviennent pour lui des inconnus et comme tels des adversaires sinon des ennemis en puissance.

« L'idée peut aussi prendre une forme plus exaltée. L'une des sources auxquelles s'alimente le courant libéral, en tant que doctrine de la liberté au sens moderne, c'est l'affirmation que la nature même de l'homme consiste à faire librement sa nature. Comment donc, au moins à penser avec rigueur, la liberté de l'homme eût-elle été entière au point que l'homme pût se faire lui-même, et eût-elle compté en même temps en son sein le principe de sa propre limitation ? Et, s'il devait régner un ordre entre les hommes, comment aurait-il pu être à la fois le produit de leur volonté et de leur pensée, et l'effet d'une loi naturelle inscrite en eux de toute éternité ? Si le respect de l'individu va jusqu'à en faire un dieu créateur, est-il concevable de l'assujettir au Styx et aux destinées ? La tâche du pouvoir politique, et aussi sa seule raison d'être, se trouvait donc ainsi définie : assurer le respect mutuel de tous ces individus dont chacun, par nature, n'a d'abord de respect que pour soi.

« On comprend ainsi que toutes les écoles libérales aient regardé comme un mal tout pouvoir que l'un de ces individus ou l'une de ces libertés pouvait avoir sur un autre de ces individus ; et donc aussi qu'elles aient toutes voulu d'abord lui assigner les limites les plus restrictives. Mais la même raison pour laquelle il faut à la fois craindre pour l'individu, et lui ôter les moyens de dominer son semblable, veut encore qu'il soit mal aisé pour le libéralisme de considérer qu'aucun homme en particulier mérite plus qu'un autre d'en détenir un quelconque. Comment la méfiance de l'individu à l'égard de son maître éventuel ne serait-elle pas extrême quand elle prévaut déjà à l'égard de son voisin ? Et ne serait-il pas illogique que sur ces prémisses s'élabore l'idée qu'il y a des hommes que la nature désigne pour commander aux autres ?

« S'il faut donc constituer un pouvoir politique, si limité soit-il, il importe de savoir avant tout non pas ce qu'on attend de lui, mais quel sera son détenteur : comme on ne peut *a priori* faire confiance à personne, il serait prématuré de réfléchir à ses fins, tant qu'on n'a pas trouvé le moyen d'être sûr que celui chargé de les mettre en œuvre ne fera rien d'autre que de servir ses concitoyens. Le simple bon sens suggère alors que, puisqu'il n'est possible de confier le pouvoir à personne, il faut donc que tous le détiennent par parties égales : puisqu'aucun homme ne mérite d'être prince, il faut que le peuple le soit, et puisqu'il n'y a aucune autorité à laquelle l'individu doive obéir s'il n'y consent librement, puisqu'en somme l'individu est par nature souverain, il faut que tous le soient ensemble, c'est-à-dire que le peuple soit souverain. Le libéralisme, précisément parce qu'il ne respecte rien plus que l'individu, parce que pour lui il n'est pas de valeur plus haute, est nécessairement en matière politique, une philosophie de la souveraineté populaire. " Ce principe, écrit ce libéral d'entre les libéraux, ne peut être contesté... Il n'existe au monde que deux pouvoirs, l'un illégitime, c'est la force ; l'autre légitime, c'est la volonté générale. " (Benjamin Constant, " Principes de politique ", ch. I.)

*

« Le raisonnement peut d'ailleurs être fait en sens inverse : il n'est que d'analyser la notion de souveraineté du peuple pour y découvrir, comme son principe caché et son ressort véritable, la subjectivité individuelle triomphante, la conviction de chacun de constituer un tout parfait et solitaire. Il semble bien qu'il y ait un lien profond et subtil entre la perception de l'homme comme un être de plaisir, l'idée que la nature humaine se révèle à l'état de nature, l'affirmation qu'il n'y a de pouvoir légitime que celui qui coule de la souveraineté du peuple, et la définition de l'essence de l'homme par sa liberté naturelle. Ce n'est pas un hasard si ce sont les mêmes auteurs qui ont simultanément défini l'homme comme un être de désir, comme une liberté en acte, et comme un citoyen souverain. Ce n'est pas un hasard si ce siècle, libéral s'il en est, que fut le XVIIIe siècle fut aussi le siècle de la souveraineté populaire et de la rationalité triomphante, et aussi le siècle de l'affectivité, du sensualisme et du sentimentalisme.

« Il ne serait point tant nécessaire en effet que l'individu fût souverain, si l'homme était tellement défini par son essence que le pouvoir politique y trouvât la norme même de son bon fonctionnement, les bons gouvernements faisant en sorte de donner à tous les moyens de réaliser leur nature, les mauvais faisant violence à cette même nature, et donc aux individus. Si au contraire, la vérité de l'individu réside dans sa subjectivité, si la nature de l'homme en fait un être de désirs, il devient très compréhensible qu'il ait envie de souveraineté. Qu'y a-t-il en effet de plus incommensurable à l'affect d'un homme que l'affect de son voisin ? Qu'y a-t-il de plus définitivement singulier aussi que la passion que l'on éprouve, le sentiment que l'on ressent ? Les poètes le savent, chaque amour est unique, et la poésie n'est jamais qu'un effort pour suggérer en termes que tous peuvent saisir ce qui ne peut être vraiment compris que de celui qui écrit. Qu'y a-t-il de plus subjectif que les attirances et les désirs, que les goûts et les dégoûts, les penchants et les répulsions, les intérêts et l'indifférence, en un mot que le sentiment du plaisir et de la peine, à quelque objet que ces derniers s'attachent ? Sur les goûts et les couleurs, dit le proverbe, la discussion est vaine. Or, non seulement ces sentiments interdisent la communication entre les hommes, dans la mesure où l'homme ne peut jamais être sûr que l'émotion de l'un soit en tout point l'émotion de l'autre, non seulement, de ce simple fait on ne peut jamais être sûr que l'un trouve son plaisir là où l'autre le prend, mais encore il devient impossible que jamais l'un soit juge du plaisir de l'autre, et *a fortiori,* que l'on délègue à l'autre le soin d'assurer ses plaisirs, de prévenir ses peines, et que quiconque s'en remette à un autre pour connaître à sa place ce qui risque de lui plaire ou au contraire de lui déplaire. En la matière il ne peut y avoir qu'un juge et qu'un maître, et il doit être souverain : c'est le sujet.

« On peut donc penser que si les régimes de souveraineté populaire se sont peu à peu généralisés dans les faits, et imposés dans les esprits comme les seuls vraiment légitimes, c'est parce que l'homme n'est plus défini par une essence qui serait en lui comme une exigence et comme un modèle immanent vers lequel il tendrait, mais comme un être dont la dignité se mesure au nombre des désirs auxquels il est capable de céder, et dont la liberté ne consiste qu'en la capacité de les combler tous. Ce n'est pas le souci de sa liberté qui suscite en l'individu la revendication de sa souveraineté, et dans la société l'exigence de la souveraineté populaire, mais bien plutôt l'incapacité de résister à l'attirance du plaisir. Le dogme de la souveraineté populaire s'impose lorsque les hommes ne se conçoivent plus eux-mêmes, et plus encore autrui, que comme des animaux d'abord soumis à leurs passions.

*

« Cependant, on va contester, je pense, que le libéralisme applaudisse des deux mains aux systèmes de souveraineté du peuple, et l'on aura certes mille fois raison ! Mais tel est précisément le nouveau dilemme que la logique impose au libéralisme : dans le même temps qu'il ne peut pas ne pas souscrire à ce dogme, et exactement pour les raisons pour lesquelles il y souscrit, il n'est pas un libéral qui ne le tienne en suspicion. S'il est nécessaire d'instituer le peuple souverain pour le salut de l'individu, ce même salut exige qu'on le protège de la souveraineté du peuple. Et cela pour nombre de raisons que, je suis sûr, vous connaissez chacun.

« La notion de souveraineté, qui n'enveloppe dans son principe que le désir de sauvegarder l'indépendance de l'individu, prend en effet un autre sens au contact d'autrui. Dans l'état de nature, je suis libre d'être et de faire ce que bon me semble : si je tiens à préserver une telle liberté dans l'état de société, je rencontre nécessairement autrui comme une limite, comme une gêne, bientôt comme une menace virtuelle, mais constante, pour tous mes projets. Dès cet instant, être indépendant, tout en vivant à côté d'autrui, c'est s'assurer de ce qu'autrui ne soit jamais en position de me nuire, c'est-à-dire de ce qu'il ne puisse jamais disposer d'un pouvoir ou d'une autorité directe sur moi, à moins qu'évidemment je ne dispose d'un pouvoir et d'une autorité équivalente sur lui. Ma souveraineté n'a de sens que si autrui ne peut exercer la sienne sur moi.

« Ainsi c'est parce que ma liberté est illimitée qu'elle est naturellement conduite à prendre la forme d'une pure et simple égalité. L'égalité apparaissant comme la condition de la liberté, finit par constituer la seule définition de la liberté que l'on connaisse : il suffit désormais que les hommes soient égaux pour qu'ils soient libres. Or cette égalité est-elle compatible avec la liberté qu'on entendait défendre ? Il est bien clair qu'à partir du moment où la souveraineté individuelle est soumise à la condition de l'égalité avec les souverainetés d'autrui, cette souveraineté m'est octroyée et ne m'appartient plus.

« Il y a plus : cette égalité-là risque de fuir sans cesse entre les mains de ceux qui y aspirent. Comme il a été dit, le désir que le peuple soit souverain enveloppe encore, et comme son véritable principe, cet égoïsme lucide et organisé qui tient à la conscience du caractère irréductiblement singulier et personnel de mes prédilections ou de mes intérêts. Une société dont tous les membres sont membres du souverain n'est jamais qu'une association d'égoïsmes qui pour différentes raisons ont jugé utile de s'unir afin de se mieux cultiver eux-mêmes. La suspicion en laquelle ils sont donc logiquement et rationnellement portés à se tenir les uns les autres doit être à la mesure de la souveraineté que chacun réclame pour soi. Car plus j'entends être maître souverain de moi-même, plus il y a de manières dont autrui peut constituer un obstacle à mes désirs, et plus aussi, comme ce n'est pas l'altruisme qui étouffe quiconque, j'ai de raisons de me méfier de lui. Le citoyen souverain, c'est un citoyen souverainement suspicieux à l'endroit de ses concitoyens. Si l'égalité est donc le moyen de la souveraineté de tous, il n'y a pas de degré d'égalité auquel on puisse atteindre qui ne me paraisse devoir être activement recherché.

« Il n'est donc finalement qu'un moment où je puisse être assuré d'être souverain, c'est celui où tous font volontairement le sacrifice de toutes leurs différences, et remettent entre les mains du public tout ce dont ils ne peuvent confier à un particulier sans s'ôter la vie même. Il est un moyen simple d'assurer la souveraineté de tous, c'est de procéder à l'aliénation totale des biens et de la personne de chaque membre du corps social au profit de la communauté tout entière : c'est Jean-Jacques Rousseau qui l'a dit.

« Mais comment imaginer que cette condition, qui a été une fois valable, cesse dans la suite d'être utile et valide ? N'est-il pas nécessaire que cette aliénation, une fois exigée, continue de l'être ? Ce n'est pas assez de passer une fois le contrat : il apparaît vite

nécessaire que ce contrat soit en quelque sorte sans cesse continué,
et qu'à chaque instant, chacun se sente lié ; le contrat ne peut
constituer un blanc-seing, au profit de quiconque entre les mains
de qui je conviendrais de le remettre : il est encore nécessaire que
je veuille chacun des actes que mon délégué commettra et par
lequel il m'engage ; il n'est pas suffisant que par un seul contrat
toutes les règles soient posées, qui me garantissent des entreprises
de mon voisin : dès l'instant qu'il songe d'abord à soi, il
m'importe d'être souverain non pas seulement dans l'instant où je
fais acte de citoyenneté, mais à tout moment : mon voisin peut
toujours songer à un moyen de passer outre aux lois qu'on a songé
de faire jusqu'à présent, en profitant de ce qu'on n'a pas songé à
tous les crimes qui pourraient être commis contre moi ; si chacun
est libre dans l'interstice des lois édictées, encore faut-il qu'il ne
puisse m'y nuire : la logique conduit donc ce pouvoir que je vou-
lais limité à entrer dans les détails de ma vie, et d'autant plus
librement que je l'ai voulu souverain : la logique veut que pour
me protéger d'hommes en qui je n'ai nulle confiance, je souhaite
que ce pouvoir souverain devienne total.

   « Ce n'est pas tout. C'est une chose de vouloir éviter que le
pouvoir tombe entre les mains d'un seul. Mais lorsque je le remets
entre les mains du peuple, à qui me trouvé-je le remettre en réalité ? Toute exécution appartient en dernier ressort à un homme,
non à une collectivité dont on peut dire seulement par abstraction
qu'elle agit souverainement. Nombreux sont les avocats du libéralisme qui ont entrevu, sous les voiles de la liberté du peuple, le
spectre de la tyrannie. Comment espérer que le peuple soit jamais
unanime, s'il est fait d'individus dont on affirme par hypothèse
leur différence comme irréductible et essentielle ? Et quand même
le peuple serait unanime, il est bien clair que ce qu'on appelle sa
volonté devra se confier à un homme ou à quelques-uns pour être
exécutée. Le pouvoir souverain passera donc des mains du grand
nombre dans celles de quelques délégués, et ainsi la pratique de la
souveraineté populaire, si on ne la balance par rien d'autre, aura
pour seul effet de donner à ces hommes le droit d'exercer sur leurs
semblables la tyrannie à la fois la plus légitime du monde, et la
plus absolue qu'on n'ait jamais vue. Sous prétexte de me protéger
moi-même, voilà que je m'en remets à un tyran !

   « Certains parmi les plus clairvoyants ont vu plus loin encore.
En réclamant d'être membre du souverain, disent-ils, l'individu
ne veut pas seulement s'affranchir de la tutelle d'un roi ou d'un
noble, il réclame le droit à la définition de ce qui lui est agréable
et désagréable, à l'accumulation exclusive de tous les moyens
nécessaires pour éviter ceci et poursuivre cela, le droit souverain

à proclamer ses appétits et à les satisfaire. Alors l'exigence de l'indépendance individuelle prend la forme d'une exigence de liberté radicale, d'autant plus intraitable que l'individu apparaît à soi-même comme une entité définitivement singulière, comme une subjectivité irréductible à toute autre et dont la préférence pour soi est par conséquent fondée en raison. Dès l'instant que la subjectivité est parfaite, la liberté individuelle est illimitée, l'égoïsme intraitable, et la méfiance à l'égard du voisin totale. Dès cet instant la soif d'égalité que cette méfiance provoque ne peut être définitivement étanchée que lorsque toute espèce de différence a disparu entre les individus, que lorsque l'égalité a pris la figure de l'uniformité, et lorsque les hommes ont été réduits à leur plus petit commun dénominateur. Ce n'est plus la tyrannie d'un délégué du peuple, ou celle d'une majorité que la souveraineté populaire introduit, mais une tyrannie de tous sur tous et de tous les instants. La souveraineté populaire devient l'instrument politique de l'instauration des régimes que de nos jours on appelle démocraties populaires...

*

« Non, s'exclame alors le libéral, il est faux qu'il y ait un pouvoir, fût-il celui du peuple, qui ait le droit de tout faire ! Écoutez Montesquieu : " Dire qu'il n'y a rien de juste ni d'injuste que ce qu'ordonnent ou défendent les lois positives, c'est dire qu'avant qu'on eût tracé le cercle, tous les rayons n'étaient pas égaux. " Écoutez Benjamin Constant : " L'universalité des citoyens est le souverain... mais il ne suit pas que l'universalité des citoyens ou ceux qui par elle sont investis de la souveraineté puissent disposer souverainement de l'existence des individus. Il y a au contraire une partie de l'existence humaine qui, de nécessité, reste individuelle et indépendante, et qui est de droit hors de toute compétence sociale. " Écoutez Tocqueville : " Je regarde comme impie et détestable cette maxime qu'en matière de gouvernement la majorité d'un peuple a le droit de tout faire... Quand je refuse d'obéir à une loi injuste... j'en appelle de la souveraineté du peuple à la souveraineté du genre humain. "

« Mais n'est-il pas quelque peu contradictoire de donner dans la souveraineté du peuple et d'invoquer contre elle une loi à laquelle cette souveraineté même soit assujettie ? De quel droit celle-là pourrait-elle s'imposer à celle-ci ? Que signifie le principe de souveraineté du peuple, sinon qu'il n'y a rien que le pouvoir puisse faire qui soit légitime avant d'avoir été déclaré tel par la volonté de tous ? Sinon qu'il n'y a aucune fin qui puisse être considérée comme tellement naturelle à cet exercice qu'elle puisse lui être

attribuée avant d'avoir reçu l'aval de tous ? Si le peuple est souverain, le pouvoir qui est exercé sur lui ne peut avoir de nature,
c'est-à-dire de règle et de finalité, indépendante de la volonté des
hommes. Si le peuple est souverain, le pouvoir ne peut jamais être
juste que le peuple ne l'ait déclaré tel : comme le dieu de Descartes, le peuple est, dans toutes ces démocraties même libérales, lui
aussi créateur de vérités éternelles, et ne peut pas ne pas l'être.

« A quoi bon par conséquent s'attarder longuement à considérer
ce que peut être la justice en politique, puisque la réponse sort de
la définition même de la légitimité politique : si la justice consiste
dans ce que le peuple déclare être juste, la justice est affaire de
volonté (populaire), non d'intelligence ; elle est affaire de vote,
non de réflexion ; elle est affaire de choix, non de découverte ; elle
est l'affaire du peuple, non des philosophes. En un mot, ce n'est
pas parce qu'une loi est bonne que le peuple la vote, c'est parce
qu'il la vote qu'elle est bonne.

« Si l'on se défait donc des préjugés de l'époque, on s'apercevra
très vite que, contrairement aux assertions de nos contemporains,
c'est moins à la source du pouvoir qu'il faut regarder qu'à ses fins.
Qui ne voit, à moins d'être aveuglé par son siècle, que si l'on pouvait être sûr de la constante équité du pouvoir, il importerait assez
peu de savoir qui l'exerce ? La légitimité du pouvoir politique
coule de deux sources fort différentes. Elle peut lui venir de son
objet, des fins qu'il poursuit, ou elle peut encore lui venir de ceux
qui l'exercent. Dans les temps démocratiques, il est naturel que la
considération de son origine l'emporte sur celle de ses fins, car
l'une des croyances qui y est le plus profondément enracinée est
que tout pouvoir est illégitime quand il ne provient pas de l'individu lui-même. Il ne peut donc rien y avoir d'antérieur à la
volonté populaire, puisqu'il ne peut rien y avoir de vrai, de juste,
de bon, que l'individu ne l'ait déclaré être tel. Le peuple souverain
est nécessairement infaillible parce qu'il n'est rien d'antérieur à sa
volonté : invoquer quelque chose contre elle, c'est encore l'invoquer elle-même, et on ne peut donc la déclarer mauvaise qu'en la
déclarant elle-même illégitime.

« Il est donc difficile de ne pas apercevoir la contradiction dans
laquelle le libéralisme se met sur le sujet de la souveraineté du
peuple, et donc sur celui de la démocratie. D'un côté, un libéral ne
peut pas ne pas être démocrate, même lorsqu'il aperçoit les vertus
des systèmes monarchiques : témoin Benjamin Constant. De
l'autre, un libéral ne peut pas ne pas s'effrayer des conséquences,
qu'il perçoit souvent tout autant, des systèmes démocratiques. Il
n'est pas de libéral qui ne puisse être un démocrate sans réserves.
Qu'espère-t-il donc alors ? J'ai bien peur qu'il cherche à ne pas

réfléchir plutôt qu'à trancher, et je crains fort aussi que la
conscience diffuse de cette intime contradiction ne le conduise à
toutes les démissions sinon à toutes les lâchetés : car enfin, à quoi
reconnaît-on le libéral affronté à ceux-là mêmes qui se rient de lui
et souvent l'agressent sauvagement, sinon à l'hésitation à agir, au
doute sur soi, et généralement parlant, à la mauvaise conscience ?
A quoi le reconnaît-on, sinon à la vigueur avec laquelle il dénonce
ses alliés, lorsque ceux-ci ne se réclament pas des principes qui
sont les siens, et à sa mollesse à condamner ses ennemis, lorsque
ceux-ci jurent, fût-ce contre toute évidence, qu'ils révèrent les
mêmes valeurs que lui ? »

CHAPITRE III

DE LA LÉGITIMITÉ DU POUVOIR DE LA MAJORITÉ

« Au fond, reprit l'insensé, savez-vous pourquoi le libéral peut vivre sans trop s'embarrasser d'être en contradiction avec lui-même sur le sujet de la souveraineté du peuple ? C'est parce qu'il est un homme pour qui la société est avant toute chose une société d'intérêts particuliers, associés pour le plus grand bien de chacun d'entre eux, et tous conscients de l'utilité d'accepter les contraintes que cette association engendre. Voyez plutôt.

« D'un côté, je suis conscient de me préférer à tout autre, je conçois bien clairement que mes goûts n'appartiennent qu'à moi et j'entends être libre de les satisfaire. Il m'est donc nécessaire d'être assuré qu'aucun homme ne puisse faire de moi sa chose, et me plier à son gré, à ses caprices. J'ai donc besoin d'être déclaré souverainement maître de moi, et c'est à quoi me sert ce principe de souveraineté du peuple, qui comporte à mes yeux celle de mon moi. D'un autre côté, je suis un être attaché à des intérêts, des goûts, des désirs et des passions que je sais n'appartenir qu'à moi ; la souveraineté du peuple m'est donc en même temps un danger parce qu'elle enveloppe la souveraineté d'autres " moi ", d'autres individus tout aussi attachés que moi à leur singularité. Pour que tous soient souverains ensemble, il faudrait que tous fussent entièrement unanimes ; mais cela supposerait une uniformité de tous les individus, qui doit être par hypothèse considérée comme impossible. Il est donc inévitable que l'affirmation de la souveraineté du peuple devienne celle de la souveraineté de quelques-uns ou même d'un seul sur les autres, et donc éventuellement sur moi. Affirmer que la souveraineté du peuple a un sens au-delà de l'affirmation qu'il n'y a rien de supérieur à l'intérêt individuel, c'est-à-dire lui donner un sens autre que purement négatif, c'est supposer que tous les intérêts peuvent se confondre, ou qu'on engendre une entité à qui l'on donne la souveraineté sur tous les intérêts particuliers. Mais la première hypothèse est fille de l'illusion et la seconde mère du despotisme. Dès l'instant qu'il est entendu que les intérêts de chacun sont souverainement respectables, il est contradictoire d'aller supposer on ne sait quelle souveraineté supérieure à celle de ces intérêts mêmes.

« Or, raisonne le libéral, pourquoi ne pas voir que dans l'aspect de la diversité des intérêts réside précisément la solution de cet apparent dilemme ? Si tous les intérêts sont par nature hétérogènes, et si l'on ne veut pas recourir à la force et à cette prétendue souveraineté d'un peuple qui n'a aucune existence concrète en dehors des individus qui le constituent, il n'est que de laisser en somme chaque intérêt composer comme il l'entend avec celui de son voisin : il n'y a rien comme l'autonomie de l'individu pour préserver l'autonomie de l'individu. Le chaos en résulte-t-il ? Non pas, affirmera le libéral, car de deux choses l'une.

« Ou bien chacun comprendra qu'il est de son intérêt d'entrer avec autrui dans un compromis qui préserve une partie de ses intérêts, plutôt que de les jouer en entier à quitte ou double, ce qui est après tout l'esprit même de tout contrat. Être attaché à ses intérêts ne signifie pas qu'on le soit au point d'être stupide, et comme le simple calcul suggère à chacun d'être, pour son propre intérêt, modéré, il suffit de compter sur la raison individuelle pour que l'esprit de compromis et non la force et la contrainte soit l'agent de leur sociabilité. Un intérêt général se fera ainsi jour, qui sera la somme de tous les intérêts particuliers, composés les uns avec les autres. " Qu'est-ce que l'intérêt général ", dit Benjamin Constant, " sinon la transaction qui s'opère entre les intérêts particuliers ? L'intérêt général est distinct sans doute des intérêts particuliers mais il ne leur est point contraire. On parle toujours comme si l'un gagnait à ce que les autres perdent, il n'est que le résultat de ces intérêts combinés... L'intérêt public n'est autre chose que les intérêts individuels mis réciproquement hors d'état de se nuire ".

« Ou bien, faute que tous consentent à un compromis, on peut imaginer qu'il se fera des regroupements d'intérêts, et à cet instant, à nouveau de deux choses l'une. Ou bien les forces respectives de ces différents groupes seront à peu près égales, et à moins qu'ils ne veuillent dissoudre la société, ils seront mécaniquement contraints au compromis. Ou bien, et c'est le cas le plus fréquent, un grand nombre se retrouvera pencher du même côté en acceptant le compromis refusé par les autres : il y aura une majorité, et une ou des minorités.

« Le libéralisme veut alors que cette majorité représente en vérité le peuple, que seuls les partisans de la tyrannie peuvent vouloir unanime. Dans l'esprit de la tradition libérale, le principe du gouvernement par la majorité doit ainsi permettre de conserver du dogme de la souveraineté populaire ce qu'il a de nécessaire, en lui ôtant ce qu'il a de funeste. Le gouvernement par la majorité est censé écarter le danger du despotisme d'un seul ou de la tyrannie de quelques-uns, puisque c'est l'avis du plus grand nombre qui l'emporte. Mais dans le même temps, et précisément parce que ceux qui constituent la majorité ne constituent qu'une majorité, et qu'il y a autour d'eux des minorités pour le leur rappeler, la majorité est censée ne pas se croire détentrice d'une souveraineté absolue et sans limite : elle ne représente que certains intérêts, fussent-ils majoritaires, et n'a donc aucun titre à se comporter en souverain absolu des minorités du moment.

« On voit ainsi pourquoi le libéral se cache si peu de défendre des intérêts. " Les intérêts individuels ", avoue tout uniment Benjamin Constant, " sont ce qui intéresse le plus les sections : or ce sont les individus, ce sont les sections, qui composent le corps politique. Ce sont par conséquent les intérêts de ces individus et de ces sections qui doivent être protégés : si on les protège tous, l'on retranchera par cela même ce qu'il contiendra de nuisible aux autres, et de là seulement peut résulter le véritable intérêt public ". " Régler les conflits qui éclatent sans cesse entre des intérêts variés et contradictoires forme la tâche principale de la législation moderne, fait rentrer l'esprit de parti et de faction dans les opérations nécessaires et ordinaires de tout gouvernement ", proclament ingénument les fédéralistes américains. On le voit, la tradition libérale se veut pragmatique : le sens de l'intérêt individuel lui paraît à tout prendre une meilleure garantie de la liberté publique que les constructions de ces utopistes qui, sous prétexte de faire taire les passions privées, ouvrent grand les portes au fanatisme et au despotisme. Mieux vaut, dit-elle, en somme, un propriétaire qui a quelque chose à défendre, même si ce sont ses intérêts, qu'un de ces incorruptibles, purs seulement parce qu'ils n'ont rien à perdre ; mieux vaut un homme qui, parce qu'il a des intérêts particuliers, est prêt aux compromis avec son voisin, qu'un homme proclamant voter sans jamais penser à soi, et qui trouvera donc naturel de contraindre les autres à penser comme lui, puisqu'il croira ne songer qu'à l'intérêt de tous. Dès l'instant que l'on respecte les intérêts de chacun, au nom des siens propres, chacun sera aussi libre et aussi souverain qu'il est possible de l'être en vivant en société, et pourtant les intérêts de tous, en se balançant les uns les autres, produiront un ordre dont naîtra la sécurité de chacun sans qu'il soit besoin d'instaurer de pouvoir dangereux de tous sur chacun. C'est le soin éclairé de ses affaires qui fait l'homme de bonne volonté et le rend raisonnable : la tolérance, dirait presque le libéral, est fille de l'amour de soi. C'est parce que tous ont leurs affaires de cœur et savent qu'il en va de même pour autrui que tous sont prêts au marchandage, c'est-à-dire à la discussion intéressée mais pacifique, et finalement à une entente où l'intérêt de l'un ôte cependant le moins possible à la liberté de l'autre. C'est précisément cette entente qu'illustre et incarne pour le monde libéral le système du gouvernement majoritaire : la majorité est le produit de l'accord du plus grand nombre, et la majorité, se sentant de même nature que la minorité, demeure plus spontanément ouverte au dialogue avec celle-ci : y a-t-il chose plus courante que les renversements de majorité, et la vie politique des systèmes de gouvernement par la majorité n'offre-t-elle pas le spectacle d'une alternance qui est la meilleure preuve de la liberté qui y règne ?

*

« Cette théorie est fort ingénieuse, mais comporte au moins deux difficultés.

« Le dogme de la souveraineté du peuple tirait sa légitimité de ce qu'on demandait à chacun de n'obéir à quiconque sauf à soi-même ; mais il supposait évidemment, de quelque manière qu'on l'obtienne ou prétende l'obtenir, l'unanimité. Or le principe majoritaire l'exclut par définition, et semble assurer à certains une supériorité sur d'autres, même si elle la dit modérée. Quel est donc le principe de légitimité du gouvernement de la majorité, ou, plus brutalement, pourquoi obéir à la majorité ?

« Le gouvernement de la majorité étant d'autre part le gouvernement du plus petit nombre par le plus grand, et n'étant donc plus le gouvernement de chacun par soi-même, cependant que le principe premier du système demeure de garantir la liberté de chacun, qui peut m'assurer que cette majorité respectera ma liberté, alors qu'il lui est accordé le pouvoir de me donner des ordres ? Le gouvernement de la majorité suppose en théorie le respect des minorités : quelle est en théorie la raison prouvant que la majorité ne sera jamais tyrannique, et en pratique le moyen de l'en empêcher ?

*

« La première question attire à mon sens une réponse très simple et très évidente. Le gouvernement par la majorité n'est pas légitime, et par nature ne peut jamais l'être. Qu'est-il donc en effet sinon le gouvernement de tous par une simple coalition d'intérêts, plus ou moins amalgamés ? Ils peuvent être immensément majoritaires, le seul nombre ne peut rien changer du tout au fait qu'il ne s'agit que d'intérêts particuliers unis contre d'autres intérêts particuliers : cela ne leur donne même pas l'ombre d'un droit à exercer une domination quelconque sur ces derniers, qui ne sont pas moins respectables que les premiers, et qui n'ont contre eux que d'être moins nombreux que ceux-là. Un intérêt n'est jamais qu'un intérêt, et le nombre n'en transfigure pas la nature : en tant qu'intérêt, et qu'intérêt particulier, il en vaut un autre, nul intérêt particulier ne comporte en tant que tel rien qui puisse en augmenter la dignité au regard des autres et surtout pas dans un système fondé sur la reconnaissance de l'égalité des droits de chaque individu à être soi-même. Un Proudhon n'a jamais rien dit d'autre et un Stuart Mill le reconnaîtra volontiers avec son honnêteté coutumière.

« Au reste, toutes les majorités du monde, je veux dire toutes les majorités libérales, n'avouent-elles pas ingénument leur propre illégitimité foncière en reconnaissant — en théorie au moins sinon toujours en pratique — aux minorités le droit de faire tout ce qu'elles peuvent, dans les limites des règles du jeu, pour prendre leur place ? Et ne donnent-elles pas très souvent le spectacle d'une extraordinaire mauvaise conscience, et d'un doute aigu sur le bien-fondé des décisions qu'elles prennent ? Tout se passe comme si leur légitimité consistait tout entière, non pas dans un droit quelconque à gouverner, mais dans le droit qu'elles reconnaissent à d'autres de gouverner à leur place, et éventuellement en sens contraire ; pour un peu, il semblerait qu'une majorité n'est jamais aussi légitime que lorsqu'elle cesse de gouverner, ou ne devient légitime que lorsqu'elle démissionne. N'avouent-elles pas ainsi, ces majorités d'un instant que sont par définition des majorités vouées à l'alternance, que leur règne momentané est dû seulement au nombre, c'est-à-dire que leur principe de légitimité n'est autre que le contraire d'un principe de légitimité, c'est-à-dire la force ?

« Pourraient-elles arguer d'une autre légitimité ? Peuvent-elles passer pour incarner une raison supérieure à celle de chaque individu, ou encore, peuvent-elles, du seul fait du nombre, prétendre donner une image d'un bien commun supérieur aux biens de tous les particuliers pris un à un, ou encore peuvent-elles se dire détentrices d'une sagesse que ne peut posséder aucun individu privé ? Le pouvoir, l'autorité de la majorité, dit ainsi Tocqueville, se fonde en somme sur ce qu'elle représente comme une addition d'intelligence, dont la somme est nécessairement supérieure à celle du plus intelligent de tous les citoyens.

« Ces arguments ont une force bien fallacieuse, et ils peuvent tomber tous sous le coup d'une même objection. Car de deux choses l'une. Ou bien l'on considère qu'il y a dans les choses politiques, comme on l'a longtemps cru, une vérité, un bien et un mal, une nature des choses, bref, que la politique peut faire l'objet d'une science et qu'il y a des systèmes politiques à la fois mauvais et erronés ; alors on voit mal quelle garantie une simple majorité numérique apporte de son infaillibilité : si cette vérité est accessible à tous les hommes, il n'est nul besoin qu'ils se comptent pour opiner comme il faut, et si tous les hommes n'y ont pas également accès, un seul peut la détenir et tous les autres se tromper ; la majorité peut naturellement la détenir tout autant, mais le nombre de ceux qui la constituent n'a rien à voir avec la justesse de leurs opinions : si l'on croit à une vérité politique, le nombre signale simplement qu'on a affaire à un peuple particulièrement éclairé, la vérité emportant le nombre, et non l'inverse.

« Ou bien l'on n'admet pas qu'il y ait une vérité en matière politique, telle que certains puissent déclarer détenir un savoir que d'autres n'ont pas, ce qui est, je l'ai dit, la thèse libérale. Il est, pense le libéral, bien trop dangereux de supposer l'existence d'une vérité en ces matières, où le despotisme guette sans cesse toutes les occasions et tous les prétextes : les pires tyrans ont toujours été ceux qui croyaient posséder la vérité, qu'il s'agisse d'un homme ou d'un groupe d'hommes, et tous les fanatismes se sont toujours appuyés sur cette conviction. S'il n'y a pas de vérité, alors il n'y a que des opinions dont aucune n'est même ce que Platon appelait une opinion vraie ; s'il n'y a pas de vérité, toutes les opinions sont également respectables ; et même si certaines paraissent plus justes à première vue, qui sait quelles peuvent en être demain les conséquences ? L'opinion majoritaire ne peut donc valoir rien de plus que ce que valent les opinions individuelles dont elle est faite ; et si elle n'existe que parce qu'il ne paraît ni souhaitable ni équitable de se fier à aucun jugement individuel plutôt qu'à un autre, comment peut-il se faire qu'on lui accorde plus de crédit qu'à une opinion individuelle ? Comment peut-il se faire que doutant de chaque jugement individuel pris un à un, vous fassiez plus de crédit à ce qu'ils énoncent ensemble qu'à ce qu'ils énoncent chacun séparément ? Une somme d'erreurs ferait-elle une vérité ? L'univers, qui l'a longtemps cru, n'a lui-même pu faire que le soleil tourne autour de la terre ; une somme de zéros, si grande soit-elle, ne fait pas une unité, ou, si vous le préférez ainsi, une somme de probabilités n'équivaut jamais à une certitude. Quelle peut donc être la raison du prestige de l'opinion majoritaire ? Ce ne peut être que ce qu'il y a en elle qui ne se réduit pas à l'opinion particulière d'un grand nombre d'individus. Or comme, du point de vue de son contenu, l'opinion publique n'est par définition en rien différente de l'opinion des individus qui la composent, il semble que la réponse soit très claire et très simple : ce ne peut être rien d'autre sinon le simple fait qu'elle est l'opinion d'une majorité, ou à la limite qu'elle est unanimement partagée. Autrement dit, ce qui compte dans les jugements particuliers qui, par leur addition, la constituent, c'est uniquement le fait qu'ils soient un grand nombre à être identiques : en un mot, ce que l'opinion publique ajoute à l'opinion individuelle, c'est précisément et simplement la sanction du nombre. Or, qu'est-ce que le nombre sinon la force ? Nous voici revenus au point de départ : le prestige d'une majorité tient simplement à ce que sa force est impressionnante pour l'individu.

« Quant à invoquer un bien commun supérieur aux intérêts particuliers, croit-on qu'en l'absence d'une vérité politique, l'intérêt commun puisse être fait d'autre chose que d'une addition d'intérêts individuels, comme le disent tous les libéraux ? Dans le doute qu'il y ait une vérité politique, de quoi pourraient être faites les opinions individuelles sinon du souci des intérêts individuels ? Comment chacun éviterait-il de se tourner vers le soin de ses propres intérêts comme le seul point fixe et la seule boussole de cet univers sans règles ?

*

« Si l'on veut à tout prix reconnaître une légitimité d'un gouvernement majoritaire, il faut donc au moins avouer qu'elle est une espèce très curieuse, car elle dépend des circonstances. Elle ne peut jamais être une légitimité de droit, mais elle peut être, si l'on consent à ce barbarisme conceptuel, une légitimité de fait. Un gouvernement majoritaire n'a aucun titre particulier de légitimité ; mais il peut se faire que sous certaines conditions, il soit réputé légitime.

« Ces conditions ne sont pas si difficiles à déterminer. Une majorité n'a aucun droit naturel à régner sur la minorité qui lui correspond. Mais moins il y a de distance de la majorité à la minorité, moins la majorité se trouve être en situation de domination sur la ou les minorités, et plus son illégitimité décroît par là même. Cette lapalissade a un sens sociologique : plus la société où prévaut le système majoritaire est sociologiquement homogène, et plus le gouvernement de la majorité y sera tolérable, donc toléré, et même éventuellement reçu pour légitime. Inversement, plus leurs conceptions ou leurs intérêts creusent de différences entre majorité et minorités, et plus les minorités auront tendance, et le plus souvent à fort juste titre, à se juger victimes du gouvernement de la majorité. Et naturellement il est bien clair que dans ce dernier cas, plus la ou les minorités seront numériquement proches de la majorité, c'est-à-dire plus les deux forces se feront équilibre, plus la minorité de l'instant aura tendance, et le plus souvent à fort juste titre, à dénoncer l'illégitimité du gouvernement de la majorité.

« En l'absence d'un certain degré d'homogénéité sociale, ou à partir d'un certain degré de divergence dans les volontés politiques, le gouvernement de la majorité risque donc de donner naissance à un régime explicitement tyrannique. La majorité n'hésitera plus à se donner pour ce qu'elle est, c'est-à-dire simplement une force numériquement supérieure à laquelle les minorités sont donc portées à résister elles aussi par la force : on se trouve en situation de guerre civile. Mais elles peuvent aussi, plus vicieusement, mais plus intelligemment (à moins que ce ne soit de toute façon l'issue de la guerre civile), tenter de se légitimer en devenant non plus seulement majorité mais totalité. Alors la tyrannie se transforme en une homogénéisation forcée de tous les intérêts, majorité et minorités disparaissent, au moins officiellement, pour laisser la place à une uniformité que ceux qui vivent en nos siècles ne connaissent que trop (1). »

(1) La notion même d'État Providence est ainsi très trompeuse : on croit qu'elle désigne une puissance publique qui pourvoirait au bonheur de tous. Mais si chacun est un individu irréductible à tout autre, on ne peut faire le bonheur de tous qu'en uniformisant par la force tous les individus et en décrétant ce qu'est un homme heureux. L'État Providence, c'est beaucoup plus que la déresponsabilisation de l'individu, c'est la dictature sur tous les autres de ceux qui déclarent avoir la clef du bonheur pour tous. Cette dictature, le libéralisme en a naturellement horreur ; mais il ne comprend pas qu'il en est responsable involontairement, en ôtant aux hommes la possibilité de croire en une puissance publique véritablement soucieuse du bien commun. Lorsque l'individu est conçu comme souverain, tout État est violent, même et surtout l'État Providence.

CHAPITRE IV

DE L'ARBITRAIRE DE LA MAJORITÉ

L'insensé ce jour-là faisait quelque recette avec ses philippiques sur le système majoritaire. Il faut dire que les circonstances prêtaient à ce qu'on s'intéressât au sujet : certains détestaient tant le gouvernement de la majorité du moment que même les diatribes d'un vieux fou leur semblaient soudainement mériter attention.

« Eh oui, braves citoyens », disait cet égaré, « j'ai bien peur qu'avec ce système, le pire soit toujours sûr. Car je vois mal comment un pouvoir dont la légitimité est si branlante peut éviter de nourrir un penchant irrésistible pour la tyrannie : c'était ma deuxième question.

« C'est un fait bien commun, et validé par le bon sens, qu'un pouvoir non respectable, et donc non respecté, est par là même d'autant plus porté à user de la force pour s'imposer : le peu de cas que les sujets en font, répond, en le suscitant à tout instant, au doute que celui qui l'exerce éprouve sur soi-même, et le tyran est d'autant plus haineux qu'il sait ne régner que par la crainte. Ainsi le risque est grand qu'à ne pouvoir se légitimer à leurs propres yeux, les majorités perdent toute pudeur, n'hésitent plus à s'accrocher au pouvoir qu'elles détiennent, et s'en servent, toute honte bue, sans cesse un peu plus à leur profit exclusif. Le mépris que l'on a de soi est d'autant plus puissant à produire cette réaction qu'il encourage à croire ou à se convaincre que ceux qui résistent à votre pouvoir ne le font qu'en vertu des mêmes mobiles qui vous poussent à le conserver. Ainsi, il est à craindre que plus une majorité sera déconsidérée, plus elle deviendra violente. Et s'il se trouve par hasard qu'elle constitue une majorité de simple rencontre, faite plutôt par l'abstention que par le vote du plus grand nombre, je crois fort que, comme un fauve blessé et qui ne peut plus fuir, elle n'en soit que plus dangereuse. Lorsque la politique se réduit à une lutte d'intérêts, l'État est aux enchères. Lorsque l'État est à vendre, celui ou ceux qui l'achètent ne peuvent songer à en respecter la charge, mais seulement à s'en servir pour se rembourser de l'investissement qu'ils y font. L'étonnement où ils sont d'avoir pu l'acquérir ainsi ne peut qu'en développer le mépris dans leurs âmes. Et comme c'est la puissance publique qu'ils ont achetée, c'est la puissance de tous qu'ils peuvent mettre, et sans le moindre scrupule, au service de leurs passions privées.

« Au reste, et quand bien même elle n'en serait pas réduite à cette extrémité, je voudrais bien savoir au nom de quels principes on peut demander à une majorité d'intérêts de se sacrifier, alors qu'ils sont majoritaires, au profit d'une minorité dont les intérêts ne sont pas plus dignes d'attention, et qui, en plus sont minoritaires. Dès lors que l'on fait appel au principe majoritaire, ce que l'on prend en compte ne peut guère être autre chose que les intérêts individuels, on l'a vu (1) : il n'y a que des intérêts particuliers qui se comptent, le bien ou le vrai n'ont rien à voir avec le nombre. Ainsi, puisqu'en somme ce sont des intérêts qui sont vainqueurs, quand bien même une majorité ne se mépriserait pas elle-même secrètement, pourquoi répudierait-elle, une fois au pouvoir, les mobiles qui l'y ont portée ? Si elle l'a emporté, c'est pour faire triompher les intérêts qu'elle représente : d'où lui viendrait la modération dans la victoire ? Certes, elle peut se comporter avec une certaine humanité, ou certaine générosité ; mais ce sera seulement parce que ses chefs seront humains ou généreux, et non en vertu de quelque exigence qui ferait partie de sa nature même.

« Enfin, la tentation de se servir doit logiquement être d'autant plus inévitable que toute majorité aura naturellement tendance à se croire investie du pouvoir de décider au nom de tous. Certes, la théorie voudrait que la majorité, sachant n'être qu'une majorité, ne se prenne pas pour l'expression d'une unanimité. Néanmoins, sous peine de se concevoir elle-même comme tout simplement despotique, il faut bien que la majorité parle au nom du peuple tout entier ; déclarer explicitement gouverner au nom d'une fraction seulement de la population, fût-elle imposante, revient à déclarer exercer sur l'autre une tyrannie. Il faut donc que la majorité ne cesse de se proclamer dépositaire de la volonté du peuple : et n'avons-nous pas tous présent à l'esprit quelque exemple de majorité, et, peut-être surtout de majorité relative, qui se prenne pour le peuple comme d'autres pour Napoléon ? Dès lors les majo-

(1) Cf. p. 148 sqq.

rités se trouvent normalement investies de tous les pouvoirs légalement conférés à la volonté populaire, et notamment de sa souveraineté (fût-ce de la seule souveraineté limitée que lui reconnaît le libéralisme). Ainsi l'on est au rouet : toute majorité tend naturellement et tout à fait légalement à imposer à tous son intérêt comme étant celui de tous. Et comme, on l'a vu, il est impossible de prouver que les intérêts majoritaires sont, simplement en tant que tels, les intérêts de tous, le fait que ces intérêts puissent éventuellement être en effet les intérêts de tous ne change rien au sentiment que la majorité donne d'être tyrannique. Il semble être ainsi dans la nature d'une majorité d'abuser de son pouvoir.

« On en a vu, certes, et il n'y a pas si longtemps, se comporter de manière toute différente, et si peu despotique, que l'on y reconnaît sans difficulté les traits de la démagogie. Mais il est bien clair que des exemples de cette sorte ne prouvent rien, sinon que ces majorités appartiennent au genre incertain de soi : elles sont si peu sûres de constituer une majorité réelle qu'elles en viennent à s'identifier implicitement, par leurs actes et par leurs paroles, à ce qu'elles croient elles-mêmes être la majorité réelle. Une majorité en bonne santé est au contraire une majorité qui, avec la bonne conscience, cultive son pouvoir et en use sans jamais croire en abuser.

*

« Ce penchant, et ce vice, lui sont si naturels et sont si évidents que la doctrine libérale a toujours consisté pour une bonne part dans l'exposé des moyens permettant d'y remédier.

« Pour bien apprécier la portée de ces remèdes, il importe de comprendre comment ils cherchent à agir. La véritable solution consisterait en ce que la majorité se comporte comme un arbitre impartial et neutre, et gouverne en somme de manière désintéressée, en vue du bien de tous, et non du sien propre seulement. Or, comme on ne voit pas ce qui pourrait faire que la majorité réponde par nature et spontanément à cette exigence, il reste à faire en somme que tout se passe comme si c'était le cas, c'est-à-dire à la mettre dans une situation telle qu'elle se comporte effectivement, bon gré mal gré, comme l'arbitre désintéressé que la justice réclame et que la liberté des minorités suppose. On le voit : ne pouvant faire que les hommes soient justes, on va tenter de faire que leurs passions réciproques s'annulent et concourent malgré eux à la justice.

*

« Les différents artifices dont les différentes écoles libérales ont attendu ces effets peuvent être regroupés en trois espèces principales.

« Chacun connaît la première, qui représente pour beaucoup le libéralisme même. Pour se garder du pouvoir, il faut établir des contre-pouvoirs : seul le pouvoir, comme le disait Montesquieu, arrête le pouvoir. D'où l'idée célèbre de diviser les pouvoirs pour en assurer la balance, le pouvoir législatif et le pouvoir judiciaire étant chacun indépendant, et le pouvoir exécutif subordonné aux deux. Ainsi le pouvoir législatif et le pouvoir judiciaire opposent à la force de l'exécutif la puissance des lois, cependant que le pouvoir judiciaire, étant seul à décider si les citoyens les violent ou non, protège la liberté des citoyens, prévient l'arbitraire et crée l'état de droit. C'est la même logique qui conduit à organiser la décentralisation des pouvoirs, par exemple en créant des pouvoirs locaux, ou, à plus grande échelle, en instituant des fédéralismes internes à l'entité nationale ; ou encore à promulguer une constitution, c'est-à-dire en quelque sorte les règles du jeu à la fois des pouvoirs publics et des actions particulières, que nul ne puisse transgresser sans s'exposer à la sanction de tous les autres.

« Ces procédés, ainsi que ceux qui leur sont apparentés, sont fort ingénieux, mais risquent malheureusement de n'être efficaces qu'à une condition, à laquelle on peut douter que le système majoritaire satisfasse : c'est que ces différents pouvoirs soient élus par des hommes différents, c'est-à-dire en quelque sorte qu'ils soient élus par des majorités différentes. Car il est bien évident que si la désignation est opérée dans le même corps électoral, leur division devient nécessairement tout apparente et ses bénéfices illusoires. En d'autres termes, pour être efficace, le système de la balance des pouvoirs suppose l'existence de forces sociales sinon antagonistes, du moins attachées à se faire équilibre les unes aux autres, et le droit reconnu à chacune d'avoir en somme son propre moyen d'expression. C'est d'ailleurs bien ainsi que l'entendait l'illustre inventeur du système de l'équilibre des pouvoirs : tout en démontrant la nécessité de l'indépendance du pouvoir judiciaire, Montesquieu ne recommandait aucunement que ses détenteurs en fussent désignés par l'élection populaire. Même s'il ne l'a jamais clairement dit, ni peut-être voulu consciemment le penser, l'idée de la division des pouvoirs politiques était chez lui le reflet d'une diversité de pouvoirs sociaux à laquelle il était fort attaché.

« Est-il à présent probable, est-il tout simplement logique, que cette division du corps social soit compatible avec les prémisses du libéralisme même ? Est-il possible à la fois de défendre le droit de chaque individu à disposer de soi comme il l'entend et le droit exclusif de certains à posséder des capacités civiques ou juridiques retirées à d'autres ? Tous les hommes ne doivent-ils pas être égaux devant la loi, si une égale liberté doit être également reconnue à tous ? Le libéralisme en un mot peut-il s'accommoder d'une hétérogénéité sociale sanctionnée par la loi ? Ce serait oublier que s'il répugne à donner jusqu'au bout dans la souveraineté du peuple, il n'en avalise pas moins le principe, en tant qu'il est nécessaire à soustraire l'individu à toute espèce de sujétion à autrui (1). L'idée qu'il puisse exister des corporations sociales distinctes, disposant chacune d'un pouvoir distinct, et d'un pouvoir véritable, c'est-à-dire indépendant de l'assentiment des autres, est donc évidemment une idée foncièrement étrangère, et foncièrement contraire, à tout ce que le libéralisme comporte de démocratique. Le principe de la balance des pouvoirs n'a donc pu s'accréditer qu'au prix d'une certaine confusion sur sa portée véritable : s'il a paru si séduisant, c'est en tant qu'il paraissait ne concerner que les détenteurs du pouvoir politique, dont on jugeait toujours judicieux de diminuer l'autonomie ; mais on voit mal comment un système fondé sur la prééminence de l'individu pourrait comporter la division du corps social lui-même en parties distinctes, et détentrices chacune d'un pouvoir réellement autonome par rapport aux deux autres (2). La volonté populaire est une et indivisible, pour le libéral comme pour le démocrate le plus passionné, dès qu'il s'agit de définir les règles limitant les libertés individuelles.

« Selon la même logique, on voit mal que des pouvoirs locaux puissent véritablement se constituer en contrepoids d'un pouvoir central, dès l'instant que ces pouvoirs sont eux-mêmes élus : à moins que les régions ne constituent des entités politiques à part entière, on voit mal comment ce pouvoir serait la majorité d'un pays tout entier, sinon en étant l'addition de toutes les majorités locales, c'est-à-dire exactement la même chose.

« Le libéralisme a donc (lisez, avant même Tocqueville qui ne

---

(1) Cf. supra p. 133 sqq.

(2) Sans nul doute le libéralisme a été à l'origine le fait d'aristocrates, fort peu soucieux d'ôter à l'individu, par un nivellement contre nature, son droit à être différent des autres ; si le libéralisme n'a pendant longtemps élevé aucune objection contre le suffrage censitaire, ce n'était pas qu'il fût hypocrite, mais seulement qu'il lui paraissait naturel que, différents par nature, les hommes fussent aussi différents dans la société, pourvu que chacun eût aussi une égale latitude d'y exercer son talent et ses aptitudes. Le libéralisme fut le premier avatar de la méritocratie, comme le manifeste très clairement dans le domaine économique l'attachement libéral à l'initiative privée et à la libre entreprise individuelle. Mais on sait ce qu'il est advenu du suffrage censitaire, et il faut vouloir s'aveugler pour ne pas voir que le suffrage universel était le seul compatible avec le projet de reconnaître à l'individu toute la souveraineté possible, dans la mesure du respect de la souveraineté d'autrui. Quant à la méritocratie, il est bien clair qu'elle suppose l'ouverture de tout à tous, c'est-à-dire la possibilité pour tous de voter sur tout.

les cite pas parce qu'il s'en inspire trop, les fédéralistes américains) bien souvent reconnu que le système de l'équilibre des pouvoirs ne suffisait pas à contenir les propensions au despotisme d'une majorité politique. Et il a ainsi fait retraite sur une deuxième ligne de défense : il présente les libertés civiles, notamment la liberté de la presse, parce qu'elle est capable de mobiliser l'opinion publique, ou la liberté d'association, parce qu'elle est capable de faire descendre les gens dans la rue, comme les remparts de la liberté individuelle contre la tyrannie de la majorité.

« Qui pourrait soutenir que ces libertés ne contribuent pas à entraver les entreprises du despotisme ? On n'en saurait douter, à le voir s'empresser de les réprimer, comme autant de moyens donnés aux particuliers d'organiser une résistance et de la rendre si peu que ce soit collective. Pourtant, s'agissant du despotisme de la majorité, on peut se demander s'il a tant à en redouter : qu'est-ce en effet que la liberté de la presse, ou la liberté d'opinion, si l'opinion publique est ainsi faite ou prévenue qu'elle ne cherche pas à lire la presse minoritaire ou à écouter les opinions du petit nombre ? Qu'est-ce que la liberté d'association, si elle n'engendre que des groupuscules ? Or, si une majorité politique est faite de la réunion d'un certain nombre d'intérêts, croire que les libertés publiques peuvent en borner les ambitions, c'est la supposer prête à n'être pas tyrannique, ce qui est précisément ce qu'on suppose qu'elle n'est pas en appelant contre elle les libertés publiques à la rescousse. En réalité, ces libertés ne permettent pas de limiter le pouvoir de la majorité, mais de répandre une idée nouvelle, ou de susciter un intérêt différent, capable de provoquer la cristallisation d'une nouvelle majorité : il s'agit donc de changer de majorité, et non d'éduquer celle qui est en place ; et comme il n'y a aucune raison pour qu'une fois au pouvoir la nouvelle ne se comporte pas comme l'ancienne, c'est une illusion parfaite de croire que le changement réussit là où échoue l'éducation. On peut évidemment estimer que la crainte de l'alternance agira comme un frein au déchaînement des avidités majoritaires, mais on peut redouter tout autant que la peur de disparaître pousse au contraire la majorité régnante à redoubler ses efforts pour satisfaire sa propre clientèle et la rendre sourde à la voix de l'adversaire. En un mot, pour que la liberté de la presse ait l'effet qu'on lui prête, il faudrait que ce qui sépare la majorité de la minorité ne soit pas seulement l'intérêt des uns et des autres, mais la conception du bien commun, que les uns et les autres chercheraient honnêtement. Avant de penser que les libertés publiques sont un remède efficace à la tyrannie de la majorité, il faut commencer par donner la preuve qu'une majorité est autre chose qu'une collection d'individus, regroupés par un même intérêt, ou considérant que l'intérêt de tous se ramène nécessairement au leur. Cette preuve, on l'a vu, est difficile à fournir.

« Aussi bien, parmi les plus lucides avocats du libéralisme, plusieurs finissent par invoquer en dernier recours des arguments d'un autre ordre. Ce n'est pas à un artifice qu'il faut demander le respect des minorités, mais au cœur ou à la raison de chacun. Locke voulait que tout citoyen fût chrétien. Montesquieu évoque les lois éternelles qui, par leur nature sont invariables, que les êtres intelligents n'ont pas faites, et qui dérivent de la nature des choses. Kant juge que l'histoire réconciliera la loi de l'intérêt personnel et la loi morale, par une ruse miraculeuse à laquelle les hommes sont pris pour leur propre bien. Benjamin Constant invoque ces principes éternels de justice et de pitié que l'homme ne peut cesser d'observer sans dégrader et démentir sa nature. Tocqueville en appelle de la souveraineté du peuple à la souveraineté du genre humain, à l'humanité, à la justice et à la raison qui se trouvent au-dessus de toute majorité. A défaut de Dieu, les uns comme les autres font confiance bien moins aux lois, qu'aux mœurs, c'est-à-dire aux habitudes qui sont, comme on sait, la seconde nature de chacun : qu'est-ce qu'une société libérale, semblent-ils dire, sinon une école où tous apprennent, tout au long de leur vie, et d'abord par l'expérience, qu'il ne faut point faire à autrui ce qu'on ne voudrait pas qu'il vous fît, c'est-à-dire une école où l'on enseigne le sens de la réciprocité ?

« Je crains cependant qu'il ne soit vain d'en appeler à Dieu quand on déifie l'individu, et qu'il soit bien difficile de vilipender les dogmes religieux tout en se réclamant de la religion. Sur ce point comme sur tant d'autres, le grand Locke a été le maître à penser du libéralisme : toute religion menant au fanatisme, il faut pour éviter que le heurt des croyances engendre la violence, confiner la foi dans les limites du for interne ; les croyances doivent concerner l'âme seule. Sans doute était-ce un excellent moyen de prévenir les affrontements. Mais pouvait-on mieux dire aussi qu'il ne convenait pas que la religion réglât les affaires civiles ?

« Quant à croire que la pratique est susceptible d'adoucir les mœurs de la majorité, je n'y reviendrai pas : j'ai déjà dit que le système majoritaire lui-même n'avait d'autre source que l'amère conviction que les hommes, en devenant tributaires les uns des autres, n'en devenaient pas pour autant solidaires, tout au contraire.

« Ne resterait-il donc qu'à se révolter ? Mais au nom de quoi allez-vous le faire ? Car il ne s'agit pas de se révolter contre un tyran, mais contre une majorité dont on a convenu soi-même qu'elle représentait le peuple, de sorte que toute révolte est condamnée à passer aux yeux de tous, et d'abord à ceux des révoltés, comme une action contre les lois, et contre la légalité. Et si la minorité veut en appeler, contre cette légalité, à une illégitimité du pouvoir de la majorité, elle fera bien de se demander d'abord ce qui est légitime sinon ce que le peuple veut, c'est-à-dire la majorité. Un système démocratique ne peut opposer la légalité à la légitimité, car son principe est une volonté qui rend légitime, par cela seul qu'elle la veut, la légalité qu'elle souhaiterait mettre en doute. En me révoltant, c'est en somme contre moi-même que je me révolte : il est donc légitime de me forcer à rester fidèle à moi-même, ce qui n'est, comme chacun sait, que me forcer à être libre. Pour accuser la majorité d'illégitimité, il faudrait que son règne ne fût pas fondé sur la simple prédominance du nombre, mais sur le contenu de son action, c'est-à-dire sur ses fins, et sur sa compétence, ce qui est par définition exclu. « Quelque inique ou déraisonnable que soit la mesure qui vous frappe, avouait curieusement Tocqueville, « il faut donc vous y soumettre. »

« Après cela, il n'est peut-être pas inutile de rappeler ce qu'à l'aube du libéralisme, Thomas Hobbes pensait des moyens qu'il y a d'instituer dans une communauté l'arbitre désintéressé que toute la doctrine libérale réclame. Pour être sûr qu'un homme ait du pouvoir et ne s'en serve pas à ses seules fins, le plus sûr moyen, disait-il en somme, c'est de lui ôter la crainte de le perdre et le souci d'en acquérir. Ainsi, en le faisant prince incontesté et incontestable de sa cité, vous liez le sort de celui-là au sort de celle-ci, vous faites que la puissance de cet homme soit celle même de ses sujets, et ainsi qu'il n'ait de souci plus pressé que d'en assurer la prospérité. Comme Dieu est bon parce qu'il est tout-puissant, seul un homme tellement puissant qu'aucun autre ne puisse le menacer peut être désintéressé. Comme Dieu se réjouit de la perfection de la création qui est la sienne, le prince ne peut que perdre à faire le malheur de son principat : il faudrait qu'il fût méchant, et la méchanceté même l'anéantirait en même temps que son peuple. Enfin, pour qu'il soit assuré de n'avoir aucun concurrent, il suffit que tous s'engagent à ne jamais vouloir prendre sa place, c'est-à-dire lui remettre tous leurs pouvoirs : pour que le monarque soit absolu, il suffit qu'il soit contractuel. Se pourrait-il que ce soit encore la meilleure solution libérale ? En tout cas, ce n'était pas l'avis de Kant, qui pensait que tout homme abusera toujours de la liberté s'il n'a personne au-dessus de lui pour lui imposer l'autorité des lois : il faut reconnaître que la logique est de son côté, car c'est demander à cet homme d'être en même temps plus qu'un

homme. La toute-puissance ôte certainement à l'individu certaines passions, mais on ne voit pas comment, au sein d'un univers
libéral, elle lui donnerait l'idée du bien commun, puisqu'elle lui
donne au contraire la conviction qu'il n'y a pas de distance entre
le bien de tous et le sien propre. »

CHAPITRE V

LES DIFFICULTÉS DU SYSTÈME REPRÉSENTATIF

Ce jour-là il n'y avait personne au jardin en dehors d'un vieil ivrogne affalé au pied d'un arbre. Un grand soleil réjouissait les oiseaux dont les piaillements auraient couvert une voix de stentor. C'était jour de vote, et ceux qui n'officiaient pas avaient gagné la campagne.

« C'est un fait », dit l'égaré en s'adressant aux arbres, « que le libéralisme a un faible pour la démocratie représentative. Je vois que vous n'êtes pas surpris et vous avez tort.

« J'ai assez dit qu'au principe du système libéral, il y avait le sentiment que seul l'individu pouvait décider de ce qui était bon pour lui, et donc la volonté de garantir à l'individu toute la liberté compatible avec le respect de celle d'autrui. Il y a ainsi quelque chose de très étrange à soutenir à la fois que seul l'individu peut décider ce qu'il doit faire de sa vie et qu'il lui faut en remettre le soin à quelqu'un, ce qui revient à lui donner le pouvoir d'en décider à sa place. Rousseau avait entièrement raison d'être horrifié par la simple idée de déléguer sa volonté à quelqu'un d'autre : « Le souverain peut bien dire je veux actuellement ce que veut un tel homme ou du moins ce qu'il dit vouloir ; mais il ne peut pas dire : ce que cet homme voudra demain je le voudrai encore. » Si je suis le seul à savoir ce que je veux, pour ne pas parler de ce que je voudrai demain, déléguer ma volonté, c'est m'abandonner moi-même à autrui, c'est tout simplement commettre un suicide moral : « Non, vous dis-je », s'exclamait donc Proudhon, « je veux traiter moi-même, non me soumettre à un homme qui m'imposera sa volonté en prétendant que c'est la mienne. »

« Le grand avocat du système représentatif, J.S. Mill, ne s'embarrasse pas de la contradiction. Chacun, dit-il, est le seul gardien sûr de ses propres droits et intérêts, et c'est une loi universelle de l'humanité que chacun se préfère aux autres ; si donc l'on recourt au système représentatif, c'est parce que les circonstances l'imposent, c'est-à-dire parce que la taille même des sociétés fait qu'il est impossible de réunir tous les citoyens sur la même place publique. J'aurais aimé lui rétorquer que c'est faire là bon marché de la difficulté, qui est plus aiguë : non seulement la contradiction existe, mais elle touche au cœur du libéralisme, qui n'est pas attaché au principe représentatif par des raisons aussi contingentes.

« Si l'on a parcouru Locke, Montesquieu, Madison, Constant, et leurs descendants, il est difficile de douter que leur méfiance pour la démocratie directe procède du sentiment qu'ils ont de la diversité des talents et de leurs inégalités, et donc aussi de leur certitude qu'il y a des hommes sans talents, ou pire encore, des hommes qui n'ont pas le courage ou la capacité de cultiver leur différence, et qui sont ainsi plus jaloux d'autrui qu'ils ne sont contents d'eux. De là cette crainte, si caractéristique du libéralisme, que le pouvoir soit exercé par les masses, le sentiment que celles-ci sont nécessairement niveleuses, et la conviction que la défense de l'essentielle diversité des individus ne peut être confiée qu'à des hommes suffisamment certains de leur différence et attachés à elle pour avoir à cœur de la faire respecter. Un courant d'aristocratisme résiduel traverse sans nul doute le libéralisme, qui n'a rien de contradictoire avec son démocratisme : le libéral veut que le meilleur gagne, et il n'est rien qu'il ne méprise tant que le médiocre ; mais il n'y a rien qu'il supporte plus mal que l'héritage sinon l'hérédité : pour que le meilleur gagne, encore faut-il que tous soient à l'origine sur la même ligne de départ. L'aristocratie libérale est seulement une élite. Cette attitude est au fond celle même du libéralisme en face du principe de la souveraineté du peuple : celui-ci est nécessaire pour assurer la libre compétition de tous, mais il devient néfaste lorsqu'il est invoqué pour interdire à quiconque de la remporter. Et c'est finalement en vertu de la même logique que le libéral se fait adepte de la démocratie représentative : il a l'espoir secret que les meilleurs gouverneront.

« Ainsi on pourra toujours reprocher au libéralisme de ne pas traiter dans la pratique tous les hommes avec l'égal respect qu'il leur accorde en théorie, et il n'a pas fini de découvrir comment concilier la confiance qu'il demande de faire à tout représentant, et la méfiance qu'il suppose à leur endroit-même. Le système de la démocratie directe, quoi qu'on en pense d'autre part, avait au moins pour lui d'être plus immédiatement cohérent.

*

« Les choses se compliquent encore si l'on considère qu'il va falloir, non seulement élire des représentants, mais les choisir pour n'élire, comme il vient d'être dit, que les meilleurs.

« Rien de plus naturel en apparence, rien de plus facile. Voire.

« Il me paraît évident en effet que si l'on considérait tous les membres du corps politique comme également aptes à exercer des fonctions d'autorité, le seul moyen logique, et même le seul moyen équitable d'en désigner les responsables serait de tirer au sort parmi tous les citoyens. Après tout, c'est ce que faisaient les Athéniens au moment de leur gloire, et c'est ce que nous faisons toujours pour constituer des jurys. Il est curieux de constater que, depuis bien longtemps maintenant, l'idée d'appliquer un tel système dans la vie politique ne semble plus seulement effleurer l'esprit du plus farouche de nos démocrates. C'est donc, nécessairement, que l'on juge les individus inégalement capables d'accéder aux fonctions publiques : certes, la politique peut être une vocation ; mais combien n'en ressentiraient pas l'appel s'ils étaient désignés par le sort ? Non décidément, si l'on accepte le système de la délégation de pouvoirs, et si l'on ne veut point tirer au sort ceux à qui on le confiera, c'est bien parce que, implicitement ou explicitement, consciemment ou inconsciemment, on considère que toute élection doit être une sélection, celle des meilleurs, des plus honnêtes, des plus courageux, des plus intelligents, des plus compétents, que sais-je encore.

« Qui ne voit alors la difficulté ? Si l'élection est la sélection de ceux qui possèdent les capacités d'un homme d'État par ceux qui ne les ont pas, comment espérer en toute logique que ceux qui n'ont pas les vertus qu'on leur demande de reconnaître sauront les discerner chez un autre, puisque par définition elles leur manquent ? A-t-on jamais vu un ignorant savoir ce qu'était la science ? Est-il possible à celui qui ne comprend que son intérêt personnel immédiat de discerner l'homme capable de concevoir l'intérêt général, s'il est par définition fermé à la notion d'intérêt général ? Si c'est leur incapacité même à occuper des magistratures qui les fait électeurs et non éligibles, comment leur demander d'élire quelqu'un à des fonctions qu'ils ne peuvent remplir ? Et il est parfaitement vain de déclarer à la manière de Descartes que tous les entendements sont au moins capables de comprendre même s'ils ne sont pas capables de trouver. La distinction cartésienne avait un sens car Descartes supposait l'existence d'une évidence dépassant les uns et les autres : la politique libérale suppose au contraire par définition qu'il n'y a pas d'évidence en politique, pas de vérité politique, pas de science de la politique. Le plus curieux est que le plus libéral des libéraux n'hésite pas à écrire : « Il m'est démontré », dit Tocqueville, « que ceux qui regardent le mode universel comme une garantie de la bonté des choix se font une illusion complète. »

« Par conséquent de trois choses l'une. Ou bien le système représentatif est entièrement absurde. Ou bien, comme on ne peut demander à l'électeur que ce qu'il peut donner, en réalité on lui demande de voter pour ce qu'il connaît, et de distinguer des hommes qui seront effectivement ses représentants, c'est-à-dire qui seront à sa propre image. A moins qu'enfin l'élection ne soit essentiellement une manière de faire croire à l'électeur qu'il est souverain, une simple procédure de légitimation des gouvernants, mais où toutes les manipulations sont non seulement possibles mais tacitement admises. Si la première hypothèse est improbable, il reste les deux suivantes, qui ne sont en rien exclusives l'une de l'autre.

« N'allez pas croire que j'affabule, lisez les maîtres du libéralisme ; vous y trouverez ces idées très clairement développées (1).

« On peut craindre plus encore.

« Si les hommes étaient menés par des idées, ils n'auraient pas tant besoin d'association pour les défendre, la force d'une idée résidant en elle-même. Mais un intérêt a besoin d'un intérêt similaire, et le conflit des intérêts particuliers, en tant qu'ils ne sont justement que des intérêts particuliers, ne peut être tranché que par le rapport de leurs forces, c'est-à-dire par le nombre. L'individu isolé comprend vite que l'union fait la force, ou que l'association est la clef de la majorité. Ce n'est pas seulement parce que

---

(1) « Il est vain de croire, dit Tocqueville, que du suffrage universel puisse sortir autre chose qu'une représentation des différents intérêts particuliers : dans le doute des opinions, les hommes finissent par s'attacher uniquement aux instincts et aux intérêts matériels, qui sont bien plus visibles, plus saisissables et plus permanents de leur nature que les opinions. » Et encore, s'il s'agissait des grands intérêts de la nation ! mais où trouver en dehors de la littérature libérale description plus sévère et plus désespérée à la fois du corps électoral et de ses représentants. Écoutez J.-S. Mill : « Au mieux, l'assemblée représentative, c'est l'inexpérience siégeant pour juger l'expérience, l'ignorance jugeant le savoir, l'ignorance qui, ne pouvant même suspecter l'existence de ce qu'elle ignore, est à la fois insouciante et pointilleuse, faisant peu de cas, à moins qu'elle ne s'en irrite, de tous les titres à avoir un jugement méritant plus l'attention que le sien. » Écoutez Benjamin Constant : « Quand les nominations des fonctionnaires se font par le peuple, les choix sont en général essentiellement mauvais. S'il s'agit de magistratures éminentes, les corps électoraux inférieurs choisissent eux-mêmes assez mal. Ce n'est plus alors que par une espèce de hasard que quelques hommes de mérite s'y trouvent de temps en temps appelés. » Écoutez le plus démocrate de tous : « C'est un aspect naturel à la démocratie de pousser le peuple à écarter les hommes distingués du pouvoir, ... il n'y a pas de supériorité légitime dont la vue ne fatigue les yeux du peuple... il est probable que les hommes les plus propres à remplir les places de responsabilité auraient trop de réserve dans les manières et trop de sévérité dans les principes pour pouvoir jamais réunir la majorité des suffrages à une élection qui reposerait sur le vote universel »...

les individus sont égaux, donc également faibles, mais c'est surtout parce qu'il défend de purs intérêts particuliers, sans aucun autre titre de validité, que chaque individu n'a, à lui seul, que peu d'influence et de pouvoir sur les autres. C'est l'indignité de leur cause qui les contraint tous à lui donner l'apparence de la dignité, en lui conférant le poids du nombre. Ainsi, le simple fonctionnement de la démocratie représentative suppose l'agrégation des intérêts : cette agrégation a un nom, c'est un parti politique (1).

Considérez maintenant que le vote censitaire est contraire à la pente naturelle des choses, et qu'il n'est pas moins contraire à l'esprit des temps d'admettre qu'il existe, comme le voulait Burke, des hommes condamnés par la Providence à faire confiance à une élite en quelque sorte désignée par avance. Ainsi il est dans l'ordre des choses que le système représentatif aboutisse au suffrage universel. A présent, en accordant une voix à chaque homme, on présuppose nécessairement que la voix de l'un vaut autant que la voix de n'importe quel autre ; qu'en matière de vote, tous sont absolument égaux. Dans ces conditions, si un corps politique quelconque est réputé composé d'individus qui se valent tous les uns les autres, puisqu'aussi bien ils ont tous voix égale dans la constitution de son gouvernement, comment ceux qui vont en faire partie vont-ils pouvoir à la fois être désignés à l'attention publique et recommandés à elle comme particulièrement dignes des fonctions qu'ils briguent ? Si tous ont une voix égale, tous ont un droit égal à la voix de tous ; ce qui revient à dire qu'aucun en particulier n'y a un droit spécial : qui va donc, plus qu'un autre, sembler être détenteur d'un titre à gouverner, puisque par hypothèse ce titre n'existe pas ? Et de manière beaucoup plus concrète, au nom de quoi un homme va-t-il pouvoir se lever et réclamer le suffrage de ceux qui l'entourent ? Je crois que cette question ne comporte que trois réponses.

« Il y a d'abord la force des choses : dans ce village, on connaît à l'avance les candidats possibles. Mais c'est parce que l'esprit de la démocratie n'y a pas imprégné les âmes, et que les hommes se plient d'instinct à des coutumes et à des situations qu'ils ne cherchent pas à changer. Il y a ensuite le hasard pur et simple. Ce médecin, cet avocat sont amenés par leur métier à voir beaucoup de monde, et plutôt que de voter pour un inconnu, on vote pour l'homme que l'on a quelquefois rencontré, s'il n'a pas vraiment

_____

(1) « De la protection de la diversité et de l'inégalité des talents à acquérir de la propriété, la possession de différentes masses et de différentes qualités de propriété suit immédiatement ; et de l'influence que ces différentes sortes de propriété ont sur les sentiments et les conceptions de leurs propriétaires respectifs, s'ensuit une division de la société en différents intérêts et partis politiques. »

déplu. Enfin, il y a la logique propre au système politique pratiqué : un homme ne peut se faire connaître que si sa voix propre
peut être relayée par la voix de plusieurs autres ne travaillant qu'à
la faire entendre. Le Parti a donc des permanents, qui n'ont
d'autre métier que d'imposer aux électeurs l'homme que le Parti
veut leur voir élire. On vote, cela est connu, d'abord pour
l'homme pour qui les autres votent : qui ne voit de quel poids
peut peser dans le suffrage général ces placards publicitaires qui
pour la plupart démontrent à une partie du pays que cet homme
est célèbre dans l'autre ? Chaque fois qu'un homme est élu dans
un pays où tous peuvent l'être, on y peut donc soupçonner à bon
droit l'existence d'une organisation qui l'a fait élire. Essayez, mes
maîtres, vous qui avez des idées que vous aimeriez voir appliquées, de vous faire remarquer avec pour seule force la leur et
celle de vos amis : vous découvrirez vite que le citoyen n'a pas
voix au chapitre, mais seulement le citoyen agréé par une machine
politique ; qu'il n'y a pas une seule sorte de citoyens mais deux :
les citoyens actifs, ceux qui sont aux commandes de la machine, et
les citoyens passifs : tous les autres. Le système électoral
n'échappe pas plus que tout autre à la loi d'airain du pouvoir : il
engendre des maîtres et des sujets, mais le pouvoir y est occulte, et
l'on ne voit que les petits serviteurs qui en sont aussi les esclaves ;
les vrais maîtres se cachent, qui ne sont pas ceux que le public
aperçoit, ces leaders dont la parole entraîne les foules, mais dont
d'obscurs chantages asservissent les idées, dont le geste est spectaculaire, mais dont les mouvements sont commandés par de secrè-
tes ficelles. Les vrais maîtres sont inconnus, inaccessibles, et
règnent sans qu'on puisse savoir quels titres ils ont à votre obéissance. C'est ce qu'autrefois on appelait une tyrannie. Je n'ai
jamais dit qu'elle fût volontaire : je crois qu'elle résulte de la
nature du système, mais n'est-ce pas plus inquiétant encore ?

*

« Comme on est on gouverne, et le corps électoral ne peut avoir
que les dirigeants que le système mérite : de quel gouvernement
sont capables ses élus ?

« Le hasard fait souvent bien les choses, et nos pays ont souvent
vu fleurir de grands hommes d'État, des représentants incorruptibles et avisés, des ministres aux desseins larges et généreux, des
chefs de parti animés par le plus pur sens du bien commun, des
hommes ou des femmes politiques enfin qui n'auraient déparé
aucun siècle. Nous en avons tous connu et nous en connaissons
tous encore. Et rien n'empêche en effet que le suffrage universel

les désigne, et leur donne les moyens d'agir selon leur conscience. Mais si la nature veut que ces hommes soient exceptionnels, plus encore elle veut qu'ils soient rarement élus, et plus rarement encore qu'ils aient longtemps le pouvoir. L'homme d'État, d'après son pur concept, possède au moins quatre qualités : il a le sens du bien commun, il a l'intelligence des circonstances, et de la manière dont elles imposent qu'il soit mis en œuvre, il a l'art de commander aux hommes, et d'imposer à leurs passions et à leurs intrigues à la fois sa personne et sa politique, il a enfin le sens de sa responsabilité, c'est-à-dire qu'il n'a ni peur d'en prendre, ni hésitation à en assumer les conséquences. Telles sont précisément les qualités auxquelles on voit mal que le terrain offert par une démocratie soit très propice. A regarder sereinement les choses, on voit au contraire qu'il est particulièrement favorable à la culture des vices qui leur répondent : tous les libéraux lucides le savent, et lorsqu'ils sont honnêtes, ils l'ont tous écrit.

« Dans d'autres régimes, des tyrans, des démagogues, des illuminés, des orgueilleux, des jouisseurs, des ambitieux, des égoïstes, des guerriers ou des marchands, ont été au pouvoir, mais ils devaient avoir, pour régner, une flamme intérieure qui les fasse grands jusque dans le crime : nos siècles sont au contraire des siècles niveleurs, et l'homme politique, au lieu de dominer les masses, tend de plus en plus clairement à n'avoir d'autre gloire que de n'en émerger pas. Les systèmes politiques représentatifs tendent irrésistiblement à placer la médiocrité à leur tête (« parmi les instincts naturels à la démocratie », disait Tocqueville, « il y a celui qui pousse le peuple à écarter l'homme distingué du pouvoir »). Rien de plus explicable d'ailleurs, et les machines politiques l'ont parfaitement compris. Leur puissance, leurs succès, se mesurent au nombre des votes qu'elles sont capables de moissonner, et à la fidélité avec laquelle leurs mots d'ordre sont suivis ; elles obéissent ainsi à deux règles : ne décourager aucune adhésion, et ne provoquer aucune résiliation parmi leurs fidèles ; ces machines sont donc spontanément portées à mettre en avant le plus neutre, le plus fade, le plus flou, le moins ferme, le moins courageux et en un mot le moins compromettant des candidats dont elles disposent, celui qui sera capable de plaire à tous et de ne déplaire à personne. Il pourra évidemment être intelligent à condition de savoir le cacher : dès lors à quoi bon l'être ? Chacun le sait : tout candidat trop marqué n'ira pas loin. S'il y a des partis qui, ne cherchant pas à jouer le jeu de la démocratie parlementaire, se moquent de leurs résultats, c'est précisément qu'ils n'aiment pas le système et choisissent de le détruire. Mais écoutez plutôt J.-S. Mill : « A l'élection du président des État-Unis, le plus fort parti n'ose jamais avancer aucun de ses hommes les plus forts, parce que chacun d'entre eux s'est rendu insupportable à une portion ou à une autre du parti. »

« En vertu de la même logique, on voit mal de quelle compétence particulière les élus pourraient se targuer : aussi bien ont-ils à honneur de montrer qu'ils n'en ont point, comme d'une supériorité d'autant plus vexante pour autrui qu'illusoire en soi. Ils ont d'ailleurs raison : puisqu'il n'est pas d'idéal sur lequel il faille modeler la réalité, sinon la volonté présente du peuple, qu'il suffit donc d'exécuter pendant le temps qu'elle demeure, il n'est par définition aucune science que l'on puisse leur demander de posséder (1). Au service d'un ou de plusieurs intérêts, on peut tout au plus exiger qu'ils en soient les fidèles instruments, c'est-à-dire qu'ils sachent tirer parti des circonstances au mieux des intérêts qu'ils défendent. Et en réalité, cette exigence même est le plus souvent déjà excessive. Car à force de subordonner l'action partisane à la nécessité de grossir sans cesse les rangs des fidèles, toute autre fin que la simple force de la machine politique devient sinon négligeable, du moins secondaire. Les seules fins et la seule efficacité dont le représentant du peuple risque bientôt de se soucier, c'est de la discipline du parti, dans lequel il fait carrière, et où il dépend de ses chefs, comme un officier dans une armée dépend de ses supérieurs. Ainsi, par un progrès continu, il semble que le député n'ait plus à manifester d'autre compétence que celle de plaire à ceux qui, dans l'appareil du parti, sont à même de protéger son avancement. Au terme, et alors qu'il n'y a en principe de pouvoir qu'émanant de la volonté de tous, et sous le couvert de déclarations démagogiques où s'affiche la plus grande servilité à l'égard de l'électeur, il se constitue une sphère distincte de la société civile, où le citoyen compte moins que les députés, et où les députés comptent moins que les leaders de leur parti, qui finissent par être les seuls vrais citoyens à part entière. Et comme tout porte ces derniers à ne songer à rien comme à l'avenir du parti sans lequel ils redeviennent des citoyens de seconde zone, il n'est rien qui compte à leurs yeux comme les agissements du parti rival ou du parti frère. Ainsi se met finalement en place une vaste orga-

---

(1). Le libéralisme récuse *a priori* le gouvernement des savants, c'est-à-dire le système technocratique, et il a raison. On n'a peut-être pas assez remarqué que la notion même de technocratie comporte une contradiction interne : c'est parce qu'on se méfie du pouvoir d'un homme sur un autre qu'on lui imagine préférable le pouvoir de la science sur tous ; mais si le pouvoir d'un homme apparaît si haïssable, c'est qu'on juge qu'il n'est pas de science possible dont il puisse s'autoriser pour prétendre au gouvernement de ses semblables ; ainsi donc, tout technocrate est un imposteur, et sa science illusoire, s'agissant naturellement d'organiser la société et non seulement son intendance.

nisation de pouvoirs où nul n'a besoin d'une compétence particulière en dehors de celle qui permet de briller dans les couloirs des assemblées.

« Inutile de souligner après cela combien le mandé échappe au contrôle du mandataire, qui voit soudain sa propre volonté incarnée dans un homme pouvant, s'il le souhaite, n'en avoir cure. L'électeur ne peut manifester sa volonté qu'au moment de l'élection : mais même en donnant à une voix qui parle seulement une fois tous les quatre ou cinq ou six ans un poids qu'elle n'a peut-être pas, que pèse-t-elle surtout en regard de la machine qui est son véritable interlocuteur ? S'il pouvait voter pour qui lui semble bon, alors se nouerait entre son délégué et lui ce rapport personnel et responsable que tout élu se vante, souvent bien impudemment, d'avoir avec son électorat. Mais le candidat est toujours le candidat d'une machine, et l'électeur n'a le choix, par candidat interposé, qu'entre plusieurs machines. On dira que la faute en revient à l'électeur, et l'on aura raison : il peut voter pour d'autres ; mais il faut bien qu'un candidat soit connu par d'autres que par le cercle de ses voisins : il faut donc qu'il soit celui d'une machine. Ce n'est pas les hommes qui sont responsables, c'est le système qui le veut.

« Quelle puissance a donc l'électeur isolé sur un parti politique ? Aucune. Certes, lorsque des circonstances extrêmes se font jour, et que de grandes vagues balaient l'océan politique, les partis peuvent être secoués, et même quelquefois modifier leur cap. Mais pour différentes raisons, et notamment parce qu'ils veulent tous incarner l'intérêt général, ils ne peuvent en changer trop souvent, ni trop dramatiquement : ils y perdraient leur crédibilité. A vrai dire il n'est même pas besoin qu'ils le fassent : leur force principale c'est qu'il n'y a rien en dehors d'eux, rien que des électeurs isolés et des candidats incapables de se faire entendre suffisamment loin pour attirer sur eux assez de suffrages. Un parti peut donc mourir : mais c'est pour être remplacé par un autre, qui agira comme celui qu'il remplace. Une grande masse d'hommes, agissant de concert, peut certes bouleverser le paysage politique, mais en admettant même que de grandes masses puissent naître en dehors d'un parti, cela signifie que le corps électoral n'agit vraiment qu'en entrant en révolution. Encore sa révolte même risque-t-elle de n'être qu'une flambée sans lendemain ; car seule une organisation peut donner quelque continuité à son soulèvement, c'est-à-dire un parti, qui naturellement l'accommodera à sa sauce et en émoussera la nouveauté pour mieux l'adapter au jeu qu'il connaît. Ainsi donc le corps électoral ne sort de sa léthargie que le temps de désigner, à dates fixes, ceux qui seront ses maîtres, conscients ou non, puis il hiberne à nouveau. La démocratie est une comédie où tout l'art consiste à laisser le moins possible au hasard.

« Je suis leur chef, il faut bien que je les suive : boutade mais vérité aussi, au sein d'un système représentatif. Car s'il n'y a de représentation admissible que des intérêts, il s'ensuit que tout représentant, indépendamment de son obéissance à la machine, doit servir les intérêts de ceux qui l'ont élu seulement pour qu'il les serve. Il ne lui est ainsi d'autre liberté que de trahir parfois ses mandants, lorsque les intérêts de la machine vont à l'encontre de ceux de l'électorat dont elle vit, quitte ensuite à représenter aux électeurs combien cette trahison n'en était pas une, et reflétait en réalité, sans qu'ils en eussent conscience, leur propre volonté. Ainsi la démocratie libérale, sans le savoir, prépare le peuple à ces régimes étranges où il prend plaisir à se tyranniser soi-même.

« La difficulté à contrôler les actes des représentants est encore multipliée par cela même qu'ils sont représentants du peuple. Une fois qu'ils sont élus, comme la pratique d'un mandat impératif est évidemment incompatible avec la variété des objets sur lesquels ils sont appelés à se prononcer, ils se trouvent chacun dotés d'une inévitable autonomie de décision : puisqu'ils sont les élus du peuple, quoi qu'ils fassent, ils incarnent sa volonté. Ce qui fait qu'ils disposent d'un pouvoir discrétionnaire, mais sans qu'ils soient jamais personnellement responsables de l'usage qu'ils en font. C'était une coutume bien raisonnable que la coutume antique de la reddition de compte : à sa sortie de charge, chaque magistrat était comptable devant le peuple de sa gestion ; chargé par le peuple d'une certains charge, il ne se substituait pas à lui. L'invention du système représentatif a rendu cette pratique impossible : quelles que soient les limites apportées à la compétence de la souveraineté du peuple, ses représentants sont le peuple, et sont infaillibles comme la volonté du peuple l'est elle-même, étant souveraine. Ainsi, les plus grands crimes peuvent être commis contre la nation sans que leurs auteurs puissent être châtiés (1).

« Cette irresponsabilité est d'autant plus inquiétante qu'à bien examiner la pente naturelle de ce système, on ne saurait exclure qu'il encourage à la corruption les représentants du peuple, et qu'il en plante dans leur âme des germes subtils, presque invisibles, mais qui y prospèrent en secret.

---

(1) « Le gouvernement présentât-il des défauts, et certes, il est facile d'en signaler, ils ne frappent point les regards, parce que le gouvernement émane des gouvernés et il lui suffit de marcher tant bien que mal pour qu'une sorte d'orgueil paternel le protège », disait Tocqueville. La nature du système fait que les représentants du peuple sont irresponsables et encouragés à l'être.

« Ce n'est pas seulement que le pouvoir suscite des ambitions auxquelles il faut beaucoup de vertu pour résister ; c'est beaucoup plus profondément parce que le représentant, à moins d'être l'un de ces hommes exemplaires que leurs qualités n'empêchent pas d'être élus, ne peut l'être, on l'a dit, sans le secours d'une machine. Or cette machine ne fonctionne qu'alimentée par de l'argent : en dehors de quelques collaborateurs occasionnels et désintéressés, la machine d'un parti suppose des permanents qui doivent vivre de ce qu'ils y font ; elle suppose donc des concours sans doute généreux, mais dont on ne peut imaginer qu'ils soient entièrement sans arrière-pensées. Une machine électorale n'a donc intérêt à faire élire que des hommes dont elle soit sûre, et ceux-ci ne peuvent pas ne pas savoir qu'ils doivent leur élection moins à eux-mêmes et à leurs qualités qu'à l'espoir que l'on met dans leur obéissance. Ainsi, à moins qu'il n'ait affaire à des hommes d'une trempe rare, l'appareil se charge de convaincre sa créature, quand elle ne serait pas corrompue d'elle-même, qu'il est de son intérêt de se laisser acheter ; et comme beaucoup cèdent, c'est bientôt une habitude dans l'opinion générale que d'attribuer la réussite à quelque machination secrète plutôt qu'à des vertus et à des talents que tous savent être rares puisque la plupart ne les ont pas eux-mêmes. Et pour lors, se voyant accusé lors même qu'il n'est pas coupable, comment le représentant du peuple ne se dirait-il pas bientôt qu'il serait fort sot de ne pas récolter au moins le fruit des vices qu'on lui impute de toute manière ? Il faut donc une âme singulièrement trempée pour ne pas donner sinon dans une corruption spectaculaire, du moins dans ces mille petites malversations qui finissent par corrompre l'esprit et le cœur aussi sûrement qu'une grande malhonnêteté. Dans tous les cas, les démocraties étant des régimes dans lesquels les seules fortunes légitimes sont celles que l'on a construites soi-même, les hommes politiques y ont comme les autres le plus souvent leur fortune à faire, ce qui rend en général irrésistibles les tentations que suscite le pouvoir. Ainsi se fait-il que la richesse, qui dans d'autres régimes n'est pas nécessairement néfaste à l'exercice du pouvoir, parce qu'elle n'a pas besoin de lui pour s'établir, a tendance dans les régimes libéraux à le rendre haïssable, parce qu'insensiblement on tend à ne l'y plus rechercher que comme un moyen de s'enrichir.

*

« Ces vices semblent trop tenir à la nature du système pour être jamais éliminés : seule sans doute l'existence d'une norme éternelle de justice et de raison politique pourrait donner une boussole au suffrage comme au gouvernement, et c'est précisément ce dont on entend se passer. N'y aurait-il donc rien à faire ? Les philosophes du libéralisme sont trop honnêtes pour qu'on ne leur rende pas justice : ayant parfaitement saisi les vices attachés à la nature de leur système, ils y ont vu deux sortes de remèdes possibles. Pour les uns, il s'agit en somme de les combattre en leur rognant les ailes et en les rendant petits : une représentation proportionnelle ôte sans doute de sa force à l'État, et rend fragile toute majorité ; mais elle exprime évidemment mieux la variété des intérêts particuliers, et constitue une solution très conforme à l'esprit du libéralisme. Pour d'autres, en plus petit nombre, c'est à l'extérieur du système représentatif qu'il faut aller chercher l'arbitre désintéressé que la doctrine a toujours requis : il faut selon eux qu'il y ait, au-dessus des élus, un pouvoir limité certes mais héréditaire, comme un monarque constitutionnel ; le concept est sans doute fragile, mais n'en constitue pas moins l'écho révélateur de très vieille vérités.

« L'une ou l'autre solution peut-elle avoir les faveurs des libéraux d'aujourd'hui ? »

CHAPITRE VI

LE LIBÉRALISME ET LE MONDE

Il était fort question, en ces temps-là, de construire un aqueduc entre la France et la Laponie : les installations hydro-électriques françaises manquant d'eau, on trouva fort ingénieux, en même temps que diplomatique, de raccorder la France au système de distribution lapon plutôt que de développer d'autres moyens de produire de l'électricité. Beaucoup trouvaient que cette solution était assez sotte, et non sans arrière-pensées. Certains donc, comme on demande aux fous qu'ils fassent rire le roi, demandèrent à l'égaré qu'il dise sa pensée sur ce sujet.

« Qu'attendez-vous donc », reprit-il, « que fassent vos gouvernants d'hier ou d'aujourd'hui, car ceux d'hier n'auraient pas fait autre chose ? Ils appliquent leurs propres principes, qui valent pour la politique internationale comme pour la politique intérieure.

« Ce sont des hommes de paix qui souscrivent à la doctrine du libéralisme. Ils entendent en effet que les mêmes principes qui assurent la paix à l'intérieur d'un État l'assurent aussi entre les nations, et qu'en somme elles forment toutes ensemble un grand corps uni dans la diversité des fonctions que chacun de par le monde y assume. Système philosophique et social dont le principe est l'échange, il est naturel que le libéralisme veuille étendre à l'infini la sphère des échanges entre les hommes. Par nature l'échange n'a pas de frontière, et par nature tout marché tend à devenir mondial. Et de même que l'échange profite également à tous ceux qui y prennent part à l'intérieur d'un même pays, pourquoi n'en irait-il pas de même entre citoyens de pays différents ? Si la richesse d'une nation s'accroît, comme on l'a vu, à mesure que les échanges s'y diversifient, la prospérité de l'humanité doit elle aussi être proportionnelle à la quantité et à la vitesse des échanges internationaux. Il n'est point besoin d'être grand clerc pour comprendre que le protectionnisme fait dépérir un pays comme la gangrène ronge un homme, et que la concurrence de tous stimule les efforts et l'ingéniosité de tous. Les nations sont, pour le libéralisme, comme des individus, et tout ce qu'il dit pour ceux-ci vaut pour celles-là : les relations internationales ne doivent être pour lui que l'image en grand de ce que doivent être les relations entre deux hommes.

« A la méfiance que manifeste la doctrine libérale à l'égard du pouvoir d'un homme sur un autre répond celle qu'elle éprouve pour le pouvoir d'une nation sur une autre : en tant que le libéralisme est une philosophie de l'échange, ce sont les frontières qui pour lui engendrent les guerres, parce qu'elles sont l'œuvre d'hommes qui en veulent dominer d'autres ; les États n'existeraient pas s'il n'y avait un pouvoir dont ils sont l'expression. Le commerce au contraire est la paix, parce qu'il renverse les frontières. C'est une seule et même chose de limiter le pouvoir des princes à l'intérieur des nations et de borner les ambitions qu'ils nourrissent les uns sur les autres, c'est-à-dire d'arrêter les guerres. Ce n'est pas l'équilibre des puissances qui assure la paix, mais le dépérissement de l'État au sein de chacune.

*

« Ces projets séduisent beaucoup d'hommes, qui se voient vivre riches et sans craintes. Mais à regarder les choses en face, les deux tiers de l'humanité aujourd'hui non seulement n'accordent pas foi au libéralisme mais portent aux sociétés libérales des sentiments qui vont de la méfiance déclarée à l'inimitié ouverte. Les nations non industrialisées se regardent volontiers comme leurs victimes, et au sein même du monde occidental, des voix s'élèvent de plus en plus nombreuses pour juger intolérable l'ordre international instauré sous l'égide du libéralisme. Le reste du monde, c'est-à-dire le monde communiste, est ouvertement hostile aux démocraties libérales. Or celles-ci, se montrent incapables et d'en concurrencer efficacement l'attrait auprès de tiers, et même tout simplement de se défendre elles-mêmes contre des ambitions qui ne se cachent pas d'être agressives. D'où vient donc et cette incapacité à séduire et cette lâcheté ?

*

« Bien malgré lui naturellement, et bien qu'il ne puisse pas concevoir de provoquer ces réactions, l'auteur en est je crois, le libéralisme même : pourquoi ne susciterait-il pas dans les nations les sentiments qu'il suscite dans les individus, puisque aussi bien il appelle à les traiter de même manière ?

« Considérez d'abord les rapports qu'il instaure entre les pays riches, et riches grâce à lui, c'est-à-dire ceux dont l'Occident moderne offre le modèle. Comme les libéraux croient à la fécondité inépuisable de l'initiative individuelle, et comme ils la croient seule capable de fécondité, il n'y a rien qu'ils trouvent stupide comme l'idée qu'un marché puisse être saturé, la demande définitivement satisfaite et la production excessive. Et de même qu'il leur paraît bon que tous entrent en concurrence à l'intérieur d'un même pays, ils jugent bénéfique la concurrence internationale, stimulant permanent des efforts de chaque nation. Ils ont on l'a vu entièrement raison : il est très évident à tout esprit honnête que ce sont les échanges qui induisent les échanges, et que loin d'arrêter le mouvement, chaque nouvel échange en encourage un autre. Seulement, ils voient la collectivité dans son ensemble prospérer et s'enrichir constamment, et ne considèrent pas ce que cet enrichissement coûte aux particuliers. Ils voient le progrès de l'espèce, ils ne veulent pas voir qu'il est acheté au prix de l'individu. Ce qui serait peut-être tolérable pour des esprits qui regardent au ciel ne l'est plus lorsqu'ils révèrent le progrès. Or on n'a jamais pu faire que la concurrence n'entraîne pas l'élimination des moins efficaces, c'est-à-dire des plus faibles au profit des plus forts, c'est-à-dire des plus productifs, des plus économes, des mieux organisés, des plus calculateurs ; leur élimination ne signifie certainement pas qu'ils sont condamnés à mort, mais seulement qu'ils sont contraints à s'employer d'une manière différente et qui soit précisément plus rentable. Le progrès de tous suppose une mobilité constante des ressources, humaines et non humaines, et leur réallocation incessante. Or quand les échanges sont libres entre les nations, les bénéfices ultérieurs de cette réallocation semblent plus reculés encore : le vaincu d'une concurrence internationale doit accepter son échec au nom de l'intérêt général, non de son pays, mais de l'humanité entière, où il est bien clair que son intérêt propre est bien moins manifestement engagé. Quand il est déjà bien difficile de lui faire sentir les liens de son intérêt particulier à l'intérêt général, combien plus difficile encore de lui représenter ces liens avec l'intérêt de la communauté mondiale ? Ainsi il est facile, auprès du plus grand nombre, de soupçonner les partisans de la liberté des échanges d'obscures intentions, et le gouvernement qui les protège de trahir ses nationaux en ne fermant pas ses frontières. Le libre-échange se trouve ainsi susciter malgré lui un nationalisme étroit et intéressé d'autant plus dangereux qu'il se confond aisément avec le légitime amour de la patrie : surtout lorsque certains ont intérêt à faire passer le protectionnisme, c'est-à-dire le refermement sur soi, pour du patriotisme.

« Considérez ensuite les pays que l'on nomme en voie de développement. La méfiance, pour ne pas dire l'hostilité, qu'ils vouent au système libéral, n'a ici encore rien que de stupide mais aussi de logique. Ils ne peuvent pas ne pas concevoir le commerce comme une activité intéressée, puisqu'il est dans la nature du commerce de l'être. Ils ne peuvent pas ne pas avoir conscience que les nations riches ne s'intéressent à eux que parce qu'elles y ont un intérêt, soit immédiat, comme lorsqu'elles leur achètent leurs matières premières, soit plus lointain, puisqu'il est dans la logique du libéralisme d'aider au développement de toutes les nations (parce que c'est celui de leur pouvoir d'achat). Or, même si la responsabilité en incombe aux pays sous-développés, les échanges avec les pays développés ne peuvent pas ne pas être inégaux, inégalité qui reflète celle des partenaires : indépendamment de l'exploitation réelle à laquelle ces pays ont pu être soumis, comme ils ont de toute manière peu à offrir et beaucoup à demander, la loi du marché joue inévitablement à leur détriment. Qui ne voit alors combien est irrésistible la tentation de prendre l'effet pour la cause, surtout lorsque court de par le monde une doctrine qui vous invite à le faire et des hommes prêts à vous aider pourvu que vous y croyiez ? Comme il est toujours plus facile de rendre autrui responsable de ce que l'on est que soi-même, le sous-développement au lieu d'être la cause du déséquilibre des échanges, en devient ainsi l'effet, et les pays riches les exploiteurs des pays pauvres, aux dépens desquels ils acquièrent leur richesse. Les pays sous-développés découvrent simultanément les vertus du nationalisme et de la révolution, c'est par un même mouvement qu'ils croient secouer le joug de l'étranger et devenir prospères, et comme l'étranger est l'Occident, c'est en rejetant le libéralisme qu'ils croient pouvoir accéder au rang des nations libérales. Sur la scène mondiale comme sur la scène nationale, le marxisme a de longtemps compris la faiblesse du libéralisme : ce dernier ne peut expliquer la pauvreté que par la mauvaise volonté ou la médiocrité du pauvre, tout en lui offrant le spectacle de la richesse, tandis que le marxisme lui démontre que sa pauvreté est due à la richesse d'autrui.

*

« Attaqué enfin par le marxisme, le libéralisme apparaît hésitant non seulement à risposter, mais même à se défendre : engendrant lui-même la maladie qui le ronge, comment serait-il capable de la déceler, de comprendre qu'il en meurt ?

« La raison de sa faiblesse est la même, qu'on la constate sur la scène internationale ou nationale. Le libéralisme engendre des inégalités, or il ne les souhaite pas parce qu'il se réclame de l'égale dignité de chaque individu ; mais il ne peut les condamner car elles résultent en dernière analyse de la diversité des individus et de la liberté qu'il entend leur laisser. Il se trouve donc incapable de les justifier, et s'en trouve honteux au point d'en prédire sans cesse la disparition à ses fidèles. Comme il occasionne en effer un progrès général des conditions, en même temps que leur égalisation, il ne comprend pas que tous n'accordent pas foi à ses promesses. Il ne comprend pas en particulier qu'il y en a pour préférer une égalité immédiate, qu'elles qu'en soient les conditions, à une égalité dans un avenir qu'il ne connaîtra peut-être pas. Et il comprend peut-être encore moins que c'est lui-même qui encourage à croire que les inégalités d'aujourd'hui sont le fait, non d'une invincible nature des choses, mais de la mauvaise volonté d'autrui, puisqu'il ne donne aucune raison de croire au désintéressement des autres, et au contraire toutes celles d'être sûr de leur égocentrisme.

« Ainsi il est prêt à se croire en butte à l'inimitié d'hommes préférant le pouvoir sur d'autres à leur enrichissement, ou en trouvant le moyen dans la violence. Mais il ne peut comprendre qu'il nourrit lui-même la haine dont il est objet, et que c'est au nom de ses propres principes que certains le rendent responsable de leur misère. Il se trompe donc constamment d'ennemi, et croit que l'exemple de ceux qui sont riches est sa meilleure arme contre ceux qui se croient pauvres à cause de lui.

« C'est pourquoi il ne cesse de vouloir commercer avec ses ennemis, au lieu de comprendre qu'ils le haïssent et n'ont pas pour but de l'imiter mais de le détruire, de maintenir tous les hommes sur la même ligne plutôt que de permettre à tous de s'élancer. Ce pourquoi vient lui prêter main forte la paresse, à qui il est plus agréable d'accuser autrui que soi-même : tant il est vrai qu'elle compte parmi les auxiliaires les plus secrets mais les plus puissants du despotisme de tous sur tous.

« Enfin, il faut avouer que les principes mêmes du libéralisme n'encouragent pas à trop d'héroïsme en cas de danger : pourquoi mourir pour défendre ce qui n'a de sens que si l'on vit ? »

Cinquième Partie

LES PROPOS D'UN INSENSÉ (*FIN*)
OU
L'ESPÉRANCE EST UNE VERTU

CHAPITRE PREMIER

DE LA QUESTION POLITIQUE PRINCIPALE

« J'en ai assez dit, proclama péremptoirement cet insensé, « pour qu'on comprenne que la grande et peut-être l'unique question de notre temps en matière politique, c'est de savoir comment faire confiance à ceux qui nous gouvernent.

« Cette idée est toute simple, et vous la trouverez, j'en suis sûr, bien évidente et bien ressassée. Je ne la crois pourtant ni l'un ni l'autre et je n'en vois pas de plus importante.

« Que voulez-vous en effet demander à un gouvernant ? Qu'il soit compétent ? Fort bien. Mais il faudrait que sa science fût infaillible et que vous l'éprouvassiez comme telle. Or vous ne pouvez raisonnablement exiger qu'il ait toujours raison : on ne peut demander d'être gouverné par des dieux, et qui plus est, par des dieux élus. Vous reconnaissez donc que vous ne pouvez jamais raisonnablement espérer qu'un gouvernement qui fasse le moins d'erreurs possible. Mais dès l'instant que vous lui donnez ce droit à l'erreur, n'êtes-vous pas aussitôt fondé à discuter de toutes les décisions qu'il prend, et, ce qui est plus grave encore, à douter qu'il agisse toujours de bonne foi ? Car enfin, si le gouvernement subit une politique que vous désapprouvez, que vous trouvez nocive ou inopportune, comment il ne peut, on vient de le voir, prouver qu'il a raison contre vous, c'est-à-dire qu'il y a des raisons démontrables de la suivre, comment n'en viendrait-on pas rapidement à soupçonner qu'il agit pour des motifs beaucoup plus obscurs que les raisons qu'il avance, puisqu'elles n'en sont pas ? Ne soyons pas, d'ailleurs, en reste d'impartialité : il peut vous retourner le compliment, et soutenir, avec d'ailleurs toute l'audience qu'il peut mobiliser et pas vous, que ce sont vos raisons qui sont mauvaises et vos mobiles qui sont vicieux.

« Ainsi s'engagent ces polémiques quotidiennes et stériles qui font le bonheur de ceux qui sans elles ne sauraient quoi écrire sur la première page de leurs journaux, ni sur les suivantes d'ailleurs. Les uns accusent les autres d'être vendus aux intérêts de la classe dominante, et les seconds accusent les premiers de méconnaître et leur action passée, et les contraintes internationales, et l'intérêt général du pays, et que sais-je encore. Qui des deux a raison ? Nul ne pourra jamais le dire, parce que le soupçon qu'ils sont les uns et les autres intéressés pourra toujours peser aussi légitimement sur les dires des uns que sur les actes des autres.

« Ainsi sont en somme dès leur naissance frappées d'invalidité toutes les combinaisons institutionnelles par lesquelles on s'efforce de donner un semblant de vie à la notion d'intérêt général. Si aucune n'est crédible, c'est en dernière analyse pour cette raison toute simple qu'on peut toujours tenir la mesure prise pour imparfaite, et pour imparfaite non pas parce qu'il n'en existe pas d'autre et de meilleure, mais parce que le rapport des forces politiques n'a pas permis que l'on en adopta une meilleure. Ainsi tout semble se faire par force, et rien n'a l'air de se faire par raison. Mais où qu'on porte les yeux, on ne voit que gens ignorant la gangrène qui les pousse à la tombe. Considérez ce que recommandent les libéraux, les communistes, et ces éternels hommes-sandwichs que sont les sociaux-démocrates : les premiers clament qu'ils sont nécessaires au progrès économique, qu'on devrait tenir compte de ce qu'ils versent dans la caisse percée des services sociaux ; les derniers affirment qu'ils sont seuls dignes de confondre leur poche avec les caisses de l'État ; et les sociaux-démocrates, avec leurs airs de martyrs incompris, estiment qu'il convient que les deux grandes classes qui composent nos sociétés se regardent comme des partenaires et non comme des ennemis, tout en spoliant les uns sans demander aux autres le prix de leur paresse. Mais qui dira la juste part que les uns et les autres doivent avoir ? Ou plutôt qui peut faire que les parts allouées le soient de telle manière que chacun puisse s'en aller content et sans jamais aucune arrière-pensée ? Pour rendre la santé au corps politique, il n'y a qu'un traitement : en chasser avant toute chose le soupçon, ou le sentiment que le soupçon est légitime.

« Il n'est de paix possible qu'entre hommes de bonne volonté ou de bonne foi. A moins qu'ils ne fassent preuve de bonne volonté, les hommes ne peuvent connaître de paix véritable, mais seulement des trêves ou une sorte de non-guerre, due à des équilibres momentanés. Il n'est pas d'autre terme à l'alternative : ou bien le gouvernement des hommes ne sera jamais autre chose que la domination de certains par d'autres, la société humaine que l'organisation de la lutte entre concitoyens ou entre leurs classes, ou bien il faut que les hommes réapprennent à ne plus se méfier les uns des autres.

« La question politique fondamentale de notre temps, c'est donc, me semble-t-il, de savoir à quelles conditions il est possible de restaurer dans les relations humaines la confiance qui y a, je crois, régné autrefois, l'amitié qu'on y vantait. Cela ne veut pas dire que la compétence n'y soit pas nécessaire, mais qu'il n'y a jamais assez de compétence pour que celle-ci n'ait pas besoin d'être validée par la confiance. Ainsi donc, à quelles conditions ferez-vous confiance à ceux qui vous gouvernent ?

« On peut naturellement estimer la question naïve, vide ou utopique. Libre à vous : depuis quelques siècles vous n'avez cessé en effet de vous conduire comme si elle l'était, mais peut-être conviendrait-il maintenant que vous ne vous étonniez point tellement si tant d'hommes, d'un bout à l'autre de l'échelle sociale, soient si peu satisfaits de la société que vous leur avez ainsi faite, et que leurs vœux les plus ardents ne vont plus qu'à une chose : s'affaler dans une médiocrité uniforme. »

CHAPITRE II

DU FONDEMENT DE LA CONFIANCE
ENTRE CONCITOYENS

Ce jour-là, l'insensé paraissait comme indifférent à ses propres paroles : il était tout à fait manifeste qu'il rêvait à haute voix.

« Ainsi, disait-il, ma question revient toujours : sur quoi peut se fonder cette confiance mutuelle sans laquelle il n'y a point de société entre les hommes ? Bah, on va rire : c'est tout simple, pour que les citoyens aient confiance les uns dans les autres, c'est-à-dire pour que l'opinion règne, que les lois qu'ils sont censés respecter le seront en effet, il faut et il suffit que leurs lois leur paraissent respectables. Mais il y a plus dans la formule que ce que vous y voyez, car quand je tiens quelque chose pour respectable, j'entends essentiellement que cela doit l'être tout autant pour autrui que pour moi. Ainsi des lois respectables sont encore des lois dont chacun a le sentiment qu'autrui est naturellement porté à les respecter. Je vois que vous riez déjà moins, mes maîtres, car vous avez compris que cela signifiait d'une part que nul ne peut avoir confiance en son voisin s'il n'a pas le sentiment que les lois auxquelles tous sont censés obéir ont en elles-mêmes quelque chose qui provoque un respect inconditionnel ; et d'autre part que nul ne peut avoir confiance en son voisin s'il n'a pas d'abord de bonnes raisons de croire que ce voisin est naturellement porté à agir de lui-même comme soi-même on souhaiterait qu'il agît, c'est-à-dire que nul ne peut faire confiance à autrui s'il n'a pas d'abord la certitude qu'il respecterait encore les lois communes même s'il était seul et sans voisin, ni proche, ni lointain. Disons les chose plus simplement encore : il vient d'être démontré que la confiance en mon voisin supposait comme sa condition de possibilité que les lois qui règlent notre association ne soient pas seulement issues de notre convenance réciproque, mais s'imposent à chacun de nous parce que nous y discernons quelque chose qui nous dépasse, c'est-à-dire en vérité quelque chose de transcendant. Et il vient encore d'être démontré que le vrai ressort et la condition de possibilité de la confiance que je mets en autrui est la certitude que j'ai qu'autrui est porté à s'imposer d'obéir aux lois auxquelles je veux obéir, c'est-à-dire incapable à la fois d'autonomie et d'obligation. Mais peut-être faut-il plus longuement expliquer ces choses.

« Je vous prie, mes maîtres, de rentrer en vous pour y consulter votre expérience. Feriez-vous confiance à quelqu'un dont vous sauriez qu'il ne voit dans ses engagements rien de plus que l'intérêt qu'ils avaient pour lui au moment où il les a pris, c'est-à-dire qui n'y attacherait jamais qu'une valeur conditionnelle ? Vous sentez bien que la confiance qu'on peut lui faire est directement proportionnelle à ce que ses engagements peuvent avoir de sacré pour lui, ou encore qu'elle ne peut être entière que s'ils ont pour lui une valeur absolue. Vous sentez bien au fond de vous qu'une société devient bien fragile, si tant est qu'elle soit encore une société, quand les liens sociaux tendent à devenir révocables à volonté. Vous sentez donc bien encore qu'il est contradictoire de prétendre faire confiance à quelqu'un et de n'être pas sûr de ce qu'il fera dès qu'on aura le dos tourné. Vous savez que la confiance est précisément la confiance dans ce que l'autre fera même si vous ne pouvez le voir. Vous ne pouvez donc pas ne pas tomber d'accord avec moi pour définir la confiance entre deux hommes, c'est-à-dire à rigoureusement parler, l'état de société qui règne entre eux, comme l'effet d'une double cause : la conscience qu'ils ont d'agir en vertu de lois absolues et non relatives, et la certitude que l'homme est par nature porté à s'y soumettre, c'est-à-dire à les faire siennes.

« A vrai dire, les deux conditions sont inséparables, et c'est même ce qui doit nous arrêter maintenant. Il faut qu'il y ait en moi quelque chose qui soit d'une certaine manière plus que moi sans cesser pourtant d'être moi. Il faut que, obéissant à des lois qui ne dépendent, ni des circonstances, ni de mon intérêt, ni de quoi que ce soit de contingent ou de momentané, je découvre en moi de l'éternel. Mais il faut pourtant, à peine que la loi ne soit pour moi que contrainte, ou que convenance conjoncturelle, à peine donc qu'elle me soit imposée comme un carcan et donc qu'elle ne soit pas une loi pour moi, il faut pourtant que cette loi soit mienne, que j'en sois l'auteur, que je sois mon propre et miraculeux législateur. Comment puis-je être moi et autre que moi, moi et plus que moi, voilà donc la question dont doivent sortir, comme le fleuve coule de sa source, tous les liens sociaux véritables.

« Mais j'entends encore quelqu'un suggérer qu'après tout il n'est pas nécessaire que la loi sociale soit pour moi comme un impératif, et qu'on n'a peut-être jamais encore réussi à bâtir de bonnes sociétés tout simplement parce qu'on n'a jamais encore cherché à les fonder sur certains instincts humains. Car si les lois répondaient à des instincts humains, on pourrait être sûr que l'obéissance civile ne ferait jamais question. Je répondrai seulement qu'il n'est pas sûr que ce qu'il y a d'instinctif en l'homme ne le dresse pas contre l'homme (l'amour n'est-il pas l'occasion de bien des haines ?), et que de toute manière la question est sur l'impossible : l'homme n'est pas une abeille ou une fourmi, il est condamné — en principe — à la conscience de soi, c'est-à-dire à n'agir que volontairement, c'est-à-dire encore à se donner constamment des lois, ne serait-ce que les objets que sa volonté se fixe pour buts.

« Il est clair à nouveau que l'intérêt personnel ne saurait, d'autre part, constituer le principe d'un engagement inconditionnel à aucune règle particulière : il peut toujours venir des circonstances où le contenu de cette règle contredise mes intérêts (1). Se pourrait-il alors, dira-t-on encore d'une manière tout à fait différente, que l'homme soit source d'une loi qui puisse passer à ses propres yeux pour inconditionnelle ? Se pourrait-il qu'il fût dans la nature de la liberté humaine de s'imposer une loi qui, à vrai dire, puisse seule être considérée comme inconditionnelle, n'y ayant de loi pour une liberté que celle que cette liberté se donne ? C'est l'idée sous-jacente au libéralisme philosophique authentique, bien qu'il n'y ait que peu d'esprits à en avoir pris conscience. Mais j'avoue que je ne crois pas qu'il puisse faire qu'un homme engendrât quelque chose de susceptible de lui donner ensuite le sentiment d'une transcendance par rapport à soi. Le simple fait qu'il soit conscient d'en être l'auteur — et comment ne le serait-il pas ? — lui interdit logiquement d'éprouver ce sentiment ; son œuvre peut lui échapper une fois offerte aux regards des autres, comme lui échappe le destin que lui réserveront des générations qu'il ne connaît pas : mais cela ne suffit point à en faire la vivante et manifeste preuve que quelque chose d'autre que lui s'est incarné en elle. Il est assurément essentiel de définir l'homme comme un être capable d'obligations : encore faut-il que la norme qu'il s'impose soit immuable si l'on veut que l'obligation que l'on a envers elle inspire une confiance sans réserve.

---

(1) On peut remarquer que c'est la question que Jean-Jacques Rousseau s'était posée sans le savoir : comment être citoyen, disait-il, tout en restant personne privée...

« Ainsi la double nécessité de la transcendance et de son incarnation constitue l'immuable obstacle sur lequel viennent régulièrement buter les éthiques qui sacralisent le commandement, l'aiment et le révèrent d'autant plus qu'il paraît tomber d'un ciel imprévisible menaçant et sans appel ; mais aussi les éthiques qui, autant pour illuminer les cieux que pour rendre l'homme digne de les contempler, veulent qu'il puisse être à soi seul source de transcendance : la vieille logique grecque avait perçu le double danger pour l'homme d'une humilité excessive et finalement avilissante et d'un orgueil aux ambitions illimitées, et avait à l'avance, renvoyé dos à dos le dieu des juifs et la liberté des athées.

« Ainsi donc encore un effort, mes maîtres, si vous ne voulez pas être communistes : nous touchons au terme du raisonnement. Car les données du problème sont tellement déterminées qu'une seule solution y satisfait. Pour qu'il y ait société entre les hommes il faut supposer qu'il existe au cœur de chacun une loi qui soit la même pour tous, qui soit bien plus que le produit de leur volonté, et qui soit tellement conforme à leur nature qu'ils s'en puissent pleinement considérer comme les auteurs. Il faut supposer qu'il existe en moi une loi qui soit ma loi sans cesser d'être la loi de chacun des autres hommes. Transcendance parfaite, elle demeurerait indifférente au soi ; immanence intégrale, elle ne pourrait fonder le sentiment de l'absolu : il faut qu'elle soit comme un dieu caché au sein de chacun, mais comme un dieu qui, par un mystère qui est peut-être le mystère philosophique par excellence, ne fait qu'un avec l'être même en qui elle s'incarne. Ce qui, si l'on transforme l'hypothèse en précepte, signifie que toute société authentique entre les hommes suppose que les lois de leur association prennent cette loi pour loi fondamentale qu'aucune des autres ne doit jamais venir contredire.

« Vous me demanderez sans doute : mais quelle est donc cette loi ? Je crois la réponse susceptible de donner matière à de gros livres et, dans le même temps, très simple. Car s'il y a quelque chose, au plus profond de moi, qui soit moi et qui soit pourtant plus que moi, ce ne peut être que ce que je suis en tant que je suis plus que mon être individuel, changeant, passionnel et capricieux. Seul est moi tout en étant plus que moi mon être en tant qu'il participe de quelque chose qui le dépasse et qui pourtant s'hypostasie en moi. Or cela peut-il être autre chose que la forme générale de l'humanité, mais l'humanité étant l'homme en tant qu'il est appelé, tiré vers le haut, vers le modèle qui bien qu'étant homme est néanmoins beaucoup plus que tout ? Si cette humanité n'était que l'homme générique, l'homme moyen, que le plus petit commun dénominateur entre les hommes, si je commençais par la définir comme n'étant pour l'essentiel rien de plus que ce que je suis en tant qu'homme particulier, si elle ne tirait sa valeur que de ce qu'elle incarne entre autres mon être même, en d'autres termes si ce que je respectais en elle c'était d'abord moi, alors il serait clair, me semble-t-il, que toute société ne serait qu'un artifice provisoire par lequel les égoïsmes donnent momentanément naissance à une paix précaire, et à une sociabilité sans nul avenir : car il est clair que cette humanité ne peut constituer cette norme absolue sans laquelle il n'est pas d'engagement inconditionnel, et donc pas de société. Il faut donc que je conçoive l'humanité en moi comme porteuse de quelque chose qui ne dépende en rien de moi ni de n'importe quel homme, c'est-à-dire qui soit transcendant à moi et à tous les autres hommes avec moi, mais qui pourtant soit en moi et en chacun d'eux de telle sorte qu'elle me constitue, comme chacun d'eux, en un sujet digne d'un respect absolu. Il faut donc supposer en moi quelque chose qui, bien qu'adéquat à la contingence de mon être, y incarne la présence de quelque chose qui échappe à cette contingence ; il faut supposer que tout homme comme tel participe d'une réalité suprême qui se trouve être ainsi sa vraie nature, qu'il détient en lui quelque chose qui subsiste lors même que les contingences individuelles s'anéantissent.

« Je ne crois donc pas que vous puissiez trouver à redire à cette conclusion à laquelle je ne découvre pas de faille logique : si la condition première de toute société possible est la confiance que les hommes peuvent se porter, et si cette confiance à son tour suppose que tout homme apparaisse à soi-même et apparaisse aux autres comme une créature digne de respect, cette condition peut encore s'énoncer comme le fait que l'homme est un être capable de vérité, capable de la rechercher, capable de l'aimer et capable de la respecter. Car qu'est-ce que la vérité sinon une réalité qui est d'après son concept susceptible de convaincre l'intelligence, de satisfaire le cœur et de dissiper tous les doutes de l'homme ? Qu'est-ce donc que la vérité sinon ce que tous respectent dès qu'elle leur apparaît ? Qu'est-ce donc encore que la vérité sinon ce que l'homme respecte toujours et partout, et donc aussi en autrui ?

« Ne me faites pas prétendre que l'homme ne peut être sociable que s'il fait d'abord le sacrifice de tout ce qu'il a d'unique et d'irremplaçable, et en quoi se marque sa personnalité. Je n'entends point, comme les doctrinaires du totalitarisme ont voulu le faire, le priver de soi pour mieux en faire le porteur du tout : j'entends seulement que la personnalité d'un homme existe seulement comme la manière unique dont la vérité s'incarne en un individu particulier. Ce qui signifie d'abord qu'à trop exalter la différence d'un homme à un autre, à mesurer, comme on le fait en nos siècles, la richesse d'une personne à ce qu'elle a d'irréductible à toute autre, je crois qu'on tarit la source même de toute personnalité comme de toute société. Car on ne peut différer d'autrui que si on lui ressemble aussi : c'est parce que l'homme unique peut être perçu partout comme un homme qu'il apparaît unique ; la différence à l'état pur n'est que démence, et le plus singulier des originaux n'est une personne que parce qu'il porte en lui la forme entière de l'humaine condition. Je crois qu'on l'oublie trop aujourd'hui, où l'on veut à toute force l'épanouissement individuel, mais où l'on ne comprend plus que cet épanouissement est d'abord maîtrise individuelle d'un fond commun à l'humanité : la personnalité ne se nourrit pas du culte exclusif de la subjectivité. En outre si la personnalité d'un homme consistait seulement dans sa différence, il est clair, sans de longs discours, que cela reviendrait à dire que les hommes ne sont pas des êtres sociables, même s'ils éprouvent momentanément quelque intérêt, quelque désir ou quelque passion à être ensemble. Si les hommes sont à la fois chacun une personne unique et tous sociables, ce ne peut être qu'en tant qu'ils constituent la réfraction, selon des modalités qui sont justement le propre de l'individu, de l'humanité dont ils sont tous porteurs.

« Mais cette même idée ne signifie pas non plus qu'il faille ne considérer l'individu que dans sa capacité à incarner un universel : c'est là l'erreur symétrique de la précédente, et tout aussi funeste et à l'individu et à la société. Car à ne voir en l'homme que le porteur de l'étincelle divine, on finit par lui ôter toute réalité en tant qu'être de chair et d'os, et à ne plus comprendre sa réalité d'individu comme consistant précisément dans la manière toute particulière dont l'universel s'incarne en lui ; et en même temps on s'interdit de jamais voir dans le lien social un lien de complémentarité, dans une société une organisation différenciée : les hommes ne sont alors sociables que parce qu'ils sont des indiscernables.

« Si vous voulez donc qu'une société soit possible où les hommes soient différents et pourtant aiment à vivre ensemble ; il faut renvoyer dos à dos la définition de la personne et comme singularité absolue et comme universel en acte, il faut supposer que chaque homme réfracte, mais à sa manière, et par conséquent de manière essentiellement différente, donc inégale, une même transcendance.

« Me direz-vous que cette transcendance demeure encore un simple titre, un mot, et que je serai bien embarrassé de lui donner un contenu ? Pas comme vous le croyez, mes maîtres. En effet, ainsi que Platon l'a dit, il n'est probablement pas possible de décrire la transcendance mais seulement le mouvement qui porte l'homme vers elle et qui en l'homme porte un nom tout simple, sa pensée. Ainsi on pourrait dire que la condition de possibilité de toute société entre les hommes, c'est finalement qu'ils se conçoivent tous réciproquement comme des êtres pensants. Car nul homme ne penserait s'il n'était pas par nature porté à rechercher un intelligible, et la simple existence de la fonction suppose l'existence de son objet. Mais cet objet lui-même n'est pas si mystérieux que vous le croyez : pendant des siècles on a cru par exemple que les notions de bien ou de mal, avec tout ce qu'elles pouvaient comporter d'ailleurs d'obscur et d'énigmatique, constituaient quand même un phare suffisant pour guider les hommes au travers de toutes les tempêtes. Je crois pouvoir demander à présent qu'on me montre que le sens moral n'est pas finalement la condition première, toute simple mais toute nue, de la sociabilité humaine, c'est-à-dire de toute société entre les hommes qui ne soit le produit ni d'un caprice passager ni d'un intérêt changeant. Que si vous n'aimez pas les mots, je vous dirais encore que la chose porte d'autres noms, qu'on peut l'appeler indifféremment le sens de l'honneur, la vertu d'humilité, la capacité d'intériorité, le sentiment de la dignité humaine, le sens de la responsabilité, et peut-être finalement surtout la capacité d'autonomie de l'homme : ainsi toutes ces choses qui à les bien prendre ne sont que des formes du sens moral, peuvent être considérées comme les seuls véritables fondements de toute société possible.

« Car le sens moral, on l'a vu, c'est d'emblée une distance de soi par rapport à cet autre soi que l'on prend comme modèle : c'est donc comme une sorte de tribunal intérieur à soi, auquel on a donné le nom de conscience. Mais qu'est-ce que l'honneur, au moins dans son principe, sinon l'obéissance à une norme intérieure que l'on place au-dessus de sa vie même et donc de soi ? Sous le prétexte que l'honneur a souvent pris des formes bizarres, surprenantes ou même résolument absurdes, on a voulu réduire le sens de l'honneur au respect de certaines conventions sociales et donc au prix que devait y payer un individu pour montrer son appartenance au groupe social qui les définissait comme ses lois propres. Rien n'est plus loin du vrai sens de l'honneur, qui, dans ce qu'il a d'essentiel, tient tout entier dans la valeur que l'on donne à sa parole, à la promesse que l'on fait : un homme d'honneur est d'abord un homme qui tient ses engagements, un homme qui peut promettre. C'est pourquoi l'homme d'honneur est aussi un homme qui a d'abord le respect de soi ; alors seulement, mais il s'agit là d'une conséquence et non du principe même des choses, l'honneur devient souci que nul ne doute de la valeur de l'homme capable d'être fidèle à sa parole, souci que nul n'en doute ; seulement alors l'homme d'honneur devient pointilleux, et son scrupule de prendre les formes extrêmes qui le feront passer pour une affectation et une sorte de snobisme. Aussi, loin d'être obéissance absurde à une loi arbitraire, l'honneur est-il d'abord affirmation d'une capacité à se transcender soi-même qui est apparentée de très près au sens moral : car il n'est pas de transcendance de soi par rapport à soi qui ne tire sa force de la capacité de transcendance que donne à l'homme, la présence en son esprit de l'idée de vérité en général et l'idée de morale en particulier. Ainsi je n'hésite pas à voir dans le sens de l'honneur une des formes les plus exaltées de la sociabilité humaine.

« Mais il en va encore de même de la capacité de l'homme à avoir une intériorité. L'intériorité est une position de soi par rapport à quelque chose qui est en soi, mais de quelque manière et par définition au-delà du soi qui perçoit cette profondeur en s'estimant en surface par rapport à elle, sans cesser pourtant, puisque ce quelque chose fait partie du soi, quoiqu'à plus grande profondeur, d'être aussi une autre forme du soi : il n'y aurait pas d'intériorité si le soi par rapport à quoi on se situe était radicalement extérieur à soi. Et il est clair que la profondeur intérieure s'accroît à mesure que la distance se creuse entre le soi et cet autre soi que le premier perçoit comme son cœur intime : elle sera donc la plus grande lorsqu'elle sera celle d'une transcendance par rapport au soi, c'est-à-dire lorsque le soi intime sera ressenti comme une norme, un modèle, un idéal à la fois infiniment exigeant et infiniment lointain. La dimension intérieure d'un homme est donc d'autant plus frappante, pour lui comme pour les autres, qu'il met de distance entre son soi manifeste et celui qui le consume comme un soleil intérieur inaccessible même s'il en approche sans cesse plus près. C'est ainsi que l'intériorité n'est encore autre chose qu'une forme de l'humilité. Mais dans cette humilité même réside encore le vrai principe de la capacité à se considérer comme véritablement l'auteur de ses propres actes, donc aussi l'origine du sentiment de responsabilité individuelle, ainsi que le principe de l'estime de soi, c'est-à-dire finalement la dignité individuelle : car nul ne peut avoir d'estime de soi ou de respect de soi qui ne se connaît pas comme l'auteur de ses actes.

« Mais tout cela ne revient-il pas encore à dire tout simplement que le plus sûr garant de la sociabilité de l'homme, c'est sa liberté même, pourvu que par liberté on entende précisément une capacité à prendre suffisamment de distance par rapport à soi, pour être sûr que la décision arrêtée l'est véritablement en toute liberté, c'est-à-dire en dehors de toute contrainte d'un instinct, d'une passion, d'un autre homme, ou de circonstances extérieures. Ainsi la liberté est le fondement de la société, quand elle est comprise comme autonomie, comme obéissance à cela seul qui est pour l'homme digne d'obéissance, parce que cette obéissance n'ôte rien à sa liberté, et qui n'est donc autre que la moralité même. Loin que la véritable société commence avec une forme d'aliénation de chacun à la totalité, la sociabilité n'existe que comme cette grâce qui vient s'ajouter miraculeusement en chacun à sa liberté même. Au contraire, on peut commencer à douter qu'il y ait jamais société entre deux hommes quand l'un n'a plus d'autre norme que celle que l'autre lui donne, quand tous les deux jugent être de bons citoyens en ne se considérant comme responsables que devant les autres. La société des hommes disparaît en même temps que l'idée que le vrai fondement de leur sociabilité commune est en chacun, mais comme une vérité qui leur est commune à tous, qu'aucun n'a fabriquée, et que tous peuvent découvrir en regardant au fond d'eux-mêmes.

« Je ne peux, quant à moi, qu'approuver F. A. Hayek de proclamer comme il l'a fait récemment : ce que je considère comme ma tâche essentielle à présent est de comprendre que ce n'est pas seulement à notre intelligence que nous devons de pouvoir nourrir deux cents fois plus de gens qu'il n'en existait sur terre il y a cinq mille ans, mais qu'il existe un deuxième héritage aussi important, qui consiste essentiellement dans la croyance en la propriété, l'honnêteté et la famille... trois choses que j'ai quelquefois appelées des superstitions et que je ne préfère appeler maintenant des vérités symboliques ». Et je ne peux que l'admirer de conclure : « Nous devons retourner à un monde où notre vie est guidée non par la seule raison, mais par la raison *et* la morale, en partenaire égaux, où la vérité de la morale est tout simplement celle d'*une* tradition morale, celle de l'Occident chrétien qui a façonné la morale de la civilisation moderne. » (1) J'approuve et j'admire, parce que ce qu'il avoue là est que le système économique libéral, seul système à être, je l'ai assez dit, véritablement efficace, a pourtant besoin pour l'être d'une norme dont il reste à savoir s'il ne conduit pas lui-même à la contester sans cesse. »

(1) Conférence reproduite dans le *Figaro-Magazine* du 10-3-1984.

POSTFACE

Les auteurs voudraient souligner, à leur façon, que la philosophie ne vaudrait pas une heure de peine, si elle ne cherchait à aider les hommes à vivre : une théorie authentique implique une pratique. En songeant tout particulièrement à la France, modèle typique d'un régime libéral rongé par divers socialismes, ils sont tombés d'accord sur un certain nombre de propositions concrètes, dont l'application pourrait, croient-ils, améliorer le sort des sociétés occidentales (1). Ces propositions ne constituent pas une conclusion, mais donnent un exemple des conséquences pratiques qui peuvent être tirées de leurs analyses.

I

Tout régime libéral doit comporter une *Loi suprême,* inscrite dans un Préambule à la Constitution de l'État, qui définit les grandes finalités du régime, les grands principes moraux et politiques sur lesquels la communauté politique est fondée. Cette Loi suprême est supérieure à l'exercice du pouvoir souverain. Elle ne saurait être remise en question, ni sous aucun prétexte, ni par per-

---

(1) On sera peut-être surpris que celui des deux auteurs qui est le plus critique du libéralisme croie à la possibilité de le réformer : aussi bien croit-il d'abord à la nécessité d'une refonte complète du système de nos sociétés. Mais il croit aussi que ces grands bouleversements s'accomplissent d'eux-mêmes, parce qu'ils sont conformes à la nature des choses, et non parce que quelques hommes les auront voulues. Et ainsi, la politique du pire lui paraissant la pire des politiques, il lui semble raisonnable et même nécessaire d'agir aussi avec les moyens que son temps lui permet de prendre. Le libéralisme étant pour lui une philosophie hybride dont les principes lui semblent ignorer la nature des choses, mais où résonne encore pourtant comme l'écho de cette nature, pourquoi étouffer cet écho qui meurt ?

sonne. L'enfreindre, la mettre à l'écart, entraîne la dissolution de la communauté nationale.

A chaque État libéral de formuler, pour ce qui le concerne, cette Loi suprême, en fonction de la culture et des mœurs qui l'installent dans des institutions politiques. Cette Loi signifie, en tout État libéral, que sa politique est une politique morale, qu'elle est fondée sur le *credo* moral minimum, qui constitue les règles fonctionnelles *sine qua non* de vie en communauté politique pour des individus libres d'une liberté réfléchie, morale et raisonnable.

Ces règles minima, proprement libérales, affirment que chaque individu dispose, dans les limites d'un état de droit, d'un droit inaliénable à une vie privée, et que l'État est, en droit et en fait, incapable de se substituer à lui dans toutes les tâches qui relèvent de sa liberté. Ces tâches s'expriment sous la forme des libertés fondamentales : liberté de pensée, de croyance et d'expression, liberté d'éducation, liberté de se déplacer et d'émigrer, liberté économique, liberté de la propriété privée, liberté d'initiative, d'entreprise et de responsabilité, protection contre tout arbitraire.

Cette Loi est suprême, parce qu'elle dit que la liberté humaine, dans ce qu'elle a de fondamental et de pratique, est au-delà des prises de l'État et de n'importe quel citoyen, qu'il soit gouverné ou qu'il gouverne.

II

Le rôle d'un Conseil constitutionnel, véritable Cour suprême doit être accru et renforcé :

1) Au contrôle préalable à leur application qu'il exerce sur la constitutionnalité des lois, à la demande des pouvoirs exécutif et législatif, il convient d'adjoindre un droit de saisine exercé par un groupe important de citoyens mettant en question, même une fois qu'ils ont été mis en application, la conformité de telle loi ou de tel décret en vigueur avec la Loi suprême.

2) Les membres de la Cour suprême doivent être choisis pour les preuves qu'ils ont données, au cours de leur carrière, de leur modération, de leur rigueur morale, de leur sens de l'honneur, de leur sens de l'État, et sur le fait qu'ils ont toujours évidemment préféré le bien public au bien particulier de leur parti ou de leur groupe.

3) La validité juridique des demandes de référendum émanées de la population sera acceptée ou rejetée par la Cour suprême.

III

Les *consultations électorales* de l'opinion publique doivent être organisées de telle sorte qu'elles échappent, autant que faire se peut, aux aléas des événements et aux artifices des scrutins.

1) Les mandats doivent être brefs, cinq ans non renouvelables pour le président de la République ou quatre ans, si celui-ci est une fois renouvelable — quatre ans pour les membres de l'Assemblée législative.

Ces consultations électorales seront espacées dans le temps (au moins six mois ou un an d'intervalle). En aucun cas, elles ne pourront être simultanées. Ainsi seront-elles dégagées des réactions de l'opinion publique à un événement ponctuel après tout et toujours circonstanciel.

2) Au Sénat doivent être restitués des pouvoirs législatifs identiques à ceux de l'Assemblée législative, la longueur du mandat des sénateurs étant compensée par leur renouvellement par tiers. Il est absurde de limiter les droits d'une Assemblée dont la modération et la sagesse sont reconnues dans une longue histoire.

3) Le mode de scrutin devrait être choisi de telle sorte qu'il donne une image fidèle de l'opinion et, cependant, qu'il rende possible un fonctionnement efficace de l'État.

Dans le cadre de la France, le scrutin majoritaire, qui provoque une coupure artificielle de la France en deux, favorise les positions extrêmes au détriment des modérées, exagère les mouvements de l'opinion et provoque, à chaque échéance, la menace absurde d'un bouleversement radical de société ; il se révèle insupportable à l'usage. Il est indispensable qu'un scrutin proportionnel, au moins pour une large part des sièges, rende aux minorités un droit d'expression et donne de l'opinion une image plus véridique. Sous prétexte d'efficacité, le scrutin majoritaire rend possible une omnipotence dont on peut manifestement abuser.

On peut imaginer que le droit de vote politique comporte, pour chaque citoyen, une voix affectée à l'échelle nationale à la représentation d'un parti, et une voix affectée, à l'échelon provincial ou départemental, à la représentation des objectifs et des intérêts locaux.

4) Les modifications à la Constitution doivent être votées à une majorité qualifiée (les deux tiers, les trois cinquièmes ?) par chacune des deux assemblées législatives.

IV

La représentation des groupes de pression doit être organisée et intégrée de manière efficace aux institutions.

1) A cet effet, le nombre des sénateurs sera accru : aux sénateurs actuels, qui composent le Grand Conseil des communes de France, seront adjoints (par exemple, en nombre égal ou dans une proportion des deux tiers) des représentants des grands groupes de pression culturels, économiques, sociaux, qui ainsi participeront effectivement au travail législatif. Le nombre des représentants de chacun de ces groupes sera défini de façon que tous puissent être utilement représentés. Ainsi sera disqualifiée et rendue inutile toute hiérarchie parallèle à des pouvoirs de fait.

2) Pour résoudre le problème d'une représentation mérécratique, on accordera à chaque citoyen non seulement des droits de vote politiques (à titre de citoyen) mais aussi des droits de vote spécifiques (à titre de membre d'un groupe culturel, économique ou social).

V

La procédure du *referendum* sera élargie, comme c'est le cas en Suisse, et organisée, non seulement sur la décision du gouvernement, mais à la demande d'une fraction importante de la population, sur des questions précises dont la Cour suprême appréciera le bien-fondé lorsqu'il sera estimé que des droits fondamentaux seront mis en question par la politique des gouvernants au pouvoir.

VI

Dans le cadre un et indivisible de la République, il est institué des provinces auxquelles une large autonomie régionale est reconnue sur le plan culturel, financier, économique, social.

L'organisation et la gestion des services publics seront réparties entre les provinces dans le cadre des lois et principes de la nation, chaque fois que cette répartition répondra à l'esprit et à la vie des provinces en même temps qu'à l'efficacité des travaux entrepris. Les ressources financières seront réparties proportionnellement aux charges de l'État et des provinces.

Par exemple, le monstrueux et ingouvernable service de l'actuelle Éducation nationale sera réparti entre les provinces (les Universités pourront enfin devenir concurrentes, etc.).

VII

Les groupes révolutionnaires, les groupes non loyalistes, qui refusent la Loi suprême de la nation et la Constitution établie, faute de pouvoir participer honnêtement au consensus profond qui rend l'État légitime, ne peuvent pas, en principe, sans en fausser le fonctionnement, être représentés dans les Assemblées, ni prendre part au Gouvernement. Néanmoins, ils pourront être tolérés en fait, lorsque leur peu d'importance les rend sans danger pour la santé de l'état et de la nation.

TABLE DES MATIÈRES

Troisième Partie
L'ÉTAT LIBÉRAL

CLAUDE POLIN

LE LIBÉRALISME
PÉRIL

Première Partie
IL ÉTAIT UNE FOIS LA LIBERTÉ
(petite histoire de l'idée de liberté)

Deuxième Partie
LES PROPOS DE LA SAGESSE CONTEMPORAINE,
OU LES VERTUS DE L'ÉCHANGE

Troisième Partie
LES PROPOS D'UN INSENSÉ,
OU LES DILEMMES DE L'ÉCHANGE

Quatrième Partie
LES PROPOS D'UN INSENSÉ *(suite)*,
OU L'ARBITRE TRICHE TOUJOURS

Cinquième Partie
LES PROPOS D'UN INSENSÉ *(fin)*,
OU L'ESPÉRANCE EST UNE VERTU

Cet ouvrage a été réalisé sur
Système Cameron
par la SOCIÉTÉ NOUVELLE FIRMIN-DIDOT
Mesnil-sur-l'Estrée
pour le compte des Éditions de la Table Ronde
le 19 avril 1984

Imprimé en France
Dépôt légal : avril 1984
Nº d'édition : 2188 – Nº d'impression : 0884
ISBN 2-7103-0191-1

2188